# SCIENCE
# FICTIONS

## SCIENCE FICTIONS
: Exposing Fraud, Bias, Negligence and Hype in Science
by Stuart Ritchie

Copyright © Stuart Ritchie 2020
Japanese translation rights arranged with Janklow & Nesbit (UK) Ltd
through Japan UNI Agency, Inc., Tokyo

# SCIENCE

# FICTIONS

**SCIENCE FICTIONS**
: Exposing Fraud, Bias, Negligence and Hype in Science
by Stuart Ritchie

# Science Fictions

## あなたが知らない科学の真実

スチュアート・リッチー 著 矢羽野薫 訳

ダイヤモンド社

キャサリンへ

今は「それが」科学的な事実だ。
紛れもない「証拠」はないが、科学的な事実である。

『ブラス・アイ』

日本版の刊行にあたって、
日本語訳にした注の一部は近くのページに、出典などが中心の注は各章末にまとめた。
いずれも原著では同じ Note としてまとめられている。

# 序文

否定より肯定に心を動かされ、喜びを覚えるのは、
人間の理解力に特有の絶え間ない誤りである。
——フランシス・ベーコン『ノヴム・オルガヌム』（1620年）

2011年1月31日、大学生に超能力があることが世界に知れ渡った。

その日、新しい科学論文が話題を集めた。1000人以上を対象にした実験で、超感覚的知覚で未来が見える「予知能力」の証拠が見つかったのだ。どこかの酔狂な変人の論文ではない。執筆者は、アイビーリーグのコーネル大学のダリル・ベムという一流の心理学教授だった。し

かも無名な科学雑誌ではなく、心理学の世界でも権威ある主流の学術誌に、査読を経て掲載されたのだ。[1] それまで完全に不可能と考えられていた現象を、科学が公式に承認したかのようだった。

当時、エディンバラ大学の博士課程で心理学を学んでいた私は、ベムの論文をじっくり読んだ。彼がおこなった実験の1つは次のようなものだった。参加者の学部生に、カーテンの画像が2枚表示されたコンピュータ画面を見せて、カーテンの後ろに別の画像が隠されていると思うほうを選んでクリックさせる。情報は何もなく、推測するしかない。クリックするとカーテンが消えて、選択が正しかったかどうかがわかる。これを36回繰り返して実験は終了した。

果たして結果は驚くべきものだった。カーテンで隠されている画像が椅子など当たり障りのないものの場合、正解率は49・8%。ほぼ完全にランダムだった。ところが——ここから話は妙な方向に進む——カーテンの後ろがポルノ写真の場合、偶然よりわずかに高い確率で正解を選ぶ傾向が見られたのだ。正解率は53・1%。「統計的有意性」の基準を満たしていた。ベムは論文で、無意識のうちに進化した精神的な性欲が、エロティックな画像が映し出される前から、学生たちを少しずつ画像へと向かわせていたのではないかと示唆した。[2]

ほかの実験はそこまであからさまではないが、不可解さは変わらなかった。ある実験では、まず、関連性のない40個の単語が1個ずつ画面に表示される。その後、抜き打ちで記憶力テストをおこない、学生はできるだけ多くの単語を思い出してキーボードで入力する。続いてコンピュータが無作為に20個の単語を選び、もう一度学生に見せて、実験は終了した。その結果、記憶力テストでは「これから見ることになる」20個の単語について、より覚えている傾向が見られた。テストの後に自分がどの単語を見ることになるかは、超能力的な直感が働かないかぎり、知りようがなかった。ベムはそう述べている。

つまり、試験前に勉強して、試験を受けて、試験後にあらためて勉強すると、時間をさかのぼって試験の成績が良くなる、ということらしい。物理の法則が破棄されないかぎり、時間は一方向にしか流れず、原因は結果の前に起きると考えられている。しかし、ベムの論文が発表されたことによって、これらの奇妙な結果が科学文献の一部となった。

重要なのは、ベムの実験が実にシンプルなもので、複雑な設定はせいぜいデスクトップコンピュータの画面程度だったことだ。

もしベムが正しければ、研究者は誰でも、彼の指示どおりに実験をおこなえば超常現象の証拠を得られるはずだ。私のようにリソースがほとんどない博士課程の学生でもできるはずだ。だから私は実験することにした。そして、やはり結果に懐疑的だった2人の心理学者、ハートフォードシャー大学のリチャード・ワイズマンとロンドン大学ゴールドスミス・カレッジのクリス・フレンチに連絡を取った。私たちはそれぞれの大学で、単語の記憶力テストの実験を3

2　学生には「避ける」能力も備わっていた。カーテンの後ろに暴力的な絵があると心理的に避けようとするらしく、正解率はわずか48・3％だった。ここでもまた、純粋な推測とは統計的有意性が異なる。

回ずつ再現することにした。数週間をかけて参加者を募り、記憶力テストを終えてから、実験の目的を説明した。彼らの困惑した表情はさておき、実験の結果は……超常現象は起きなかった。私たちの実験に参加した大学生は超能力者ではなかった。記憶力テストの後に見ることになる単語かどうかで、記憶力に違いはなかったのだ。物理の法則は安泰のようだ。

私たちは実験結果を正式な論文にまとめ、ベムの論文が掲載された『ジャーナル・オブ・パーソナリティ・アンド・ソーシャル・サイコロジー』に提出した。しかし、ほぼ瞬時に扉は閉ざされた。編集長は2、3日で私たちの論文を却下し、過去の実験を繰り返した研究は、元の実験と同じ結果であってもなくても、一切掲載しない方針だと説明した。[3]

不当な扱いではないか。この学術誌は、きわめて大胆な主張を展開する論文を掲載したのだ。それが事実であれば、心理学者にとって興味深いだけでなく、科学に大革命をもたらすような主張だ。論文はサイトで公開され、一般のメディアでも大いに話題になった。ベムが深夜のトーク番組『ザ・コルバート・リポート』に出演した際は、「ポルノ写真の時間旅行」[4]というキャッチーな言葉が司会者から飛び出した。しかし、その発見に疑問を呈するような再現実験の論文について、編集者たちは掲載を検討しようとさえしなかった。[5]

もうひとつ、科学の慣行に憂慮すべき問題を提起する出来事が明らかになった。(『ネイチャー』に続いて)世界で最も権威ある科学誌の1つとされる『サイエンス』に、オランダのティルブルフ大学の社会心理学者ディーデリク・スターペルの論文が掲載された。タイトルは「混沌との闘い」。実験室と街頭でおこなわれたいくつかの研究から、より散らかった環境や汚れた環境では、人はより多くの偏見を示し、より多くの人種的ステレオタイプを支持することがわかったという。[6] これを含むスターペルが執筆した数十本の論文は、世界中のメディアをにぎわせた。『ネイチャー』のニュース配信サービスは「混沌はステレオタイプ化を促進する」と報じ、『シドニー・モーニング・ヘラルド』紙は「ゴミあるところ人種差別あり」[7] とうそぶいた。この結果はスターペル自身も書いているように、「明確な政策的意味合い」を持つわかりやすい知見を示すという、社会心理学の典型的な例でもある。この場合は「環境に起因する障害を早期に診断し、直ちに介入する」[8] という提言だった。

問題は、事実が何ひとつなかったことだ。スターペルの同僚たちが、実験結果が完璧すぎることに疑念を抱き始めた。しかも、スターペルのような上級の研究者は多忙をきわめ、普通はデータ収集などの雑務を学生に任せるが、スターペルはみずから外に出てデータを集めたらしい。2011年9月に複数の研究者が大学に告発し、スターペルは停職になった。続いて複数の調査がおこなわれた。[9]

スターペルは後に自叙伝で、研究のためのデータを集める代わりに、夜遅くまでオフィスやキッチンのテーブルに座って、自分が想像する結果に必要な数字をスプレッドシートに入力し、ゼロからすべてをつくり上げたと告白している。「私はとんでもないことを、おそらく非常に不快なことをした」「研究データを捏造し、ありもしない研究を捏造した。私が1人でやったことで、自分が何をしているのか、よくわかっていた。何も感じなかった。嫌悪も、恥も、後悔もなかった」[10]。彼の科学的詐欺は驚くほど精巧だった。「研究をおこなった学校、実験について話し合った教師、私がおこなった講義、提供した社会科の授業、実験の参加者にお礼として配ったプレゼント、すべて私がでっち上げた」[11]

実験の参加者に記入してもらうワークシートを印刷し、同僚や学生に見せて、調査に出かけると告げた……そして、誰も見ていないところで紙をリサイクルに出した。そんなことを続けられるはずがない。調査の結果は明白だった。スターペルは停職処分から間もなく解雇された。以来、彼の研究のうち少なくとも58件がデータの捏造を理由に撤回され、科学の記録から抹消された。

尊敬されている教授が、あり得ないと思われる結果（ベム）や明らかに不正な結果（スターペル）を発表したことは、心理学の研究に、さらには科学全般に衝撃を与えた。一流の学術誌が、なぜこのような論文の発表を許したのか。ほかにも信頼できない研究がどのくらい出版されてきたのか。これらのケースは、私たち研究者が科学をどのように扱うかという、はるかに大きな問題を提起する申し分のない例になった。

いずれのケースも、再現性が最も重要な問題だった。科学の発見が真剣に扱われるためには、偶然の産物であってはならず、装置に不具合があってはならず、科学者が不正や偽装をおこなうことは許されない。実際に起きたことでなければならないのだ。そして、実際に起きたことなら、原理的には、私も概ね同じ結果を得られるはずだ。多くの意味でそれが科学の本質であり、世の中について知るためのほかの方法とは異なる点でもある。言い換えれば、再現できないものは、科学的におこなったとは主張できない。

したがって、ベムの実験が信頼できないことも、スターペルの実験が彼の想像の産物であることも、それほど大きな問題ではない。多少の失敗や偽りの結果は、いつの時代にもあるものだ（残念ながら、詐欺師もどこにでもいる）[12]。本当に問題なのは、これらの状況を科学界がどのように扱ったかということだ。私たちがベムの実験の再現を試みたことは、オリジナルの実験を掲載した学術誌からぞんざいに却下された。スターペルの場合は、彼の発見を再現しようと試みた人さえいなかった。つまり、科学界はこれらの結果の永続性を確認することなく、大胆な主張を額面どおりに受け取るという意思表示をしたことになる。結果の再現性についてダブルチェックがおこなわれないのなら、単なるまぐれや捏造ではないことを、私たちは知りようがない。

悪名高い研究から数年後のインタビューでベム自身が語ったことは、再現性に対する多くの科学者の考え方を簡潔に述べている。「厳密さが大切であることは全面的に支持するが、私に

12 科学の進歩は、過去の研究の誤りを発見できるかどうかにかかっている。たとえば20世紀の初めに物理学者たちは、長いあいだ真実と考えられてきたニュートンの古典力学の理論が、非常に小さくて非常に速い粒子の振る舞いにあてはまらないことに気づき、量子力学の理論に置き換えた。光速やプランク定数など量の測定の観点からの議論は以下を参照。Martin J. T. Milton and Antonio Possolo, 'Trustworthy Data Underpin Reproducible Research,' *Nature Physics* 16, no. 2 (Feb. 2020): pp. 117–19; https://doi.org/10.1038/s41567-019-0780-5

はそれだけの忍耐力がない……私の過去の実験を見ればわかるとおり、すべてが修辞的技巧だった。自分の主張の裏づけになるようなデータを集めた。説得するためのデータであり、『これは再現できるか、できないか』などと案じたことはなかった[13]」

結果の再現性を考えるかどうかに、選択の余地はない。科学の基本的な精神である。その精神は、査読と学術誌というシステムにおいて、虚偽の発見や間違った実験、疑わしいデータに対する防波堤として機能するシステムにおいて、明確に示されていると考えられてきた。

しかし、本書でこれから見ていくとおり、このシステムはひどく壊れている。科学者が発見したにもかかわらず、論文を掲載するほど興味深くないと見なされた重要な知識が改ざんされ、隠されて、科学の記録がゆがめられ、医療や技術、教育的介入、政府の政策が損なわれている。有益な見返りを期待して科学に投じられる莫大な資源が、まるで役に立たない研究に浪費されている。確実に回避できるはずのエラーやミスが、査読の防衛線を突破することも日常茶飯事だ。書籍やメディアの報道に、私たちの頭のなかに、間違っている「事実」、誇張された「事実」、あまりに誤解されやすい「事実」があふれている。そして最悪の場合、特に医学の分野では、そのために人が死んでいる。

書籍のなかには、創造科学論やホメオパシー、地球平面説（フラットアース）、占星術などの疑似科学や、科学を誤解して乱用する人々――普通は故意ではないが、悪意を伴うものもあって、そのすべてが無責任である――に科学者が戦いを挑むものもある。[14] 一方で、本書は、科学そのものの根深い腐敗を明らかにしていく。これらの腐敗は、研究がおこなわれて論文が発表されるという文化を揺るがしている。科学という規律は、最も厳しい懐疑的視点と、最も鋭い合理性と、最も厳格な経験主義を伴わなければならないが、実際は、無能と妄想と嘘と自己欺瞞が目まぐるしく行き交っている。その過程で科学の重要な目的——真実に限りなく近づく方法を見つけること——が蝕まれているのだ。

本書は第1部で、科学を実践するということが、実験や仮説の検証をするだけではないことを論じる。科学は本質的に「社会的」であり、自分が発見したことをほかの人々（ほかの科学者）に納得させなければならない。そして、科学は「人間的」でもあり、科学者は非合理性、バイアス、注意力の欠如、集団内のえこひいき、欲しいものを手に入れるためのあからさまな不正行為など、人間的な特徴を持ちやすい。そうした人間らしさの本質的な限界を乗り越えようと努力しながら、科学者が互いに相手を納得させることができるように、科学はチェック・アンド・バランスのシステムを進化させ、理論上は、科学的に価値のあるものとないものを区別している。この精査と検証のプロセスは、第1章で説明するとおり、査読を経て学術誌に掲載されるという、絶対的（とされる）基準につながる。しかし、第2章で指摘するとおり、そのプロセスは堕落している。科学のさまざまな分野で、再現性がなく、真偽がきわめて疑わしい研究結果が数多く発表されているのだ。

続いて第2部で、その理由を考える。現在の論文発表のシステムは、科学の人間らしさがもたらす問題を中和したり克服したりするどころか、科学の記録にその痕跡を残すことまでも許している。その理由はまさに、現在のシステムは客観的でバイアスがないと自負しているからだ。独特の自己満足と奇妙な傲慢さが浸透して、査読システムが存在するだけで私たちは納得し、その欠陥を認識しようとしなくなったのではないか。査読された論文は、世界がどのように機能しているかについて、事実にもとづく客観的な説明であるとほぼ言えるはずだ。しかし、さまざまな論文を見ていくと、科学者が自分の結果に対して、正直であること（第3章）、公平であること（第4章）、実直であること（第5章）、冷静であること（第6章）を保証するものとして、査読が信頼できないことがわかる。

第3部では、科学の慣行について考える。現在のシステムは、本書で論じているようなあらゆる不正行為に対処できていないが、それだけではない。第7章で指摘するとおり、現在の学術研究の手法が、これらの問題を助長するインセンティブになり、科学者が厳密で信頼できる結果を犠牲にしてでも名声や資金や評判に執着するように仕向けているのだ。こうした問題の原因を踏まえて、最後に第8章で、世界に関する事実を発見するという科学の本来の目的に向けて、軌道修正するための改革を提案する。

科学研究のもろさを明らかにするために、さまざまな分野で警鐘を鳴らすエピソードも紹介していく。私が心理学者ということもあって、その分野の例が圧倒的に多い[15]。ただし、これは私の経歴だけが理由ではない。特にベムとスターペルの事件の後は、心理学者が真摯に自己分析をしているからだ。おそらくほかのどの分野よりも、心理学者は自分たちの根深い欠点を認識して、体系的な対処方法を考えてきた。それらの方法は科学のさまざまな分野で採用され始めている。

私たちの壊れたシステムを修復するための最初のステップは、科学を惑わせるような間違いを見つけて、修正することだ。そして、そのための唯一の方法は、より多くの科学である。本

15 本書は科学者の目に映った数々の小さな欠点について考察している。したがって――自分を顧みる時間をもらえるなら――私自身の研究の欠点を振り返るのは当然のことだ。ベムの再現実験を試みた後も、私はさまざまなテーマで多くの論文を発表してきたが、主な関心は人間の知性についてだ。最初に言っておくと、私は意図的に結果を捏造したことはない。しかし、私はバイアスと無縁だとにおわせるのも愚かなことだ。バイアスは多くの場合、おそらく基本的に、無意識である。研究の歴史は簡単に書き換えることができ、最初からそうするつもりだったかのように見えるものだ。好ましい点としては、私はかなりの数のNULLの結果、すなわち主要な仮説の裏づけが得られなかった論文を発表してきた（Stuart J. Ritchie et al., 'Polygenic Predictors of Age-Related Decline in Cognitive Ability', *Molecular Psychiatry* (13 Feb. 2019); https://doi.org/10.1038/s41380-019-0372-x; as well as my first ever scientific publication: S. J. Ritchie et al., 'Irlen Colored Overlays Do Not Alleviate Reading Difficulties', *Pediatrics* 128, no. 4 (1 Oct. 2011): pp. e932–38; https://doi.org/10.1542/peds.2011-0314）。これについても、最初のNULL論文はサンプルが少なすぎて、本当の効果を見逃していたのではないかという反論は容易に予想できる（第5章の統計的検定力に関する議論を参照）。私の研究には認識が甘くて過剰適合（第4章で説明する）に陥ったものなど、ほかの科学者から正当な批判を受けたものもある（Drew H. Bailey & Andrew K. Littlefield, 'Does Reading Cause Later Intelligence? Accounting for Stability in Models of Change', *Child Development* 88, no. 6 (Nov. 2017): pp. 1913–21; https://doi.org/10.1111/cdev.12669）。第5章で詳述する方法を用いて「候補遺伝子」の研究を発表したこともある（Stuart J. Ritchie et al., 'Alcohol Consumption and Lifetime Change in Cognitive Ability: A Gene × Environment Interaction Study', *AGE* 36, no. 3 (June 2014): 9638; https://doi.org/10.1007/s11357-014-9638-z）。誇張に関与したこともほぼ間違いなくある。ジャーナリストと科学について話しながら言葉をおろそかに扱ったことや、後出しになるが、重要な注意や警告をつけ加えなかったことを後悔したこともある。「このトピックに関しては査読つきの論文が何百本も出版されている」と、それが真実の指標であるかのように主張したこともある。査読については、自分が査読している論文に相応の時間をかけずに、意図せずとはいえ間違いをすり抜けさせたこともある。そのほかの間違いや後悔が今後も出てくることは間違いない。

書で繰り返し取り上げている「メタサイエンス」は、科学研究そのものに焦点を当てた比較的新しい種類の科学的研究だ。科学が、誤りを明らかにして排除するプロセスであるとすれば、メタサイエンスはそのプロセスを科学自身に向ける。

失敗から学べることはたくさんある。ミュージシャンのトッド・ラングレンは「イントロ」という曲のなかで、「スタジオの音」ゲームをしようと誘う。レコーディングの際は、ハムやヒスのノイズ、「p」を含む単語を歌うときのマイクのポップ音、編集の切れ目など、さまざまなミスが紛れ込む。ラングレンは自分のアルバムの曲やほかのアーティストの曲を聴いて、これらのミスを探そうと呼びかける。レコーディングスタジオでの失敗を理解することによって、音楽が作られる過程について新しい発見があるように、科学がどのように失敗するかを知ることによって、私たちが知識を得る過程について多くのことを学べる。

科学の手法をめぐる重大な問題を知れば、あなたは困惑するだろう。ニュースやポピュラーサイエンスの書籍、ドキュメンタリー番組で興味をそそられた研究結果のうち、興奮して友人に教えたり、世の中の仕組みをあらためて考えさせられたりした発見のなかで、再現性のない脆弱な研究にもとづくものがどれだけあるのだろうか。医師に処方された薬や治療のなかで、欠陥のある証拠にもとづくものがどれだけあるのだろうか。科学的な研究をもとに食生活や買い物の習慣などライフスタイルを変えたのに、数カ月後に新しい研究によって完全に覆されたことが何回あっただろうか。人々の生活に直接影響を与えるような法律や政策を導入する際に政治家が引用した科学が、精査に耐えられなかったことが何回あっただろうか。いずれも答えは――あなたが思っている以上に多い。

すべての科学研究は真実である、つまり、将来の研究で覆ることがない鉄壁の事実の報告であると考えるのは、あまりに無邪気だ。そのような希望を抱くには、世界はあまりに混迷している。私たちが期待できることは、科学研究が信頼に足るものであること、つまり、研究で起きたことが正直に報告されるということだけだ。それなのに自慢の査読プロセスがその信頼を保証できなければ、科学は最も基本的で最も価値のある性質の1つを失い、最も得意とすることをおこなう力も失ってしまう。新しい発見や技術、治療、治癒を着実に進歩させることによって、私たちの世界に革命を起こすという力を。

私は科学を称賛するためにこの本を書く。科学を葬り去るつもりはない。科学を攻撃するのではなく、その手法に問題を提起するために書く。科学の現在のやり方から本来の手法を守り、より広く科学の原則を守りたいのだ。科学で起きている惨事に私たちが困惑するのは、科学が重要であるからこそだ。科学がこれほどまでに汚され、その進歩が大きく妨げられることを許してきた私たちは、人類の最も偉大な業績の1つを台無しにしようとしている。

しかし、取り返しのつかないダメージではない。科学は、現実は違うとしても原理上は、強固で信頼できる知識のシステムになる可能性を秘めている。そうならなくてはならないのだ。

私たちが開けようとしているパンドラの箱からは、不正や偏見、怠慢、誇張が次々に出てきて、希望と安心は手に取れば壊れそうかもしれない。しかし、本書で数々の科学的失敗を追究しながら、忘れてはならない希望がある。それは、ほぼすべての問題を暴いたのもまた、科学者であるということだ。そして、これらの問題に取り組み、これらの問題から生まれた混乱を解消するために提案されている聡明なメタサイエンス的発想は、その大部分が科学界のなかから生まれている。多くの分野で深く埋もれてしまったとはいえ、本物の科学を支える自己批判の精神は確かに残っている。

残っていて本当によかった。これから見ていくとおり、科学はただただ混乱しているから。

引用：Francis Bacon, Novum Organum, ed. Joseph Devey (New York: P. F.Collier & Son, 1620/1902). フランシス・ベーコン『ノヴム・オルガヌム』

1 Daryl J. Bem, 'Feeling the Future: Experimental Evidence for Anomalous Retroactive Influences on Cognition and Affect', *Journal of Personality and Social Psychology* 100, no. 3 (2011): pp. 407–25; https://doi.org/10.1037/a0021524

3 Peter Aldhous, 'Journal Rejects Studies Contradicting Precognition', New Scientist, 5 May 2011; https://www.newscientist.com/article/dn20447-journalrejects-studies-contradicting-precognition/

4 The Colbert Report, *Time Travelling Porn* – Daryl Bem, 2011; http://www.cc.com/video-clips/bhf8jv/the-colbert-report-time-traveling-porn–daryl-bem

5 私たちはさらに数回、門前払いをくらい、最終的に別の学術誌で論文を発表した。Stuart J. Ritchie et al., 'Failing the Future: Three Unsuccessful Attempts to Replicate Bem's "Retroactive Facilitation of Recall" Effect', *PLOS ONE* 7, no. 3 (14 Mar. 2012): e33423; https://doi.org/10.1371/journal.

pone.0033423.『ジャーナル・オブ・パーソナリティ・アンド・ソーシャル・サイコロジー』はベムの研究を統計的に批判した論文 (Eric-Jan Wagenmakers et al., 'Why psychologists must change the way they analyze their data: the case of psi: comment on Bem (2011)', *Journal of Personality and Social Psychology* 100, no. 3 (2011): pp. 426-432; https://doi.org/10.1037/a0022790) と、ベムと同僚からの反論も掲載している (Daryl J. Bem et al., 'Must psychologists change the way they analyze their data?', *Journal of Personality and Social Psychology* 101, no.4 (2011): pp. 716-719; https://doi.org/10.1037/a0024777)。それでも再現実験の掲載を検討さえしなかったが、本書の後半でわかるように、同誌の編集者たちはこの重要な問題についてのちに考えを変えた。

6 D. A. Stapel & S. Lindenberg, 'Coping with Chaos: How Disordered Contexts Promote Stereotyping and Discrimination', Science 332, no. 6026 (8 April 2011): pp. 251–53; https://doi.org/10.1126/science.1201068

7 Philip Ball, 'Chaos Promotes Stereotyping', *Nature*, 7 April 2011; https://doi.org/10.1038/news.2011.217 and Nicky Phillips, 'Where There's Rubbish There's Racism', *Sunday Morning Herald*, 11 April 2011; https://www.smh.com.au/world/where-theres-rubbish-theres-racism-20110410-1d9df.html

8 Stapel and Lindenberg, 'Coping with Chaos', p. 251.

9 Levelt Committee et al., 'Flawed Science: The Fraudulent Research Practices of Social Psychologist Diederik Stapel [English Translation]', 28 Nov. 2012; https://osf.io/eup6d

10 D. A. Stapel, *Derailment: Faking Science*, tr. Nicholas J. L. Brown (Strasbourg, France, 2014,2016): p. 119; http://nick.brown.free.fr/stapel

11 Stapel, Derailment, p. 124.

13 引用：Daniel Engber, 'Daryl Bem Proved ESP Is Real: Which Means Science Is Broken', Slate,17 May 2017; https://slate.com/health-and-science/2017/06/daryl-bem-proved-esp-is-real-showed-science-is-broken.html

14 代表的な書籍に Carl Sagan, The Demon-Haunted World: *Science as a Candle in the Dark*, reprint. ed. (New York: Ballantine Books, 1997) カール・セーガン『悪霊にさいなまれる世界──「知の闇を照らす灯」としての科学』(ハヤカワ・ノンフィクション文庫〈上下〉) がある。

# 目次


序文……5

## 第1部 「あるべき」と「ある」

**第1章 科学の仕組み**……27

科学論文出版の基本プロセス……30

真の科学が備える価値観……38

**第2章 再現性の危機**……47

再現性が失われた原因……58

医学における大きすぎる代償……66

## 第2部　欠陥と瑕疵


第3章　詐欺 …… 81

科学の歴史上まれに見る汚点 …… 82

単純な手口による悪質な不正 …… 91

操作された画像 …… 96

ノイズの消されたデータ …… 101

不正な科学の蔓延 …… 108

科学者に紛れ込む詐欺師 …… 112

一度の不正から広がる影響 …… 121

第4章　バイアス …… 141

発表されないＮＵＬＬの画像 …… 145

メタアナリシスで科学を再分析する …… 155

「良い値」が出るまで何度もサイコロを振る …… 165

研究成果をゆがめる利害関係者のたくらみ …… 187

バイアスは人間の性《さが》である …… 198

第5章　過失 …… 211
数値の誤りをどう見抜くか …… 215
サンプルサイズと検定力の関係 …… 226
候補遺伝子研究の落とし穴 …… 236
謙虚で控えめな科学はどこへ …… 241

第6章　誇張 …… 251
注目が誇張を生み出す …… 256
ポピュラーサイエンス本の誇張された期待感 …… 262
科学者が注目を集めるテクニック …… 271
栄養学研究の期待と現実 …… 283
正しさより誇張を強いるシステム …… 291

# 第3部　原因と対処法

第7章　逆インセンティブ …… 307
駄論文が量産される2つの原因 …… 316

被引用回数が自己目的化する …… 325
質を低下させるインセンティブ設計 …… 334

**第8章　科学を修正する** …… 347
科学を治す潮流 …… 351
統計的有意性のワナ …… 358
事前登録の運用と効果 …… 365
広がるオープンサイエンスの思想 …… 371
誇張を抑制するプレプリント …… 378
科学を修正するためのさまざまなシステム …… 389
技術革新により高まる気運 …… 396
「退屈で信頼できる」科学へ …… 402

エピローグ …… 417
付録　科学論文の読み方 …… 431

# 第1部
# 「あるべき」と「ある」

# 第1章　科学の仕組み

このような思考テーマは、孤独では満足な仕事にならず、適切な頭の運動にするためには同胞との交わりや会話が必要だ。
――デイヴィッド・ヒューム『エッセイの執筆について』（1777年）

科学は社会的に構成される概念である。

あなたがうんざりして本を閉じる前に、もう少し説明させてほしい。極端な相対主義者やポストモダン主義者、反科学の活動家のように、絶対的な現実世界など存在しないと言っているのではないし、科学はそのことを確認するための特別ではない方法の1つにすぎないと言っているのでもない。科学は数多くの「神話」の1つで、信じるか信じないかは個人の自由である、という意味でもない。[1] 科学は病気を治し、脳の地図をつくり、気候を予測し、原子を分割してきた。科学は宇宙の仕組みを解明して、人間の意のままに動かすために、人間が考え出した最良の方法である。つまり、科学は真理に近づくための最良の方法なのだ。もちろん、真理に到達することはできないかもしれない。歴史を見ればわかるとおり、ある事実を絶対的で不変だと主張することは傲慢そのものだ。しかし、世界を少しずつ知っていくための手段として、科学の手法は非常に優れている。

とはいえ、科学的な手法だけでは進歩できない。研究室で1人で観察するだけでなく、ほかの科学者に自分の発見が真実であると納得してもらわなければならないのだ。ここで社会的な要素が重要になる。科学者が結論を導き出した道筋を仲間に示すことがどれほど重要か、哲学者たちは長年議論してきた。ジョン・スチュアート・ミルは次のように言う。

> 自然哲学では、同じ事実に対してつねに別の説明ができる可能性がある。天動説ではなく地動説が、酸素ではなくフロギストンが出てくる。そして、ほかの理論が正しいことはあり得ない理由を証明しなければならない。それが示されるまでは、そして、どのように示すかという方法がわかるまでは、自分の意見の根拠を理解していないということだ。[2]

だからこそ科学者はチームで協力し、世界を飛び回って講演や会議でスピーチをおこない、セミナーで討論して、研究を共有するために学会を結成し、そしておそらく最も重要なことは、査読付きの学術誌で成果を発表する。こうした社会的な側面は、仕事上の特権でも仲間意識でもない。科学が活動するプロセスであり、集団での精査、探求、修正、洗練を経てコンセンサスを得ながら前進するのだ。矛盾して聞こえるかもしれないが、科学の主観的なプロセスこそが、比類のない客観性をもたらしている。[3]

この意味で、科学は社会的に構成される概念である。世の中に関するあらゆる主張は、このような共同のプロセスを経て初めて、科学的な知識と呼ぶことができる。誤りや欠陥をふるい落とし、信頼できる強固で重要な発見であることをほかの科学者が判断できる状態に整える。すべての発見はこの試練を乗り越えなければならないという前提が、科学のプロセスの最終的な産物――査読を経て発表された論文――に社会的な力を与える。これは偽善的な主張でも、レトリックでも、意見でもない。これが科学であるという事実だ。

ただし、科学の社会性には弱点もある。科学者は仲間を説得すること、つまり、査読を経て論文を発表することに力を入れるため、科学の本来の目的である「真実に近づく」ことを軽視しがちだ。そして、科学者も人間だ。互いを説得する方法は、必ずしも完全に合理的で客観的というわけではない。[4] 細心の注意を払わなければ、科学のプロセスに、ごく人間的な欠陥が入り込む可能性はある。

本書では、貴重な科学的プロセスを私たちが大切にしてこなかったことについて考えていく。科学のシステムは、科学の人間的な欠陥を見逃すだけでなく、増幅させている。近年ではますます痛切に思い知らされるとおり、査読は本来のように正確性や信頼性を保証するものとは程遠くなっている。科学の重要な強みであるはずの論文発表のシステムそのものが、アキレス腱になっているのだ。

## 科学論文出版の基本プロセス

科学の論文発表システムの誤りを理解するためには、まず、正しいときはどのように機能するのかを知る必要がある。

たとえば、あなたが何か科学的な活動をしたいとしよう。最初のステップは、科学文献を読むことだ。科学文献とは膨大な数のジャーナル、すなわち学術誌で、新しい科学的知識の主な発表の場になっている。科学者が研究を共有するために定期刊行物を発行するという発想は1665年にさかのぼり、英国王立協会のヘンリー・オルデンバーグが『フィロソフィカル・トランザクションズ：世界の多くの重要な地域で独創的な人々が現在おこなっている取り組み、研究、努力のいくつかの報告』[5]を創刊した。発行の目的は、独創的な科学者たちが自分の成果を説明する書簡を送り、興味を持った読者が熟読する場をつくることだった。それ以前の科学者は、裕福な支配者の下で、あるいは個人的な後援者やギルドのために、単独で研究をおこない（彼らの科学は真実の発見というより余興の芸のようなものと見なされていた）、独自に本を出版し、同じような考えの仲間と書簡を交わしていた。こうした文通サークルから、王立協会のような組織が生まれている。[6]

オルデンバーグの学術誌は、当初は会報のようなもので、最近の実験や発見に関する説明が載っていた。第1巻第1号には自然哲学者で博物学者のロバート・フックが、木星の大赤斑と思われるものを初めて観測したことが書かれている。記事の全文は以下のとおりだ。

創意工夫に富むフック氏が数カ月前に友人に伝えたところによると、優れた12フィートの望遠鏡を使って、その数日前（すなわち1664年5月9日、夜9時頃）に、木星の不明瞭な3本の縞のうち最大のものに小さな斑点を1つ観測し、ときどき観察を続けたところ、2時間後には斑点が東から西へ、木星の直径の半分ほどの距離を移動していた。[7]

これは現在も『王立協会フィロソフィカル・トランザクションズ』[8]として刊行されている。時代を重ねながら、短いニュース記事は実験や研究の詳細を記した長い記事に変わった。現在では3万件を超える学術誌がグローバルなエコシステムを形成しており、全般的なものから（科学のあらゆる分野から世界で最も注目に値する研究を掲載している権威ある『ネイチャー』『サイエンス』など）、かなり特殊なものまで多岐にわたる（たとえば、『アメリカン・ジャーナル・オブ・ポテト・リサーチ』は1種類の塊茎〔訳注：地下茎の一部がでんぷんなどの養分を蓄えて肥大化したもの〕に関する論文だけを扱う）。[9]『フィロソフィカル・トランザクションズ』のように学会が運営を続けている学術誌もあるが、大半はエルゼヴィア、ワイリー、シュプリンガー・ネイチャーなど民間の出版社が所有している。[10]近年は、科学誌はすべてオンライン化され、出版社に購読料を支払える人なら誰でも（大学の図書館に購読料を肩代わりしてもらう人も含めて）世界の科学知識を簡単に手に入れることができる。[11]

自分の専門分野に関連する学術誌を読んで、研究の課題がひらめくこともあるだろう。洗練された方法で検証できる予測――仮説――を構築する科学的な理論が、頭に浮かぶかもしれない。既存の知識の空白を埋める方法に気がつくかもしれない。あるいは、まったく新しいことを試す実験を思いつくかもしれない。ただし、こうしたことを実行に移す前に、普通は研究資金が必要になる。新しい機器や材料を購入し、実験の参加者を集め、地道なフィールドワークのために雇う研究者の給料を払わなければならない。

研究にとってきわめて重要である資金を集める主な方法は、自社で研究室を構える製薬会社でもないかぎり、助成金を申請することだ。助成金は、政府や企業、基金、非営利団体、慈善団体、あるいは裕福な個人から出る。税金で運営されている米国立衛生研究所や米国立科学財団のほか、ウエルカム財団やビル&メリンダ・ゲイツ財団など科学分野に資金を提供する慈善団体もある。[12]

資金を確実に調達できるとはかぎらない。科学者に聞けば誰もが、最も過酷な仕事は最新の研究アイデアに資金を提供してもらうことで、あきれるほど失敗ばかりだと口をそろえるだろう。資金集めは科学そのものにも重大な連鎖反応を引き起こすが、それについては後述する。ここではあなたが助成金の獲得に成功したとして、話を進めよう。

さて、いよいよ研究に取りかかる。データを収集するために、地下に設置したコライダー（衝突型加速器）で粒子を衝突させ、カナダの北極圏の岩から化石を見つけ出し、ペトリ皿で細菌が成長する環境を正確に設定し、研究室に数百人を集めてアンケートに答えてもらい、複雑なコンピュータモデルを走らせる。何日も、何カ月も、何十年もかかるときもある。

データを入手すると、通常は、あなたや数学的な知識のある同僚がさまざまな統計を使って分析できるような数字に変換される（ここにも潜在的な危険が存在するが、詳しくは後述する）。そして、一連の流れを科学論文という形式にまとめる。一般的な論文は「イントロダクション／序論」から始まり、研究テーマに関する既知の情報と、今回新たに提供する情報について要約する。次の「メソッド／手法」のセクションでは、あなたがおこなったことを正確に説明する。理論的にはまったく同じ実験を誰でも繰り返しおこなうことができるくらい、詳細に説明する。

11　学術誌の論文の大半は「実証論文」と呼ばれる新しい研究の報告だが、ある科学的な疑問についてこれまでに知られていることをまとめた「レビュー論文」もある。

続いて「リザルツ／結果」のセクションで、発見を証明する数字、表、グラフ、統計分析を提示する。最後に「ディスカッション／考察」のセクションで、これらのことが何を意味するかについて熱く語って――十分な情報にもとづいて熟考して――締めくくる。

論文の冒頭に「アブストラクト／概要」をつける際は、研究の要旨と結果を150語程度で簡潔にまとめる。掲載誌の購読料を払わなければ全文を読めない論文でも、概要は基本的に誰でもアクセスできるから、研究結果に説得力を持たせるために活用したい。論文の長さはそれぞれで、セクションの順番が前後することもあるが、基本的にこの流れに沿ってまとめる。[13]

論文の準備ができたら、あなたはいよいよ学術誌の世界に足を踏み入れて、論文掲載を勝ち取る競争に挑む。最近まで学術誌に投稿する際は、全文をプリントアウトして編集者に郵送しなければならなかったが、今はオンラインで手続きが完結する。ただし、多くの学術誌は一昔前のバグの多いウェブサイトを使っているため、あるいは伝書鳩で紙の束を送ったほうが安心かもしれない。

編集者の多くは上級の研究者で、論文を読み（実際は、おそらく概要しか読まない）、掲載に値するかどうかを判断する。大半の学術誌は、権威ある学術誌は特に、排他性を誇りにしているため、掲載される確率はきわめて低い。たとえば、『サイエンス』の掲載率は投稿の7％以下だ。ほとんどの論文は、この時点で「デスク・リジェクション（編集長の判断による却下）」[14]として著者に返送される。これは品質管理の最初のステップである。編集者は論文を、自分の学術誌のテーマに合致しているかどうかと、科学的な興味や質の観点から、可能性のあるものと再検討する価値のないものとに選別する。

編集者の関心を捉えたごく一部の論文は、いよいよ査読に進む。編集者はあなたの研究分野に詳しい専門家を2、3人選んで、あなたの論文を評価してくれるよう打診する。多忙を理由に断られることもあり、数人の承諾を得るまで、査読者の候補を順番にあたる。あなたは自分の研究が査読者に認められるかどうか、ドキドキしながら待つことになる。

多くの人は、科学者も含めて、科学論文の発表にとって査読はきわめて重要な条件だと思っている。しかし、そこには複雑な歴史がある。17世紀には王立協会が複数の会員に「この論文は『フィロソフィカル・トランザクションズ』に掲載するに値するかどうか」とたずねることも多かったが、会員に各研究の評価を書面で提出するように義務づけたのは１８３１年以降のことだ。[15]

現在のような公の査読システムが一般的になったのは、20世紀に入ってからだ（１９３６年にアルバート・アインシュタインは『フィジック・レビュー』の編集者に送った手紙で、編集者が自分の論文をほかの物理学者に送ってコメントを求めたことに憤慨し、論文の検討依頼を取り下げている[16]）。すべての学術誌が、投稿された論文を独立した専門家の査読にかけるという現代的なモデルを

13　一部の学術誌は「メソッド／方法」のセクションを論文のいちばん最後に置くフォーマットを指定し、この重要な情報が後づけにすぎないかのように見せている。

採用し、門番の役割を担うようになったのは1970年代以降だ。[17]

査読者は基本的に匿名だが、これは良いことでもあり、悪いことでもある。喜ばしいのは、自分が批判する科学者からの反発を気にせずに、思ったことを言えることだ（若手の科学者も著名な教授の研究の問題点を率直に指摘できる）。一方で懸念されることもまた、自分が批判する科学者からの反発を気にせずに、思ったことを言えてしまうことだ。実際の査読のコメントを紹介しよう。

「読んでいて楽しい論文もある。これは違う」

「意気地のない弱々しい結果」

「この論文の主張は3つ。1つ目は何年も前から、2つ目は何十年も前から、3つ目は何世紀も前からわかっていることだ」

「この分野の発展というより、最終的な崩壊に寄与するかもしれないと懸念する」

「このセンテンスを書いているときに発作に襲われたのか？　私も読んでいて発作が起きたような気がしたから」[18]

査読者がこのように評価した場合、編集者はおそらくあなたの論文を却下するだろう。この段階であきらめたくなるかもしれないし、あるいは別の学術誌に投稿して、失敗したらまた別の学術誌に、失敗したらさらにまた別の学術誌にと、繰り返すかもしれない。論文が採用されるまでに5、6誌かそれ以上を回ることもめずらしくなく、普通は学術誌の格がしだいに落ちていく。一方で、査読者の評価が高ければ、彼らの批評を受けて論文をリバイス（修正）し、おそらく新しい分析や実験をおこない、一部のセクションを書き直して、再び編集者に提出する機会が得られるかもしれない。一進一退の修正のプロセスを繰り返し、数カ月かかることも少なくない。最終的に査読者が満足すると、編集者が承認して論文が出版される。学術誌がまだハードコピーを発行していれば貴重な研究成果が紙に印刷されるが、そうでなければ、学術誌の公式サイトに自分でアクセスして確かめるというスリルが最後に待っている。

さあ、ついにやった。あなたは科学文献に足跡を残した。自分の履歴書に書くことができて、ほかの研究者に引用される論文を手に入れた。おめでとう。きょうはゆっくり休もう。

かなり簡潔な説明ではあるが、基本的にすべての科学分野は、何らかのかたちでこのプロセスをたどる。査読でめった切りにされてようやく出版にこぎ着けたものが、自分が研究で実際におこなったことを忠実に表現しているだろうかと、自問する人もいるだろう。この点については後の章で話をしたい。今は考えなければならないことがある。すなわち、このプロセスに参加する人々――論文を提出する研究者、学術誌の編集者、査読者――の全員が、信頼に値する科学に求められる誠実さと高潔さをもって行動するためには、どうすればいいのだろうか。科学を評価する際に、すべての人が公正かつ合理的に行動することを義務づける法律はない。

そこで、科学者の行動を同調させる価値観、つまり、共有のエートス（倫理観）が必要になる。[19]

## 真の科学が備える価値観

社会学者のロバート・マートンはこの不文律を言葉にしようと試みた。1942年に彼は科学の4つの価値観を示した。いわゆる「マートンの規範（ノルム）」だ。いずれも洒落た名前はついていないが、科学者の高い志が凝縮されている。

1つ目は「普遍性（universalism）」。科学の知識は、誰が考え出したものでも科学の知識である。科学者の人種、性別、年齢、ジェンダー、収入、社会的背景、国籍、人気などが、その人による事実の主張の評価に影響を与えてはならない。また、誰かの研究を、その人を好きか嫌いかで判断してもいけない。私の同僚のなかでも気難しい人たちは安心しているに違いない。

2つ目は「無私性（disinterestedness）」。科学者が科学をするのは、カネのためではなく、政治やイデオロギー的な理由ではなく、自分のエゴや評判（あるいは大学や国などの評判）を高めるためでもない。物事を発見したり、つくりだしたりすることによって、この宇宙に関する理解を深めるためだ。[20] チャールズ・ダーウィンがかつて書いたように、科学者は「願望を持たず、愛情を持たず、ただ石の心を持つべきだ[21]」。

残り2つの規範は科学の社会的な性質につながる。3つ目は「共有性（communalism）」。科学者は知識を共有しなければならない[22]。この原則は、自分の結果を学術誌で発表してほかの人に読んでもらうという発想の根底でもある。私たちは皆で一緒に科学に従事しているのだ。ほかの科学者の研究の詳細を知って、それを評価し、さらに発展させることができる[23]。

４つ目は「組織的な懐疑主義（organised scepticism）」。聖域は存在せず、科学的な主張を額面どおりに受け入れてはいけない。どんな発見も、すべてのデータと方法論を厳密に確認するまでは判断を保留する。査読はこの規範を最も明確に体現している。

理論としてはよくできている。マートンの４つの規範に従えば、信頼できる科学文献が完成するはずだ。ニュートンの有名な言葉にあるように、巨人の肩の上に立てば遠くまで見わたすことができる〔訳注：先人たちが積み重ねた学問や研究の上に現在の学問や研究があり、新しい発見ができるという意味〕。ただし、言うまでもなく、巨人たちはしばしば間違っていた。前述のジョン・スチュアート・ミルの言葉のとおり、私たちはかつて、太陽が地球の周りを回っていると信じていた。燃えやすい物質にはフロギストンという特殊な元素が含まれており、燃える

19　あらためて指摘すると、これらは科学的な調査や分析に関する規範であって、すべての科学者が考慮しなければならない倫理的な懸念とは別のものだ。これらの規範は、人間（またはほかの動物）を対象とする研究者にとって特に重要だが、潜在的に危険な技術を扱う研究者や、環境問題などの害を引き起こす可能性のある実験をおこなう研究者にとっても同じように重要である。

23　マートンはこの規範の歴史的な違反者として、18世紀の物理学者であり化学者のヘンリー・キャヴェンディッシュに言及している。キャヴェンディッシュはとても内向的な性格ゆえに、自分の重要な実験や理論の多くを世間から隠していた。それらが再発見されたのは本人の死後かなり経ってからだ。

と放出されると信じていた。[24] しかし、より確かなデータが得られるようになると、これらの理論は役に立たなくなって廃棄された。確かに、考えを変えることは科学者の美徳である。生物学者のリチャード・ドーキンスは、オックスフォード大学の動物学部で尊敬されていた年長の指導者について次のように語っている。

彼はゴルジ装置（生物細胞内の微細な構造物）は実在しないと固く信じており、作為的な幻想であると教えていた。毎週月曜日の午後は、学部全体で客員講師の研究発表を聞くことになっていた。ある月曜日に、あるアメリカ人の細胞生物学者が、ゴルジ装置が実在するという完全に説得力のある証拠を提示した。講演が終わると、その指導者はホールの前に進み出て、アメリカ人の手を握りながら――熱い口調で――言った。「親愛なる皆さん、ありがとう。この15年間、私は間違っていました」。私たちは手が赤くなるまで拍手を送った……現実として、すべての科学者にできることではないが、すべての科学者はそれが理想だと口では言う。たとえば、政治家が同じことをしたら、手のひら返しだと非難するだろう。このときのことを思い出すと、私は今も感動がこみ上げてくる。[25]

これが科学の「自己修正」だ。最終的に、数年後や数十年後だとしても、古い間違った考えはデータによって覆される（あるいは物理学者のマックス・プランクが病的なまでに指摘したように、頑迷な賛成者が全員死んで、科学が次の世代の手に渡ったときに覆される)[26]。ただし、これもまた理論上の話だ。現実には、論文出版のシステムはマートンの規範をはずれて、多くの点で自己修正のプロセスを妨げている。研究者は助成金獲得を競い合い、論文出版の権威を求める一方で、科学に対するオープンで冷静かつ懐疑的な評価を追求する。その具体的な矛盾は、本書を通じて明らかにしていきたい。

ここではドーキンスの指導者の考えを変えたもの、つまり「完全に説得力のある証拠」に注目する。データを使って科学理論を修正して更新しようとしても、そのデータに説得力がなければ、まして正確でなければ、無駄な努力でしかない。ここで本書の序文の議論を思い出してほしい。信頼に足る結果であるためには、再現性が必要なのだ。科学哲学者のカール・ポパーはこう書いている。

> 繰り返し可能な実験のように、ある事象が規則に従って再び起きる場合にのみ、観察結果は——原則として——誰にでも検証できる。私たちは自分の観察でさえ、再現して検証するまでは、真剣に受け止めたり、科学的観察として受け入れたりはしない。そのような繰り返しによってのみ、自分が扱っているのは孤立した「偶然の一致」ではないと確信することができる。[27]

これは革新的な考え方ではない。1950年代にこれを書いたポパーにとっても、特に新しいものではなかった。『フィロソフィカル・トランザクションズ』が創刊された17世紀にはすでに、王立協会の創設メンバーで化学者のロバート・ボイルは、自分の発見の再現性を確保するために並々ならぬ努力をしている。彼は有名な空気ポンプを使って空気や真空のさまざまな性質を証明した一連の実験を繰り返し公開でおこない、参加者にその現象を目撃したという宣誓書に署名させた。[28]「私が（自分の記録を）提示した人々が、間違いなく、できるだけ手間をかけずに、このようなめずらしい実験を再現できるであろう」[29]くらいに詳しく説明することを意識していた。また、複雑な装置の準備はきわめて難しかったにもかかわらず、ほかの自然哲学者がイギリスやヨーロッパのさまざまな地域で空気ポンプの実験を再現することを奨励し、支援した。[30]

再現性は、長年にわたり、科学が機能するための重要な要素となってきた。複数の観察者によって裏づけられて初めて、その結果が真剣に取り上げられるということは、科学の社会的側面の1つでもある。しかし、ボイルの時代から現代の学術界に至るまでのどこかで、あまりに多くの科学者が再現性の重要性を忘れてしまった。マートンの理想と科学論文の出版システムという現実――人間の本質という現実――が衝突し、理想のほうがはるかにもろいことが証明されて、信頼できない、信用できない、再現性のない研究だらけの科学文献が、科学を啓蒙するというより混乱させている。

次の章では、科学文献がいかに信用できず、信頼できず、再現性のないものになったかを見ている。

引用：David Hume, ‘Of Essay-Writing’, Essays: Moral, Political, and Literary, ed. Eugene F. Miller (Indianapolis: Liberty Fund, 1777).

1 Alan Sokal & Jean Bricmont, *Intellectual Impostures*, tr. Sokal & Bricmont (London: Profile Books, 1998, 2003).

2 John Stuart Mill, *On Liberty* (London: Dover Press, 1859) p. 29.

3 Helen E. Longino, *Science as Social Knowledge* (Princeton: Princeton University Press, 1990). See also Helen Longino, ‘The Social Dimensions of Scientific Knowledge’, *The Stanford Encyclopedia of Philosophy*, ed. Edward N. Zalta (Summer 2019); https://plato.stanford.edu/archives/sum2019/entries/scientificknowledge-social; and Julian Reiss & Jan Sprenger, Jan, ‘Scientific Objectivity’, *The Stanford Encyclopedia of Philosophy*, ed. Edward N. Zalta (Winter 2017); https://plato.stanford.edu/archives/win2017/entries/scientific-objectivity

4 この議論について、私は進化論者であるヒューゴ・メルシエとダン・スペルベルが提唱した、人間の推論の基本的な機能は他人を納得させる最善の方法を見つけ出すことであるという考えに影響を受けている。Hugo Mercier & Dan Sperber, ‘Why Do Humans Reason? Arguments for an Argumentative Theory’. *Behavioral and Brain Sciences* 34, no. 2 (April 2011): pp. 57–74; https://doi.org/10.1017/S0140525X10000968

5 Julie McDougall-Waters, Noah Moxham, and Aileen Fyfe. *Philosophical Transactions: 350 Years of Publishing at the Royal Society* (1665 – 2015) (London: Royal Society, 2015); https://royalsociety.org/~/media/publishing350/publishing350-exhibition-catalogue.pdf. 歴史家のなかには、1665年に『フィロソフィカル・トランザクションズ』よりわずか2カ月早くフランスで創刊された『ジュルナル・デ・サヴァン』を、最初の科学雑誌とみなすべきだという主張もある。しかし、後者は膨大な数の多様な学問的テーマに関する記事を掲載し、当初は書評や書籍からの抜粋が中心だったのに対し、前者は科学的なニュースや観察の掲載を重視していた。『ジュルナル・デ・サヴァン』を最初の学術出版物、『フィロソフィカル・トランザクションズ』を最初の科学出版物とするのが妥当かもしれない。以下を参照。Roger Philip McCutcheon, ‘The “Journal Des Scavans” and the “Philosophical Transactions of the Royal Society”’, *Studies in Philology* 21, no. 4 (1924): pp. 626–28; https://www.jstor.org/stable/4171899; and David Banks, ‘Thoughts on Publishing the Research Article over the Centuries’, *Publications* 6, no. 1 (8 Mar. 2018): 10; https://doi.org/10.3390/publications6010010

6 Paul A. David, ‘The Historical Origins of “Open Science”: An Essay on Patronage, Reputation and Common Agency Contracting in the Scientific Revolution’, *Capitalism and Society* 3, no. 2 (2008): 5; https://papers.ssrn.com/sol3/papers.cfm?abstract_id=2209188

7 Robert Hooke, 'A Spot in One of the Belts of Jupiter', *Philosophical Transactions*, Vol. 1, Issue 1, 30 May 1665; https://doi.org/10.1098/rstl.1665.0005. イタリック、大文字、綴りは原文どおり。原文の長い所有格を現代的な表記に変更した。

8 １９００年に数学・物理科学と生物科学の２つのジャーナルに分割された。https://royalsocietypublishing.org/journal/rstl

9 Mark Ware & Michael Mabe, 'The STM Report: An Overview of Scientific and Scholarly Journal Publishing'. The Hague, Netherlands: International Association of Scientific, Technical and Medical Publishers, March 2015; https://www.stmassoc.org/2015_02_20_STM_Report_2015.pdf

10 さまざまな研究者や編纂者によって運営されていた『フィロソフィカル・トランザクションズ』が正式に英国王立協会の運営になったのは、ようやく18世紀半ばからだった。

12 https://www.nih.gov/ and https://www.nsf.gov/. 似たような組織に UK Research and Innovation (https://www.ukri.org/)【イギリス】、the National Natural Science Foundation of China (http://www.nsfc.gov.cn/english/site_1/index.html)【中国】、the Japan Society for the Promotion of Science 日本学術振興会 (https://www.jsps.go.jp/english/)【日本】などがある。以下も参照。https://wellcome.ac.uk/ and https://www.gatesfoundation.org/

14 https://www.sciencemag.org/site/feature/contribinfo/faq/index.xhtml#pct_faq

15 Alex Csiszar, 'Peer Review: Troubled from the Start', *Nature* 532, no. 7599 (April 2016): pp. 306–8; https://doi.org/10.1038/532306a

16 引用：Melinda Baldwin, 'Scientific Autonomy, Public Accountability and the Rise of "Peer Review" in the Cold War United States', *Isis* 109, no. 3 (Sept. 2018): pp. 538–58; https://doi.org/10.1086/700070

17 前掲。

18 https://shitmyreviewerssay.tumblr.com/

20 Robert K. Merton, 'The Normative Structure of Science' (1942), *The Sociology of Science: Empirical and Theoretical Investigations* (Chicago and London: University of Chicago Press, 1973): pp. 267–278.

21 Darwin Correspondence Project, 'Letter no. 2122', 9 July 1857; https://www.darwinproject.ac.uk/letter/DCP-LETT-2122.xml

22 マートンは「communism（コミュニズム、公有主義）」という言葉を使ったが、あえて言わないまでも、そこには異なる意味合いが含まれる。その後のいくつかの研究が「communalism 共有性」と言い換えており、本書はそれにならっている。たとえば以下を参照。Melissa S. Anderson et al., 'Extending the Mertonian Norms: Scientists' Subscription to Norms of Research', *Journal of Higher Education* 81, no. 3 (May 2010): pp. 366–93; https://doi.org/10.1080/00221546.2010.11779057

24 Nicholas W. Best, 'Lavoisier's "Reflections on Phlogiston" I: Against Phlogiston Theory', *Foundations of Chemistry* 17, no. 2 (July 2015): pp. 137–51; https://doi.org/10.1007/s10698-015-9220-5

25 Richard Dawkins, *The God Delusion* (London: Bantam Books, 2006): pp. 320–21. リチャード・ドーキンス『神は妄想である――宗教との決別』（早川書房）

26 Max Planck, *Scientific Autobiography and Other Papers*, tr. Frank Gaynor (London: Williams & Norgate, Ltd., 1949): pp. 33–34.

27 Karl Popper, *The Logic of Scientific Discovery* (London & New York: Routledge Classics, 1959/2002): p. 23. カール・ポパー『科学的発見の論理』

28 現在ロンドンのナショナル・ギャラリーに展示されているライト・オブ・ダービーの絵画「An Experiment on a Bird in the Air Pump（空気ポンプの鳥の実験）」はボイルが活躍した時代から100年余り後の作品だが、そのような再現実験の場面が、印象的な光の使い方で描かれている。

29 Robert Boyle, *The New Experiments Physico-Mechanicall, Touching the Spring of the Air and Its Effects* (London: Miles Flesher, 1682): p. 2; 引用：Steven Shapin & Simon Schaffer, *Leviathan and the Air-Pump: Hobbes, Boyle, and the Experimental Life* (Princeton: Princeton University Press, 1985).

30 Shapin & Schaffer, *Leviathan.*

# 第2章　再現性の危機

むやみに跳ねあがる野望だけ。乗り手もろとも……転がり落ちるしかない。

――ウィリアム・シェイクスピア『マクベス』第1幕7場27【安西徹雄訳・光文社古典新訳文庫】

「出版された」と「真実」は同義語ではない。

――ブライアン・ノセック、ジェフリー・スパイズ、マット・モティル

ここ10年で最も人気のある心理学の本と言えば、ダニエル・カーネマンの『ファスト&スロ

ー』（邦訳・早川書房）だ。人の心について、カーネマンほど優れた解説者はまずいない。人間の（非）合理性に関する研究で2002年にノーベル経済学賞を受賞し、私たちの推論能力の限界を示す創意に富んだ実験を数多く紹介してきた。『ファスト&スロー』は刊行直後から絶賛され、ミリオンセラーとなり、現在もよく売れている。それも当然だ。人間の思考に関するあらゆる間違いやバイアスを、生き生きと、美しく、語り尽くしているのだから。[1]

カーネマンはこの本で、心理学者が「プライミング効果」と呼ぶ現象の研究について語っている。プライミングには言語に関係するものもある。たとえば、コンピュータの画面に単語を1つずつ表示して、「スプーン」が出てきたらボタンを押すという実験をすると、前の単語が「フォーク」（または食器に関連する単語）の場合、「木」（または食器に関連がない単語）の場合よりわずかに早くボタンを押す。「フォーク」という単語を見たことが心理的なプライム（先行刺激）になって、似た意味を持つ単語に素早く反応するのだ。[2]

カーネマンはさらに興味深い研究を取り上げている。社会心理学では、特定のコンセプト（概念）を先行刺激にすることによって、通常は無意識に、私たちの行動を劇的に変えることができるという考え方がある。その一例が「マクベス効果」だ。2006年に『サイエンス』に掲載された論文によると、倫理に反する行為のストーリーを書き写した人は石鹸を買いたくなり、倫理に反する自分の行為を思い出すように指示された人は、実験室を出る際に消毒液を使いたがる（「ああ、手が汚れてる！」）傾向があった。これは単なる言葉のプライミングではなく、私たちが想像している以上に、脳が連携して反応していることを示唆している。緩やかなつながりだと思われていた概念と概念のあいだに、強い結びつきが生まれるのだ。この例では、「道徳」と「清潔」という概念に深い重なりがあるように思える。論文の著者たちは、手を洗うことが世界中の多くの宗教儀式の一部になっている理由も見えてくるのではないかと述べている。[3]

カーネマンは「金銭のプライミング」の研究も紹介している。同じ２００６年に『サイエンス』に発表された社会学者の論文では、人々にお金のことをさりげなく思い出させると——たとえば、紙幣の絵が漂うスクリーンセーバーが表示されているパソコンの前に座る——自分のことは自分でできるという感覚が強くなり、そのように行動して、他人のことをあまり気にしなくなることがわかった。[4] 金銭のプライミングによって「1人で遊び、1人で働き、初対面の人と物理的な距離を置く」[5] ことを好むようになったと、論文の著者は述べている。実験では、知らない人と対面で会話をするために部屋の座席を配置させると、金銭のプライミングを受けた人は何も映っていないディスプレイを見た人に比べて、椅子と椅子を30センチほど離して置いた。ただのスクリーンセーバーなのに、非常に大きな影響だと思うかもしれない。かなり微妙な先行刺激が行動に顕著な変化をもたらすことは、有名なプライミング研究のパターンでもある。

1　Daniel Kahneman, *Thinking, Fast and Slow* (New York: Farrar, Straus and Giroux, 2011). ダニエル・カーネマン『ファスト&スロー　あなたの意思はどのように決まるか?』（ハヤカワ・ノンフィクション文庫〈上下〉）【引用は訳者】

このようなプライミング研究は、「自分の判断や選択は意識的かつ自律的であるという自己イメージを脅かす」と、カーネマンは指摘する。彼はこれらの研究が健全なものであることを疑わなかった。「信じないという選択肢はない。結果はでっち上げられたものではなく、統計的な偶然の産物でもない。これらの研究の主な結論が真実であることは、受け入れるほかにない。さらに重要なのは、それらの結論が自分についてもまた、真実であると受け入れることだ[6]」

一連のプライミング効果の研究は権威ある学術誌に掲載されたとはいえ、カーネマンほどの研究者が全面的に信頼するべきではなかったかもしれない。結果として、ディーデリ・スターペルの不正行為が発覚したことと、ダリル・ベムの奇妙な超能力の論文が発表されたことと並んで、プライミング研究は――正確にはあるプライミング研究の再現を試みたことが、「再現性の危機[7]」の最初のきっかけの1つになった。

元のプライミング研究では、参加者に単語のリストを見せて、余分だと思う単語を1つ除外した残りで文章を作るという実験をおこなっている。その際、半分の参加者にはランダムに選んだ中立的な意味の単語のリストを、別の半分の参加者には「old, grey, wise, knits, Florida」など高齢者を連想させる単語を含むリストを与えた（フロリダはアメリカでも退職者の住民が多い）。タスクを終えた参加者は自由に退室したが、その際、彼らには知らせずに、廊下を歩いて建物を出るスピードを計測した。そして、ここでもまた、概念と行動のあいだに精神的なつながりがあることがわかった。高齢者に関連する言葉が先行刺激になった参加者は、対照群の参加者よりゆっくり歩いて帰ったのだ。[8]

１９９６年に発表されたこの研究は５０００回以上引用されており、心理学の教科書に必ずと言っていいほど登場する。私も学生時代に教わった。しかし２０１２年に、ある独立系のグループが、より多くのサンプルと優れたテクノロジーを用いてまったく同じ実験を再現した。その結果、歩く速さに違いは見られなかった。彼らは元の研究の結果について、ストップウォッチで歩く時間を計った研究助手は、どの人がどのような行動を取るかという予想を知っており、それが計測に影響を与えたのではないかと示唆した。再現実験のように赤外線を使って歩く速さを計測すると、そのようなプライミングが働かなくなるのだろうと考えられた。[9]

それから2、3年のうちに、ほかの研究グループもマクベス効果と金銭のプライミングについて、より大規模で代表的なサンプルを使って再現しようとした。[10] これらの試みは明らかに失敗した。ただし、それだけで、さまざまなプライミングの実験結果が、カーネマンの言葉を借りれば「でっち上げ」だと言えるわけではない。あくまでも誠実に導き出されたものだと考えるべきだろう。では、「統計的なまぐれ」なのだろうか。そうかもしれない。

ほかのプライミング研究も似たようなものだ。ある研究は、「距離」のプライミング――グラフ用紙の離れた2か所に点を記す――を受けた参加者は友人や親戚とのあいだに「距離」を

6　ダニエル・カーネマン『ファスト&スロー』

感じやすいと主張したが、2012年におこなわれた実験では再現できなかった[11]。道徳上のジレンマに関する文章を市松模様で縁取られた紙に印刷すると、参加者が偏った判断をしがちだと主張する研究もあったが、2018年の実験では再現できなかった[12]。似たようなテーマでは、嫌悪感によるプライミングはより道徳的な判断を促すと主張した一連の研究が、2015年におこなわれた再検証で疑問が生じている[13]。

カーネマンは後に、プライミング効果の科学的な確実性を強調しすぎたことは、自分の過ちだったと認めている。『ファスト&スロー』の刊行から6年後に、「あの章で提示した考えの実験的証拠は、執筆したときに私が信じていたより著しく弱かった」と述べている。「単純に間違いだった。はやる気持ちを抑えなければならないことはわかっていた……だが、私はよく考えようとしなかった[14]」。しかし、数百万という人々がノーベル賞受賞者から、それらの研究を「信じるしかない」と告げられたのは事実である。

多くの聴衆を虜にした心理学的効果は、プライミングだけではない。ハーバード大学の心理学者エイミー・カディは、2012年にTEDトークで「パワーポーズ」を提唱して一躍有名になった。面接などストレスのかかる場面の直前に、1人になれる場所（たとえばトイレの個室）で2分間、足を開いて両手を腰に当てるなど、開放的で広がりのあるポーズを取る。このような力強い姿勢は、心理的にも、ホルモン的にも、あなたを高めてくれる。カディらが2010年におこなった実験では、パワーポーズを取った人は、腕組みをしたり前かがみになって座ったりした人に比べて、力強さを感じるだけでなく、賭け事でリスク許容度が高くなり、テストステロンの値が上昇して、ストレスホルモンであるコルチゾールの値が低下した。[15]

２分間のパワーポーズで「人生の結果を大きく変える」ことができるというメッセージは人々の心に響いた。カディの講演はＴＥＤトーク史上２番目に多い視聴回数を記録し、総視聴回数は７３５０万回を超えた。[16] ２０１５年に刊行された著書『〈パワーポーズ〉が最高の自分を創る』（邦訳・早川書房）はニューヨーク・タイムズ紙で自己啓発書のベストセラーリストに入った。出版社によれば、この本は「プレッシャーの高い瞬間に、不安から（私たちを）解放する」こ

13　嫌悪感のプライミングは、悪臭を部屋に充満させておこなわれることが多かった。このトピックに関する研究は、多くの論文で心理学者が「おならスプレー」の効果を真面目に語っていることから話題になった。たとえば、「Liquid Ass®」と呼ばれる独自の臭気物質」について真剣に議論している論文もある。'Liquid Ass' については T. G. Adams et al., 'The Effects of Cognitive and Affective Priming on Law of Contagion Appraisals', *Journal of Experimental Psychopathology* 3, no. 3 (July 2012): p. 473; https://doi.org/10.5127/jep.025911 を参照。一連の研究のレビューは Justin F. Landy & Geoffrey P. Goodwin, 'Does Incidental Disgust Amplify Moral Judgment? A Meta-Analytic Review of Experimental Evidence', *Perspectives on Psychological Science* 10, no. 4 (July 2015): pp. 518–36; https://doi.org/10.1177/1745691615583128 を参照。

14　Alison McCook, "I Placed Too Much Faith in Underpowered Studies:" Nobel Prize Winner Admits Mistakes', *Retraction Watch*, 20 Feb. 2017; https://retractionwatch.com/2017/02/20/placed-much-faith-underpowered-studiesnobel-prize-winner-admits-mistakes/. カーネマンはまた、社会心理学者に向けた公開書簡で「予測可能だが避けられない災難が迫っている」として、研究の進め方を変えるように促した。以下のリンクに書簡のコピーがある。https://go.nature.com/2T7A2NV

16　ＴＥＤの５６００万回と YouTube の１７６０万回の合計（２０２０年２月）。講演の原題は「Your Body Language Shapes Who You Are」だったが、再現性の危機が注目されるようになった後に「Your Body Language May Shape Who You Are」と改定されている【訳注：TED talk 日本語版のタイトルはエイミー・カディ「ボディランゲージが人を作る」。https://www.ted.com/talks/amy_cuddy_your_body_language_may_shape_who_you_are?language=ja】。Amy Cuddy, 'Your Body Language May Shape Who You Are', presented at TEDGlobal 2012, June 2012; https://www.ted.com/talks/amy_cuddy_your_body_language_may_shape_who_you_are

とができる「魅惑的な科学」[17]を見せてくれた。イギリスの保守党はカディのメッセージを真剣に受け止めたようで、さまざまな会議やスピーチで仁王立ちになった政治家の写真が次々に公開され、笑い種になった。[18]ところが2015年に科学者のチームが「パワーポージング効果」を再現しようとしたところ、ポーズを取った本人はより力強さを感じたと報告したが、「テストステロン、コルチゾール、金融リスクに対するパワーポージング効果を確認することはできなかった[19]」。

再現性の危機が呼び起こした批判の目は、心理学の過去の研究にも向けられ、同じように憂慮すべき結果となった。心理学の研究でおそらく最も有名な実験は、1971年の「スタンフォード監獄実験」だ。心理学者のフィリップ・ジンバルドーは、若い男性を「看守」と「囚人」のグループに分けて、スタンフォード大学心理学部の建物の地下につくった模擬刑務所に1週間滞在させた。ジンバルドーによると、実験開始から驚くべき早さで「看守」が「囚人」に懲罰を与え始め、あまりにサディスティックな虐待になり、予定より早く実験を終了させなければならなかった。[20]

1960年代にスタンレー・ミルグラムがおこなった服従に関する研究では、「教師」役の多くが、解答を間違えた不運な「学習者」に強烈な電気ショックを与えることを望んだ（電気ショックも学習者も偽物だったが、教師役の人々は知らなかった）。ミルグラムとジンバルドーの実験は、状況が人間の行動を支配する力を示す重要な証拠とされた。[21]善良な人を悪い状況に置くと、物事はあっという間にひどく悪い方向に進むというわけだ。スタンフォード監獄実験は地球上のすべての大学の心理学部で教えられており、ジンバルドーは現代の最も有名で最も尊敬される心理学者の1人となった。イラクのアブグレイブ刑務所の捕虜虐待をめぐる米軍の元看守の裁判では専門家として証言に立ち、スタンフォード監獄実験の結果をもとに、看守が置かれた状況と彼らに与えられた役割が、収容者に衝撃的な虐待や拷問をおこなった理由であると説明した。[22]

スタンフォード監獄実験の意味するところは以前から議論されてきたが、最近になってようやく、いかにお粗末な研究だったのかが見えてきた。[23] 2019年に社会科学者で映画監督でもあるティボー・ル・テクシエは、「スタンフォード監獄実験の偽りを暴く」と題した論文を発表。ジンバルドーが実験に直接介入し、「看守」に振る舞い方をかなり詳細に指示している音声記録の未公開部分を書き起こした。囚人にトイレを使わせないなど、非人間的に扱う具体的な方法を示唆するようすもうかがえた。[24] 入念に演出されたこの「作品」は、明らかに、普通の人間が特定の社会的役割を与えられたときに何が起きるかという本質的な例からは程遠かった。スタンフォード監獄実験の「結果」は長年にわたって多大な関心を集めてきたにもかかわらず、科学的には無意味だったのだ。[25]

再現性の欠落（プライミング研究など）や奇怪な結果（ベムの超常現象の発見など）に加えて、虚偽の報告（ジンバルドーの実験など）や不正行為（スターペルのデータ捏造など）が明らかになり、心理学者のあいだに動揺が広がった。自分たちの分野の研究のうち、信頼できるものが果たしてどのくらいあるのだろうか。事態の深刻さを理解するために心理学者は力を合わせ、著名な研究について複数の研究室で大規模な再現実験を始めた。なかでも注目を集めたのは、大規模な共同研究を立ち上げて、心理学の権威ある学術誌3誌から100件の研究を選んで再現を試みたことだ。2015年に『サイエンス』に掲載された結果は厳しいものだった。最終的に再現に成功した研究はわずか39%だった。[26] さらに2018年には、科学全般を扱う世界的な学術誌『ネイチャー』と『サイエンス』に掲載された21本の社会科学論文の再現を試みたが[27]、成功したのは62%だった。ほかにもさまざまな種類の心理学的現象を検証した複数の共同研究では、再現率はそれぞれ77%、54%、38%だった。[28] 再現に成功した場合も、ほぼすべての再現実験で元の研究が効果の大きさを誇張していたことがわかった。全体として、再現性の危機は、指を1回鳴らしただけで心理学の研究の約半分を地図から消し去った。[29]

ただし、こうした数字ほど悪いわけでもないのだろう。理由は2つある。まず、本当に確かな結果であっても、不運のせいで再現できないこともあると考えられる。[30] そして、再現実験のいくつかは、元の実験の方法を少し変えたために失敗したかもしれない（実験の条件を少し修正しただけで消えてしまうような脆弱な結果なら、本当に有用で意味がある結果なのかという疑問は出てくるのだが[31]）。これらの理由から、1回や2回の再現実験だけで、ある研究結果が「再現可能かどうか」を判断するのは早計な場合もある。さらに、心理学の分野によって再現率も違ってくるようだ。２０１５年の『サイエンス』の論文では、認知心理学（記憶、知覚、言語などの研究）のほうが社会心理学（前述のようなメタファーによるプライミング研究など）より再現性が高かった。[32]

とはいえ、心理学は壊滅的な影響を受けた。プライミングやパワーポージングのようなふんわりとした派手な研究が否定されただけでなく、スタンフォード監獄実験など、はるかに「ま

29　この時点で、私が自分で仕かけた罠にはまったと批判する人もいるだろう。私は頑健な結果が重要であると強調してきたが、再現性の危機を論証するにあたり、すべての科学文献を代表するサンプルではない、複数の研究による再現性の試みを論拠としている。「出版された結果の約半分しか再現されない」という結論は、すべての科学に一般化されるわけではない。この点はある再現調査研究の批評で指摘されているとおりだ。D. T. Gilbert et al., 'Comment on "Estimating the Reproducibility of Psychological Science"', *Science* 351, no. 6277 (4 Mar. 2016): p. 1037; https://doi.org/10.1126/science.aad7243. この再反論の主張の多くには同意できないが（私が懐疑的な理由は以下を参照。Daniël Lakens, 'The Statistical Conclusions in Gilbert et al (2016) Are Completely Invalid', The 20% *Statistician*, 6 March 2016; https://daniellakens.blogspot.com/2016/03/thestatistical-conclusions-in-gilbert.html）、代表性に関する批判は正当である。心理学のように大規模な再現が試みられている分野でも、あらゆるテーマに関する知見のうちどのくらいの割合が再現可能か、正確にはほとんどわかっていない。一連の研究が示唆しているより実際は多いかもしれないし、少ないかもしれない。それでも私たちが知らないという事実そのものは、注目され誇張された多くの研究結果がよくよく調べてみると破綻しているという事実とともに、懸念すべき理由になると私は主張したい。危機が起きているという考えに対するほかの批判への回答は以下を参照。Harold Pashler & Christine R. Harris, 'Is the Replicability Crisis Overblown? Three Arguments Examined', *Perspectives on Psychological Science* 7, no. 6 (Nov. 2012): pp.531–36; https://doi.org/10.1177/1745691612463401

31　言うまでもなく原著者（再現実験に失敗した研究者）たちは、実際にはわずかな修正ではなく、重要な点で実験を破壊していると主張することも少なくない。どのような主張にも考慮すべき点はあるが、これはむしろ特殊な弁明に聞こえる。

32　パーソナリティ心理学の分野も同様である。心理学者のクリストファー・ソトはパーソナリティ研究の効果に関する大規模な再現研究をおこない、アンケートで測定されたパーソナリティ特性と、人生や恋愛の満足度、宗教観や政治観、仕事の成功などの結果との相関に注目した。その再現率は87%で、ほかの分野と比較してもかなり高かった。Christopher J. Soto, 'How Replicable Are Links Between Personality Traits and Consequential Life Outcomes? The Life Outcomes of Personality Replication Project', *Psychological Science* 30, no. 5 (May 2019): pp. 711–27; https://doi.org/10.1177/0956797619831612

じめな」心理学的研究の多くに疑問が投げかけられたのだ。これは無関係な過去の遺物をほじくり出して、それが悪だと指摘するパフォーマンスではない。897年にローマ教皇ステファヌス6世が先々代の教皇フォルモススの遺体を掘り起こして裁判にかけ、「有罪」を宣告したのとは違う。しかし、再現できなかった研究は、科学者や著述家によって繰り返し引用され、それを基盤に数々の研究やベストセラーの書籍が生まれてきた。まさに「危機」としか言いようがない。

## 再現性が失われた原因

再現性の危機を招いたのは、心理学という学問に何か特異な性質があるからだと思いたくなるかもしれない。心理学者の仕事は厄介だ。さまざまな個性や背景、経験、気分、癖を抱えていて、とても変わりやすく、とても複雑な人間を理解しようというのだ。研究の対象となるのは思考や感情、注意、能力、知覚など、基本的に形がないもので、実験室での実験で特定することは、不可能ではないにしても難しいものばかりだ。社会心理学ではさらに、これほど複雑な人間同士の相互作用を研究する。心理学の研究が複雑であるという事実が、心理学の発見の信頼性を、ほかの科学に比べてことさら怪しくしているとは言えないだろうか。

確かにそれもある。心理学の多くの研究は研究者が興味を持った現象の表面をかする程度だが、ほかの「難しい」科学、たとえば物理学では、すでに理論が確立していて、より正確で純粋な客観的計測がおこなわれる。ただし、再現性の問題を抱えているのは心理学だけではない。ほかの科学では、心理学ほど体系的かつ詳細に再現率を調べていないが、かなり多くの分野で同じ種類の問題が垣間見える。

［**経済学**］２０１６年にミクロ経済学の18件の研究（参加者が研究室で経済行動に関する実験をおこなうもので、その点は心理学の研究とあまり変わらない）の再現検証がおこなわれ、再現率はわずか61％だった。[33]

［**神経科学**］２０１８年の研究により、人がタスクをこなしているあいだに（あるいは撮影装置のなかに横たわっているあいだに）ＭＲＩ（磁気共鳴画像診断）を使って脳の活動を記録する脳機能イメージングの標準的な研究は、「適度な再現性」しかない可能性が高いことがわかった。[34] 脳機能イメージングの世界では、画像データの解析に広く使われているソフトウエアの初期設定に統計的な誤りがあることを明らかにした論文も話題になった。これにより、偶発的で修正されていない偽陽性の結果が大量に生まれ、このテーマについて発表されたすべての研究の約10％の信憑性に疑問が生じるかもしれない。[35]

［**進化生物学・生態学**］教科書にたびたび掲載され、何世代にもわたって学生が学んできた古典的な研究結果が、再現実験や批判的な再検証に敗れる例が相次いでいる。有名な「家畜化症

候群」は、従順になるように選択的に交配させたキツネの耳が垂れ、顔が平らになるなど、家畜化した種の身体的特徴を持つようになったとされているが、これらはかなり誇張された説明で、「家畜化」の特徴のほとんどは選択的に交配させる前から存在していたことがわかっている。[36] 鳥類の性淘汰〔訳注：雌雄選択。美しい羽など、二次性徴の発達した個体は配偶者を得る機会が多く、その形質がさらに発達するという説〕については、これまで「わかった」と考えられてきたことの多くが、より優れた証拠によって否定されている。たとえば、フィンチのオスの足に赤い帯を付けても、メスにとって著しく魅力的になるわけではない。喉に大きな黒い羽毛――よだれかけ――があるスズメのオスが、群れで優位に立つこともない。[37]

［**海洋生物学**］２０２０年におこなわれた大規模な再現実験の結果、海洋酸性化（気候変動の影響の１つでもある）が魚の行動に与えるとされてきた影響は存在しないことがわかった。[38] ２０１０年代におこなわれて論文が高く評価されているいくつかの研究では、海水の酸性度が高くなると魚が方向感覚を失い、捕食者が出す化学物質の合図から離れるどころか「向かっていく」場合さえあることが示されていたが、再現できなかった。

［**有機化学**］『オーガニック・シンセシス』は投稿されたすべての論文の結果を編集委員が自分の研究室で再現するというめずらしい方針を採っており、これまでに７・５％の論文を、再現できないことを理由に却下したと発表した。[39]

　このような例は数え切れないほどある。本書で紹介するケースのほぼすべては、科学的な「発見」を精査した結果、考えられていたほど確かではないか、完全に真実ではないと判明したものだ。

　ただし、ここで自問しなければならない。こうして指摘される事例は、注目を集めるような検証をされた研究である。つまり、私たちが知っているものだけなのだ。それ以外の数多くの研究の再現を試みたら、いったいどれだけの結果が再現できないのだろうか。

　こうした不確実性が続いている理由のひとつは、本書の序文のとおり、ほとんど誰も再現実験をおこなわないことだ。いくつかの分野を見ただけでも寒々しい数字が並んでいる。経済学では発表されたすべての論文のうち、過去の結果の再現を試みた論文は０・１％という悲惨な状況だ。心理学では１％強とまだましだが、好ましいとはとても言えない[40]。過去の知識が信頼できるものかどうかを誰もチェックすることなく、新しい発見に向かってつねに前進しているのなら、これらの再現失敗のリストも驚くには値しないのだろう。

　さらに憂慮すべきことがある。発表された研究とまったく同じデータセットを入手すれば、報告されているものとまったく同じ結果が得られると、普通は思うだろう。しかし残念ながら、多くの分野で、一見すると簡単そうなこの作業がきわめて困難なのだ（これについては、異なるデータを使って同じ手法で検証する「反復性」と区別して議論する場合もある）。同じデータで同じ結果を再現できないことが、どうして起こり得るのか。まず考えられるのは、最初の研究に誤りがあるからだ。さらに、最初の研究者が分析結果を明確に報告していなかった場合もある。論文には明記されていないが、統計処理に手が加えられていて、第三者が正確な手順をたどることができないのだ。別の研究者が独自の方法で統計を取れば、結果は違ったものになる。食欲をそそる料理の写真が掲載されていても、それを作るために必要な材料やレシピについてはほんの少ししか書かれていない料理本のようなものだ。

マクロ経済学（たとえば、税制が国の経済成長にどのような影響を与えるか）では67本の論文を再分析したところ、同じデータセットを用いて結果を再現できたのは22本のみ。原著者に協力を求めても、再現できた数はわずかに増えただけだった。[41] 地球科学では調査した39件の研究のうち37件で同じ結果を得ることができたが、多少なりとも問題はあった。[42] 機械学習の研究者が「推薦アルゴリズム」に関する一連の論文を分析したところ、コンピュータサイエンスの権威あるいくつかのカンファレンスで最近発表された研究18件のうち7件しか再現できなかった（推薦アルゴリズムはアマゾンやネットフリックスなどのサイトに導入されているプログラムで、「あなたのような人」の過去の選択をもとに、あなたが次に購入したり視聴したりしたいと思いそうなものを提案する」）。[43] これらの研究は、いわばシドニー・ハリスの有名な漫画の実写版だ。

そこまで重要な問題なのかと思うかもしれない。経済理論などより重要な分野の再現性の低さはともかく、パワーポーズが有効かどうかや、群れを支配するオスのスズメは黒い羽毛が目立つかどうかについて、大勢の科学者が異論を唱えたところで私たちの暮らしがどう変わると

「ここのステップ２をもう少し明確にしないと」

いうのだろう。

これには2つの答えがある。まず、問題はもっと大きな原則に関することだ。科学は私たちの社会にとってきわめて重要であり、質が低くて再現性のない研究で妥協してはならない。科学のどこかで基準が緩むと、科学的な活動全体の評判が損なわれる危険がある。もう1つの答えは、再現性の欠如による直接的な影響に議論の余地がない分野、すなわち医学にある。

心理学で再現性の危機が起きたころ、アムジェンというバイオテクノロジー企業の科学者たちが、ガンの研究について一流の学術誌に掲載された53件の画期的な「前臨床」研究の再現を試みた（前臨床研究は医薬品開発の初期段階で、多くは試験管内でマウスやヒトの細胞を使っておこなわれる）[44]。その結果、再現実験が成功したのはわずか6件、約11%だった。バイエルの科学者がおこなった同様の再現実験も、成功率は約20%にとどまった。[45] このように前臨床研究の確実な基盤がないことは、抗ガン剤の臨床試験が期待はずれに終わることが多い理由の1つかもしれない。ある推計によると、抗ガン剤のうち前臨床研究から人間への投与まで到達するのはわずか3・4%だという。[46]

こうした事実を知って、ガン研究者は心理学者と同じように、自分たちの分野全体の状況に疑問を抱いた。2013年には前臨床ガン研究のうち重要な51件について、独立した研究室で再現するために組織的な共同プロジェクトが立ち上げられた。[47] 対象となる研究には、特定の種類のバクテリアが大腸ガンの腫瘍の成長に関係しているのではないかという主張や、白血病に見られるいくつかの突然変異が特定の酵素の活性化に関係しているという主張もあった。[48]

しかし、実際に再現実験をおこなう前に問題が発生した。元となる論文のすべてにおいて、報告されている実験のすべてについて、再現する方法がわかるだけの情報が提供されていなかったのだ。[49] 実験に使った細胞の密度や、測定や分析に関する要素など、研究の技術的な側面が記されていなかった。再現実験が暗礁に乗り上げると、元の研究者と膨大なやり取りをすることになり、彼らは自分の研究の詳細を確認するために古い実験ノートを引っ張り出して、今は別の仕事をしている元共同研究者と連絡を取らなければならなかった。[50] 協力に乗り気ではない人もいた。再現を試みた研究者は元の研究者の45%に対し、「ほとんど」または「まったく」役に立たなかったと評価した。[51] 元の研究者にしてみれば、再現する人々の能力が低いのではないか、再現に失敗すれば自分が研究費を得られなくなるのではないかと案じたのだろう。[52]

その後、より包括的な調査がおこなわれ、臨床試験を含む２６８本の生物医学論文を無作為に抽出したところ、１本を除いてすべての論文が完全なプロトコルを報告していないことが明らかになった。つまり、ある研究を再現しようとすると、論文に書かれていること以外の情報が必要になる。[53] さらに別の分析では、対象となった生物医学論文の54％が、実験に使った動物、化学物質、細胞の種類を完全に記述していなかった。[54] これがいかにおかしなことか、考えてみてほしい。論文には研究の表面的な説明しかなく、必要な詳細は数カ月をかけて著者とメールでやり取りしてようやく明らかになる（あるいは永遠にわからない）のであれば、そもそも論文を書く意味があったのだろうか。17世紀のロバート・ボイルの時代、科学者が自分の研究の詳細をすべて報告しようと思う基本的な動機は、ほかの人が研究を精査して再現できるようにするためだった。先に挙げたような論文は、そうした初歩的な条件を満たしておらず、掲載した

45　Florian Prinz et al., 'Believe It or Not: How Much Can We Rely on Published Data on Potential Drug Targets?', *Nature Reviews Drug Discovery* 10 (Sept. 2011): 712; https://doi.org/10.1038/nrd3439-c1. バイエルの科学者による再現実験の70％はガン研究で、残りの30％は女性の健康および心臓血管の研究である。

46　Chi Heem Wong et al., 'Estimation of Clinical Trial Success Rates and Related Parameters', *Biostatistics* 20, no. 2 (1 April 2019): pp. 273–86; https://doi.org/10.1093/biostatistics/kxx069. すべての薬剤について前臨床試験からヒトに使用できるようになる割合は推定13・8％であるのに対し、抗ガン剤の研究の成績はひどく悪い。

53　Shareen A. Iqbal et al., 'Reproducible Research Practices and Transparency across the Biomedical Literature', *PLOS Biology* 14, no. 1 (4 Jan. 2016): e1002333; https://doi.org/10.1371/journal.pbio.1002333. サンプル全体で４４１本の論文が含まれているが、実験にもとづくデータを報告している論文は２６８本だった。

学術誌も基本的かつ重要な機能を果たしていない。

ガン研究の再現プロジェクトは、研究を再現する際のさまざまな障害に加えて財政的な問題もあり、対象の研究の数は50件から減り続けてわずか18件になった。[55] 本書の執筆時点では14件について報告されており、元の研究の重要な結果が明確に再現されるものが5件（白血病の酵素に関する研究を含む）、一部が再現されるものが4件、再現に明らかに失敗しているものが3件（バクテリアと大腸ガンの研究を含む）、結果を解釈することさえできないものが2件だった。[56] 再現は、率直に言って、たやすいことではない。

## 医学における大きすぎる代償

医学における再現性の問題は、実験室でおこなわれる前臨床研究だけでなく、医師が患者におこなう治療にも直接、影響を与えかねない。一般的な治療の多くが質の低い研究にもとづいていることになり、確かなエビデンスはなく、医学の常識とされてきたことが新しい研究によってたびたび否定されるのだ。あまりに頻繁に起こるこの現象を、医学者のヴィナイ・プラサドとアダム・シフは「医学的逆転[57]」と名づけた。

医学的逆転のなかでも特筆すべき例は、「術中覚醒」に関するものだ。名前こそ地味だが、手術中に麻酔から目が覚めて、ときには切開の耐え難い痛みを感じながら、動くことも話すこともできず、どうすることもできないという悪夢のような（とうていありがたくない）現象である。これについて１９９０年代の研究で、「バイスペクトラル・インデックス・モニター」と呼ばれる装置の使用が支持された。患者の頭に電極を設置して脳波を監視し、無意識下であることを外科医が確認するというものだ。バイスペクトラル・インデックス・モニターは麻酔の常識となり、２００７年にはアメリカの手術室の半数に設置され、世界中で推定４０００万件の手術で使用されていた。[58] しかし、これらの初期の研究は、一定の水準を満たしていなかったのだ。２００８年に大規模で質の高い研究がおこなわれ、モニターは役に立たないことがわかった。「［バイスペクトラル・インデックス・モニターの］値が……目標範囲内でも術中覚醒が生じた[59]」

２０１９年にプラサドとシフラは３つの一流医学誌に掲載された３０００件以上の論文を検証し、医療行為の常識を覆すような研究を少なくとも３９６件、突き止めた。[60] ごく一部を紹介しよう。

**【出産】** 従来の研究では、双子の出産は計画的な帝王切開が赤ちゃんにとって最も安全な選択肢とされ、（少なくとも北米では）標準的な方法になっていた。しかし２０１３年におこなわれた大規模な無作為化試験で、帝王切開かどうかで赤ちゃんの健康状態に差が生じないことがわかった。[61]

**［アレルギー］** ピーナツのアレルギーは死に至る危険が高く、親にアレルギーがあると子供も発症するリスクが高い。そこで長年にわたり、過去の研究にもとづいて、リスクのある子供には少なくとも3歳までピーナツを与えず、授乳中の母親もピーナツを避けるというガイドラインがあった。しかし、2015年におこなわれた質の高い無作為化試験により、この助言は完全に逆効果であるとわかった。リスクの高い子供のうち、生後早い時期にピーナツを食べて5歳までにアレルギーを発症したのは約2％だったのに対し、ピーナツを避けていた子供は約14％が発症したのだ。[62]

**［心臓発作］** いくつかの小規模な実験で、心停止の状態で体温を数度下げると命が助かる可能性が高くなることがわかり、これにもとづいたアドバイスが救急隊員向けのガイドラインに盛り込まれるようになった。しかし、2014年におこなわれた大規模な研究では生存率に差はなく、むしろ、病院へ搬送中に2回目の発作を起こす可能性を高めているかもしれないことがわかった。[63]

**［脳卒中］** 従来の研究では脳卒中を起こした数日後から、できるだけ早く体を動かすことが望ましいとされてきた。この「早期離床」の概念は、多くの病院でガイドラインに記載されている。しかし、2015年におこなわれた大規模な無作為化試験では、早期離床が患者の転帰〔訳注：治療後の経過や結果〕を悪化させることがわかった。[64] 同様に、脳卒中患者に血小板輸血（血液凝固に関連する血球を補充する処置で、理論上はさらなる出血の予防に役立つ）をおこなうこと

が広く受け入れられてきたが、２０１６年の研究で、実は状況を悪化させることが明らかになった。[65]

医師や治療のガイドラインを作成する人々が、質の低いエビデンスに頼ってしまうときもあることは理解できる。代わりの選択肢の多くはエビデンスがまったくなく、彼らの仕事は今すぐに治療を必要としている患者を救うことだ。そして、技術や方法論の進歩や資金の充実によって、科学者が数年前より優れた研究をおこなうことができるのは必然であり、それが科学の進歩というものだ。しかし一方で、医学文献はつねに流動的で、大学で研究デザインを学んでいる学部生でも不十分だと認めるような質の低い研究と発表が、医師や患者を失望させてきた。再現性に乏しい元の実験の多くが発表された時点で、もっと良い方法があるとわかっていても、そのままにしてきたのだ。

医学研究の不確実性の深刻さは、文献全体を見ればよくわかる。たとえば、医学的治療の質を体系的に評価している信頼性の高い慈善団体「コクレイン・コラボレーション」は、数多くの包括的なレビューを発表している。そして、彼らのレビューの実に45％が、検証した治療法が有効かどうかを判断するには十分な証拠がないと結論づけている。[66]

科学的な裏づけがあるように「見えた」だけで、価値のない、ときには有害でさえある治療を医師がおこなったために、どれだけの患者が希望をふくらませ、苦しみ、あるいは死んでいったのだろうか。

ここでは人類の苦しみではなく、浪費されるカネのことを考えよう。前臨床研究の半分しか再現性がないと仮定すると（もちろん議論の余地はあるが、妥当な仮定だろう）、再現性のない質の低い研究に、アメリカだけで毎年280億ドルが費やされている計算になる（製薬会社の投資、政府の助成金、その他の資金を含む）。[67] それ以上の推定金額もある。[68] 再現性が50％よりはるかに高いとしても、問題のある研究に莫大な金額が投じられていることに変わりはない。しかも、これらの数字は前臨床研究だけの話だ。信頼性の低い研究をもとに人体での治験を設計するなど、研究開発プロセスの「終盤」ではさらに多くの費用が無駄になる。また、これらは研究自体のコストしか計算していない。たとえば、術中覚醒の対策にバイスペクトラル・インデックス・モニターが使われてきたように、効果のない治療法を何百万人という患者に適用することに伴う無駄遣いは含まれていないのだ。

こうしたさまざまな失敗や逆転現象を考えれば、多くの科学者が自分の分野の再現性に不安を感じるのも無理はない。2016年に1500人以上の科学者を対象におこなわれた調査では、52％の人が再現性に「重大な危機」があると考えていた。ただし、彼らは『ネイチャー』のサイトでアンケートに答えただけで、厳密に代表的な調査対象ではない。また、38％の人が、少なくとも「わずかな危機」があると考えていた。[69] ほかの研究者の結果を再現できなかった経験があると答えたのは、化学者が約90％、生物学者が約80％、物理学者、エンジニア、医学者がそれぞれ約70％。自分の研究の再現に問題があったと答えた科学者は、それよりやや少ない割合だった。これは正式な調査方法ではなく、すでに再現性に不安を抱いていた科学者ほどアンケートに回答したと思われるため、多少は誇張された数字だろう。しかし、私たち自身がおこなった研究も含めて、科学文献がどこまで信頼できるのかという懸念が広がっていることは確かだ。

私たちはこの事態を予想していたはずだ。メタサイエンティストのジョン・イオアニディスが2005年に発表した論文のタイトルは、「なぜ発表された研究結果の大半が誤りなのか」。その数学的モデルは次のような結論に至った――科学研究がうまくいかない可能性を考えれば、科学論文に書かれているあらゆる主張は、真実であるより偽りである可能性のほうが高い。[70]

イオアニディスの論文は大いに注目を集め、議論を呼び、発表から5年間で800回以上引用された。[71] しかし、科学者が研究の質を高めるために必要な変化を起こそうというきっかけにはならず、悲劇の予言として受け止められることもなかった。2011年にベムの超心理学的な主張が発表され、スターペルの不正が明らかになり、同じ時期に心理学のプライミング研究の問題やガン研究の再現性の失敗があって、再現性の危機が次々に発覚してようやく、私たちの問題が広く認識され、こんにちの科学のあり方の根幹に関わることが明確に理解され

71　引用回数はグーグル・スカラーより。

るようになった。[72]

「なぜ発表された研究結果の大半が誤りなのか」という刺激的なタイトルを、私たちは不条理な誇張ではなく合理的な提言だと思えるようになった。次章では、科学が間違った方向に進む可能性があることと、実際にその方向に進んでいることを見ていこう。

---

引用：Brian A. Nosek et al., 'Scientific Utopia: II. Restructuring Incentives and Practices to Promote Truth Over Publishability', Perspectives on Psychological Science 7, no. 6 (Nov. 2012): pp. 615-631; https://doi.org/10.1177/1745691612459058, p. 616.

2 James Neely, 'Semantic Priming Effects in Visual Word Recognition: A Selective Review of Current Findings and Theories', in *Basic Processes in Reading: Visual Word Recognition*, ed. Derek Besner, 1st ed. (Abingdon: Routledge, 2012); https://doi.org/10.4324/9780203052242

3 C. B. Zhong & K. Liljenquist, 'Washing Away Your Sins: Threatened Morality and Physical Cleansing', Science 313, no. 5792 (8 Sept. 2006): pp. 1451–52; https://doi.org/10.1126/science.1130726

4 K. D. Vohs et al., 'The Psychological Consequences of Money', *Science* 314, no. 5802 (17 Nov. 2006): pp. 1154–56; https://doi.org/10.1126/science.1132491

5 前掲 p. 1154.

7 この言葉は私の知るかぎりPashler & Wagenmakersの論文で最初に使われている。彼らは「再現性の危機」という表現をそのまま使ったわけではないが、再現に失敗するケースが相次いだ後の心理学研究における「信頼の危機」について論じている。Nelson′ Simmonshn′ Simonsohnは再現性の危機の引き金について論じている。Harold Pashler & Eric-Jan Wagenmakers, 'Editors' Introduction to the Special Section on Replicability in Psychological Science: A Crisis of Confidence?', *Perspectives on Psychological Science* 7, no. 6 (Nov. 2012): pp. 528–30; https://doi.org/10.1177/1745691612465253 and: Leif D. Nelson et al., 'Psychology's Renaissance', *Annual Review of Psychology* 69, no. 1 (4 Jan. 2018): pp. 511–34; https://doi.org/10.1146/annurev-psych-122216-011836

8 John A. Bargh et al., ‘Automaticity of Social Behavior: Direct Effects of Trait Construct and Stereotype Activation on Action’, *Journal of Personality and Social Psychology* 71, no. 2 (1996): pp. 230–44; https://doi.org/10.1037/0022-3514.71.2.230; 引用回数（正確には５２０８回）はグーグル・スカラー（Google Scholar）を２０２０年１月に検索。

9 Stéphane Doyen et al., ‘Behavioral Priming: It’s All in the Mind, but Whose Mind?’, *PLOS ONE* 7, no. 1 (18 Jan. 2012): e29081; https://doi.org/10.1371/journal.pone.0029081

10 Brian D. Earp et al., ‘Out, Damned Spot: Can the “Macbeth Effect” Be Replicated?’ *Basic and Applied Social Psychology* 36, no. 1 (Jan. 2014): pp. 91–98; https://doi.org/10.1080/01973533.2013.856792; 金銭のプライミング：Richard A. Klein et al., ‘Investigating Variation in Replicability: A “Many Labs” Replication Project’, *Social Psychology* 45, no. 3 (May 2014): pp. 142–52; https://doi.org/10.1027/1864-9335/a000178

11 オリジナルの研究：Lawrence E. Williams & John A. Bargh, ‘Keeping One’s Distance: The Influence of Spatial Distance Cues on Affect and Evaluation’, *Psychological Science* 19, no. 3 (Mar. 2008): pp. 302–8; https://doi.org/10.1111/j.1467-9280.2008.02084.x; 再現実験：Harold Pashler et al., ‘Priming of Social Distance? Failure to Replicate Effects on Social and Food Judgments’, *PLOS ONE* 7, no. 8 (29 Aug. 2012): e42510; https://doi.org/10.1371/journal.pone.0042510

12 オリジナルの研究：Theodora Zarkadi & Simone Schnall, ‘“Black and White” Thinking: Visual Contrast Polarizes Moral Judgment’, *Journal of Experimental Social Psychology* 49, no. 3 (May 2013): pp. 355–59; https://doi.org/10.1016/j.jesp.2012.11.012; 再現実験：Hans IJzerman & Pierre-Jean Laine, ‘Does Background Color Affect Moral Judgment? Three Pre-Registered Replications of Zarkadi and Schnall’s (2012) Study 1’, Preprint, *PsyArXiv* (30 July 2018); https://doi.org/10.31234/osf.io/ktfxq

15 Dana R. Carney et al., ‘Power Posing: Brief Nonverbal Displays Affect Neuroendocrine Levels and Risk Tolerance’, *Psychological Science* 21, no. 10 (Oct. 2010): pp. 1363–68; https://doi.org/10.1177/0956797610383437

17 Amy J. C. Cuddy, *Presence: Bringing Your Boldest Self to Your Biggest Challenges* (New York: Little, Brown and Company, 2015). エイミー・カディ『〈パワーポーズ〉が最高の自分を創る』（早川書房）。出版社の文言の引用は以下のリンクを参照。https://www.littlebrown.com/titles/amy-cuddy/presence/9780316256575/

18 Homa Khaleeli, ‘A Body Language Lesson Gone Wrong: Why is George Osborne Standing like Beyoncé?’ *Guardian*, 7 Oct. 2015; https://www.theguardian.com/politics/shortcuts/2015/oct/07/who-told

19 Eva Ranehill et al., ‘Assessing the Robustness of Power Posing: No Effect on Hormones and Risk Tolerance in a Large Sample of Men and Women’, *Psychological Science* 26, no. 5 (May 2015): pp. 653-56; https://doi.org/10.1177/0956797614553946, p. 655. パワーポージングをめぐる議論はその後も続いている。２０１７年のあるレビューは、パワーポージング効果は「今のところ経験的に支持されていない仮説」だと結論づけている（Joseph P. Simmons & Uri Simonsohn, ‘Power Posing: P-Curving the Evidence’, *Psychological Science* 28, no. 5 (May 2017): pp. 687–93; https://doi.org/10.1177/0956797616658563）。カディは自身のレビューで全体的な効果を発見したと反論したが、その後ほかの問題点も挙げられており、引用

されている研究の効果のほとんどはパワーポーズの有益な効果ではなく、前かがみの姿勢の悪影響によるものだろうと指摘されている（Amy J. C. Cuddy et al., 'P-Curving a More Comprehensive Body of Research on Postural Feedback Reveals Clear Evidential Value for Power-Posing Effects: Reply to Simmons and Simonsohn (2017)', *Psychological Science* 29, no.4 (April 2018): pp. 656–66; https://doi.org/10.1177/0956797617746749）。前かがみの姿勢については以下を参照。Marcus Credé, 'A Negative Effect of a Contractive Pose is not Evidence for the Positive Effect of an Expansive Pose: Commentary on Cuddy, Schultz, and Fosse (2018)', SSRN: https://doi.org/10.2139/ssrn.3198470

20 Philip Zimbardo, *The Lucifer Effect: How Good People Turn Evil* (London: Rider, 2007). フィリップ・ジンバルドー『ルシファー・エフェクト ふつうの人が悪魔に変わるとき』（海と月社）

21 Stanley Milgram, 'Behavioral Study of Obedience', *Journal of Abnormal and Social Psychology* 67, no. 4 (1963): pp. 371–78; https://doi.org/10.1037/h0040525. ミルグラムの実験も相応の批判にさらされてきた。参加者が自分は「学習者」に本当に電気ショックを与えていると信じるほど、より強力なショックを与えようとしなくなるという証拠が示されている。たとえば以下を参照。Gina Perry et al., 'Credibility and Incredulity in Milgram's Obedience Experiments: A Reanalysis of an Unpublished Test', *Social Psychology Quarterly*, 22 Aug. 2019; https://doi.org/10.1177/0190272519861952

22 Philip Zimbardo, 'Our inner heroes could stop another Abu Ghraib', *Guardian*, 29 Feb. 2008; https://www.theguardian.com/commentisfree/2008/feb/29/iraq.usa

23 Erich Fromm, *The Anatomy of Human Destructiveness* (New York: Holt, Rinehart and Winston, 1975). エーリッヒ・フロム『破壊 人間性の解剖』（紀伊国屋書店）

24 Thibault Le Texier, 'Debunking the Stanford Prison Experiment', *American Psychologist* 74, no. 7 (Oct. 2019): pp. 823–39; https://doi.org/10.1037/amp0000401

25 スタンフォード監獄実験をめぐる議論は続いており、ジンバルドーは批判に反論している。たとえば以下を参照。Philip Zimbardo, 'Philip Zimbardo's Response to Recent Criticisms of the Stanford Prison Experiment', 23 June 2018; https://static1.squarespace.com/static/557a07d5e4b05fe7bf112c19/t/5dee52149d16d153cba11712/1575899668862/Zimbardo2018-06-23.pdf. ル・テクシエの（この稿の執筆時点で）最新の反応は以下を参照。Thibault Le Texier, 'The SPE Remains Debunked: A Reply to Zimbardo and Haney (2020)', Preprint, PsyArXiv (24 Jan. 2020); https://doi.org/10.31234/osf.io/9a2er

26 Open Science Collaboration, 'Estimating the Reproducibility of Psychological Science', Science 349, no. 6251 (28 Aug. 2015): aac4716; https://doi.org/10.1126/science.aac4716

27 Colin F. Camerer et al., 'Evaluating the Replicability of Social Science Experiments in Nature and Science between 2010 and 2015', *Nature Human Behaviour* 2, no. 9 (Sept. 2018): pp. 637–44; https://doi.org/10.1038/s41562-018-0399-z

28 再現を試みた16件の研究のうち6件が成功した（38%）。Charles R. Ebersole et al., 'Many Labs 3: Evaluating Participant Pool Quality across the Academic Semester via Replication', *Journal of Experimental Social Psychology* 67 (Nov. 2016): pp. 68–82; https://doi.org/10.1016/j.jesp.2015.10.012

30 Alexander Bird, 'Understanding the Replication Crisis as a Base Rate Fallacy', *British Journal for the Philosophy of Science*, 13 Aug. 2018; https://doi.org/10.1093/bjps/axy051

33 C. F. Camerer et al., 'Evaluating Replicability of Laboratory Experiments in Economics', Science 351, no. 6280 (25 Mar. 2016): pp. 1433–36; https://doi.org/10.1126/science.aaf0918

34 Benjamin O. Turner et al., 'Small Sample Sizes Reduce the Replicability of Task-Based fMRI Studies', *Communications Biology* 1, no. 1 (Dec. 2018): 62; https://doi.org/10.1038/s42003-018-0073-z

35 Anders Eklund et al., 'Cluster Failure: Why fMRI Inferences for Spatial Extent Have Inflated False-Positive Rates', *Proceedings of the National Academy of Sciences* 113, no. 28 (12 July 2016): pp. 7900–5; https://doi.org/10.1073/pnas.1602413113 and Anders Eklund et al., 'Cluster Failure Revisited: Impact of First Level Design and Physiological Noise on Cluster False Positive Rates', *Human Brain Mapping* 40, no. 7 (May 2019): 2017–32; https://doi.org/10.1002/hbm.24350

36 Kathryn A. Lord et al., 'The History of Farm Foxes Undermines the Animal Domestication Syndrome', *Trends in Ecology & Evolution* 35, no. 2 (Feb. 2020): pp. 125–36; https://doi.org/10.1016/j.tree.2019.10.011

37 「フィンチ」: Daiping Wang et al., 'Irreproducible Text-Book "Knowledge": The Effects of Color Bands on Zebra Finch Fitness: Color Bands Have No Effect on Fitness in Zebra Finches', *Evolution* 72, no. 4 (April 2018): pp. 961–76; https://doi.org/10.1111/evo.13459. 以下も参照。Yao-Hua Law, 'Replication Failures Highlight Biases in Ecology and Evolution Science', The Scientist, 31 July 2018; https://www.the-scientist.com/features/replication-failures-highlight-biases-in-ecology-andevolution-science-64475.「スズメ」: Alfredo Sánchez-Tójar et al., 'Meta-analysis challenges a textbook example of status signalling and demonstrates publication bias', *eLife* 7 (13 Nov. 2008): e37385; https://doi.org/10.7554/eLife.37385.001.「よだれかけ」: Timothy H. Parker, 'What Do We Really Know about the Signalling Role of Plumage Colour in Blue Tits? A Case Study of Impediments to Progress in Evolutionary Biology: Case Study of Impediments to Progress', Biological Reviews 88, no. 3 (Aug. 2013): pp. 511–36; https://doi.org/10.1111/brv.12013

38 Timothy D. Clark et al., 'Ocean Acidification Does Not Impair the Behaviour of Coral Reef Fishes', *Nature* 577, no. 7790 (Jan. 2020): pp. 370–75; https://doi.org/10.1038/s41586-019-1903-y. 以下も参照。Martin Enserink, 'Analysis Challenges Slew of Studies Claiming Ocean Acidification Alters Fish Behavior', Science, 8 Jan. 2020; https://doi.org/10.1126/science.aba8254. 後者が指摘するように、魚の行動が影響を受けないという事実は、ほかにも多くのネガティブな影響をもたらす海洋酸性化を懸念しなくていいという理由にはならない。

39 http://www.orgsyn.org/instructions.aspx; 以下も参照。Dalmeet Singh Chawla, 'Taking on Chemistry's Reproducibility Problem', *Chemistry World*, 20 March 2017; https://www.chemistryworld.com/news/taking-on-chemistrys-reproducibilityproblem/3006991.article

40 検索方法に関する理由から、これらの数字は再現を試みていることを明示していない研究を見逃している可能性があり、実際の数字はもう少し大きいかもしれない。経済学については以下を参照。Frank Mueller-Langer et al., 'Replication Studies in Economics – How Many and Which Papers Are

Chosen for Replication and Why?', *Research Policy* 48, no. 1 (Feb. 2019): pp. 62–83; https://doi.org/10.1016/j.respol.2018.07.019)。心理学については以下を参照。Matthew C. Makel et al., 'Replications in Psychology Research: How Often Do They Really Occur?', *Perspectives on Psychological Science* 7, no. 6 (Nov. 2012): pp. 537–42; https://doi.org/10.1177/1745691612460688

41 Board of Governors of the Federal Reserve System, Andrew C. Chang & Phillip Li, 'Is Economics Research Replicable? Sixty Published Papers from Thirteen Journals say "Usually Not"', *Finance and Economics Discussion Series* 2015, no.83 (Oct. 2015): pp. 1–26; https://doi.org/10.17016/FEDS.2015.083. 経済学の再現性についての詳細なレビューは以下を参照。Garret Christensen & Edward Miguel, 'Transparency, Reproducibility, and the Credibility of Economics Research' (Cambridge, MA: National Bureau of Economic Research, Dec. 2016); https://doi.org/10.3386/w22989

42 Markus Konkol et al., 'Computational Reproducibility in Geoscientific Papers: Insights from a Series of Studies with Geoscientists and a Reproduction Study', International Journal of Geographical Information Science 33, no. 2 (Feb. 2019): pp. 408–29; https://doi.org/10.1080/13658816.2018.1508687

43 さらに悪いことに、7件のうち6件はこれらの新しいアルゴリズムが登場する何年も前から知られていた、もっと単純な方法と比べて冗長だった。Maurizio Ferrari Dacrema et al., 'Are We Really Making Much Progress?: A Worrying Analysis of Recent Neural Recommendation Approaches', in *Proceedings of the 13th ACM Conference on Recommender Systems* – RecSys 2019 (Copenhagen, Denmark: ACM Press, 2019): pp. 101–9; https://doi.org/10.1145/3298689.3347058. コンピューターサイエンスに関する以下のリポートでは、最近の研究者がいくつかの古典的アルゴリズムの性能の再現に苦労していることがうかがえる。いわば時限爆弾のようなもので、若手研究者としては、先輩の研究者が開発して彼らの評価を裏づけてきたアルゴリズムの性能が再現できないことを公表して、「先輩研究者を批判していると見られたくない」。Matthew Hutson, 'Artificial Intelligence Faces Reproducibility Crisis', Science 359, no. 6377 (16 Feb. 2018): pp. 725–26; https://doi.org/10.1126/science.359.6377.725, p. 726.

44 C. Glenn Begley & Lee M. Ellis, 'Raise Standards for Preclinical Cancer Research', *Nature* 483, no. 7391 (Mar. 2012): pp. 531–33; https://doi.org/10.1038/483531a

47 Brian A. Nosek & Timothy M. Errington, 'Reproducibility in Cancer Biology: Making Sense of Replications', eLife 6 (19 Jan. 2017): e23383; https://doi.org/10.7554/eLife.23383. このプロジェクトは「再現性プロジェクト（Reproducibility Project）：ガン生物学」と呼ばれている。「reproducibility」は本書の「replicability」（異なるサンプルで同じ結果を得ようとすること）と同じ意味で使われている。私は幅広いコンセンサスを反映するように言葉の定義を選んでいるが、誰もが同じ専門用語に固執するわけではないことに注意しなければならない。

48 John Repass et al., 'Replication Study: Fusobacterium Nucleatum Infection is Prevalent in Human Colorectal Carcinoma', *eLife* 7 (13 Mar. 2018): e25801; https://doi.org/10.7554/eLife.25801

49 Tim Errington, 'Reproducibility Project: Cancer Biology – Barriers to Replicability in the Process of Research' (2019); https://osf.io/x9p5s/

50 Monya Baker & Elie Dolgin, 'Cancer Reproducibility Project Releases First Results', Nature 541, no. 7637 (Jan. 2017): pp. 269–70; https://doi.org/10.1038/541269a; Daniel Engber, 'Cancer Research Is Broken', *Slate*, 19 April 2016; https://slate. com/technology/2016/04/biomedicine-facing-a-worse-replication-crisis-than-theone-plaguing-psychology.html

51 Errington, 'Reproducibility Project', slide II.
52 J. Kaiser, 'The Cancer Test', Science 348, no. 6242 (26 June 2015): pp. 1411–13; https://doi.org/10.1126/science.348.6242.1411
54 Nicole A. Vasilevsky et al., 'On the Reproducibility of Science: Unique Identification of Research Resources in the Biomedical Literature', *PeerJ* 1 (2013): e148; https://doi.org/10.7717/peerj.148. 不完全な報告の問題は生物医学の分野をはるかに超えて広がっている。政治学については以下を参照。Alexander Wuttke, 'Why Too Many Political Science Findings Cannot Be Trusted and What We Can Do About It: A Review of Meta-Scientific Research and a Call for Academic Reform', *Politische Vierteljahresschrift* 60, no. 1 (Mar. 2019): pp. 1–19; https://doi.org/10.1007/s11615-018-0131-7. 生態学については以下を参照。Timothy H. Parker et al., 'Transparency in Ecology and Evolution: Real Problems, Real Solutions', *Trends in Ecology & Evolution* 31, no. 9 (Sept. 2016): pp. 711–19; https://doi.org/10.1016/j.tree.2016.07.002
55 Jocelyn Kaiser, 'Plan to Replicate 50 High-Impact Cancer Papers Shrinks to Just 18', Science, 31 July 2018; https://doi.org/10.1126/science.aau9619. 上記の注49 (Errington, 'Reproducibility Project') の資料は50件ではなく51件としている。
56 「再現性プロジェクト：ガン生物学」のすべての研究は学術誌『*eLife*』の以下のリンクを参照。https://elifesciences.org/collections/9b1e83d1/reproducibility-project-cancer-biology
57 Vinayak K. Prasad & Adam S. Cifu, *Ending Medical Reversal: Improving Outcomes, Saving Lives* (Baltimore: Johns Hopkins University Press, 2015).
58 Joshua Lang, 'Awakening', *The Atlantic*, Feb. 2013; https://www.theatlantic.com/magazine/archive/2013/01/awakening/309188/
59 Michael S. Avidan et al., 'Anesthesia Awareness and the Bispectral Index', *New England Journal of Medicine* 358, no. 11 (13 Mar. 2008): 1097; https://doi.org/10.1056/NEJMoa0707361
60 Diana Herrera-Perez et al., 'A Comprehensive Review of Randomized Clinical Trials in Three Medical Journals Reveals 396 Medical Reversals', *eLife* 8 (11 June 2019): e45183; https://doi.org/10.7554/eLife.45183. これは彼らが先に146件を突き止めた同様の研究のフォローアップ研究である。Vinay Prasad et al., 'A Decade of Reversal: An Analysis of 146 Contradicted Medical Practices', *Mayo Clinic Proceedings* 88, no. 8 (Aug. 2013): pp. 790–98; https://doi.org/10.1016/j.mayocp.2013.05.012
61 Jon F. R. Barrett et al., 'A Randomized Trial of Planned Cesarean or Vaginal Delivery for Twin Pregnancy', *New England Journal of Medicine* 369, no. 14 (3 Oct. 2013): pp. 1295–1305; https://doi.org/10.1056/NEJMoa1214939
62 George Du Toit et al., 'Randomized Trial of Peanut Consumption in Infants at Risk for Peanut Allergy', *New England Journal of Medicine* 372, no. 9 (26 Feb. 2015): pp. 803–13; https://doi.org/10.1056/NEJMoa1414850
63 Francis Kim et al., 'Effect of Prehospital Induction of Mild Hypothermia on Survival and Neurological Status Among Adults with Cardiac Arrest: A Randomized Clinical Trial', JAMA 311, no. 1 (1 Jan. 2014): pp. 45–52; https://doi.org/10.1001/jama.2013.282173
64 AVERT Collaboration, 'Efficacy and Safety of Very Early Mobilisation within 24 h of Stroke Onset: A Randomised Controlled Trial', *Lancet* 386, no. 9988 (July 2015): pp. 46–55; https://doi.org/10.1016/S0140-6736(15)60690-0

65 M. Irem Baharoglu et al., 'Platelet Transfusion versus Standard Care after Acute Stroke Due to Spontaneous Cerebral Haemorrhage Associated with Antiplatelet Therapy (PATCH): A Randomised, Open-Label, Phase 3 Trial', *Lancet* 387, no. 10038 (June 2016): pp. 2605–13; https://doi.org/10.1016/S0140-6736(16)30392-0

66 Paolo José Fortes Villas Boas et al., 'Systematic Reviews Showed Insufficient Evidence for Clinical Practice in 2004: What about in 2011? The Next Appeal for the Evidence-Based Medicine Age: The Next Appeal for EBM Age', *Journal of Evaluation in Clinical Practice* 19, no. 4 (Aug. 2013): pp. 633–37; https://doi.org/10.1111/j.1365-2753.2012.01877.x

67 Leonard P. Freedman et al., 'The Economics of Reproducibility in Preclinical Research', *PLOS Biology* 13, no. 6 (9 June 2015): e1002165; https://doi.org/10.1371/journal.pbio.1002165

68 Iain Chalmers & Paul Glasziou, 'Avoidable Waste in the Production and Reporting of Research Evidence', *Lancet* 374, no. 9683 (July 2009): pp. 86–89; https://doi.org/10.1016/S0140-6736(09)60329-9. 以下も参照。 Malcolm R. Macleod et al.,'Biomedical Research: Increasing Value, Reducing Waste', *Lancet* 383, no. 9912 (Jan. 2014): pp. 101–4; https://doi.org/10.1016/S0140-6736(13)62329-6

69 Monya Baker, '1,500 Scientists Lift the Lid on Reproducibility', *Nature* 533, no.7604 (May 2016): pp. 452–54; https://doi.org/10.1038/533452a

70 John P. A. Ioannidis, 'Why Most Published Research Findings Are False', *PLOS Medicine* 2, no. 8 (30 Aug. 2005): e124; https://doi.org/10.1371/journal.pmed.0020124

72 イオアニディスに対する批判はたとえば以下を参照。 Jeffrey T. Leek & Leah R. Jager, 'Is Most Published Research Really False?', *Annual Review of Statistics and Its Application* 4, no. 1 (7 Mar. 2017): pp. 109–22; https://doi.org/10.1146/annurev-statistics-060116-054104

# 第 2 部

# 欠陥と瑕疵

# 第3章　詐欺

不正を発見したいとは思わないかもしれないが、
それがために不正に無自覚であろうとしてはならない。
いかさま師に怯える人は、愚か者を軽蔑する。
――ノーマン・マクドナルド『箴言と道徳的考察』（1827年）

インターネットで最も純粋な感動を呼ぶのは、病気や障害を持つ人々が、新しい技術によって一瞬で人生が変わる映像だ。人工内耳を埋め込まれた赤ちゃんは、生まれて初めて耳が聞こえた驚きと喜びに包まれる。生まれつき白内障を患っている子供が手術を受けて目が見えるようになり、戦闘で足を失った兵士が新しい義肢を装着して最初の一歩を踏み出す。[1] こうした映像がソーシャルメディアで拡散するのは、心が温まるからだけでなく、私たちの健康や生活を向上させるという科学の力が最大限に発揮されているからだ。

ただし、このように純粋な科学の力でさえ、曲解され、堕落するときがある。最先端の革新的な医療を受けていると思っていた患者が、早くも21世紀で最悪な事件にランクインしそうな科学的詐欺の被害者になったのだ。しかも、自暴自棄の患者をネットで集めた代替医療の詐欺ではなく、世界で最も優れた医学部と世界で最も権威ある学術誌を舞台におこなわれた詐欺だ。最も非道な詐欺師でさえ、ありふれた風景のなかに隠れることができる。

## 科学の歴史上まれに見る汚点

病気やケガで気管がひどく損傷すると、壊れた気管の端と端を外科的手術でつなぎ直すことはできないため、新しい気管を入れることが患者を救う唯一の方法になる。[2] もっと大きな臓器と同じように、気管の移植は非常に難しい。ドナーがなかなか見つからないだけでなく（基本的に死んだ人から移植するしかない）、ドナーとレシピエントに遺伝子的な相違がある場合、移植した気管はレシピエントの免疫システムに拒絶される。そこで、プラスチックやステンレス、コラーゲン、さらにはガラスなど、さまざまな素材を使った人工気管の移植が何十年も前から試みられてきた。しかし、人工気管は動いたり、閉塞したり、感染症を引き起こしたりして、ほぼすべて失敗に終わった。21世紀の初めには、人工気管は有効な選択肢ではないというのが医学的なコンセンサスとなっていた。[3]

そこに登場したのがイタリアの外科医パオロ・マッキャリーニだ。彼は２００８年に、気管の移植に成功したという論文をイギリスの権威ある医学誌『ランセット』に発表し、大きな注目を集めた。[4] これは移植するドナーの気管に、レシピエントの幹細胞（無限に分裂を繰り返し、体内のほかの細胞を修復したり置き換わったりする細胞）のサンプルを「シード（播種）」するという新しいアイデアだった。このサンプルを特別に設計されたインキュベーターで培養すると、幹細胞がドナーの気管を覆って「コロニー化」して、移植後の拒絶反応を防ぐことができるとされた。大きな一歩だったが、ドナーを必要としない完全な人工気管を移植することは、さらに至難の業だ。異物の周りに適合する細胞の外層を成長させて、異物を体に受け入れられやすくするというマッキャリーニのアイデアは、人工気管の移植をついに実現させるのだろうか。

それからわずか数年で、答えはイエスになったように思われた。２００８年の論文を機に、マッキャリーニは天才外科医として評判が高まり、２０１０年にはスウェーデンのカロリンスカ研究所（カロリンスカ医科大学）に教授14人の推薦を受けて客員教授として迎えられ、付属のカロリンスカ病院の主任外科医に就いた。カロリンスカ研究所は優れた大学がそろうスウェーデンでトップクラスというだけでなく、ノーベル医学・生理学賞の選考委員会が置かれている。幹細胞を使った独創的な技術で再生医療に革命をもたらした天才外科医が、権威ある研究機関に加わるのは当然だった。

2011年7月、カロリンスカ研究所は次のステップに進んだことを意気揚々と発表した。マッキャリーニがカロリンスカ病院のガン患者に対し、炭素とシリコンでつくった気管に幹細胞を播種した完全人工合成の気管の移植に「史上初めて」成功したのだ。[5] その年の11月には手術の詳細を記した科学論文が発表されたが、すでにマッキャリーニはカロリンスカ病院の別の患者に同様の手術をおこなっていた。[6] 2本目の論文も『ランセット』に掲載され、移植が成功したという「確かな証拠」とされた。2012年にマッキャリーニはさらに3人の患者に人工気管を移植した。そのうち1人はカロリンスカ研究所で、2人は彼のもう1つの拠点であるロシアのクラスノダールで手術を受けた。ロシアでは2年間でさらに2件の手術がおこなわれ、マッキャリーニはさらに複数の論文を発表してその成果を知らしめた。[7]

そのうち2014年に『バイオマテリアルズ』に掲載された論文には、「エレクトロスピニング法（電界紡糸法）による人工気管のスキャフォールド（足場）」の美しい電子顕微鏡写真があふれていた。そして、最初の患者がいくつか困難を経験したことを簡潔な言葉で認めたうえで、新しい技術の素晴らしさを高らかに宣言していた。ただし、共同著者たちはある悲惨な事実を割愛していた――論文が受理される7週間前に、最初の患者が死亡していたのだ。[8] 2件目の手術の患者はそれよりさらに早く、手術からわずか3カ月後に死亡。[9] カロリンスカ病院で3

件目の手術を受けた患者は数回のフォローアップ手術に失敗した後、2017年に死亡している。[10] ロシアで手術を受けた患者も同じような状況だった。その1人、サンクトペテルブルク出身のバレエダンサー、ユリア・トゥーリクはジャーナリストに悲惨な状態を語っている。

何もかも、すべてが最悪です。クラスノダールの病院に入院して半年あまり。全身麻酔で30回以上、手術を受けました。最初の手術の3週間後に化膿した瘻孔［膿が漏れる穴］が開き、その後、首が腐ってしまいました。体重は47キロ。歩くのもやっとです。息をするだけで苦しくて、今では声も出ません。そして、あまりにも強烈な臭いがして……人々が後ずさりします。[11]

トゥーリクは最初の手術から2年後の2014年に死亡した。[12] 最も心が痛むのは、彼女が手術前は命の危機に瀕していなかったことだ。[13] 彼女以外のロシアの患者は、1人が「自転車事故」とされる原因で死亡、1人が手術の翌年に状況不明で死亡、1人は人工気管を取り除いたうえで生存していた。[14] マッキャリーニは2013年にも米イリノイ州ピオリアの病院でカナダ系韓国人の幼児に手術をしてメディアの注目を集めた。その女の子は数カ月後に死亡した。[15]

13　「彼女は健康だったが、交通事故の影響で気管切開が必要になり、話すときは穴を自分の手でふさがなければならなかった。彼女は息子に歌を歌ってやるために手術を希望した」Carl Elliott, 'Knifed with a Smile', *New York Review of Books*, 5 April 2018; https://www.nybooks.com/articles/2018/04/05/experiments-knifed-with-smile/

カロリンスカ病院でマッキャリーニの患者を術後に担当した医師たちは、目の前の患者の悲惨な状態と、科学論文で報告され称賛されている結果が、どうしても一致しなかった。彼らはカロリンスカ研究所の所長に不満を訴えた。ところが、研究所からは驚きや懸念が返ってくるどころか、申し立ては相手にされず、口止めさえされたのだ。さらに、患者のカルテを見てプライバシーを侵害したとして警察に通報された（この告発はすぐに取り下げられた[16]）。最終的に、研究所の上層部は医師たちの強い訴えを無視できなくなり、近くにあるウプサラ大学の教授を独立した研究者として迎え調査を始めた。

2015年5月に発表された長文の報告書は、これ以上ないほど明確だった。マッキャリーニは複数の「科学的不正行為の罪」をおかしていた[17]。彼の7本の論文で、必要な検査をしていないにもかかわらず患者の状態が改善したと偽る、患者がより長く健康だったように見せるために追跡期間を偽って記載する、患者が重度の合併症になったことや追加の手術を受けなければならなかったことを報告しない、人間を対象とする医学的実験をおこなうための倫理的な許可を正しく得ていない、ラットの気管を置換する実験でデータを改ざんする、などの行為が認められた[18]。

ただし、これで終わりではなかった。独立調査機関が指摘した疑いについてマッキャリーニが説明に応じた後、カロリンスカ研究所は独自の内部調査をすると決めた。そして2015年8月、非公開の情報をもとに、実際は不正行為はなかったと結論づけたのだ[19]。その翌週に『ランセット』は、「パオロ・マッキャリーニは科学的不正行為の罪をおかしていない」と祝福した。[20] マッキャリーニの容疑は晴れた――医学界で最も権威ある２つの機関が「潔白」を証明したのだ。

そして２０１６年１月、新たに２つの信じがたい出来事が起こり、もはや無視も隠蔽もできなくなった。１つは『ヴァニティ・フェア』誌に、マッキャリーニが２０１４年にプロポーズしたＮＢＣニュースのプロデューサー、ベニータ・アレキサンダーとのロマンスを事細かに描いた長い記事が掲載された。[21] マッキャリーニは彼女に、自分はローマ教皇フランシスコの専属医で、自分たちの結婚式には教皇をはじめバラク・オバマ夫妻、ラッセル・クロウ、エルトン・ジョンなど世界的な著名人を招待しようと豪語していた。[22] しかし、『ヴァニティ・フェア』がバチカンに問い合わせたところ、教皇にはマッキャリーニという名前の医師はいないと告げられた。それだけではない。アレキサンダーとの交際期間中にマッキャリーニは別の女性と婚姻関係にあり、２人の幼い子供がいたこともわかった。[23]

もう１つは、スウェーデンのテレビで放映された３部構成のドキュメンタリー番組「ジ・エクスペリメント」で、マッキャリーニのあまりにひどい無能さのために患者が人生を台無しに

14　以前にマッキャリーニの手術を受けたイギリス人患者は、マッキャリーニの成果を手本とする人工気管の手術を２０１１年にロンドンで受けたが翌年、死亡した。Kremer, 'Paolo Macchiarini'.

23　『ヴァニティ・フェア』の調査報道によると、マッキャリーニが経歴で主張している資格や所属は本人が捏造したもので、イタリア当局の捜査で判明した事実は公表されていない。

されたことや、命を失った人さえいることが、痛ましいほど詳細に描かれていた。そこには最初の患者におこなわれた気管支鏡検査（小さなカメラで気管の中を撮影する検査）の映像もあった。傷がつき、ふさがれているところもあり、穴さえ開いていた――マッキャリーニが『ランセット』の論文で説明した「ほぼ普通の気道」とは程遠い状態だった。[24]

カロリンスカ研究所は動揺し、まったく新しい調査を開始せざるを得なかった。今回はクビが飛んだ。当初からマッキャリーニを支持していた副学長が辞任。研究部門の責任者、大学理事長、マッキャリーニの採用を後押ししたノーベル委員会のメンバーも職を辞した。[25] 2016年3月、マッキャリーニはついに解任された。[26] 最初に失敗した人工気管移植手術から7年が経っていた。

ほんの数年前はマッキャリーニを断固として擁護していた『ランセット』も、彼の人工気管の論文を撤回した。[27] カロリンスカ研究所は2018年半ばに、オンラインに掲載されている彼のほかの論文のいくつかにも科学的不正行為があったことを確認し、現在はすべて撤回されている。[28] 解雇されたマッキャリーニはロシアに引きこもって「研究」を続けたが、関心は気管から食べ物の管（食道）に移った。[29] ありがたいことに、その後に発表された論文に患者は関与しておらず、彼は新しい同僚とともに、死んだヒヒから採取した細胞とプラスチック製の食道の適合性を試した。[30] マッキャリーニの現在の状況は定かではない。ロシア政府は2017年半ばに資金援助を打ち切っており、これ以上、手術をすることはできないだろう。[31]

彼の患者たちには、まだ何らかの正義が果たされるかもしれない。２０１８年12月、スウェーデン検察当局は故意による殺人と思われる2件についてマッキャリーニの捜査を再開すると発表した。[32]

なぜここまで事態が長引いたのだろう。複数の患者が悲惨な痛ましい死に方をしても、研究所は当初、責任者の解雇はおろか非難さえしなかった。それどころか、研究結果の捏造を内部告発した人々を厳しく批判したのだ。[33] マッキャリーニは明らかに、自分の評判と名声のために「画期的な」手術を利用した。一方で、彼はカロリンスカ研究所とその国際的な展開にとって価値のある存在だった。研究所が香港で進めていた新しい再生医療センターの設立をめぐり、このスーパースター外科医との関係が役に立ったのではないかと言われている。[34] さらに、このような事件を隠しとおしたいという純粋な動揺と当惑も、大きな要因だったのだろう。カロリンスカのように権威ある研究機関が、人の命に関わる危険な詐欺師を脆弱な患者のあいだに解き放ったことなど、世間に対してはもちろん、自分自身にも認めたくなかっただろう。

一連の人工気管手術のように、人の命に直接、恐ろしい影響を与える科学的詐欺事件はほとんどない。マッキャリーニほど非道で派手好きな科学的詐欺師もほとんどいない。しかし、彼のストーリーには、いくつか広範な教訓がある。１つ目の教訓は、科学に本来備わっている懐疑主義にもかかわらず、科学の大半は信頼によって成り立っているということだ。研究が報告

26　マッキャリーニが1人でやったことではなく、カロリンスカ研究所の報告書は彼の共著者数人の科学的な不正行為について非難している。

されたとおりにおこなわれたという信頼、統計分析から得られた数字であるという信頼、そして、今回のケースでは、患者が説明されているとおり本当に回復したという信頼だ。不正行為は、その信頼がいかに悪用され得るかを物語っている。

2つ目の教訓は、私たちは研究や人間を疑うのと同じように、組織のことも疑う必要があるということだ。あらゆる懸念を無視してでも名声と成功を手に入れたいという悪人はいつの時代にもいるが、カロリンスカ研究所や『ランセット』のような権威ある科学機関は、そうした悪人が科学に影響を与えないように最大限の努力をし、彼らが現れたときは白日の下にさらして罰する。そうするはずだと私たちが信頼できる存在でなければならない。しかし、これらの機関は評判を何よりも重視して、魅力的な科学者を採用し、その論文を出版して、詐欺師の行為には故意に目をつぶり、時には彼らの行為が招いた結果から彼らを守ろうとさえする。

もう少し踏み込んで考えてみよう。科学界が客観的で一点の曇りもなく誠実だというイメージを誇りにしていること、つまり、不正行為が絶対に受け入れられないシステムであるということが、かえって、科学界にいる悪者を見つけられなくしているのかもしれない。マッキャリーニのような悪人が科学界に存在するという考え自体が忌まわしいため、多くの人が「私は見ていない」として、科学的不正行為の最も顕著な兆候さえ見過ごしてしまうのだ。さらに、不正行為の蔓延や影響について否定的な人もいる。しかし、この章で説明するとおり、科学における不正行為は、私たちが切実に望んでいるようにごくまれなケースでは決してない。驚くほどよくあることだ。

## 単純な手口による悪質な不正

20世紀の最も有名で最も不条理な科学的不正事件の1つもまた、移植に関するものだった。1974年、ニューヨークの権威あるスローン・ケタリング記念ガンセンターに勤務していた皮膚科医のウィリアム・サマーリンは、マッキャリーニに先んじて、前述のような移植の拒絶反応の問題を解決したと主張した。手術前にドナーの皮膚を特殊な培地につけて培養するという拍子抜けするほど簡潔な新しい技術を用いて、黒いマウスの皮膚の一部を白いマウスに移植し、免疫学的な拒絶反応が起きなかったと説明したのだ。しかし、実際は成功していなかった。サマーリンは研究所の上司に驚きの新発見を見せに行く途中で、白いマウスに移植した皮膚の上を黒いサインペンで塗っていたのだ。後に実験室の技術者がサインペンのにおいに気づいて、マウスの皮膚をアルコール綿で拭き、いかさまが発覚した。皮膚移植は1回も成功しておらず、サマーリンはすぐに解雇された[35]。

不道徳な芸術的衝動に駆り立てられる科学者は、サマーリンだけではない。その成果は科学論文に掲載されている図版によく見られる。コンピュータグラフィクスのおかげで、科学的な画像をトリミングして、複製し、修正し、補正し、つなぎ合わせて、色を変えるなど、好きなように見せることがこれまでになく簡単になった。もちろん、フォトショップが登場する前から、詐欺的な写真を作ることはいくらでも可能だった（旧ソビエト連邦の内務人民委員部を率いたニコライ・エジョフは、ヨシフ・スターリンの庇護を失って粛清された後、スターリンと写っていた写真からその姿が「消えた」）。

1961年に『サイエンス』は、インドの獣医学研究者が寄生虫のトキソプラズマ・ゴンディを初めて鶏卵から見つけたと主張する論文を掲載したことを謝罪した（この寄生虫は、免疫力が低下した人にとって危険なトキソプラズマ症を引き起こすという健康上のリスクがある）[36]。寄生虫の存在を示す証拠とされた、卵の中に嚢胞がある顕微鏡写真が偽物だと判明したのだ。2つの異なる嚢胞とされたものは、実際は同じ写真を拡大して水平方向に反転させていた。あとから見れば一目瞭然の重複だが、査読者は見逃した。不正行為が発覚した後、論文を執筆した研究者たちはすぐに退職や停職を余儀なくされた[37]。

用心深ければ肉眼でも不正行為がわかる程度のことをするなんて、どこまで怠惰な詐欺師だろうと思うかもしれない。しかし、画像の複製はたびたびおこなわれており、ここ数十年で最も有名な不正事件のカギでもあった。2004年に韓国の生物学者ファン・ウソク（黄禹錫）は『サイエンス』で、ヒトの胚のクローン作製に成功したと発表。翌年にはやはり『サイエンス』で、そのヒトクローン胚から世界初の胚性幹細胞（ES細胞）を作製したと発表した。幹細胞の可能性は、無限に増殖する能力と「多能性」を併せ持つことだ。次々に形を変えるスイスアーミーナイフのように、神経細胞や肝細胞、血球など、さまざまな組織に実験室で変化させることができる。クローン化された細胞株（ファンの論文のために11個作製された）は、個人にカスタマイズされた幹細胞治療を可能にし、損傷した組織の修復や、傷ついたり病気になったりした臓器の再生も、いずれ現実になるかもしれない。気管移植の「新技術」と同じように、本人から採取した細胞で作製される幹細胞を使った治療を、本人の免疫システムが拒絶する可能性は低いと考えられた。さらに同じ２００５年、ソウル大学のファン教授の研究チームは史上初のクローン犬、アフガン・ハウンドの「スナッピー」を世界に披露した。[38]

これらの功績でファンが韓国で手にした名声は想像を超える。メディアは彼を崇め奉った。[39]彼の顔写真と「世界の希望――韓国の夢」などと書かれたポスターが、街頭や公共交通機関に貼られた。[40]２００５年に韓国の郵便局が発行した特別記念切手には、車椅子から立ち上がって空中に飛び出し、愛する人を抱きしめる人の連続シルエットが描かれていた（少々、気が早かったようだ）。[41]韓国政府はファンを「最高の科学者」に認定し、彼の研究に莫大な資金を投入した。数百人の女性が彼の研究に卵子を提供したいと申し込んだ。[42]

その後の展開は想像がつくだろう。『サイエンス』に掲載された論文を詳しく調べると、異

38　「SNU（Seoul National University ソウル大学）」と「puppy」（子犬）の合成語。犬の卵子はほかの哺乳類に比べて比較的もろく不安定なため、この成果は特に印象的だった。２００５年までにヒツジ、ネコ、ブタ、ウマなどがクローン化されていたが、犬はファン教授が初めて成功した。Byeong Chun Lee et al., 'Dogs Cloned from Adult Somatic Cells', *Nature* 436, no. 7051 (Aug. 2005): p. 641; https://doi.org/10.1038/436641a

なる患者のためにファンが作製した細胞株とされる画像のうち、2枚が同一のものであることが判明した（念のために言っておくが、この種の画像が単なる偶然で2枚同一になる可能性は事実上ゼロだ）。さらに、まったく別の写真として扱われていた2つの画像も、同じ写真の一部を使っていることが明らかになった。[43]

これだけなら誰かが写真を取り違えたとか、ラベルを貼り間違えたなど、簡単なミスと言えたかもしれない。しかし、それどころではなかった。ファンの研究室の内部告発により、作製された細胞株は11個ではなく2個だけで、いずれもクローン胚から作製されたものではないことが明らかになったのだ。[44] 残りの細胞の写真もファンの指示で加工されたり、意図的にラベルを間違えたりしていた。研究プロジェクト全体が茶番だった。

画像加工の問題が指摘される前から、卵子の使用方法も採取の危険性についても十分な説明を受けていないドナーから卵子を採取したことが明らかになり、物議を醸していた。また、ファンは研究室の女性メンバーに、実験に卵子を提供するよう圧力をかけていた。[45] 不祥事は次々と明るみに出た。ファンは研究費の一部を自分が管理する銀行口座のネットワークに吸い上げていた。カネは科学的な装置に使われていると主張していたが、調査の結果、「装置」には妻の新車や支持する政治家への寄付が含まれていた。[46]

しかし、ファンをめぐる報道はますます熱気を帯び、このとんでもない科学的不正行為も、彼を称賛する人々を失望させることはなかった。否定的な記事を出したメディアの建物の前に抗議者が列をなし、ネットのフォーラムには彼を支持する人々による怒りに満ちた書き込みがあふれた。[47] とはいえ、当局は対応せざるを得なかった。ファンは大学を解雇され、刑事訴追されたが、執行猶予2年の有罪判決で刑務所行きは免れた。[48] 現在もクローン技術の研究を続けているが、あまり有名な大学ではなく、かつてに比べればほんのささやかな話題にしかならない。ちなみに、偽りの業績のなかでスナッピーは本物だった。DNA鑑定の結果、スナッピーはタイという名前のアフガン・ハウンドのクローンであることが確認されている。スナッピーは2015年に死んだが、その2年後にスナッピーから4体のクローンが誕生しており、ある意味でスナッピーはまだ生きている。[49]

ファンはすでに韓国で最も有名な科学者であり、世界で最も著名な生物学者の1人だった。あれだけ注目されていたにもかかわらず、どうしてこれほどあからさまで軽率な不正行為が許されると思ったのだろうか。その答えは本人の性格（の欠陥）だけでなく、科学のシステム（の欠陥）にある。先に述べたように、このシステムは主に信頼の上に成り立っている。科学は基本的に、倫理的な行動を前提としている。不幸にも、このような環境にこそ不正がはびこり、ペテン師は寄生虫のように共同体の善意を悪用できる。ファンの行為が恥ずべきものだったという事実は、厳しい懐疑心をもって臨んでいると私たちが信頼している査読者や編集者が、こ

49　自分のクローンをつくろうとした人間と違って、スナッピー自身はとてもいい犬だった。Min Jung Kim et al., 'Birth of Clones of the World's First Cloned Dog', *Scientific Reports* 7, no. 1 (Dec. 2017): 15235; https://doi.org/10.1038/s41598-017-15328-2

のような刺激的で「画期的」な結果を前にすると、いかにだまされやすいかを物語っている。

## 操作された画像

細胞の顕微鏡写真のほかにも、生物学における画像の不正行為で頻繁にターゲットにされるのがブロッティングだ。ブロッティングとは、分子生物学の実験で生成したり調べたりする化学物質の組成を解析する手法で、さまざまな種類がある。そのオリジナルの手法は、開発者である生化学者のエドウィン・サザンにちなんでサザンブロッティングと呼ばれている。[50] サザンブロッティングはDNAの塩基配列を同定するための手法で、放射性の標識を使ってブロッティング処理をすると、さまざまなサイズのぼやけた半長方形が垂直の梯子状や「レーン」に整理された画像が生成される。[51] 遺伝子関連の報道で目にしたことがあるだろう。サザンブロッティングから派生したほかの手法はそれぞれ異なる化学物質を検出することができ、ノーザンブロッティング、ウエスタンブロッティングなどの名前がついている。[52]

生物学の実験の成功は、特定の手法でおこなわれる特定のブロッティングにかかっていることも少なくない。たとえば、ウエスタンブロッティングは、特定のバクテリアやウイルスの存在を示すタンパク質の生成を検出することによって、いくつかの病気の診断に利用できる。科学者は実験で何らかの化学物質が検出されたことを示す重要な証拠となるブロッティングを、論文の図に誇らしげに載せる。そのとき改ざんがおこなわれるのだ。

ファンの「発見」から10年後の２０１４年、日本の理化学研究所（理研）の研究チームが、人工多能性幹細胞（ｉＰＳ細胞）に関連して新たな成果を報告する２つの論文を『ネイチャー』に発表した。[53]「ファン疑獄」の幹細胞と違って、ｉＰＳ細胞は成熟した大人の細胞から作製できるため、胚由来の細胞を使う必要が少なくなる。[54] この種類の幹細胞を作製する標準的なプロセスを発見した科学者は２０１２年にノーベル医学・生理学賞を受賞しているが、問題は、手間がかかって効率が悪く、数週間を要して多くの無駄が出ることだ。[55]

理研の研究グループは、ＳＴＡＰ（刺激惹起性多能性獲得）と呼ばれる別の方法で幹細胞を作製することに成功したと発表した。成熟した細胞を弱酸性の溶液に浸す（あるいは、物理的な圧力など軽度のストレスを与える）だけで、面倒な手順をかけずに多能性幹細胞に変わるとされた。研究リーダーの小保方晴子は、顕微鏡写真、グラフ、成熟細胞がリプログラミングされて多能性を獲得したことを示すＤＮＡのブロッティング画像など、目を引く証拠を大量に集めていた。

50　今や当たり前になったこの実験技術を、サザンが私の母校エディンバラ大学で研究しているときに発明したことに、私は完全に不合理な誇りを感じている。E. M. Southern, 'Detection of Specific Sequences among DNA Fragments Separated by Gel Electrophoresis', *Journal of Molecular Biology* 98, no. 3 (Nov. 1975): pp. 503–17; https://doi.org/10.1016/S0022-2836(75)80083-0

54　説明をやや単純化しすぎただろう。誘導された細胞は胚由来の細胞とまったく同じ性質を持つわけではない。これは医学的な意味でとても重要な点と言えるかもしれない。ちなみに２００４〜２００５年当時、人工多能性幹細胞（ｉＰＳ細胞）を作製するプロセスは発見されておらず、ファンは胚から肝細胞をつくる研究に集中していた。

これは画期的な成果で、小保方は日本で一躍、脚光を浴びた。彼女個人と風変わりな研究環境（ペットの亀を飼っている、研究室をムーミンのキャラクターで飾る、白衣の代わりに祖母からもらった割烹着を着る）に関する記事が日本中にあふれ、めずらしい女性研究者の輝かしい例として持ち上げられた。[56] ただし、長くは続かなかった。論文の発表から数日後には、ほかの研究者が画像の矛盾に気がつき始めた。特にＤＮＡブロッティングの４本の「レーン」は、同じブロッティングのものとされていたが、よく見ると１本だけ背景がほかのものより濃くて、端が不自然にとがっていた。検証の結果、この１本は別のブロッティングの写真から切り貼りして、別のレーンに合うように微妙にサイズを変えていることが判明した。[57] 論文の本文にそのような説明はなく、透明性を重視する科学者の行動とは到底、思えなかった。その後もさらに多くの異常が明らかになった。写真の一部は現像後に色が調整されていた。小保方は画像の複製もおこなっていた。２本目の論文で異なる対象とされている写真のうち２枚は同じ写真で、もう驚きさえないが、片方を裏返しにしただけだった。

一方で、普通はあまりないことだが、世界中の研究室が小保方たちの実験結果を再現しようと躍起になった。ＳＴＡＰ細胞の欠点の１つは、あまりに単純な手法だったために、ほかの研究者が簡単に再現を試みることができたことかもしれない。ある細胞生物学の教授は、再現実験の経過報告を発表できるサイトを作った。肯定的な結果や有望な結果は緑色の字で、再現に失敗したものには赤色の字で表示したが、次々に届く報告はほぼすべて赤色だった。[58]

画像の検証や再現実験を通じて圧力が高まるなか、理研は調査委員会を設置し、画像の改ざんを認定した。小保方たちは『ネイチャー』に論文の撤回を申請し、２０１４年6月までに撤回された。小保方は同年12月に理研を退職した。[59] さらに詳細な調査がおこなわれ、小保方の罪状は画像の改ざんだけではないことが判明した。古い研究の画像を新しいものと偽って添付したり、細胞の成長速度を示すデータを捏造したりしていたのだ。多能性を示す証拠はどれも、彼女がサンプルに胚性幹細胞（ＥＳ細胞）を混入させたために生じていた。[60]

ＳＴＡＰ細胞の物語はあまりに悲しい結末を迎えた。幹細胞の研究で知られる優秀な生物学者で小保方の論文の共著者だった笹井芳樹は、不正行為には直接関与していなかったが、理研の報告書では小保方の結果をダブルチェックしなかった「重大な責任」があると指摘され、２０１４年8月に理研の建物内で首を吊って自殺したのだ。[61] 52歳だった。彼は遺書で、小保方の不正が発覚したことで始まったメディアの騒動に触れていた。[62]

ファンと小保方には特異な共通点がある。どちらも不正な論文が異常なほど注目を集めたことだ。彼らの論文は世界でも権威ある『サイエンス』と『ネイチャー』に掲載された。これほどわかりやすい偽物がこれらの学術誌の審査を通過したことだけでも十分に問題だが、その名声ゆえに論文はすぐに世界の注目を集め、詮索にさらされた。このような不正が科学界の最高

56　『ジャパン・タイムズ』によると小保方が注目を浴びたあと割烹着の売上が急増した。Rowan Hooper, 'Stem-Cell Leap Defied Japanese Norms', *Japan Times*, 14 Feb. 2014; https://www.japantimes.co.jp/news/2014/02/15/national/science-health/stem-cell-leap-defied-japanese-norms/

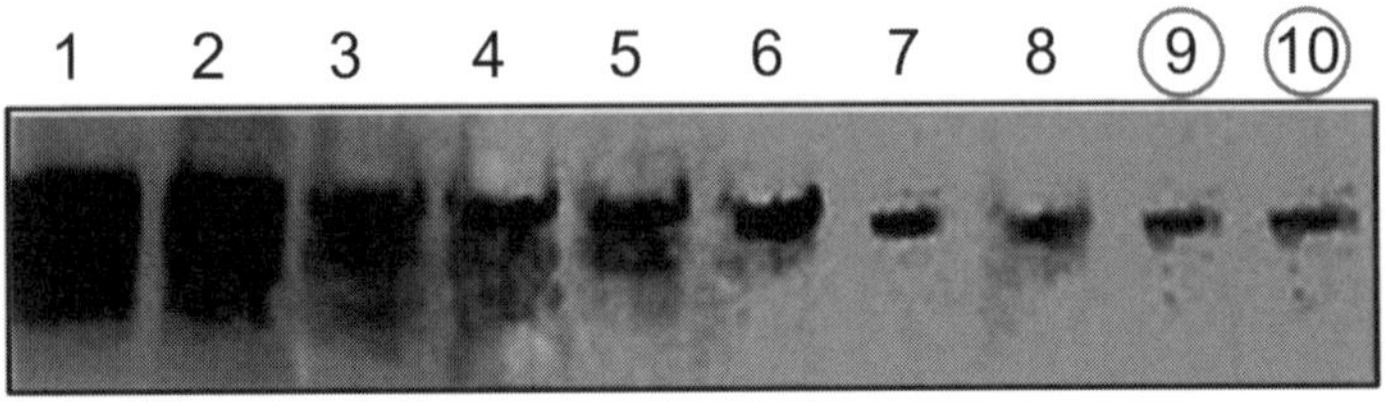


**図1**：ビクらが発見した疑わしいウエスタンブロッティング。右端の２つのバンド（９列目と10列目）は同一の画像が複製されている（右側はサイズを少し変えている）。フォトショップのようなソフトウエアを使ったと思われる。問題の論文はのちに修正された。（画像はBik et al. (2016) mBioより）。

レベルでおこなわれているのであれば、知名度の低い学術誌では、はるかに多くの不正が目立たないようにおこなわれているのだろう。では、生物学者はどのくらいの頻度で論文の画像を改ざんしているのだろうか。２０１６年に微生物学者のエリザベス・ビクと同僚がその疑問に挑んだ。

ビクたちはまず、生物学の40タイトルの学術誌でウエスタンブロッティングを含む論文を検索し、２万６２１本の論文を見つけた。[63] そして、壮大な分析に取りかかった。すべての写真に目を通し、不適切な複製がないかどうか確認したのだ。その結果、「疑わしい科学的画像の展覧会」を数回開けるくらいの証拠が集まった。原始的な複製（図１参照）だけでなく、ファン方式のトリミングや、小保方流の切り貼りやサイズの変更など、ありとあらゆる不誠実な手法があった。全体として、発表されている論文の３・８%（約25本に１本）に問題のある画像が含まれていた。さらに、細胞生物学のある学術誌１タイトルだけの掲載論文を分析したところ、その割合は６・１%にのぼった。[64] これらの画像の多くは単純なミスで、著者が修正・加筆することで問題は解決した。

ただし、約10％の論文が撤回されたことから、何か悪質なことがおこなわれていたと考えられる。この数字が細胞生物学の論文全般に当てはまるとすれば、ビクの計算によると、公表されている文献のなかに撤回すべき論文が最大３万５０００本、存在することになる。しかし、少しは喜べそうな発見もあった。権威ある学術誌ほど、画像が複製されている論文の掲載率が低いのだ。最も興味深い結果は、常習犯に関するものだろう。ビクたちは画像が複製された論文を見つけると、同じ著者によるほかの論文も調べた。すると40％弱の確率で画像が複製されていた。１枚なら不注意と言えるかもしれないが、２枚やれば不正行為だろう。

## ノイズの消されたデータ

ここまでは主に画像を使った手口に注目してきたが、不正の舞台はほかにもある。科学的不正をおこなう、あるいは隠す場所としては、数字のほうが効果的かもしれない。すなわち、研究のデータセットを構成する数字の列や行だ。本書の冒頭で紹介した社会心理学者のディーデリク・スタ―ペルは、自分の欲しい結果を自分でスプレッドシートに入力し、本物として提示した。このようなデータ詐欺はどのくらいの頻度で起こっているのだろうか。それは簡単に見破れるものだろうか。

幸いなことに、説得力のあるレンブラントやフェルメールの偽物（あるいは、説得力のあるウエスタンブロッティングの偽物）をつくるのが途方もなく難しいのと同様に、説得力のあるデータセットを偽造するのは決して簡単ではない。何もないところから取り出したデータには、現実の世界で収集されたデータに見られると私たちが考えるような特性がない。[65]

なぜなら、正確な科学というものは、そもそも存在しないのだ。数字にはノイズがある。何かを測ろうとすると、必ず本当の値からほんの少しずれる。国の経済状況、世界に残っている希少なオランウータンの数、素粒子の速度、さらには人の身長のように単純なものも、ずれが生じる。身長を測るときに頭が少し下を向いていたり、メジャーの端がほんの少しずれていたり、間違った数字を書き込んだりするかもしれない。これは測定誤差と呼ばれるもので、減らす方法はあっても、完全に避けて通ることは難しい。[66]

測定誤差と同様に厄介なのが、サンプリング誤差だ。私たち科学者が、ある現象についてすべての事例を調べることは、皆無ではないにせよほとんどない。対象が1組の細胞でも、太陽系外惑星でも、外科手術でも、金融取引でも同じだ。そこで、代わりにサンプルを抽出して、それをもとに全体を一般化しようとする（統計学では、人間の集合ではなくても全体を「母集団」と呼ぶ）。ただし、抽出したサンプルの特徴（たとえば、全調査対象者の平均身長）が、本当に知りたいこと（たとえば、全国民の平均身長）と寸分たがわず一致することはない。誰が含まれているかというランダムな偶然によって、すべてのサンプルの平均値はわずかに異なる。一部のサンプルは、これも偶然に、全体の真の平均値とは大きく異なるかもしれない。[67]

測定誤差とサンプリング誤差は、どちらも予測できないが、「予測できない」ということは予測できる。異なるサンプル、異なる測定方法、異なるグループから得られたデータは、平均値や最高値、最低値など、ほぼすべてについて多少異なるということはあらかじめわかっている。したがって、測定誤差やサンプリング誤差は、基本的に厄介なものだが、不正なデータを発見する手段として役に立つ。データセットがあまりにも整然としていて、異なるグループ間であまりに似ているときは、何かおかしなことが起きているのかもしれないのだ。遺伝学者のJ・B・S・ホールデンは、「人間は秩序ある動物」で「自然界の無秩序を模倣することは非常に難しい」と述べている。これは私たちにも詐欺師にもあてはまる。[68]

この推論は、２０１１年に社会心理学者のローレンス・サンナとダーク・スミースタースの誤りを見破った。サンナは、人は高い場所に立つと社会性が高まることがわかったと主張した。スミースタースは、赤色と青色を見せると有名人に関する考え方に影響を与えるとする研究結果を発表した。[69] ２つの論文の結果は、一見すると印象的で、彼ら自身が提案している人間の行

65　たとえば、1～10から無作為に数字を選ばせると、7を選ぶ確率がどの数字よりもはるかに高いことが観察されている。データセットに不釣り合いな数の7が含まれていれば、その作成に人間が関与していることを示す大きな「証拠」になる。https://www.reddit.com/r/dataisbeautiful/comments/acowf6y/asking_over_8500_students_to_pick_a_random_number/

66　統計学者は「誤差」という言葉を軽蔑的な意味で使っているわけではない。ここではあなたのデータセットの数字と、あなたが計測した実際の数字の違いにすぎない。

67　多くの統計的検定の要点は、実際の効果（たとえば、試験中の新薬の効果）を無作為のサンプリング誤差から切り離すことだ。

動に関する理論を裏づけていた。しかし詳しく見ると、明らかに奇妙なことがわかった。心理学者のウリ・サイモンソンはサンナの実験について、データの範囲（最高値と最低値の差）がほぼ同じグループ間で、ほかの要素があまりに大きく異なると指摘した。サイモンソンが計算したところ、実際のデータでこのようなことが起こる可能性はきわめて小さかった。スミースタースの実験も同じように、異なるグループの平均値が近すぎたが、こうした類似性は実際のデータで起こることと一致しなかった。実際のデータはエラーが数字をばらけさせるものだ。[70]これらの指摘が明らかになると、問題のあった論文は撤回され、サンナとスミースタースは不名誉なかたちで職を辞した。[71]

このような統計上の危険信号は、たとえば、あなたのクレジットカードで南の島のクルーズ旅行に多額の支払いがあったときに、銀行がカードを利用停止にするのに近い。通常の予想を超える異常な行動は詐欺かもしれない、というわけだ。[72]ほかにも不正なデータには、詳しく見ると疑念が生じるような特徴がたくさんある。たとえば、データポイントの欠落が少なすぎるなど、データセットが完璧すぎるかもしれない。実際のデータセットでは、参加者が途中で実験から抜けたり、機器が故障したりなど、さまざまな理由で欠落が生じる。数値の分布が、予想される数学的なルールに従っていない場合もあるだろう。[73]あるいは、現実の世界で信憑性のある結果よりはるかに大きな影響をおよぼす結果が出たのは、話ができすぎているかもしれない。[74]

偽造する人々のなかには、偽物の数字を本物のように見せることがいかに難しいかをよく知っているからこそ、より独創的な方法で痕跡を隠そうとする人もいる。政治学者のマイケル・ラクーアはカリフォルニア大学ロサンゼルス校（ＵＣＬＡ）の大学院生だった２０１４年に、大規模な戸別訪問調査のデータから得た目の覚めるような結果を『サイエンス』に発表した。[75] ラクーアによると、同性愛者の選挙運動員と話をすることは、異性愛者の選挙運動員と話をするときに比べて、同性婚に対する意見に長期的に大きなプラスの影響を与えた。つまり、問題となっているマイノリティの人に会って話をすると、彼らの権利を支持する傾向が強くなる。これは希望を与えるメッセージであり、２０１５年にアイルランドで同性婚の合法化を求める

72　銀行の自動詐欺検知システムと同じように、論文に問題のあるデータが含まれているかどうかを確認する自動データチェックのアルゴリズムが開発されている。第5章を参照。

73　たとえば「ベンフォードの法則」がある（Frank Benford, 'The Law of Anomalous Numbers', *Proceedings of the American Philosophical Society* 78, no. 4 (22 April 1937): pp. 551–72; https://www.jstor.org/stable/984802。これは多くの異なる数字の出現に関して数学者のサイモン・ニューカムが最初に気がついた数学的現象で、多くのデータセットにおいて、数字の最初の桁は大きな数字より小さな数字である確率がはるかに高いという法則。1桁目が1である確率は約30%、2は18%、3は13%で、9が有効数字の1桁目としてあらわれる確率はわずか5%だ。これはさまざまな国や地域の人口数、住宅価格や株価、世界の河川の流域面積、フィボナッチ数列の数字など多様なデータセットで見られる。ベンフォードの法則に関する科学論文の引用回数もまた、ベンフォードの法則に従った分布になる（Tariq Ahmad Mir, 'Citations to Articles Citing Benford's Law: A Benford Analysis', *ArXiv* (19 Mar. 2016): 1602.01205; http://arxiv.org/abs/1602.01205）。ベンフォードの法則がなんとも奇妙で直感に反すると思うなら、それはあなただけではない。数学者もこの法則の説明に納得はしていない。それにもかかわらず実際に確立されており、通常ならこの分布に従うと予想されるが従っていないデータセットは、改ざんの可能性がある。ただし、不正の指標としてどこまで信頼できるかについては大いに議論が残されている（Andreas Diekmann & Ben Jann, 'Benford's Law and Fraud Detection: Facts and Legends', *German Economic Review* 11, no. 3 (1 Aug. 2010): pp. 397–401; https://doi.org/10.1111/j.1468-0475.2010.00510.x）。詐欺を見破るテクニックのバランスが取れた手法の1つとみなすべきだろう。

国民投票がおこなわれた際に、さっそく賛成派が選挙運動に取り入れた（最終的に同性婚の合法化が認められた）[76]。

この発見に多くの研究者が感銘を受け、政治学者のデイビッド・ブルックマンとジョシュア・カラもラクーアの論文をもとに研究をしたいと考えた。しかし、ラクーアのデータセットを調べると、かなり奇妙な異常が見つかった。「同性婚をどの程度支持しているか」を数値で回答した結果の分布が、CCAP（協力的な選挙運動分析プロジェクト）と呼ばれる過去の有名な調査データの分布と酷似していたのだ。実際、両者の分布はほぼ同じだった。

さらに、ラクーアの追跡調査のデータも奇妙だった。選挙運動員と最初に接触した後に参加者の考え方が変わったかどうかを調べているのだが、当初の考え方からあるレベルを超えて変わったと答えた人は誰もいなかった。繰り返しになるが、数字にはノイズがある。このような大規模なデータセットでは、時間の経過とともに数字が大きく増減すると考えられる。

結局、ラクーアのデータセットは焼き直しであることがわかった。CCAPの調査結果にランダムなノイズを加えて数字をいじり、自分の新しい結果であるかのように装っていたのだ。追跡調査も同じデータをさらにいじっただけで、戸別訪問員のトレーニングに関する詳細な記述はすべてラクーアの作り話だった。そもそも調査さえおこなわれていなかった。不運な共同著者のドナルド・グリーンは評判の高い政治学教授で、データの捏造には関与していなかった。彼は後に、自分がラクーアから見せられていた「とことん過剰で華麗な装飾が施された信じがたい捏造の山」に驚嘆したと述べている。「そこにはストーリーがあり、逸話があり……グラフやチャートがあった。現実のデータを調べずにこのようなことをする人がいるとは、誰も想像しないだろう[77]」

２０１５年5月にラクーアの研究に関するブルックマンとカラのリポート[78]が発表されたときのことは、よく覚えている。私がエディンバラからサンフランシスコで開催される会議に向かう飛行機に乗る直前に、リポートがネットに掲載された。13時間後に着陸したときは、私がソーシャルメディアでフォローしている科学者のあいだではこの話題で持ちきりだった。リポートは爆弾を投下した。データ改ざんを詳細まで暴露しており、もう逃げ道はなかった。『サイエンス』はすぐにラクーアの論文を撤回。彼はプリンストン大学からオファーを受けていた仕事を失った。その主な理由は、権威ある学術誌に性急に論文を発表したことだった。[79]

ラクーアが不正を隠そうとした労力を考えたら、実際に研究をしたほうが簡単だったに違いない。そうすればデータセットについて適切な精査がおこなわれても、キャリアを台無しにせ

79　Tom Bartlett, 'The Unraveling of Michael LaCour', *Chronicle of Higher Education*, 2 June 2015; https://www.chronicle.com/article/The-Unraveling-of-Michael/230587. ラクーアは（私に言わせるとかなり弱い）反論をしている(David Malakoff, 'Gay Marriage Study Author LaCour Issues Defense, but Critics Aren't Budging', Science, 30 May 2015; https://www.sciencemag.org/news/2015/05/gay-marriage-study-author-lacour-issuesdefense-critics-arent-budging)。ブルックマンとカラは、ラクーアが偽装したものと同じ仮説のいくつかを誠実に検証した調査研究を出版している（同性愛者の権利よりトランスジェンダーの権利を強調した研究は除く）。そして、選挙運動員との対面の会話は偏見を軽減させるが、選挙運動員がトランスジェンダーかどうかは関係ないと結論づけている。D. Broockman & J. Kalla, 'Durably Reducing Transphobia: A Field Experiment on Door-to-Door Canvassing', *Science* 352, no. 6282 (8 April 2016): pp. 220–24; https://doi.org/10.1126/science.aad9713

ずに済んだはずだ。しかし、サンナやスミースタース、スタークペルと同じように、ラクーアはデータを捏造することによって主導権を握った。彼の論文は、『サイエンス』の査読者に出版する価値があると納得させるために必要な要件を満たしていた。それは、論文の出版システムと大学の採用市場が要求しているものだ——結果が不明確で解釈が不確かな混乱した現実のスナップショットではなく、現実の世界にすぐに適用できる明快でインパクトのある結果だ。

ここでもまた、魅力的で刺激的な研究結果を求める査読者の願望だけでなく、査読者の信頼が利用された。査読のプロセスに信頼がある程度、関与することは避けられない。査読者がすべてのデータポイントをダブルチェックして改ざんの証拠を探すわけにはいかない。しかし、データ不正の事例から学ぶべき教訓は、組織的に懐疑主義を機能させるには信頼のハードルが低すぎるかもしれない、ということだ。科学のために、科学者は互いの信頼を見直すべき時が来ているのかもしれない。

## 不正な科学の蔓延

続いて、さまざまな種類がある科学的不正行為は、いったいどこまで蔓延しているのかを考えていこう。この問題の規模を推定する1つの方法は、撤回された論文の数に注目することだ。撤回は論文にとって究極の不名誉な結末であり、「科学の死刑判決」とさえ言われる。[80] 死刑判決を受けて撤回された研究は、ある種の地獄を迎える。撤回された論文は、単純に削除されるわけではない。すでに多くの研究で引用されている場合は特に、機械的な削除は混乱を招く。そこで、掲載された学術誌のサイトに永久的に保存され、もはや正当なものと見なされていないことが明示される。多くの場合、ページ全体に赤い太字で斜めに「RETRACTED（撤回）」と記される。

撤回に関する情報収集には、「リトラクション・ウォッチ（撤回監視）」というサイトが有用だ。論文が撤回されるたびに情報を記録して、学術誌や著者に問い合わせてコメントを求め、問題点を分析している。サイトを運営するアイヴァン・オランスキーとアダム・マーカスは２０１８年に、１９７０年代以降に撤回された1万８０００本以上の科学文献を登録したデータベースを立ち上げた。「撤回理由」の欄には、「利害の対立」「虚偽の著者」「著者の不正行為」「資料の破壊行為」「刑事訴訟手続き」など、論文にまつわる熾烈なストーリーが垣間見える。[81]

「リトラクション・ウォッチ・データベース」は完璧なリストではない。学術誌によって論文の撤回を認めたり強調したりする方法が大きく異なるため、見逃しているものもある。さらに、撤回が必ずしも不正を意味するわけではないことにも注意が必要だ。多くの論文は、誤りに気づいた著者が自ら申し出て撤回される。

一方で、もう少しあいまいな撤回もある。たとえば、ノーベル化学賞を受賞した化学工学者のフランシス・アーノルドは２０２０年の初めに、彼女の研究チームが『サイエンス』に発表した酵素に関する論文を撤回すると発表した。理由は結果を再現できないことと、「筆頭著者の実験ノートを注意深く調べたところ……重要な実験について実験当時の記入や生データがないことが判明した」[82]からだった。

これが単なるミスなのか、アーノルドの研究室の学生だった筆頭著者が何かもっと悪いことをしたのかは定かでない。アーノルドの告白は痛々しいほど率直だった。「皆さんにお詫びします。（論文）提出のころ私はちょっと忙しくて、自分のやるべきことをきちんとできていませんでした」[83]

一般に、純粋なミスによる撤回は全体の約40％以下だ。大半は、詐欺（約20％）、重複出版、盗用など、何らかの不道徳な行為が原因である。[84]ただし、撤回は増え続けているが、それが不正行為の増加を意味するわけではない。むしろ、学術誌の編集者が不正行為に対して賢くなっていたり、アーノルドのように著者がより自発的に失敗を認めるようになっていたりするのかもしれない。[85]

少数の法律違反者が社会のなかで不釣り合いに多い数の犯罪をおかすのと同じように、「リトラクション・ウォッチ・データベース」によると、科学者のわずか2％が、すべての撤回の25％に責任がある。[86]最悪の常習者は「リトラクション・ウォッチ・リーダーボード」に名前が載る。いわば逆ノーベル賞だ。本書では今やお馴染みのディーデリク・スターペルは58本で5位に食い込んでいる。[87]

撤回のヘビー級チャンピオンは、文句なしで日本の麻酔科医、藤井善隆だ。存在しない薬の臨床試験のデータを創作するなど、撤回された論文の数は何と１８３本。２０００年に『アネスセジア&アナルジージア』に寄稿された書簡には、藤井が報告したデータは「信じられないほど洗練されている！」と書かれていた。[88]「リトラクション・ウォッチ」の管理人が述べているとおり、これは褒め言葉ではない。[89]書簡の筆者たちは、藤井の臨床試験で副作用として頭痛を報告した被験者の数が、彼がおこなった13件の研究の異なるグループでまったく同じで、さらに8件でもほぼ同じであることに気がついたのだ。前述の事例と同じように、現実のデータと考えるにはあまりに均一だ。しかし、それから10年以上、何も起こらず、藤井は麻酔学の複数の権威ある学術誌に偽の論文を発表し続けた。２０１２年に別の分析によって藤井のデータが到底あり得ないものであることがわかり、ようやく正式な調査がおこなわれ、彼のキャリアは終わった。[90]調査委員会は１７２本の論文でデータの捏造を確認しただけでなく（その後さらに発見されて、藤井は撤回された論文件数で世界トップになった）、藤井が発表した論文のうち不正がなかったと判断したものを挙げた。その数は3本だった。[91]

論文撤回ランキングの強打者と、ほかにも不正を理由に論文を撤回した科学者を合わせると、実際に不正行為をした科学者はどのくらいいるのだろうか。撤回された論文の割合は発表され

87　https://retractionwatch.com/the-retraction-watch-leaderboard/.「リトラクション・ウォッチ・リーダーボード」に名前が載るためには現段階で最低21本の論文を撤回しなければならない。

た1万本につき約4本、つまり0・04％で、安心できるくらい低い。ただし、不正が原因ではない撤回や、学術誌が虚偽の発見に気づかないもしくは撤回しない場合もあり、この数字はあまり参考にならない。そこで、科学者に匿名で不正をおこなったことがあるかどうかを質問したらどうなるだろうか。

これに関する最大規模の研究は7つの調査をまとめたもので、調査対象の科学者の1・97％が、少なくとも一度はデータを捏造したことがあると認めている。[92] 50人に1人が自分は詐欺師だと認めていることは、憂慮すべきとまでは言わないが、匿名の調査であっても人は本質的に詐欺行為を告白することを嫌うものであり、現実の数字ははるかに大きいはずだ。実際、データを改ざんした「ほかの」研究者を何人、知っているかと科学者に質問すると、その割合は14・1％に跳ね上がった（もちろん、勘違いや被害妄想、自分のライバルの研究の問題点を誇張する人もいるだろう）。[93]

## 科学者に紛れ込む詐欺師

彼ら詐欺師は、いったい何者なのか。データの捏造をエスカレートさせないように、FBI流の詐欺師のプロファイルをつくることはできるだろうか。神経科学者のチャールズ・グロスは詐欺行為を検証した際に、誰がやっているのかという確かな証拠がないことを嘆いている。

一方で、メディアで報道される不正行為に登場する典型的な人物像を、「一流の教育機関に所属し、現代の生物学や医学のなかでも急速に進歩していて競争の激しい分野で、理論的、臨床的、経済的に重要な意味を持つ結果を出すような仕事をしている、聡明で野心的な若者」が多いと説明している。[94] 本書ではお馴染みの名前が思い浮かぶだろう。パオロ・マッキャリーニは、この特徴にほぼすべて当てはまる。

注目すべきことに、グロスは詐欺師を男性と表現している。これは最悪の詐欺師に見られる明確なパターンでもあり、「リトラクション・ウォッチ・リーダーボード」に現在登録されている32人の科学者のうち女性は1人だけだ。[95] ここに何か重要な意味があるかどうかを知るためには、それぞれの関連分野における男女の基本的な割合を見て、男性が不釣り合いに多いかどうかを確認する必要がある。生命科学分野に関する２０１３年のある研究は、こうした基準値の違いを考慮したうえで、米国研究公正局が発表した科学的不正行為の容疑者に男性が多すぎることを明らかにした。[96] 一方、２０１５年に発表された論文では、すべての科学分野における撤回と訂正を調査したところ、男女差は見られなかった。ただし、この論文が重要な基準値を考慮したかどうかはわからない。[97]

95　ラシュミ・マドゥリ。インドのナノ物質の研究者で、主に画像の重複を理由に24本の論文を撤回している。Alison McCook, 'Author under Fire Has Eight Papers Retracted, Including Seven from One Journal', *Retraction Watch*, 25 April 2018; https://retractionwatch.com/2018/04/25/author-under-fire-has-six-papers-retracted-including-five-from-one-journal/

エリザベス・ビクたちの研究チームは、ウエスタンブロッティングの画像が重複している論文のデータを収集して、問題のある論文の特徴を調べた。[98] そのなかで際立っていたのは、重複が特に多い国があることだ。画像の重複があった論文の数はインドと中国が多く、アメリカ、イギリス、ドイツ、日本、オーストラリアは少なかった。こうした違いは文化的なものだろうと、研究者は示唆している。インドや中国では科学的不正行為に対する規則や罰則が緩いことが、不正の可能性のある研究を数多く生んでいるのではないだろうか。[99] 繰り返しになるが、科学がおこなわれる社会的環境は、その質に重大な影響を与える。

医師で作家のスティーブン・ノベラは、中国の科学者がおこなった鍼療法の実験が「100%」の確率で肯定的な結果になったという疑わしい研究を紹介して（鍼療法が完璧に機能したとしても、偶然で、いくつか失敗は起きるだろうと考えられる）、中国の政治的な状況は優れた科学を導かないだろうと主張している。

全体主義的な政府は、科学が発展する環境をつくらないという正当な疑念もある。科学には透明性が必要であり、結果より方法を重視し、イデオロギー的に中立でなければならない。これらは全体主義的な体制のもとで発展する概念ではない。また、敬意と権力を伴う地位に昇進する科学者は、たとえば文化的なプロパガンダが本物であると証明することによって、体制側を喜ばせる人である可能性が高い。出世のための選択圧において、研究の誠実さは優先されない。[100]

理由は何であれ、中国の科学者は大きな問題があることに同意しているようだ。２０１０年代前半におこなわれた調査で中国の生物医学研究者たちは、自国の研究者が発表した生物医学論文の約40％が何らかの科学的不正行為の影響を受けているだろうと考えていた。さらに71％の人が、中国当局は不正行為に「まったく、あるいはほとんど関心がない」と答えている。[101]

とはいえ、性別や出身国に関する大まかな説明を除くと、典型的な科学的詐欺師についてはかなり漠然としたイメージしかない。そこで、人物的な特徴からではなく、動機から彼らをもっと知ることができるだろうか。詐欺師はなぜ、失うものがあまりに大きいときでさえ、こうした大胆な行為に出るのだろうか。

97　Daniele Fanelli et al., 'Misconduct Policies, Academic Culture and Career Stage, Not Gender or Pressures to Publish, Affect Scientific Integrity', PLOS ONE 10, no. 6 (17 June 2015): e0127556; https://doi.org/10.1371/journal.pone.0127556. 科学的詐欺を働くのは女性より男性が多いのもうなずける。ＦＢＩのデータでは２０１７年に逮捕されたあらゆる詐欺行為のうち偽造・変造の65・5％、詐欺の62・5％が男性だった（ただし、横領の逮捕者の男性は50・9％にすぎなかった）。Criminal Justice Information Services, 'Crime in the United States: 2017'; https://ucr.fbi.gov/crime-in-the-u.s/2017/crime-in-the-u.s.-2017/topic-pages/tables/table-42, Table 42). 詐欺や関連犯罪だけではない。ＦＢＩのデータでは女性の割合が高い犯罪カテゴリーは１つもない（横領の男女差はわずか2ポイントで最も小さい）。全体として、すべての犯罪カテゴリーの逮捕者の73％が男性である。

99　こうした傾向も変わるかもしれない。２０１７年の報告によると中国の一部の裁判所では、科学的不正行為に対して死刑（論文の撤回を「科学の死刑」とみなす、といった比喩ではない）を求刑している。それがなぜ好ましくないのかを「リトラクション・ウオッチ」の創設者たちが説明している。Ivan Oransky & Adam Marcus, 'Chinese Courts Call for Death Penalty for Researchers Who Commit Fraud', STAT *News*, 23 June 2017; https://www.statnews.com/2017/06/23/china-death-penalty-research-fraud/

2014年に発表された論文によると、アメリカで研究公正局から不正行為を指摘された科学者は、その前の数年間に資金繰りに苦労していたことがわかった。研究助成金を得ようと必死になるあまり不正に走ったと言えるかもしれないが、別の解釈としては、不正に関する調査を受けているあいだに資金が枯渇したとも考えられる（つまり、不正行為が資金不足を引き起こしたのであって、その反対ではない）[102]。

もうひとつの動機は、科学とは何かということについて、詐欺師が病的なまでに誤った見解を持っていることかもしれない。免疫学者でノーベル医学・生理学賞受賞者のピーター・メダワー卿は、私たちの直感的には理解しがたいだろうが、不正行為をする科学者は真実を追い求めすぎているか、何が真実であるかについての考えが現実から離れてしまっていると主張する。彼は次のように書いている。「科学的不正行為の最も重要な動機は、大多数の科学者が無視しているか信じていない理論や仮説の真実と重要性を、情熱的に信じることなのだろう――問題の科学者が信じている『自明の真理』がどのようなものかを知れば、同僚たちは衝撃を受けるに違いない[103]」。物理学者のデビッド・グッドスタインもこれに同意する。「科学の体系に偽りを注入することが詐欺を働く人々の目的であるということは、皆無ではないにせよ、ほとんどないだろう。彼らはほとんどの場合、自分は科学の記録に真実を注入していると信じているが……本当の科学的手法に伴うすべての問題を乗り越えられるわけではない[104]」

グッドスタインは、自分の専門分野で起きた有名な事例のことを考えていたのだろう。20

01年にアメリカの権威あるベル研究所で働いていたドイツ人の物性物理学者ヤン・ヘンドリック・シェーンが、炭素を使ったトランジスタを発明したと発表して世界を驚かせた。トランジスタは電流を切り替えたり増幅したりして電子信号を制御する装置で、ほぼあらゆる電子回路の基礎になっている。[105] シェーンのトランジスタは、マイクロチップの標準的な素材であるシリコンを使ったトランジスタよりはるかに小さく、回路の作り方が劇的に変わると思われた。

分子レベルの回路へと発展すれば、ナノテクノロジーに大きな進歩をもたらすだろう。スタンフォード大学のある教授は「そのシンプルさに格別のエレガンスがある」技術だと称賛し、シェーンは数々の科学賞を受賞した。[106] 超小型トランジスタと画期的な技術革新は記録的な論文掲載数ももたらし、2000〜2002年に物理学の優れた専門誌に多くの論文が掲載されたほか、『サイエンス』に9本、『ネイチャー』にも7本が掲載された。大半の科学者にとって、誉れ高いこれら2誌のうちどちらかに1本の論文が掲載されただけで、研究人生の絶頂と言えるだろう。シェーンにはノーベル賞候補という噂も流れた。

しかし噂はすぐにきな臭いものになった。ほかの研究室で彼の実験を再現することがきわめて難しかったのだ（STAP細胞のときと同じように、実験の手法は簡単で再現を試みやすかった）。さらに、彼のいくつかの論文で、まったく別の実験とされているにもかかわらず、結果の数字がまったく同じであることがわかった。[107] ベル研究所は詳細な調査を開始し、結果を裏づける生データの提出を求めたが、シェーンは成果物を犬に食べられてしまった――コンピュータの「メモリの容量が足りなくて」[108]データの大半を削除したと報告した。しかし、彼が提出したデータから、調査委員会は明らかな不正の証拠を見つけた。たとえば、2つの異なる分子の電流を比較するとしながら、1つ目の分子のデータを単純に2倍にして、それを2つ目の分子のデータと偽っていた。後者の数値を半分にすると、2つの分子の結果は小数点以下5桁まで一致した。[109] 調査の結果、ほかにもさまざまなデータの複製や操作、完全な捏造が見つかった。またしても傲慢な詐欺師が、現実とは思えないほど完璧なデータをつくりあげたのだ。

詐欺師の動機を探るうえでとりわけ興味深いのは、長大な調査報告書の最後に記されているシェーン本人からの短い回答だ。彼は、自分は「間違いをおかして」「信頼性に欠けることを認識している」が、「報告された科学的効果は本物であり、刺激的であり、さらなる研究に値すると心から信じている」[110]と訴えている。もちろん、詐欺師の言葉を鵜呑みにするべきではなく、細心の注意が必要だ。しかし、シェーンが論文の大部分を科学文献から消し去られた後も（撤回された論文は現在32本で、「リトラクション・ウォッチ・リーダーボード」で15位につけている）、自分の理論を信じているように見えることは、メダワーやグッドスタインが指摘したような妄想と自己欺瞞を感じさせる。[111] 確かなことはわからないが、シェーンは自分が素晴らしいトランジスタを作ったと純粋に信じていたのかもしれない。それを世界に知らしめるという使命のためなら、ルールを破ることも必要悪だと考えていたのかもしれない。

ディーデリク・スターペルも自著で似たような感情を吐露しており、自分は成功したと信じている研究で期待外れの結果が出るようになってから、研究を偽装するようになったと述べている。

自分がひどく期待していた結果とはまったく違う結果になったとき、その期待が文献の徹底的な分析にもとづいていることを知っているとき、あるテーマで3回目の実験になるが最初の2回がうまくいったとき、どこかで同様の研究をしている人が好ましい結果を出していることを知っているとき、そのときは、きっと、結果をほんの少し調整する権利があるのではないか。[112]

シェーンやスターペルのような詐欺師は、本書で繰り返し遭遇することになる科学者の究極の姿でもある。「真実」あるいは「真実であってほしいと思うこと」を救い出すのだという勝手な言い分を語る科学者たちだ。[113]

どんな理由であれ、科学的詐欺師は科学に、ひいては人類の最も重要な仕組みの1つに、あ

108　American Physical Society, 'Report of the Investigation Committee on the Possibility of Scientific Misconduct in the Work of Hendrick and Coauthors' (2002); https://media-bell-labs-com.s3.amazonaws.com/pages/20170403_1709/misconduct-revew-report-lucent.pdf, p. 3. シェーンはさらに、研究室の作業の大部分について単に記録を残していなかった。Reich, *Plastic Fantastic.*

111　シェーンは「リトラクション・ウオッチ・リーダーボード」のランキングはあまり高くないかもしれないが、『サイエンス』や『ネイチャー』など一流の学術誌から論文を撤回した回数はおそらく最も多い。

まりに大きい危機的な損害を与えている。まず、時間の浪費がある。不正行為の調査には数週間、数カ月、ときには数年に及ぶ膨大な作業を要する。その大きな理由は、不正行為は1つの研究だけでなく多くの研究に転移することが多く、そのひとつひとつに専門的な調査が必要になるからだ。ただし、こうした調査をする人の多くは、そのためだけに雇われているわけではない。彼ら自身も多忙な研究者でありながら、自分の研究を中断して、より大きな利益のために不正の調査に取り組む。しかも、調査は証拠を収集して終わりではない。内部告発者やデータ探偵など、科学雑誌や大学に不適切な行為の情報を提供したことがある人なら誰でも、明らかに不正な論文の撤回さえ、遅々として進まないプロセスだと言うだろう。それも関係者に無視されたり、門前払いされたりしなければの話だ。

時間だけでなくカネの無駄もある。ファン・ウソクが研究助成金を横領したような直接的な窃盗による損失の額も、最初から存在しない結果にもとづく当てのない研究に費やされた損失に比べれば微々たるものだ。たとえば、肥満を専門とする研究者で、アメリカで初めて科学的詐欺で収監されたエリック・ポールマンは、米政府からの助成金として数百万ドルの税金を浪費して、役に立たない捏造データを10年分、作成した。[114] そして、実に多くの、まったく罪のない科学者たちが、自分の研究や詐欺師の研究を追跡して再現するために研究助成金を費やすことになった。

こうした無駄もさることながら、不正行為は科学者の士気を著しく低下させる。これまで見てきたように、多くの不正が科学文献に侵入できてしまう理由の１つは、一般に科学者は物事を広く受け入れて、他人を信頼するからだ。査読者は、基本的に結果の解釈について懐疑的だが、データが偽物かもしれないという考えがすぐに浮かぶことはない。しかし、不正行為があまりに多い以上、疑わしい論文に対する反応として、誰かが嘘をついているかもしれないという憂鬱な選択肢が必要になるだろう。このような警戒が必要なのは、他人の論文だけではない。すべての科学者は、不正行為がいつ自分の身にふりかかってもおかしくないのだ。論文は１人の研究者が単独で執筆することはほとんどないため、不正を働く共同著者が、無実の同僚もまとめてチーム全体の評判を傷つけるときもある。多くの場合、犯人は研究室の若手メンバーで、同性婚と選挙運動員に関するマイケル・ラクーアの偽の研究のように、先輩の共著者を泥沼に引きずり込む。反対に、著名な科学者が部下のキャリアを無謀にも危険にさらすときもある（ディーデリク・スターペルの不正に関する報告書では、彼の学生の10人以上が、博士論文で彼の捏造データに依存していたことが指摘されている）[115]。ＳＴＡＰ細胞のスキャンダルに巻き込まれて自ら命を絶った笹井芳樹は、研究者としての評判に傷がついた究極の代償だった。

## 一度の不正から広がる影響

不正行為は科学文献の世界も汚染する。論文が撤回されれば引用される回数は目に見えて減外傷外科手術で血液量を増やすために使われる化学物質のヒドロキシエチルデンプンに関するるが、それだけでは不十分な場合も少なくない。撤回されたことを知らない研究者が引用し続けるのだ。[116] ２０１５年に、２００９年までに20本の論文を撤回した詐欺師の麻酔科医スコット・ルーベンのケースの調査がおこなわれた（ルーベンは現在までに24本を撤回し、「リトラクション・ウォッチ・リーダーボード」の27位につけている）。２００９年からの５年間で、撤回されたルーベンの論文は２７４回引用されており、引用した科学者が撤回されていることに気づいたと思われる例は約４分の１だった。[117] ほかにもいくつか撤回された論文の分析がおこなわれており、撤回後の引用の83％が肯定的なもので、撤回に言及していなかった。これらのゾンビ論文は、死んでいることにほとんど誰も気づかないまま、科学文献の世界をよたよたとうろついていた。[118] 学術誌のなかには、論文が撤回されていることの通知が明らかにお粗末なものもある。[119] 理由が何であれ、撤回された論文が今も折に触れて引用されていることは、非難すべきというだけでなく、実に多くの科学研究が完全に誤った情報に依存しているということだ。不正行為は、偽の結果を発表した元の論文だけでなく、はるかに多くの文献に影響を与える。

不正行為の影響は、科学分野にとどまらない。捏造が掲載された学術誌のはるか外まで広がるのだ。医師のように研究をもとに科学を実践する人々は、効果のない、あるいはかなり危険な治療法や技術を使おうと誤って判断しかねない。後者の危険な例の１つが、「リトラクション・ウォッチ・リーダーボード」で現在２位のドイツの麻酔科医ヨアヒム・ボルトだ。[120] ボルトは、外傷外科手術で血液量を増やすために使われる化学物質のヒドロキシエチルデンプンに関するデータを捏造した。ヒドロキシエチルデンプンは、体内に残っている血液の循環を助けて失血後のショックを防ぐことができると考えられており、ボルトはこの物質がより安全であるかのように結果を捏造した。「メタアナリシス」と呼ばれる、この分野に関する過去の論文をまとめたレビュー研究でも同じ結論が得られた。ただし、これは不正がまだ明らかになっていない段階だったからで、ボルトによる偽の結果がレビューの一部に含まれていた。ボルトの不正が明るみに出て彼の論文がメタアナリシスから除外されると、結果は大きく変わった。ヒドロキシエチルデンプンを投与された患者の死亡率が高くなったのだ。[121] ボルトの不正は研究分野全体をゆがめ、外科医が、彼らにはどうしようもなかったが、その結果を鵜呑みにして患者を危険にさらした。[122]

最悪の科学的不正のなかには、科学者や医師を欺いただけでなく、きわめて重要な医療行為

116 生物医学のある分析によると論文の撤回から1年以内は、撤回されていない同等の論文の45％から引用され、時間が経つにつれてその数は減少する。Jeffrey L. Furman et al., 'Governing Knowledge in the Scientific Community: Exploring the Role of Retractions in Biomedicine', *Research Policy* 41, no. 2 (Mar. 2012): pp. 276–90; https://doi.org/10.1016/j.respol.2011.11.001

119 論文の撤回が決まる前にほかの科学者が自分のパソコンに保存したり紙の印刷物を保管したりして、撤回の情報を確認していない可能性もある。Jaime A. Teixeira da Silva & Helmar Bornemann-Cimenti, 'Why Do Some Retracted Papers Continue to Be Cited?', Scientometrics 110, no.1 (Jan. 2017): pp. 365–70; https://doi.org/10.1007/s11192-016-2178-9. 以下も参照。Jaime A. Teixeira da Silva et al., 'Citing Retracted Papers Has a Negative Domino Effect on Science, Education, and Society', *Impact of Social Sciences*, 6 Dec. 2016; https://blogs.lse.ac.uk/impactofsocialsciences/2016/12/06/citing-retractedpapers-has-a-negative-domino-effect-on-science-education-and-society/

120 ヨアヒム・ボルトは100本を撤回している。すでに気づいているかもしれないが、科学的詐欺事件には麻酔科医が多く関与している。それが単なる偶然でないとしたら、私が思いつく最もありそうな理由は、麻酔が一般にまだ謎に包まれていて、よく理解されていないからだ。そのために詐欺師が新しい「発見」をする余地が多く、比較する強力な証拠がない。これはあくまでも私の純粋な憶測である。

に対する世間の認識に大きな影響を与えたものがある。甚大な不安と混乱を巻き起こし、20年以上経った今も有害な影響を及ぼし続けているその研究を、覚えている人もいるだろう。1998年にイギリスの医師アンドリュー・ウェイクフィールドが『ランセット』に発表した、悪名高いワクチン研究だ。[123] ウェイクフィールドと論文の共同著者は12人の子供のサンプルをもとに、MMRワクチン（麻疹、おたふくかぜ、風疹の混合ワクチン）が自閉症と関連していると主張した。その理論は、MMRワクチンの接種で体内に残った麻疹ウイルスが、腸と脳に関連する症状の原因になっているというものだった（ウェイクフィールドは、彼が初めて指摘したこの症状を「自閉症性腸炎」と呼んだ[124]）。論文発表後のインタビューや記者会見でウェイクフィールドは、混合ワクチンは「免疫システムにとって作用が大きすぎ」、一部の子供はコントロールできなくなる」として、3つの単独のワクチンに分けるべきだと繰り返した。[125]

今ではほとんどの人が、ウェイクフィールドの発見に信憑性がないことを知っている。1998年以降、MMRワクチン（および、ほかのさまざまなワクチン）と自閉症スペクトラム症のあいだに関連性はまったくないことを示す大規模で厳密な研究がいくつかおこなわれている。[126] 混合ワクチンが単独のワクチンと同じように安全であることも証明されている。[127] ただし、多くの人は知らないが、ウェイクフィールドの論文は純粋なミスでも、試験的な研究が行き詰まったわけでもなく、最初から不正がおこなわれていたのだ。[128]

ウェイクフィールドの論文が発表されて議論が巻き起こると、調査ジャーナリストのブライアン・ディアは彼のデータと、何よりも彼の動機を調べ始めた。そして、『ＢＭＪ（旧ブリティッシュ・メディカル・ジャーナル）』に連載された見事な調査結果のなかで、ウェイクフィールドが論文に登場する12人の子供の医学的な詳細を不正確に伝えたり、改ざんしたりしていることを、１人ずつ詳しく指摘した。[129] 12人全員がＭＭＲ混合ワクチンを接種した直後に自閉症に関連する最初の症状を示したという「事実」もでっち上げで、実際は、事前に症状の記録があった子供もいれば、接種から何カ月も経って症状が出た子供や、自閉症の診断を受けたことさえない子供もいた。[130]

動機に関しては、研究がこのような結果になることで、ウェイクフィールドには２つの大きな経済的利益があった。[131] 第１に、彼は自閉症の子供の親に代わってワクチンメーカーを訴えようとしていた弁護士から、多額の報酬を得て論文の作成を依頼されていた。[132] 実は、この弁護士

122　ボルトの論文１００本が撤回された後も、本稿の執筆時点で、彼の論文はほかに約１００本が文献に残っている。学術誌の編集者は不愉快なことだろう。撤回されていない論文の多くは不正が明確に証明されていないが、ボルトがこれほど「多作な」捏造者である以上、それらにも不正の可能性があることは誰もが知っているのだ。そこで、詐欺師だと判明している著者の論文に編集者が注釈（出版の用語で「懸念の表明」）を加え、引用には細心の注意が必要であることを示すという対策が提案されている。Christian J. Wiedermann, 'Inaction over Retractions of Identified Fraudulent Publications: Ongoing Weakness in the System of Scientific Self-Correction', *Accountability in Research* 25, no. 4 (19 May 2018): pp. 239–53; https://doi.org/10.1080/08989621.2018.1450143. 以下も参照。Christian J. Wiedermann & Michael Joannidis, 'The Boldt Scandal Still in Need of Action: The Example of Colloids 10 Years after Initial Suspicion of Fraud', *Intensive Care Medicine* 44, no. 10 (Oct. 2018): pp. 1735–37; https://doi.org/10.1007/s00134-018-5289-3

130　哲学を学んでいる大学１年生なら誰でもわかるように、「ＭＭＲ混合ワクチンを接種したあとに症状が出た」という議論は、いずれにせよ決定的なものではなかった。ＸがＹの直後に起こったということは、必ずしもＸがＹを引き起こしたという証拠にはならない。

と関係のある反ワクチンの圧力団体を通して、研究対象の患者を集めていたのだ。第2に、論文を発表する前年にウェイクフィールドは自分が開発した麻疹ワクチンの特許を出願しており、自分の研究によって人々がMMR混合ワクチンを敬遠すれば利益を得ることができた。[133] 許しがたいことに、これらの利害関係は論文で公表されておらず、「特別な受託者」から資金提供を受けていることと、12人の子供の親が「一連の研究のきっかけを与えた」ことが記されているだけだった。[134]

2004年にディアが初めて『ランセット』に疑惑をぶつけたとき、編集者は激しく抵抗した（その10年後にも、マッキャリーニをめぐって同誌で同じようなことが起きた）。[135] ディアの調査を受けて、ウェイクフィールドの論文は2010年にようやく撤回されたが、その時点で12年間、正式な科学文献の一部になっていた。ウェイクフィールドはイギリスの総合医療評議会（GMC）で過去最長の審理を経て、同学会の登録を抹消され、イギリスの医師免許を剥奪された。これはデータを改ざんしただけでなく、適切な承認を得ずに、子供に大腸内視鏡検査など不必要な医療処置を施したからでもあった。[136] こうした行動は「冷酷なまでの無視」だという指摘は本章に登場したすべての詐欺師の行動を的確に表現している。[137] ウェイクフィールドはその後、アメリカの反ワクチン運動で名声を得ている。彼が監督を務めた反ワクチン映画『MMRワクチン告発（原題／Vaxxed）』は2016年にニューヨークのトライベッカ映画祭で上映される予定だったが、世論の反対を受けて取りやめになった。映画祭の創設者でワクチンに懐疑的なロバート・デ・ニーロはこの映画を擁護していた。[138]

ウェイクフィールドの不正行為によってワクチンに対する恐怖に火がつき、ウイルスさながらに急速に広まった。イギリスでは多くのメディアがＭＭＲワクチンについて「質問を並べる」形式の記事を掲載するようになり、小さな子供を持つ親の疑念をあおった。『デイリー・メール』紙はその急先鋒で、メディアの流行に踊らされないと自負する『プライベート・アイ』誌までが２００２年にＭＭＲワクチンの特集を組み、ウェイクフィールドを混合ワクチン制度に立ち向かうガリレオのような人物として描いた。[139] 一連の報道の効果はご想像のとおりだ。[140] イギリスのＭＭＲワクチンの接種率は、１９９０年代後半には「集団免疫」に必要な95％に近づきつつあった。十分な数の人がワクチンを接種することによって、ワクチンの成分に対するアレルギーなどの理由で接種できない人々を脅かさない程度まで、病気の感染が抑えられる状態になる。しかし、１９９８年以降、接種率は80％にまで低下し、それに伴って麻疹の発症率が上昇した。[141] 麻疹はヨーロッパをはじめ世界各地で大流行し、麻疹とは無縁だった国々でも新たな感染者が出るようになった。世界保健機関（ＷＨＯ）の推計によると、２０１８年には14万人以上が麻

132　ディアによると、ウェイクフィールドは弁護士から時給１５０ポンド、総額43万５６４３ポンドと諸経費を受け取っており、これはイギリスのリーガル・エイド（国費による法律費用の扶助制度）から支払われていて納税者の金でもある。https://briandeer.com/wakefield/legal-aid.htm

140　ここでメディアの報道をあらためて非難するのには十分な理由がある。２０１９年の研究によると、ＭＭＲワクチンに関するメディアの誤情報の急増が、ワクチン接種率の低下に直接（そして、ある仮定のもとでは因果的に）関係している。もちろん、最終的な原因はウェイクフィールドの論文が発表されたことだ。Meradee Tangvatcharapong, 'The Impact of Fake News: Evidence from the Anti-Vaccination Movement in the US', Oct. 2019; https://meradeetang.files.wordpress.com/2019/11/meradee_jmp_oct31_2.pdf

疹とその合併症で死亡している。[142] 予防する手段があるからこそ、悲劇的で腹立たしい。ウェイクフィールドの科学的不正の結果、特に子供などの弱者や発展途上国の人々にとって、世界がさらに危険な場所になったと言っても過言ではない。

ウェイクフィールドの論文が『ランセット』など著名な学術誌に掲載されたことは、科学出版の歴史において最悪の決断の1つとして語り継がれるだろう。社会の幸福のために信頼できる科学が重要であることと、問題のある研究を選別する査読システムの失敗を、これ以上、明確に示す例はまずない。科学の信頼というものをあらためて突きつけられる。そこには科学に対する人々の信頼も含まれる。子供にワクチンを接種することは委託行為だ。医学の専門家が言うとおり安全なのだと信じて、自ら何らかの行為を受ける。[143] しかし、科学的な査読のお墨付きを得て権威ある学術誌に掲載された研究が、それは安全ではないと示唆すれば、注目するのは当然だ。ウェイクフィールドの論文が発表されてから何年ものあいだ、人々はワクチンについて誰を信じていいのか、とにかくわからなかった。今でも多くの人が迷っている。[144]

このような社会的信頼の裏切りこそが、科学的不正行為の最も悪質なところだろう。人々は、自分の子供の健康を含め、科学に多大な投資をしてきた。詐欺師はその信頼をもてあそぶのだ。ただし、詐欺師自身が悪いのは言うまでもないが、私たちの科学システムも非難されるべきだ。とりわけ華やかな学術誌は、見栄えのいい結果だけを提出するように働きかけ、ごく一部の科学者がそのような派手さを求めて詐欺に走ることを多かれ少なかれ助長している。しかもそれだけでなく、編集者は不正行為の確かな証拠が明るみに出ても、消極的で不本意な態度をとることが多い。[145] 大学も批判を免れることはできない。大学は調査が遅いだけでなく、マッキャリーニのように弁解の余地のない人物を擁護し、内部告発者を追い詰める場合もある。[146]

当然ながら、不正行為を告発された人について、有罪が証明されるまでは無罪と考えるべきだ。疑惑の指摘にでたらめな対応をすることほど、信頼を失うことはない。しかし、責任ある立場の人間がぐずぐずして、捏造された論文が文献に残っている期間が長ければ長いほど、システムや制度が科学をダメにして、ひいては社会をダメにする。

143 『デイリー・メール』のピーター・ヒッチェンズなど、当時ＭＭＲ恐怖症を支持していたジャーナリストからもこのような主張が出ている (Peter Hitchens, 'Some Reflections on Measles and the MMR', Peter Hitchens's *Blog*, 11 April 2013; https://hitchensblog.mailonsunday.co.uk/2013/04/somereflections-on-measles-and-the-mmr-.html)。多くの反ワクチン論者が主張しているように、ワクチンは自らの成功の犠牲者でもある。麻疹、おたふくかぜ、風疹はどれも非常に不快な病気で、まれに難聴のような人生を左右する深刻な合併症を引き起こす。しかし、ワクチンがこれらの病気を一掃してくれたため、私たちはこれらの病気がいかに危険かを忘れてしまい、自己満足に陥っている。

145 最近も米バイオベンチャー企業セラノスを舞台に似たような事件が起きている。同社の創業者兼ＣＥＯのエリザベス・ホームズ（本稿の執筆時点では詐欺罪で公判中【訳注：２０２２年に実刑判決を受けて服役】）は、ルパート・マードックや（ウォルマートで有名な）ウォルトン家など著名な投資家から途方もない大金をだまし取り、アメリカで最も若く最も裕福な女性億万長者として成功を収めた。彼女の会社が開発した装置は、たった1滴の血液から多くの健康状態を診断できるとうたっていたが、実際に機能したことは一度もなかった。しかし、変革的な技術的効果という意味で次のフェイスブックやウーバーになるかもしれない企業の誕生に参加したがった投資家たちは、明らかな欠点を見逃すか無視した。調査ジャーナリストのジョン・キャリールーが事件を追った著書は読み始めると止まらない。John Carreyrou, *Bad Blood: Secrets and Lies in a Silicon Valley Startup* (New York: Alfred A. Knopf, 2018). ジョン・キャリールー『BAD BLOOD シリコンバレー最大の捏造スキャンダル 全真相』（集英社）

科学文献が汚染され、資源が浪費され、信頼が腐食されて、さらに死者が出ている。それでも足りないとでも言うかのように、再び恐ろしい考えが浮かんでくる――私たちが知っているのは、ほんの一部なのではないか。この章で取り上げたどの詐欺師よりも賢くて、狡猾で、危険な詐欺師が、まだいるのではないだろうか。結局のところ、多くの科学的不正行為は、データ探偵や捏造画像の検証によって明らかになるのではなく、たまたまあるタイミングである場所にいたから疑わしいものを発見した内部告発者によるものだ。そのような発覚を逃れて、もっと巧妙に悪事を隠し、何の疑問も抱かせないような偽の科学を生み出している詐欺師が存在することは十分にあり得る。そして、彼らを見つけることができない可能性はいくらでもある。[147]

科学が抱えるさまざまな問題に足を踏み入れようとする際に、なぜ不正行為から始めるのか。ドラマチックで心をかき乱されるストーリーは、科学が提供する最悪の旅のクライマックスにとっておくべきではないか。普通はそう思うだろう。しかし、これらの不正行為の話も恐ろしいが、次章では、ある意味でもっと悪いものについて説明する。画像やデータの捏造のようにあからさまで目を引くものではないからこそ、より質が悪い。科学の仕事から明らかに逸脱していて容赦できない不正行為とは異なり、これから見ていくのは、善良で誠実な科学的意図のあいだで息を潜めているものだ。不正行為の問題よりはるかに繊細で、はるかに陰湿で、そして最悪の場合、はるかに広く存在している。

引用：Norman MacDonald, Maxims and Moral Reflections (New York: 1827). より引用

1 「人工内耳」：Vivien Williams, 'Baby Hears for First Time with Cochlear Implants', *Mayo Clinic News Network*, 13 Nov. 2018; https://newsnetwork.mayoclinic.org/discussion/baby-hears-for-first-time-with-cochlear-implants/;「白内障」：National Geographic, 'Two Blind Sisters See for the First Time', 26 Sept. 2014; https://youtu.be/EltIpB4EtYU;「義肢」：Victoria Smith, 'Video Of Rick Clement Walking On New Legs Goes Viral', *Forces Network*, 23 July 2015; https://www.forces.net/services/tri-service/video-rick-clement-walking-new-legs-goes-viral; 以下も参照。'Boy, 5, given Prosthetic Arm That Lets Him Hug Brother', *BBC News*, 14 Dec. 2019; https://www.bbc.co.uk/news/uk-wales-50762563

2 気管をつなぎ直す「吻合」術は良好な結果になることが多い。20世紀初頭から半ばにかけて外科技術が進歩し、気管の長い部分を切除しても吻合が可能になった。ただし、限界もあった。特に気管腫瘍が大きく成長すると気管の半分以上を切除しなければならず、吻合は選択肢ではなくなる。

3 Hermes C. Grillo, 'Tracheal Replacement: A Critical Review', *The Annals of Thoracic Surgery* 73, no. 6 (June 2002): 1995–2004; https://doi.org/10.1016/S0003-4975(02)03564-6

4 Paolo Macchiarini et al., 'Clinical Transplantation of a Tissue-Engineered Airway', *Lancet* 372, no. 9655 (Dec. 2008): 2023–30; https://doi.org/10.1016/S0140-6736(08)61598-6

5 Karolinska Institute, 'First Successful Transplantation of a Synthetic Tissue Engineered Windpipe' (news release), 29 July 2011; https://ki.se/en/news/first-successful-transplantation-of-a-synthetic-tissue-engineered-windpipe

6 Philipp Jungebluth et al., 'Tracheobronchial Transplantation with a Stem-Cell-Seeded Bioartificial Nanocomposite: A Proof-of-Concept Study', *Lancet* 378, no. 9808 (Dec. 2011): pp. 1997–2004; https://doi.org/10.1016/S0140-6736(11)61715-7

7 Christian Berggren & Solmaz Filiz Karabag, 'Scientific Misconduct at an Elite Medical Institute: The Role of Competing Institutional Logics and Fragmented Control', *Research Policy* 48, no. 2 (Mar. 2019): pp. 428–43; https://doi.org/10.1016/j.respol.2018.03.020

8 前掲 p. 432。

9 Madeleine Svärd Huss, 'The Macchiarini Case: Timeline' (Karolinska Institute, 26 June 2018); https://ki.se/en/news/the-macchiarini-case-timeline

10 AFP Newswire, 'Macchiarini's Seventh Transplant Patient Dies', *Local*, 20 March 2017; https://www.thelocal.it/20170320/macchiarinis-seventh-transplant-patientdies-sweden-italy

11 翻訳は Berggren & Karabag, 'Scientific Misconduct', p. 432 より。オリジナルの引用は以下を参照。Johannes Wahlström, 'Den Bortglömda Patienten', *Filter*, 18 May 2016; https://magasinetfilter.se/granskning/den-bortglomda-patienten/ [Swedish]

12 William Kremer, 'Paolo Macchiarini: A Surgeon's Downfall', *BBC News Magazine*,10 Sept. 2016; https://www.bbc.co.uk/news/magazine-37311038

15 彼女が死ぬ前と後で、カナダの同じメディアに掲載された記事を比べると胸をしめつけられる。AP Newswire, '"We Feel like She's Reborn": Toddler

Born without Windpipe Gets New One Grown from Her Own Stem Cells', *National Post*, 30 April 2013; https://nationalpost.com/news/south-korean-2-year-old-youngest-ever-to-get-lab-made-windpipe-from-her-own-stem-cells; and Joseph Brean, 'Swashbuckling Surgeon's Collapsing Reputation Threatens Canadian Girl's Legacy as "pioneer" Patient', *National Post*, 18 Feb. 2016; https://nationalpost.com/news/canada/swashbuckling-surgeons-collapsing-reputationthreatens-canadian-girls-legacy-as-pioneer-patient

16 Eve Herold, 'A Star Surgeon Left a Trail of Dead Patients – and His Whistleblowers were Punished', *leapsmag*, 8 Oct. 2018; https://leapsmag.com/a-star-surgeon-lefta-trail-of-dead-patients-and-his-whistleblowers-were-punished/

17 報告書は「リトラクション・ウオッチ」のウェブサイトに掲載されている。 http://retractionwatch.com/wp-content/uploads/2015/05/Translation-investigation.doc (see p. 36).

18 David Cyranoski, 'Artificial-Windpipe Surgeon Committed Misconduct', *Nature* 521, no. 7553 (May 2015): 406–7; https://doi.org/10.1038/nature.2015.17605. 以下も参照。 Alison McCook, 'Misconduct Found in 7 Papers by Macchiarini, Says English Write-up of Investigation', *Retraction Watch*, 28 May 2015; https://retractionwatch.com/2015/05/28/misconduct-found-in-7-papers-by-macchiarini-says-english-writeup-of-investigation/

19 Kremer, 'Paolo Macchiarini'.

20 'Paolo Macchiarini Is Not Guilty of Scientific Misconduct', *Lancet* 386, no. 9997 (Sept. 2015): 932; https://doi.org/10.1016/S0140-6736(15)00118-X

21 Adam Ciralsky, 'The Celebrity Surgeon Who Used Love, Money, and the Pope to Scam an NBC News Producer', *Vanity Fair* (Feb. 2016); https://www.vanityfair.com/news/2016/01/celebrity-surgeon-nbc-news-producer-scam

22 前掲。

24 Kremer, 'Paolo Macchiarini'.

25 Huss, 'The Macchiarini Case'. See also David Cyranoski, 'Nobel Official Resigns over Karolinska Surgeon Controversy', *Nature*, 8 Feb. 2016; https://doi.org/10.1038/nature.2016.19332

27 'The Final Verdict on Paolo Macchiarini: Guilty of Misconduct', *Lancet* 392, no.10141 (July 2018): 2; https://doi.org/10.1016/S0140-6736(18)31484-3

28 Karolinska Institute, 'Seven Researchers Responsible for Scientific Misconduct in Macchiarini Case', 28 June 2015; https://news.ki.se/seven-researchers-responsiblefor-scientific-misconduct-in-macchiarini-case

29 Matt Warren, 'Disgraced Surgeon is Still Publishing on Stem Cell Therapies', *Science*, 27 April 2018; https://doi.org/10.1126/science.aau0038

30 Margarita Zhuravleva et al., 'In Vitro Assessment of Electrospun Polyamide-6 Scaffolds for Esophageal Tissue Engineering: Polyamide-6 Scaffolds for Esophageal Tissue Engineering', *Journal of Biomedical Materials Research Part B: Applied Biomaterials* 107, no. 2 (Feb. 2019): pp. 253–68; https://doi.org/10.1002/jbm.b.34116

31 Alla Astakhova, 'Superstar Surgeon Fired, Again, This Time in Russia', *Science*, 16 May 2017; https://doi.org/10.1126/science.aal1201

32 Swedish Prosecution Authority, 'Investigation Concerning Surgeries Resumed after Review', 11 Dec. 2018; https://via.tt.se/pressmeddelande/

investigation-concerningsurgeries-resumed-after-review?publisherId=3235541&releaseId=3252745
33 Herold, 'A Star Surgeon'.
34 Berggren & Karabag, 'Scientific Misconduct', p. 432.
35 サマーリンは、ウサギに移植したと彼が主張する角膜に関する結果も偽造した。Jane E. Brody, 'Inquiry at Cancer Center Finds Fraud in Research', *New York Times*, 25 May 1974; https://www.nytimes.com/1974/05/25/archives/article-5-no-title-fraud-is-charged-at-cancer-center-premature.html; マウスの皮膚移植は以下のエッセイも参照。Peter Medawar, *The Strange Case of the Spotted Mice: And Other Classic Essays on Science* (Oxford: Oxford University Press, 1996).
36 P. G. Pande et al., 'Toxoplasma from the Eggs of the Domestic Fowl (Gallus gallus)', *Science* 133, no. 3453 (3 March 1961): pp. 648–648; https://doi.org/10.1126/science.133.3453.648
37 G. DuShane et al., 'An Unfortunate Event', Science 134, no. 3483 (29 Sept. 1961): pp. 945–46; https://doi.org/10.1126/science.134.3483.945-a; see also J. L. Kavanau & K. S. Norris, 'Letter to the Editor', *Science* 136, no. 3511 (13 April 1962): p. 199; https://doi.org/10.1126/science.136.3511.199; and Nicholas B. Wade & William Broad, *Betrayers of the Truth: Fraud and Deceit in the Halls of Science* (New York: Simon & Schuster, 1982). ニコラス・ウェイド、ウィリアム・ブロード『背信の科学者たち 論文捏造はなぜ繰り返されるのか?』(講談社)
39 Jaeyung Park et al., 'The Korean Press and Hwang's Fraud', Public Understanding of *Science* 18, no. 6 (Nov. 2009): pp. 653–69; https://doi.org/10.1177/0963662508096779
40 R. Saunders & J. Savulescu, 'Research Ethics and Lessons from Hwanggate: What Can We Learn from the Korean Cloning Fraud?', *Journal of Medical Ethics* 34, no. 3 (1 Mar. 2008): pp. 214–21; https://doi.org/10.1136/jme.2007.023721
41 Constance Holden, 'Bank on These Stamps', *Science* 308, no. 5729 (17 June 2005): p. 1738a; https://doi.org/10.1126/science.308.5729.1738a
42 「最高の科学者」：Jongyoung Kim & Kibeom Park, 'Ethical Modernization: Research Misconduct and Research Ethics Reforms in Korea Following the Hwang Affair', *Science and Engineering Ethics* 19, no. 2 (June 2013): p. 358; https://doi.org/10.1007/s11948-011-9341-8.「卵子の提供」：Saunders & Savulescu, 'Research Ethics', p. 217.
43 Jennifer Couzin, 'STEM CELLS…And How the Problems Eluded Peer Reviewers and Editors', *Science* 311, no. 5757 (6 Jan. 2006): pp. 23–24; https://doi.org/10.1126/science.311.5757.23; Mike Rossner, 'Hwang Case Review Committee Misses the Mark', *Journal of Cell Biology* 176, no. 2 (15 Jan. 2007): pp. 131–32; https://doi.org/10.1083/jcb.200612154
44 Saunders & Savulescu, 'Research Ethics', p. 215.
45 Kim & Park, 'Ethical Modernization', pp. 360–361.
46 前掲 p. 361。
47 Sei Chong & Dennis Normile, 'STEM CELLS: How Young Korean Researchers Helped Unearth a Scandal...', *Science* 311, no. 5757 (6 Jan. 2006): pp.

22–25; https://doi.org/10.1126/science.311.5757.22

48 Mi-Young Ahn & Dennis Normile, 'Korean Supreme Court Upholds Disgraced Cloner's Criminal Sentence', *Science*, 27 Feb. 2014; https://www.sciencemag.org/news/2014/02/korean-supreme-court-upholds-disgraced-cloners-criminal-sentence

51 サザンブロッティングの手順は以下のとおりである。ＤＮＡ分子を取り出して、酵素を使って二重らせんを一本鎖に分離し、電流を流してゲルに入れ込む（ゲル電気泳動）。大きさの異なる断片は異なる速度でゲル内を移動するので、電流を一定時間流したあとのゲル内での位置により、ＤＮＡ分子の大きさがある程度わかる。次に濾紙の上で、ゲルと、あらかじめ放射性同位体で標識をつけた別のＤＮＡ鎖を混ぜる。この新しい鎖が最初の鎖の関連する部分に結合するので、濾紙をX線フィルムに照射する。これを指標として使うと、ぼやけた半長方形のどれがＤＮＡ鎖に対応しているかがわかる。放射性同位体のかわりに着色色素を使ってブロッティングをすることもできる。

52 ノーザンブロッティングはＲＮＡを、ウエスタンブロッティングはタンパク質をそれぞれ検出する。イースタンブロッティング（タンパク質修飾を検出する）やファーイースタンブロッティング（イースタンブロッティングの派生型だが日本で開発された）もある。

53 Haruko Obokata et al., 'Stimulus-Triggered Fate Conversion of Somatic Cells into Pluripotency', *Nature* 505, no. 7485 (Jan. 2014): pp. 641–47; https://doi.org/10.1038/nature12968; Haruko Obokata et al., 'Bidirectional Developmental Potential in Reprogrammed Cells with Acquired Pluripotency', *Nature* 505, no. 7485 (Jan. 2014): pp. 676–80; https://doi.org/10.1038/nature12969

55 Nobel Media, 'The Nobel Prize in Physiology or Medicine 2012' (Oct. 2012); https://www.nobelprize.org/prizes/medicine/2012/summary/

57 Shunsuke Ishii et al., 'Report on STAP Cell Research Paper Investigation' (31 March 2014); http://www3.riken.jp/stap/e/f1document1.pdf

58 再現に失敗したものは赤色の字で表示：https://ipscell.com/stap-new-data/; 'all were in red': Mianna Meskus et al., 'Research Misconduct in the Age of Open Science: The Case of STAP Stem Cells', Science as Culture 27, no. 1 (2 Jan. 2018): pp. 1–23; https://doi.org/10.1080/09505431.2017.1316975. この記事は、画像の偽造に関するインターネットの匿名コメントと再現実験の試みを一覧化したブログがＳＴＡＰの研究を打ちのめした過程についても興味深い議論をしている。

59 James Gallagher, 'Stem Cell Scandal Scientist Haruko Obokata Resigns', *BBC News*, 19 Dec. 2014; https://www.bbc.co.uk/news/health-30534674

60 Isao Katsura et al., 'Report on STAP Cell Research Paper Investigation' (25 Dec. 2014); http://www3.riken.jp/stap/e/c13document52.pdf; Masaaki Kameda,'"STAP Cells" Claimed by Obokata Were Likely Embryonic Stem Cells', *Japan Times*, 26 Dec. 2014; https://www.japantimes.co.jp/news/2014/12/26/national/stap-cells-claimed-by-obokata-were-likely-embryonic-stem-cells/

61 David Cyranoski, 'Collateral Damage: How One Misconduct Case Brought a Biology Institute to Its Knees', *Nature* 520, no. 7549 (April 2015): pp. 600–3; https://doi.org/10.1038/520600a

62 David Cyranoski, 'Stem-Cell Pioneer Blamed Media "Bashing" in Suicide Note', *Nature*, 13 Aug. 2014, https://doi.org/10.1038/nature.2014.15715

63 Elisabeth M. Bik et al., 'The Prevalence of Inappropriate Image Duplication in Biomedical Research Publications', MBio 7, no. 3 (6 July 2016): e00809-16; https://doi.org/10.1128/mBio.00809-16. For a profile of Bik, see Tom Bartlett, 'Hunting for Fraud Full Time', *Chronicle of Higher Education*, 8 Dec.

2019; https://www.chronicle.com/article/Hunting-for-Fraud-Full-Time/247666

64 Bik et al., 'The Prevalence of Inappropriate Image Duplication'.

68 J. B. S. Haldane, 'The Faking of Genetical Results', Eureka 27 (1964): pp. 21–24. Quoted in J. J. Pandit, 'On Statistical Methods to Test If Sampling in Trials Is Genuinely Random: Editorial', *Anaesthesia* 67, no. 5 (May 2012): pp. 456–62; https://doi.org/10.1111/j.1365-2044.2012.07114.x

69 Lawrence J. Sanna et al., 'Rising up to Higher Virtues: Experiencing Elevated Physical Height Uplifts Prosocial Actions', *Journal of Experimental Social Psychology* 47, no. 2 (Mar. 2011): pp. 472–76; https://doi.org/10.1016/j.jesp.2010.12.013. Dirk Smeesters & Jia (Elke) Liu, 'The Effect of Color (Red versus Blue) on Assimilation versus Contrast in Prime-to-Behavior Effects', *Journal of Experimental Social Psychology* 47, no. 3 (May 2011): pp. 653–56; https://doi.org/10.1016/j.jesp.2011.02.010

70 Uri Simonsohn, 'Just Post It: The Lesson from Two Cases of Fabricated Data Detected by Statistics Alone', *Psychological Science* 24, no. 10 (Oct. 2013): pp. 1875–88; https://doi.org/10.1177/0956797613480366

71 Ed Yong, 'Uncertainty Shrouds Psychologist's Resignation', *Nature*, 12 July 2012; https://doi.org/10.1038/nature.2012.10968. See also Jules Seegers, 'Ontslag Hoogleraar Erasmus Na Plegen Wetenschapsfraude', *NRC Handelsblad*, 25 June 2012; https://www.nrc.nl/nieuws/2012/06/25/erasmus-trekt-artikelen-terug-hoogleraar-ontslagen-om-schenden-integriteit-a1443819 [Dutch].

74 以下の論文に有用な検知のプロセスが紹介されている。Rutger M. van den Bor et al., 'A Computationally Simple Central Monitoring Procedure, Effectively Applied to Empirical Trial Data with Known Fraud', *Journal of Clinical Epidemiology* 87 (July 2017): pp. 59–69; https://doi.org/10.1016/j.jclinepi.2017.03.018

75 M. J. LaCour & D. P. Green, 'When Contact Changes Minds: An Experiment on Transmission of Support for Gay Equality', *Science* 346, no. 6215 (12 Dec. 2014): 1366–69; https://doi.org/10.1126/science.1256151

76 Harry McGee, 'Personal Route to Reach Public Central to Yes Campaign', *Irish Times*, 14 May 2015; https://www.irishtimes.com/news/politics/marriagereferendum/personal-route-to-reach-public-central-to-yes-campaign-1.2211282

77 引用：Michael C. Munger, 'L'Affaire LaCour: What It Can Teach Us about Academic Integrity and "Truthiness"', *Chronicle of Higher Education*, 15 June 2015; https://www.chronicle.com/article/LAffaire-LaCour/230905

78 David Broockman et al., 'Irregularities in LaCour (2014)', 19 May 2015; https://stanford.edu/~dbroock/broockman_kalla_aronow_lg_irregularities.pdf

80 Jeffrey Brainard, 'What a Massive Database of Retracted Papers Reveals about Science Publishing's "Death Penalty"', Science, 25 Oct. 2018; https://doi.org/10.1126/science.aav8384

81 https://retractionwatch.com/retraction-watch-database-user-guide/

82 Inha Cho et al., 'Retraction', *Science* 367, no. 6474 (2 Jan. 2020): p. 155; https://doi.org/10.1126/science.aba6100

83 https://twitter.com/francesarnold/status/1212796266494607360

84 「詐欺」：Michael L. Grieneisen & Minghua Zhang, 'A Comprehensive Survey of Retracted Articles from the Scholarly Literature', *PLOS ONE* 7, no. 10 (24 Oct. 2012): e44118; https://doi.org/10.1371/journal.pone.0044118. 心理学の論文撤回に関するレビューも似たような数字だ。Johannes Stricker & Armin Günther, 'Scientific Misconduct in Psychology: A Systematic Review of Prevalence Estimates and New Empirical Data', *Zeitschrift Für Psychologie* 227, no. 1 (Jan. 2019): pp. 53–63; https://doi.org/10.1027/2151-2604/a000356.「盗用」：撤回に関するほかの調査と広い意味で同じ数字である。たとえば以下を参照。Anthony Bozzo et al.,' Retractions in Cancer Research: A Systematic Survey', *Research Integrity and Peer Review* 2, no. 1 (Dec. 2017): 5; https://doi.org/10.1186/s41073-017-0031-1; Zoë Corbyn, 'Misconduct Is the Main Cause of Life-Sciences Retractions', *Nature* 490, no. 7418 (Oct. 2012): p. 21; https://doi.org/10.1038/490021a; Guowei Li et al., 'Exploring the Characteristics, Global Distribution and Reasons for Retraction of Published Articles Involving Human Research Participants: A Literature Survey', *Journal of Multidisciplinary Healthcare* 11 (Jan. 2018): pp. 39–47; https://doi.org/10.2147/JMDH.S151745. レビューについてはこれも参照。Charles Gross, 'Scientific Misconduct', *Annual Review of Psychology* 67, no. 1 (4 Jan. 2016): pp. 693–711; https://doi.org/10.1146/annurev-psych-122414-033437

85 Daniele Fanelli, 'Why Growing Retractions Are (Mostly) a Good Sign', *PLOS Medicine* 10, no. 12 (3 Dec. 2013): e1001563; https://doi.org/10.1371/journal.pmed.1001563

86 社会でおかす犯罪：Avshalom Caspi et al., 'Childhood Forecasting of a Small Segment of the Population with Large Economic Burden', *Nature Human Behaviour* 1, no. 1 (Jan. 2017): p. 0005; https://doi.org/10.1038/s41562-016-0005;「科学者」：Jeffrey Brainard, 'What a Massive Database of Retracted Papers Reveals about Science Publishing's "Death Penalty"', *Science* (25 Oct. 2018); https://doi.org/10.1126/science.aav8384

88 Peter Kranke et al., 'Reported Data on Granisetron and Postoperative Nausea and Vomiting by Fujii et al. Are Incredibly Nice!', *Anesthesia & Analgesia* 90, no. 4 (April 2000): pp. 1004–6; https://doi.org/10.1213/00000539-200004000-00053

89 Adam Marcus & Ivan Oransky, 'How the Biggest Fabricator in Science Got Caught', *Nautilus*, 21 May 2015; http://nautil.us/issue/24/error/how-the-biggest-fabricator-in-science-got-caught

90 「到底あり得ない」データ：J. B. Carlisle, 'The Analysis of 168 Randomised Controlled Trials to Test Data Integrity: Analysis of 168 Randomised Controlled Trials to Test Data Integrity', *Anaesthesia* 67, no. 5 (May 2012): pp. 521–37; https://doi.org/10.1111/j.1365-2044.2012.07128.x.「キャリアは終わった」：Dennis Normile, 'A New Record for Retractions? (Part 2)', *Science*, 2 July 2012; https://www.sciencemag.org/news/2012/07/new-record-retractions-part-2

91 Adam Marcus, 'Does Anesthesiology Have a Problem? Final Version of Report Suggests Fujii Will Take Retraction Record, with 172', *Retraction Watch*, 2 July 2012; https://retractionwatch.com/2012/07/02/does-anesthesiology-have-aproblem-final-version-of-report-suggests-fujii-will-take-retraction-record-with-172/

92 Daniele Fanelli, 'How Many Scientists Fabricate and Falsify Research? A Systematic Review and Meta-Analysis of Survey Data', *PLOS ONE* 4, no. 5 (29 May 2009): e5738; https://doi.org/10.1371/journal.pone.0005738

93 前掲。
94 Gross, 'Scientific Misconduct', p. 700.
96 Ferric C. Fang et al., 'Males Are Overrepresented among Life Science Researchers Committing Scientific Misconduct', *MBio* 4, no. 1 (22 Jan. 2013): e00640-12; https://doi.org/10.1128/mBio.00640-12
98 Daniele Fanelli et al., 'Testing Hypotheses on Risk Factors for Scientific Misconduct via Matched-Control Analysis of Papers Containing Problematic Image Duplications', *Science and Engineering Ethics* 25, no. 3 (June 2019): pp. 771–89; https://doi.org/10.1007/s11948-018-0023-7
100 Wang et al., 'Positive Results in Randomized Controlled Trials on Acupuncture Published in Chinese Journals: A Systematic Literature Review', *The Journal of Alternative and Complementary Medicine* 20, no. 5 (May 2014): A129–A129; https://doi.org/10.1089/acm.2014.5346.abstract cited in Stephen Novella, 'Scientific Fraud in China', *Science-Based Medicine*, 27 Nov. 2019; https://sciencebasedmedicine.org/scientific-fraud-in-china/ https://www.liebertpub.com/doi/abs/10.1089/acm.2014.5346.abstract
101 Qing-Jiao Liao et al., 'Perceptions of Chinese Biomedical Researchers Towards Academic Misconduct: A Comparison Between 2015 and 2010', *Science and Engineering Ethics*, 10 April 2017; https://doi.org/10.1007/s11948-017-9913-3
102 Andrew M. Stern et al., 'Financial Costs and Personal Consequences of Research Misconduct Resulting in Retracted Publications', eLife 3 (14 Aug. 2014): e02956; https://doi.org/10.7554/eLife.02956. 資金調達に苦労しているという解釈は以下を参照。Nicolas Chevassus-au-Louis, *Fraud in the Lab: The High Stakes of Scientific Research*, tr. Nicholas Elliott (Cambridge, MA: Harvard University Press, 2019).
103 Medawar, *The Strange Case of the Spotted Mice*, p. 197.
104 David Goodstein, *On Fact and Fraud: Cautionary Tales from the Front Lines of Science* (Princeton: Princeton University Press, 2010): p. 2.
105 J. H. Schön et al., 'Field-Effect Modulation of the Conductance of Single Molecules', *Science* 294, no. 5549 (7 Dec. 2001): pp. 2138–40; https://doi.org/10.1126/science.1066171
106 スタンフォード大学のある教授（引用）: 'World's Smallest Transistor', Engineer, 9 Nov. 2001; https://www.theengineer.co.uk/worlds-smallest-transistor/. シェーンの事件について詳細は以下を参照。Eugenie Samuel Reich, *Plastic Fantastic: How the Biggest Fraud in Physics Shook the Scientific World* (Basingstoke, Hampshire: Palgrave Macmillan, 2009).
107 Leonard Cassuto, 'Big Trouble in the World of "Big Physics"', *Guardian*, 18 Sept. 2002; https://www.theguardian.com/education/2002/sep/18/science.highereducation
109 American Physical Society, 'Report of the Investigation Committee on the Possibility of Scientific Misconduct in the Work of Hendrik Schön and Coauthors' (Sept. 2002): pp. E-5–E-6; https://media-bell-labs-com.s3.amazonaws.com/pages/20170403_1709/misconduct-revew-report-lucent.pdf
110 前掲 p. H-1。
112 Diederik A. Stapel, Derailment: *Faking Science*, tr. Nicholas J. L. Brown (Strasbourg, France, 2014,2016): p. 103; http://nick.brown.free.fr/stapel

113 米国研究公正局が１４６件の科学的不正行為を調査した結果と、いくつかの共通するテーマに関する議論は以下を参照。Donald S. Kornfeld, 'Perspective: Research Misconduct', *Academic Medicine* 87, no. 7 (July 2012): pp. 877–82; https://doi.org/10.1097/ACM.0b013e318257ee6a

114 Jeneen Interlandi, 'An Unwelcome Discovery', *New York Times*, 22 Oct. 2006; https://www.nytimes.com/2006/10/22/magazine/22sciencefraud.html

115 Levelt Committee et al., 'Flawed Science: The Fraudulent Research Practices of Social Psychologist Diederik Stapel [English Translation]', 28 Nov. 2012; https://osf.io/eup6d

117 Helmar Bornemann-Cimenti et al., 'Perpetuation of Retracted Publications Using the Example of the Scott S. Reuben Case: Incidences, Reasons and Possible Improvements', *Science and Engineering Ethics* 22, no. 4 (Aug. 2016): pp. 1063–72; https://doi.org/10.1007/s11948-015-9680-y

118 Judit Bar-Ilan & Gali Halevi, 'Post Retraction Citations in Context: A Case Study', *Scientometrics* 113, no. 1 (Oct. 2017): pp. 547–65; https://doi.org/10.1007/s11192-017-2242-0. さらに憂鬱にさせられる数字は以下を参照。Anne Victoria Neale et al., 'Analysis of Citations to Biomedical Articles Affected by Scientific Misconduct', *Science and Engineering Ethics* 16, no. 2 (June 2010): pp. 251–61; https://doi.org/10.1007/s11948-009-9151-4

121 Ryan Zarychanski et al., 'Association of Hydroxyethyl Starch Administration With Mortality and Acute Kidney Injury in Critically Ill Patients Requiring Volume Resuscitation: A Systematic Review and Meta-Analysis', *JAMA* 309, no. 7 (20 Feb. 2013): pp. 678–88; https://doi.org/10.1001/jama.2013.430

123 A. J. Wakefield et al., 'Ileal-Lymphoid-Nodular Hyperplasia, Non-Specific Colitis, and Pervasive Developmental Disorder in Children', *Lancet* 351, no. 9103 (Feb. 1998): pp. 637–41; https://doi.org/10.1016/S0140-6736(97)11096-0

124 A. J. Wakefield et al., 'Enterocolitis in Children with Developmental Disorders', *The American Journal of Gastroenterology* 95, no. 9 (Sept. 2000): pp. 2285–95; https://doi.org/10.1111/j.1572-0241.2000.03248.x. 自閉症スペクトラム症の子供はいくつかの胃腸の症状が重いという証拠は実際にあるが(B. O. McElhanon et al., 'Gastrointestinal Symptoms in Autism Spectrum Disorder: A Meta-Analysis', *Pediatrics* 133, no. 5 (1 May 2014): pp. 872–83; https://doi.org/10.1542/peds.2013-3995)、それらの症状がワクチンに起因するという証拠はない。

125 *MMR: What They Didn't Tell You*, Brian Deer, dir. (Twenty Twenty Television, 2004); https://youtu.be/7UbL8opM6TM

126 Luke E. Taylor et al., 'Vaccines Are Not Associated with Autism: An Evidence-Based Meta-Analysis of Case-Control and Cohort Studies', *Vaccine* 32, no. 29 (June 2014): pp. 3623–29; https://doi.org/10.1016/j.vaccine.2014.04.085; Jean Golding et al., 'Prenatal Mercury Exposure and Features of Autism: A Prospective Population Study', Molecular Autism 9, no. 1 (Dec. 2018): 30; https://doi.org/10.1186/s13229-018-0215-7; Matthew Z. Dudley et al., *The Clinician's Vaccine Safety Resource Guide: Optimizing Prevention of Vaccine-Preventable Diseases Across the Lifespan* (Cham: Springer International Publishing, 2018); https://doi.org/10.1007/978-3-319-94694-8; Anders Hviid et al., 'Measles, Mumps, Rubella Vaccination and Autism: A Nationwide Cohort Study', *Annals of Internal Medicine* 170, no. 8 (16 April 2019): pp. 513–520; https://doi.org/10.7326/M18-2101

127 Dudley et al., *The Clinician's Vaccine Safety Resource Guide*, pp. 157–165.

128 F. Godlee et al., 'Wakefield's Article Linking MMR Vaccine and Autism Was Fraudulent', *BMJ* 342 (5 Jan. 2011): c7452; https://doi.org/10.1136/bmj.c7452

129 B. Deer, 'How the Case against the MMR Vaccine Was Fixed', *BMJ* 342 (5 Jan. 2011): c5347; https://doi.org/10.1136/bmj.c5347

131 B. Deer, 'How the Vaccine Crisis Was Meant to Make Money', *BMJ* 342 (14 Jan. 2011): c5258; https://doi.org/10.1136/bmj.c5258

133 http://briandeer.com/wakefield/vaccine-patent.htm

134 A. J. Wakefield et al., 'Ileal-Lymphoid-Nodular Hyperplasia', p. 641.

135 B. Deer, 'The Lancet's Two Days to Bury Bad News', *BMJ* 342, (18 Jan. 2011):c7001; https://doi.org/10.1136/bmj.c7001

136 総合医療評議会（GMC）がウェイクフィールドと2人の同僚を対象に開催した診療適正審査会の報告書は以下のサイトにある。http://www.channel4.com/news/media/2010/01/day28/GMC_Charge_sheet.pdf

137 'Ruling on Doctor in MMR Scare', *NHS News*, 29 Jan. 2010; https://www.nhs.uk/news/medical-practice/ruling-on-doctor-in-mmr-scare/

138 'Vaxxed: Tribeca Festival Withdraws MMR Film', *BBC News*, 27 March 2016; https://www.bbc.co.uk/news/entertainment-arts-35906470

139 『デイリー・メール』: Ben Goldacre, 'The MMR Sceptic Who Just Doesn't Understand Science', *Bad Science* (blog), 2 Nov. 2005; https://www.badscience.net/2005/11/comment-the-mmr-sceptic-who-just-doesnt-understand-science/; 『プライベート・アイ』: David Elliman & Helen Bedford, 'Press: *Private Eye Special* Report on MMR', *BMJ* 324, no. 7347 (18 May 2002): p. 1224; https://doi.org/10.1136/bmj.324.7347.1224

141 「80%」: NHS Digital, 'Childhood Vaccination Coverage Statistics: England 2017-18', 18 Sept. 2018; https://files.digital.nhs.uk/55/D9C4C2/child-vacc-stateng-2017-18-report.pdf, Figure 6.「発症率が上昇」: Vaccine Knowledge Project, 'Measles', University of Oxford, 25 June 2019; https://vk.ovg.ox.ac.uk/vk/measles

142 「WHO」: 'More than 140,000 Die from Measles as Cases Surge Worldwide', World Health Organisation, 5 Dec. 2019; https://www.who.int/news-room/detail/05-12-2019-more-than-140-000-die-from-measles-as-cases-surge-worldwide.「欧州」: Sarah Boseley, 'Resurgence of Deadly Measles Blamed on Low MMR Vaccination Rates', *Guardian*, 21 Aug. 2018; https://www.theguardian.com/society/2018/aug/20/low-mmr-uptake-blamed-for-surge-in-measles-cases-across-europe

144 Simon Chaplin et al., 'Wellcome Trust Global Monitor 2018', Wellcome Trust, 19 June 2019; https://wellcome.ac.uk/reports/wellcome-global-monitor/2018, Chapter 5.

146 同様のエピソードはほかにもある。Alison McCook, 'Two Researchers Challenged a Scientific Study About Violent Video Games – and Took a Hit for Being Right', *Vice*, 25 July 2018; https://www.vice.com/en_us/article/8xb89b/two-researchers-challenged-a-scientific-study-about-violent-video-games-andtook-a-hit-for-being-right

147 詳しい議論は以下を参照。Joe Hilgard, 'Are Frauds Incompetent?', *Crystal Prison Zone*, 1 Feb. 2020; http://crystalprisonzone.blogspot.com/2020/01/arefrauds-incompetent.html

# 第４章　バイアス

採用された仮説は、それを裏づけるすべてのものに対して私たちの目を研ぎ澄まし、矛盾するすべてのものに対して私たちの目をふさぐ。

――アルトゥル・ショーペンハウアー『意志と表象としての世界』（１８１８年）

科学は……信念を採用した時点で自滅する。

――Ｔ・Ｈ・ハクスリー『ダーウィン・メモリアル』（１８８５年）

アメリカの著名な医師で科学者のサミュエル・モートンは１８３０年代から１８４０年代に

かけて、世界中から集めた人間の頭蓋骨数百個を測定し、結果を豪華な図版入りの書籍として出版した。[1] 彼は頭蓋骨の空洞にマスタードの種を詰め込んで（途中から鉛の散弾を使った）、その数から頭蓋骨内の脳の大きさを推測した。[2] そして、ヨーロッパ人の頭蓋骨はアジア人、ネイティブアメリカン、アフリカ人より容積が大きいと結論づけ、それが「精神的および道徳的な能力」の違いを示していると主張した。[3] さらに、異なる人種はそれぞれ完全に別の起源を持つという信じがたい奇妙な理論も展開した。モートンの著書は世界的な反響を呼び、人間を優等と劣等のグループに分けて考えようとする科学的人種主義の台頭に重要な役割を果たして、19世紀と20世紀に世界を震撼させた史上最悪の恐怖のいくつかを助長した。

モートンは、グループごとの平均的な違いとともに、手元にある頭蓋骨の大半を測定した膨大なデータを提示した。その透明性は当時としては異例のもので、後年の研究者が彼のデータを再検証することができた。そして1978年、モートンと彼の理論がほとんど忘れられていたころ、古生物学者のスティーブン・ジェイ・グールドが再検証をおこなった。

モートンの頭蓋骨の分析にはさまざまな矛盾があると、グールドは書いている。モートンはグループを恣意的に分割しており、たとえば、白人の頭蓋骨の大きさはいくつかのサブグループですべて平均値が高かったが、同じように大きな頭蓋骨を持つネイティブアメリカンのいくつかのサブグループの結果は報告していない。また、男性が不釣り合いに多く含まれているグループもあるが、男性は一般に体が大きいので頭も大きく、不当に平均値を上げていた。計算ミスをダブルチェックしていないグループもあった。さらに、種を使った測定値と、より信頼性の高い鉛の散弾を使った測定値のあいだにも食い違いがあり、その差異は黒人とネイティブアメリカンの頭蓋骨のほうが白人より大きく、種の誤測定が選択的に起きたことを示唆している。グールドは後に、その原因について「もっともらしいシナリオ」を推測している。

モートンは種を使って計測している最中に、恐ろしいくらい大きな黒人の頭蓋骨を手に取り、種をゆるめに詰めて何回か軽く振る。続いて、悲惨なほどに小さな白人の頭蓋骨を手に取り、激しく振って、大後頭孔（頭蓋骨の底にある延髄が通る穴）を親指で力強く押す。意識的な動機がなくても簡単にできることだ。期待は行動を力強く導く。[4]

このようにすれば、白人の頭蓋骨を非白人の頭蓋骨より大きく見せることができただろう。実際、モートンのすべてのミスは、結果を同じ方向に動かしていた。グールドの言葉を借りれば、これらのミスは「先行者利益の独裁」、すなわち、白人の優位性に関するモートンのそもその仮説を反映していた。[5] モートンのデータを正しく分析すれば、民族によって頭蓋骨にはわずかな違いしかなく、人種的なヒエラルキーを構築する根拠にはまったくならなかった。こ

2 マスタードの種ではなくポップコーンだったとも言われている。Paul Wolff Mitchell, 'The Fault in His Seeds: Lost Notes to the Case of Bias in Samuel George Morton's Cranial Race Science', *PLOS Biology* 16, no. 10 (4 Oct. 2018): e2007008; https://doi.org/10.1371/journal.pbio.2007008

れは特異なエピソードではない。偏見の影響に関する同じ教訓が科学の世界全体に当てはまると、グールドは述べている。「クリーンで明確な発見に対して地位や権力を与える職業では、無意識に、あるいはおぼろげに意識しながら姑息な手段を用い、不正な細工をおこない、手を加えることが横行し、蔓延して、やめられなくなっているのではないだろうか」[6]

まさにそのとおりだ。グールドが1970年代にこのように語って以降も、科学者は繰り返し、意識的な不正行為には至らないものの、自分にかなり有利になるような方法で研究をおこなったことが明らかになっている。科学者のイデオロギー的なバイアスについては後述するが、グールドがモートンについて推測した人種的偏見を含む政治的見解は、この章の主要なテーマではない。私たちが最も考えなければならないバイアスは、科学のプロセスそのものに関係するもの、すなわち、明確な、あるいは刺激的な結果を得ようとするバイアス、持論を支持しようとするバイアス、ライバルの主張を打ち負かそうとするバイアスだ。このようなバイアスが1つでもあると、無意識のうちにデータを加工したり、場合によっては満足できない結果を完全に消したりする十分な動機になる。

何という皮肉だろう。本書で議論してきたとおり、科学は客観性に最も近いものと考えられている。あらゆる人の研究を検証して精査することによって、個人のバイアスを克服できるプロセスなのだ。しかし、無謬で公平な手法としての科学の理想に焦点を当てすぎると、実際にはあらゆる段階でバイアスが現れることを忘れてしまう。過去の研究を読み、研究を立ち上げ、データを収集し、結果を分析して、論文を出版するかどうかを判断する。[7] これまでに得られたすべての知識を正確にまとめたはずの科学文献は、そのあらゆる段階に存在するバイアスを私たちが見落としがちなために、真実と希望的観測が入り混じった実に人間的なものになる。[8]

この章ではまず、科学文献全体に影響を与えるようなバイアスについて見ていく。続いて、バイアスが個々の研究結果にどのような影響を与えるかを考える。そのために少し遠回りをして、科学者がデータを分析する際に統計学がどのように使われ、どのように悪用され、どのように誤解されているかを論じる。そして最後に、科学者を真実から遠ざける内側からと外側からのさまざまな力について考察する。

## 発表されないNULLの実像

「なぜ何もないのかではなく、何かがあるのか」。この有名な哲学の問いを、科学のプロセスに投げかけてみよう。「なぜ研究は、何も見つけないということがなく、つねに何かを見つけるのか」。新聞の科学面を読んでいるうちに、科学者の予測は必ず検証され、仮説は研究によ

8　専門用語では、バイアスは結果を真実から体系的に遠ざける。「体系的に」という点が重要で、前章で見た（測定やサンプリングの）ランダムエラーとは異なり、バイアスには方向性がある。ランダムエラーは、ハンドルが壊れた車が道路を無秩序に旋回するようなものだ。一方、バイアスは、車軸がずれている車のように道路の特定の側に引っ張られ続けるようなものだ。バイアスのなかには、計器の誤作動やコンピュータソフトの不具合など、人間以外の要因から生じるものもある。しかし、私たちがここで注目するのは科学者自身が持っているバイアスである。

って裏づけられ、興味を引くようなものを見つけられない研究は存在しないに等しいと思うのも無理はない。新聞は「ニュース」であって、「起こったことすべての記録」ではないからだ。一方で、科学文献は科学で起こったことをすべて記録しているはずなのに、新聞記事と同じように新しくて刺激的な話に偏っている。学術誌に目を通せば、ポジティブな結果（科学者の予測どおりになる、何か新しいものが見つかる）は際限なくあるが、NULL（ヌル）の結果（科学者は予測したものを何も得られずに終わる）はほとんどない。「ポジティブ」と「NULL」に関する統計学的な定義はあとで詳しく説明する。ここでは、科学者は基本的に前者を求め、後者になるとがっかりする、と言っておこう。

科学文献がどのくらいポジティブであるかは定量化されている。メタサイエンス学者のダニエル・ファネリは2010年に、あらゆる科学分野の論文約2500本を検索して、最初に検証した仮説についてポジティブな結果を報告している論文の数を集計した。その割合は分野によって異なり、最も低い宇宙科学でも70・2%だが、最も高いのは、おそらく読者の予想どおり心理学／精神医学で、ポジティブな研究が論文の91・5%を占めていた。[9] この驚異的な成功率と、心理学の再現性の高さを両立させることは、控えめに言っても難しい。[10]

科学的研究の成功率が著しく高くてはいけないのかと、不思議に思うかもしれない。科学者にはそれぞれの分野の背景知識があり、仮説とは基本的に、やみくもにふっかける議論ではなく経験にもとづいた推測だ。ただし、科学者が本物の超能力でも持っていないかぎり、ファネリが報告したようなレベルのポジティブな結果は考えられない。行き詰まった研究や、実験してもうまくいかなかった素晴らしいアイデアはどこにあるのか。試行錯誤の跡はどこに行ったのか。そして、科学者の仮説は正しかったにもかかわらず、運悪く期待した結果が得られなかった研究、いわゆる偽陰性はどうなったのか。言い換えれば、文献上のポジティブな結果の割合は、単に高いだけでなく、非現実的なほど高い。[11]

この圧倒的なポジティブさには、明白だが破滅的な理由がある。研究者は「自分の結果にもとづいて」その研究を出版するかどうかを決めるからだ。理想的な世界では、何よりも重要なのは研究の方法論だ。ある仮説の検証方法として優れていると誰もが認め、適切に設計されている研究なら、その研究は出版される。これはマートンの規範の「無私性」の真の表現であり、科学者は自分の研究の特定の結果を気にするのではなく（「持論」があるという考え自体が、この規範への冒涜だ）、研究の厳密さだけを考えるべきとされている。

10　ポジティブな結果とネガティブな結果の数が時間とともに増えたり減ったりすることには異論もある。ダニエル・ファネリは以下で指摘している。Daniele Fanelli, 'Negative Results Are Disappearing from Most Disciplines and Countries', *Scientometrics* 90, no. 3 (Mar. 2011): pp. 891–904; https://doi.org/10.1007/s11192-011-0494-7. 以下も参照。Joost C. F. de Winder & Dimitra Dodou, 'A Surge of p-Values between 0.041 and 0.049 in Recent Decades (but Negative Results Are Increasing Rapidly Too)', *PeerJ* 3 (22 Jan. 2015): e733; https://doi.org/10.7717/peerj.733

11　成功率が90％以上であれば、それが正確で、怪しげなことも起こっていないとしても、良い兆候とは言えないだろう。そのような成功率は、科学者が正しい仮説を選ぶのがとてもうまく、実験をする前に、すでに何が真実かを知っているということでもある。完璧に近い成功を収める科学者は、本当の意味で新しい最先端の疑問の研究からは遠ざかっている。そのような疑問の答えははるかに不確定で、そのような研究ははるかにリスクが高い。こうした成功率の世界は、未知なるものを探求し、世界についての知識を進歩させるという科学の重要な役割をないがしろにしている。

ただし、これは現実とはかけ離れている。ある理論を支持する結果は飾り立てるように書き上げられて学術誌に投稿されるが、期待外れの「失敗」（ＮＵＬＬの結果はそのように見られることが多い）は黙って切り捨てられ、科学者は次の研究に進む。科学者自身だけではない。学術誌の編集者や査読者も、研究者がどれだけ綿密なプロセスでそれらの結果を発見したかということではなく、いかに興味深い発見をしたかによって論文の採用や出版を決める。これが科学者に伝わって、採用される可能性がほとんどない「ＮＵＬＬの論文」をわざわざ提出するまでもないという悪循環に陥るのだ。

これが「出版バイアス」である。少々比喩は古いが「引き出し問題（お蔵入り問題）」とも呼ばれる。科学者はＮＵＬＬの結果とその論文を引き出しにしまい込み、世間に発表されることはない。[12]「歴史は勝者によって書かれる」という言葉は、科学的研究の結果にも当てはまる。あるいは、「ポジティブなことを発表できないなら、何も発表しない」というわけだ。

出版バイアスが実際にどのように起きるかを理解するために、科学者が何を「ポジティブ」で何を「ＮＵＬＬ」と判断するのかを詳しく見ていこう。これは、データがどのように分析され解釈されるかということでもある。ここで注目するのが、前章の偽のデータセットの話で出てきた「数字にはノイズがある」という考え方だ。あらゆる測定値とあらゆるサンプルは、ある程度のランダムな統計的変動、測定誤差、サンプリング誤差を伴う。これは人間が偽のノイズをつくることが難しいというだけでなく、ノイズと科学者が探しているシグナルとを見分けることも難しい。数字のノイズはランダムな外れ値や例外を生むため、実際には意味のないパターンや誤解を招くようなパターンが現れる。たとえば、新薬を服用したグループとプラセボ（偽薬）を服用した対照グループとのあいだで、痛みの報告に明らかな差があったとしても、完全な偶然によるものかもしれない。2つの測定値のあいだに相関関係があるように見えても、データセット内で起きた偶然にすぎず、再現実験をおこなっても二度と現れないかもしれない。粒子加速器でエネルギーのシグナルが見えたと思っても、ランダムな揺らぎによるものだと判明するかもしれない。自分が興味を持っている効果と、偶然やエラーの気まぐれをどのように見分けることができるか。大多数の科学者にとって、その答えは「p値を計算する」である。

p値（確率値、有意確率）とは何か。例として「スコットランドの男性はスコットランドの女性より背が高い」という仮説を検証してみよう。もちろん、これは現実として正しい。世界中で平均して男性が女性より背が高いことは事実である。ただし、すべての男性がすべての女性より背が高いわけではないこともわかっている。女性が男性より背が高い個人的な例は、誰でも思い浮かぶだろう。[13] しかし、ここでは、スコットランド全体で男女の身長差があるかどうかを、私たちは純粋に知らないと仮定しよう。

13　身長は国によって異なるため、オーストリアの女性はペルーの男性より平均身長が高いことがわかった（ただし、それぞれの国での男女差は保たれており、ペルーの女性は男性より身長が低く、オーストリアの男性は女性より身長が高い）。https://en.wikipedia.org/wiki/Average_human_height_by_country#Table_of_Heights

スコットランドの人口は550万人と少ないが、全員の身長を1人ずつ測定することは現実的には不可能だから、今回の研究で処理できる大きさのサンプルをランダムに抽出する。とはいえ、研究資金に余裕がなく、男女10人ずつしかサンプルを採取できない。ここでノイズが発生する。身長はかなり個人差があるため、偶然によって、具体的には「サンプリング誤差」によって、異常に背の高い女性のグループと異常に背の低い男性のグループができてしまうかもしれない。それだけではない。「測定誤差」を完全に排除することはできないため、サンプル全員の身長を正確に測ることができないのだ（前章で説明したとおり、頭が少し下を向いていたり、メジャーの端がほんの少しずれていたりするかもしれない）。

さて、私たちのサンプルは、女性が男性より平均10センチ背が低いことがわかった。[14] この結果は、母集団における真の違いを反映しているのか（つまり、真のシグナルを拾ったのか）、それとも単なるノイズなのか（つまり、私たちが見ているのはランダムな偶然なのか）。それを知るためには、2つのグループを統計的検定で比較する必要がある。統計的検定にはZ検定、t検定、カイ二乗検定、尤度比検定など数え切れないほど種類があり、どの検定を選ぶかは対象となるデータの種類によって決まる。最近はいずれの検定も基本的に、コンピュータのソフトウエアにデータを入力してプログラムを実行すると、多くの有用な数値とともに、関連するp値が出力される。[15]

p値は、科学で最もよく使われる統計の1つであるにもかかわらず、定義が難しいことで知られている。最近のある監査では、心理学の入門書のサンプルのうち実に89％が定義を間違えていることがわかった。ここでは同じ間違いをしないように努力したい。[16] p値とは、あなたが関心を持っている効果が実際は存在しない場合に、結果がそのように見える、もしくは、さらに大きな効果を示しているように見える確率のことである。[17] つまり、p値は、結果が正しい（正しい、がどのような意味であれ）確率を示すものでも、結果の重要性を示すものでもない。「あなたの仮説が正しくない世界で、純粋なノイズがあなたの結果と同じような結果や、それ以上に大きな効果をもたらす可能性はどれくらいか」という問いの答えである。[18]

今回の身長の調査は、p値が０・０3だったとしよう。これは、スコットランドの人口に男

14　これは本当の効果を過小評価している。ウィキペディアによると、２００８年にスコットランドの男女の平均身長差は13・7センチ（5・5インチ）だった。https://en.wikipedia.org/wiki/Average_human_height_by_country#Table_of_Heights

17　p値に関する米統計協会の統一見解は以下に驚くほどわかりやすく説明されている。Ronald L. Wasserstein & Nicole A. Lazar, 'The ASA Statement on p-Values: Context, Process, and Purpose', *The American Statistician* 70, no. 2 (2 April 2016): pp. 129–33; https://doi.org/10.1080/00031305.2016.1154108. ここではp値は次のように定義されている：データの統計的要約（たとえば、比較された2群間の標本平均の差）が観察された値と等しいか、あるいは極端に大きいかを特定の統計モデルで計算した確率（p. 131）。

18　p値の定義――純粋なノイズがあなたの結果と同じような結果や、それ以上に大きな効果をもたらす可能性はどれくらいか――にある「それ以上に大きな効果」というフレーズや、前記の注17の米統計協会の定義にある「あるいは極端に大きいか」というフレーズは、ある特定のパターンが起きる可能性がきわめて低いから、このような定義が必要になる。たとえば、スコットランドの男女の身長差の調査を無限に繰り返したときに、ある標本でぴったり10.0014498823cmの差が見つかることはどれほど「まれ」だろうか。この具体的な数値は、母集団で本当に男女の身長差があるかどうかに関係なく、きわめてあり得ないし、そのことを教えてくれるためだけのp値はほとんど役に立たない。それを解決するのが、「あるいは極端に大きい」というフレーズだ。先ほどの例（サンプリングされた男性10人と女性10人に10センチの身長差があることを発見した研究）でp値が０・０3ということは、スコットランドの人口集団に「本物の」効果がない場合、10センチ以上の差が見つかる確率は3％であることを意味する。

女の身長差がない場合に、今回のようなサンプルの抽出を無限に繰り返したら、10センチ以上の身長差が見つかるケースは全体の3％しかないという意味だ。この3％を見て、スコットランドの男性は女性より平均して背が高いと断言することはできない。逆から見れば、スコットランドの男性と女性の身長に実際は差がないとしたら、今回のサンプルと同じかそれ以上の身長差が見つかることは、あり得なくはないが考えにくい。

したがって、ほとんどの場合、p値は低ければ低いほど好ましい。しかし、自分の結果がノイズによるものではないと確信するためには、p値はどのくらい低くなければならないのだろうか。別の見方をすれば、偽陽性エラー（効果がないのに効果があると言ってしまうミス）をおかす確率はどのくらいまで許容すべきだろうか。[19] 科学者の判断を助けるために、統計学の先駆者ロナルド・フィッシャーは、1920年代に閾値の設定を提案した。p値が閾値を超えると、関連する結果は「NULL」と見なされ（なぜなら、私たちが目にするものが実際は何も起こっていない場合とあまりに似ている）、閾値を下回ると「統計的に有意」と見なされるとした。

「有意」という言葉は大きな混乱をもたらしてきた。現代の私たちには、何らかの意味で大きな効果や重要性を意味するように聞こえる。しかし、先述のとおり、p値がどんなに低くても、そういうことを意味しない。効果の大きさ（たとえば、スコットランドの男性が女性よりどのくらい身長が高いか。今回の例では、効果の大きさは10センチとなる）と、仮説が真実ではない場合に同じような結果が偶然、得られる確率は、別のものだ。たとえば、ある薬が病気に与える影響が非常に小さくても、偽陽性ではない、つまり、小さくても統計的に有意な効果であることは十分にあり得る。フィッシャーが閾値を提案した時代に、人々は「有意」という言葉を少し違う意味で理解していた。データに何かが起きていることを「示す」という意味であって、起きていることが必ずしも注目に値するわけではなかったのだ。[20]

いずれにせよ、フィッシャーは当初、「統計的に有意な」閾値を０・０５に設定しようと考えていた。これは、検定で偽陽性のエラーが発生する確率を５％以下に抑えるという意味である（この場合、スコットランドの身長の研究はp値が０・０３で、統計的に有意な結果となる）。フィッシャーは１９２６年に発表した影響力のある論文で、「科学的事実は、適切に設計された実験でこのレベルの有意性が得られないことが『ほぼない』場合にのみ、実験的に確立されたものと見なされる」[21]と述べている。

０・０５というレベルはかなり恣意的だ。スコットランドの素晴らしいウェブサイト「taps-aff.co.uk」は全国の天気を調べて、気温が摂氏17度（華氏約63度）以上の地域を自動的に「taps aff」、すなわち「紳士が屋外で上半身裸で歩けるほど暖かい」と機械的に認定しているが、これと少し似ている。[22] 17度は妥当なところだが恣意的でもある。20度を超えないと胸をはだけよ

19　そう問われると、偽陽性の確率をゼロ％にしたい、あるいはゼロに近いものにしたいと即答するかもしれない。ただし、そこにはいわゆるトレードオフがある。どの結果を受け入れるかについて極端に保守的になると、データセットのなかの真の効果を見逃す（つまり偽陰性の誤りをおかす）可能性が高くなるのだ。

うとは思わないという人もいれば、15度で脱ぐという頑強な人もいるだろう。同じように、フィッシャーは後に、何を試すかによって有意差の基準を変えたいという科学者もいるだろうと述べている。[23] 2012年にヒッグス粒子が発見された後に、欧州合同原子核研究機構（CERN）の物理学者が議論した有名な「5シグマの証拠」は、これほど重要な結果に対して彼らが用いたかなり厳しい閾値を、洒落た言い方で表現している。「5シグマ」は、p値の閾値が約0・0000003に相当する。[24] 莫大な資源を投じて大型ハドロン衝突型加速器（LHC）を建設した物理学者たちは、データのノイズに惑わされたくないという切実な思いから、エビデンスの合格基準を非常に厳しく設定した。

とはいえ、ヒッグス粒子のような例外を除けば、0・05の閾値は、適合性と伝統と惰性により最も広く使われている基準である。科学者は統計表を無我夢中で調べ、p値が0・05より低いことを確かめて、自分の結果が統計的に有意であると報告できるようにしている。ただし、そこでは恣意性が頭から抜け落ちやすい。リチャード・ドーキンスは「非連続的な思考」を嘆いている。私たち人間は、混沌として不明瞭であいまいな境界線という世界の本当の姿はなく、はっきりと明確に定義されたカテゴリーにもとづいて物事を考えようとする。[25] たとえば、中絶をめぐる議論では、胚や胎児がいつ「人」になるのかについて、明確に区別する一線があるかのように時期を確定しようとする。ドーキンスが専門とする進化生物学の分野でも、ある種が別の種に進化する瞬間を正確に特定することは、それができたらどんなに素晴らしいだろうと思うが、無駄な努力にすぎない。p値についても同様で、統計的有意性を示す０・０５のカットオフ値（有意水準）が示されると、科学者はそれ以下の結果は何らかの意味で「本物」であり、それ以上の結果は絶望的に「NULL」だと考えるようになる。しかし、p値の０・０５は「taps-affの17度の法則」と同じくらい慣習的なものだ。もう少し真面目なたとえをするなら、ある歳の誕生日を境に、法的に成人になるという社会的な決定のようなものだ。

## メタアナリシスで科学を再分析する

少々複雑な（しかし必要な）統計の寄り道はこのくらいにして、出版バイアスの話に戻ろう。科学者にはポジティブな結果だけを公表し、NULLの結果は隠して表に出さない傾向がある。p値が０・０５という神聖な閾値を下回る「有意な」結果は嬉々として論文を投稿し、閾値を上回るものは「引き出し」にしまい込む。フィッシャーの恣意的な統計上のカットオフ値と、結果の「真実性」や重要性を結びつけたことは、科学の記録に有害な結果をもたらした。

出版バイアスの特徴的な痕跡は、一歩引いて科学文献全体を見わたしたときにわかるものだ。こうしたズームアウトは、メタアナリシスとしておこなわれることが多い。複数の研究の結果を組み合わせて、あるテーマに関する全体的な効果（「真の」効果という魅力的な呼び方をされるときもある）を導き出すという手法だ。たとえば、ある病気の死亡率を下げるためにワクチンが与える全体的な影響や、気候変動と農作物の収穫量の総体的な関連性などが分析の対象になる。[26]

関連する研究を集める際に、メタアナリシスでは2つの数字に注目する。1つ目は効果の大きさだ。ワクチンによって死者数が年間2、3人、減るのか（小さな効果）、それとも数千人の命を救うことができるのか（大きな効果）。気候変動が農作物に与える効果は小さくて管理しやすいものなのか、それとも大きくて破滅的なものか。サンプリング誤差や測定誤差のために、研究によって効果の大きさの推定値が大きく異なることはわかっており、1つの研究の推定値に頼るのは賢明ではない。1つの問題についてより多くの証拠があるほうが通常は好ましく、誤差によるランダムな変動は異なるサンプル間で相殺されるはずなので、メタアナリシスで計算された全体の効果の大きさは、個々の研究からの推定値より信頼性が高いと考えられる。

ただし、対象となるすべての研究で報告された効果の大きさを平均して、全体の効果を算出するのではない。メタアナリシスで注目する2つ目の数字、サンプルの大きさも考慮する。ほかのすべての条件が同じであれば、規模が大きい研究はより多くのデータが含まれており、「真の」効果（全人口における平均的な効果）により近づくと考えられる。言い換えれば、真の効果に関する大規模な研究の最善の推測は、小規模な研究のそれより正確になるだろう。[27] 男性10人と女性10人を対象とした先のスコットランドの研究では、並外れて背の低い男性や並外れて背の高い女性など代表的ではないサンプルを偶然、選んでしまい、間違った結論を導き出すことは十分に想像できる。一方で、男性1000人と女性1000人を選ぶ場合、並外れた特徴を持つ1000人を偶然、選ぶリスクは、そういう10人を偶然、選ぶよりはるかに低い。これはほとんどの状況に当てはまる一般的なパターンだ。規模の小さい研究は、より限定的なスナップ写真にすぎず、サンプリング誤差の影響をより受けやすいため、ばらつきが大きくなって、真の効果をより大きな差異で過大評価したり過小評価したりする。したがってメタアナリシスでは、規模の大きな研究から得られた効果の大きさを、より重視する。[28]

出版バイアスの観点からここで注目するのは、効果の大きさとサンプルの大きさがどのように関係しているかということだ。この2つの要素をX軸とY軸にとったグラフで、1つの研究

26 ある病気の死亡率を下げるワクチンの影響は、1904年に統計学者のカール・ピアソンがおこなった史上初の医学的メタアナリシスの対象だったが（病気は腸チフスだった）、当時はまだ「メタアナリシス」と呼ばれていなかった。Karl Pearson, 'Report on Certain Enteric Fever Inoculation Statistics', *BMJ* 2, no. 2288 (5 Nov. 1904): pp. 1243–46; https://doi.org/10.1136/bmj.2.2288.1243. メタアナリシスの歴史と要約は以下を参照。Jessica Gurevitch et al., 'Meta-Analysis and the Science of Research Synthesis', *Nature* 555, no. 7695 (Mar. 2018): pp. 175–82; https://doi.org/10.1038/nature25753. Climate change: A. J. Challinor et al., 'A Meta-Analysis of Crop Yield under Climate Change and Adaptation', *Nature Climate Change* 4, no. 4 (April 2014): pp. 287–91; https://doi.org/10.1038/nclimate2153

27 すなわち、ほかのすべての条件は同じであるということだ。しかし、サンプルの大きさ以外にも測定の質など、研究の精度に影響を与えるものはたくさんある。サンプルサイズはメタアナリシスに用いる適切な要素だが、最近ではほとんどのメタアナリストが、効果の正確さをより直接的に測る「標準誤差」を使っている。通常、ファンネルプロットのY軸に表示されるのはこの標準誤差だ。

28 p値の計算では、小さな標本の変動が大きいことを考慮に入れる。スコットランドで本当に身長の男女差がないとすれば、サンプルで10センチの差が見つかることはまずないだろうが、小さな標本を測定しているときにはときどき起こり得る。男性10人、女性10人のサンプルで10センチの差があった場合、p値は0・03になる。男性1000人と女性1000人の標本で同じ10センチの差が見つかる可能性はきわめて小さく、p値はごく小さい（0.000001かそれ以下）だろう。この場合、母集団に「真の」効果があるという、より良い証拠が得られる。これはp値が所見の大きさや重要性の尺度ではないことも示している。効果の大きさがまったく同じでも、サンプルの大きさによってp値は異なるときもある。

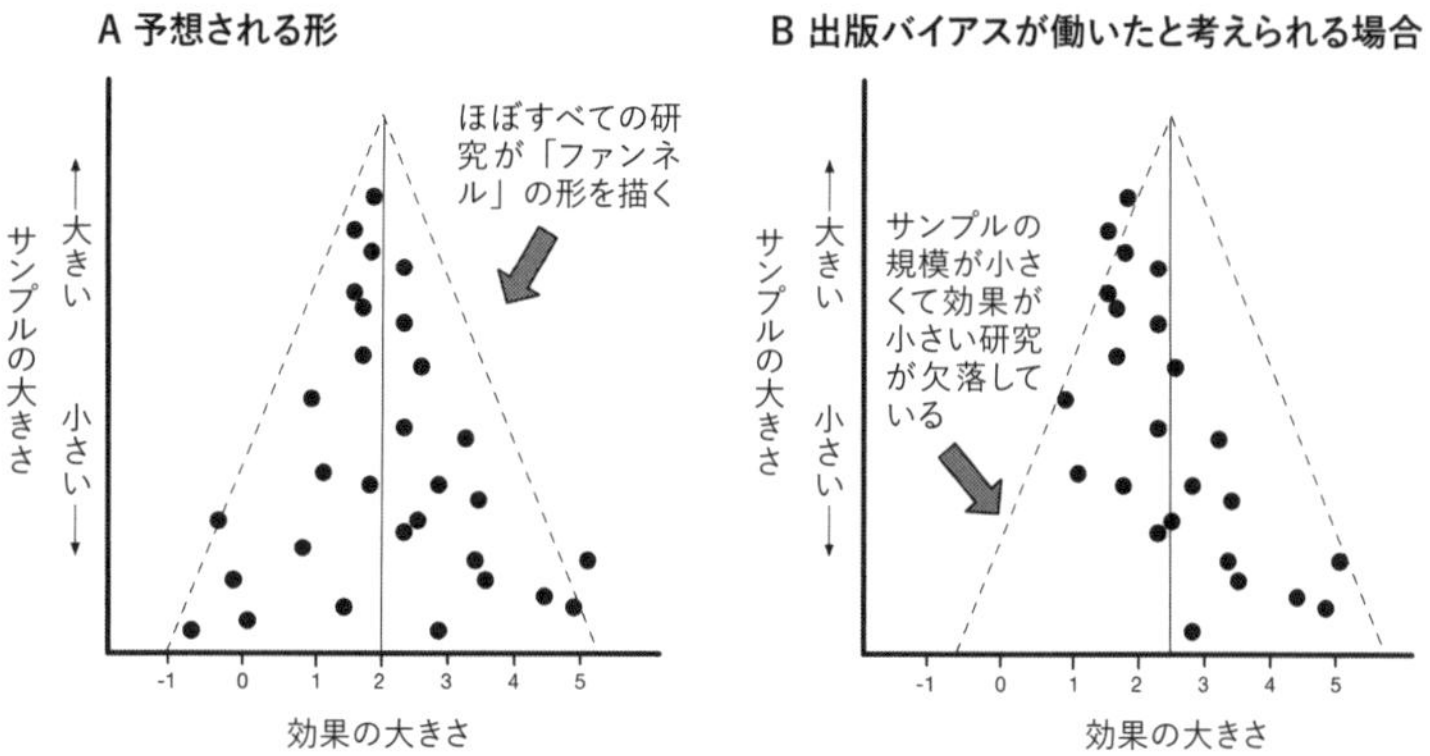


**図2**：２つの異なるシナリオにもとづく架空のメタアナリシスのファンネルプロット。シナリオAでは、30件の研究の分布は、そのテーマについてこれまでにおこなわれたすべての研究が発表された場合に予想される形とほぼ同じである。シナリオBでは、左下の６つの研究（サンプルの規模が小さくて効果が小さい研究）が欠落しており、出版バイアスを示唆している。グラフの中央の縦線は、それぞれのメタアナリシスで算出された全体の効果の大きさを示す。Bで縦線が右に移動していることは、メタアナリシスが本来より大きな効果を示していることを意味する。

を１つの点でプロットすると、図２Aのようになる（ただし、これはメタアナリシスの理想的なグラフであり、実際のデータセットではここまで明確な形にはならない）。この「ファンネルプロット」（ファンネル［漏斗］と呼ばれる理由は一目瞭然だろう）を見ると、小規模な研究はY軸の下に向かってばらつきが大きいことがわかる。Y軸を上にたどると、大規模な研究は効果の大きさの平均あたりに集まり、大規模な研究はより正確であるという先の説明と一致する。X軸のばらつきは、個々の研究の効果を１つだけで一般的と見なすのは好ましくないことを物語っている。この例では、実際に効果があるにもかかわらず、個々の研究は「真の」大きさをさまざまなレベルで過小評価したり過大評価したりしている（ただし、最も規模が大きい研究は素晴らしい仕事をしている）。いずれにしても、図2Aは何も欠けていないように見える。漏斗を逆さまにした形になるのは、すべての研究が1つの実際の効果に向かっていくからだ。

考古学の発掘では、特定のものが「ない」ことが、調査している歴史上の人物について興味深いことを物語る。たとえば、武器が出てこないということは、兵士より民間人だった可能性が高いかもしれない。同じようにメタアナリシスでも、見えないものから多くを学ぶことができる。では、図2Bのようなファンネルプロットはどういう意味だろうか。ここでは予想される形から一部分が欠けている。漏斗の左下には、サンプルが小さくて効果も小さい研究があるはずだが、それがないのだ。考古学者のように考えるなら、これらの研究はおこなわれたにもかかわらず、発表されることなくお蔵入りになったと推測できるかもしれない。その理由として考えられるのは、サンプルも効果も小さいこれらの研究はp値が0・05を上回り、重要ではないNULLと判断されたということだ。

これらの研究をおこなった科学者はこんなふうに考えただろう。「小さな研究だったし、小さな効果はデータのノイズのせいだったのだろう。考えてみれば、この研究で効果があると期待した私がばかだった。この研究を発表しようとする意味がない」。ただし、同じようにサンプルが小さい研究でも、ノイズの多いデータを使って偶然、大きな効果を示した場合は、このように後づけの理屈で考えることはないだろう。むしろ積極的に、ポジティブな結果を学術誌に投稿する。このダブルスタンダードは、確証バイアス（既存の信念や願望に沿うように証拠を解釈すること）に陥りやすい人間の傾向にもとづくもので、出版バイアスの根源でもある。

図2Aではなく図2Bにもとづいてメタアナリシスの全体的な結論を考えると、出版バイアスがいかに科学文献を混乱させているかがわかる。逆さにした漏斗から効果の小さい研究が取り除かれると、メタアナリシスで示される全体的な効果は、正当と思われるものより大きくなる。そして、効果の重要性を誇張し、実際には存在しないものを存在するかのように錯覚するときもある。NULLの研究やあいまいな研究を発表しないことによって、研究者は科学文献を読む人に目隠しを強いている。

最近の印象的なファンネルプロットの1つは、心理学者のデイビッド・シャンクスらによるメタアナリシスが描いたものだ。[29] 彼らは「ロマンチック・プライミング」を検証した。これは魅力的な女性の写真を見せられた男性は、より多くのリスクを冒し、消費財に金をかける（パートナーを惹きつけるために「目につく消費」をする）という仮説である。これについて15本の論文が発表され、43件の実験について記されており、仮説が裏づけられたように思えた。しかし、メタアナリシスのためにそれらの研究をファンネルプロットにすると、漏斗のなかに大きな塊が欠けていた。多くの研究で効果を確認できなかった有力な証拠が、そもそも論文で発表されていなかったのだ。実際、シャンクスたちが大規模な実験でロマンチック・プライミングを再現しようとしたところ、同じような効果はまったく見られず、再現された効果の大きさはすべてゼロ付近に集まった。

出版バイアスは、医療でも同じように顕著だ。２００７年のある分析では、ガンの予後予測の有効性に関する論文のうち、90％以上がポジティブな結果を報告していた。しかし実際は、誰がガンになるかという予測は特にうまくいっているわけではなく、一連の文献に何かが欠けていると考えられた。[30] 別の研究では、心血管疾患の潜在的なマーカー（たとえば、心臓発作のリスクがある人に多く見られる血液中の特定のタンパク質）に関する49件のメタアナリシスを調べたところ、36件でポジティブな結果にバイアスがかかっていた。[31] 発表された科学文献は、これらのバイオマーカーの見せかけの有効性を明らかに誇張していた。

治療においても同じだ。医師は薬の効果と代償のバランスを考えて処方する。たとえば、抗鬱《うつ》剤には吐き気や不眠などの副作用があるが、それでも服用する価値があるかどうかを判断する。もし医学文献が薬の効果を誇張して伝えていたら（効果があるように見えるが、当初考えられていたほど強いものではない場合）、臨床での医師の推論は道筋がずれるだろう。[32]

出版バイアスについて聞いたことがなかったという人がいても無理はない。科学の恥ずかしい秘密とされてきたからだ。２０１４年におこなわれた一流医学誌のレビューに関する調査では、メタアナリシスの31％が出版バイアスをチェックしていなかった（実際に適切にチェックをしてみると、これらのメタアナリシスの19％が、出版バイアスが現実に存在することを示唆していた）。[33]

後におこなわれたガン研究のレビューはさらにひどく、72%が出版バイアスのチェックをおこなっていなかった。[34] しかし、メタアナリシスのデータセットに出版バイアスの兆候を見つけたときに、いったいどうすればいいのか。平均的な効果の推定値を下方修正するのか。するとしたらどのくらい修正すればいいか。[35] 難しい問題だが、正しい答えはそもそも問題を無視することだというのは違うだろう。

出版バイアスに対する考古学的アプローチの問題点は、推測に頼ってファンネルプロットの隙間を埋めていることだ。これらの隙間には本来、小さな効果を持つ小さな研究がプロットされる。ただし、ファンネルプロットは、出版バイアス以外の理由でも奇妙な形になる。特に、メタアナリシスが解析したさまざまな研究のあいだに多くの違いがあると、その影響を受ける。[36] また、出版バイアスはここで挙げた例よりも微妙で、したがって見つけにくいことも多い。このようなバイアスをチェックするために、もっといい方法はないだろうか。

ひとつの選択肢として、確実に完了していると思われる研究を集め、強いポジティブな結果からネガティブなものまで、さまざまなタイプの研究がどのくらい出版されたかを調べるという方法がある。政治学者のアニー・フランコが率いるスタンフォード大学の研究者グループが2014年におこなったプロジェクトは、まさに「引き出しの鍵を開けるもの」[37]だった。彼らは調査研究を支援する中央政府のプログラムに申請した著者の研究に注目し、[38] 2002〜2012年に認可された調査研究のうち実施されたものについて、必要に応じて著者に直接連絡を取りながら、それぞれの研究がどうなったかを確認した。すると、完了した研究のうち強力な証拠が得られたものが41％、ポジティブな結果とネガティブな結果が混じっていたものが37％、期待された結果にならなかったものが22％だった。結果ではなく方法が重要な世界であれば、これらの研究から出版された論文における割合も似たようなものになるだろう。しかし、実際はかけ離れていた。出版された論文のうち強力な結果が出たものは53％、混合の結果が出たものは37％、ＮＵＬＬの結果が9％だったのだ。言い換えれば、強力な結果と「何もない」結果が発表される確率には44％の差があった。[39]

フランコたちが聞き取りをした科学者によると、期待された結果が出なかった研究の65％が、学術誌に投稿されるどころか、そもそも論文が書き上げられていなかった。多くの科学者が自分の論文が出版される可能性はないだろうと考えていた。「論文出版の世界の不幸な現実は、ＮＵＬＬの効果では明確なストーリーを語ることができないことだ」と、ある科学者は語っている。別の科学者は、「［ポジティブな結果を］強く好む分野であることを考慮して、それ以上は研究を進めなかった」。肩をすくめるだけで次のプロジェクトに気持ちを切り替えたという

35 出版バイアスに気づいたときにメタアナリシスの効果の大きさを調整する一連の技法がある。これらは（出版バイアスがどの程度あるかという）推測にもとづいた（効果の大きさをどの程度小さくするべきかという）推測なので、私は利用する際はいつも神経質になる。詳細はたとえば以下を参照。Evan C. Carter et al., 'Correcting for Bias in Psychology: A Comparison of Meta-Analytic Methods', *Advances in Methods and Practices in Psychological Science* 2, no. 2 (June 2019): pp. 115–44; https://doi.org/10.1177/2515245919847196

38 http://www.tessexperiments.org; このプログラムの素晴らしい点は、すべての研究申請が特定の基準に照らして査読されたため、実際に選ばれた研究はいずれも質が高く、十分な検定力があったことだ（統計的検定力とその重要性については第5章を参照）。

人も多く、ある人は「時間的な制約、興味の喪失……画期的な結果が得られなかったことなどが重なって［論文を］書き上げることができなかった[40]」と認めている。「引き出し問題」は現実なのだ。[41]

ビジネスや政治の世界では、「イエスマン」は大きな悪とされる。経営者やリーダーを目指す人は、自分のどんな決断にも必ずうなずく人だけに囲まれないように気をつけろと、あらゆる本に書かれている。ウィンストン・チャーチルは次のように語っている。「地位の高い司令官に対し、その人が最も聞きたいことを報告したいという誘惑は、司令官の方針が間違っているという最もわかりやすい例でもある。したがって、重大な決断を託されるリーダーの見通しは、残酷な事実が認めるよりはるかに楽観的であることが多い[42]」。科学の世界では、出版バイアスによって、出版される論文というイエスマンが生まれる。私たちはポジティブな結果はすべて見ることができるが、残酷なNULLの結果を見ることはない。こうした部分的な情報にもとづく意思決定は惨事を招く。

最後に（しかし、決して軽んじてはならないが）、出版バイアスには道徳的な問題がある。人間の参加者がいる研究を実施したなら、薬の服用や実験的な治療に関するものは特に、その結果を発表する義務があると言えるだろう。そうでなければ、参加者の苦労（場合によっては、苦痛を伴う処置や副作用もある）が無駄になってしまう。他人の金でおこなった研究も同じである。

このように、科学的、実用的、倫理的なあらゆる観点から、出版バイアスは重大な問題である。しかし残念ながら、ポジティブな結果に対する科学の根深いバイアスが引き起こす問題は、これだけではない。

## 「良い値」が出るまで何度もサイコロを振る

野心のあるキャリア志向の科学者にとって、出版バイアスには大きな欠点がある。期待はずれの結果を「引き出し」に隠していると、重要な論文を発表することができず、履歴書に目を引くような1行を書き足せなくなるのだ。そうした損失を避けて自分の結果を守るために、ひとつ方法がある。データ操作だ。前章で紹介したような明らかな捏造や偽造ではない。無意識、あるいは半分意識的にデータを加工することであり、スティーブン・ジェイ・グールドの言葉を借りれば、科学者がまったく罪悪感なしにおこなう「ぼんやりとわかる小細工」だ。実際、データ操作に関して恐ろしいのは、誤った結論が文献に記載されることだけではない。多くの科学者がまったく意図せずにおこなっているか、自分が何をしているのかはわかっていても、なぜそれが間違っているのかに気がつかないことだ。

ブライアン・ワンシンク教授の名前は知らない人も、ビュッフェで大きな皿を使うと食べる量が増えるという説を聞いたことがあるかもしれない。ワンシンクはコーネル大学の食品商標研究所の設立者で、長年、食品心理学の世界的な権威だった。著書はベストセラーになり、ジョージ・W・ブッシュ米大統領（当時）の下で農務省の栄養政策推進センターのディレクターを2年間務めた。何百本という論文を発表しており、その多くがバラク・オバマ大統領時代に学校給食を改善する「スマーター・ランチルーム」運動に影響を与えたとして引用された。[43] 2007年には「人々を笑わせ、そして考えさせてくれる」研究に贈られるイグ・ノーベル賞も受賞している。本人には言わずに自動的におかわりが補充される「底なしスープボウル」を使うと、思っていたよりはるかに多くの量を飲むという実験だった。[44] 食の心理に関する奇抜で目を引く結果を導き出すワンシンクの能力は底なしに思えた。食器の大きさの研究だけでなく、「空腹で買い物に行くと、より多くのカロリーを買う」「砂糖入りシリアルのパッケージに描かれているキャラクターの目は、スーパーの棚の前に立った小さな子供と目が合うように、下を向いているものが多い」「リンゴに『セサミストリート』のエルモのシールを貼ると、子供はクッキーではなくリンゴを選ぶようになる」といった発見もある。[45]

しかし、2016年の終わりにすべてが崩れ去った。ワンシンクは自分のブログの投稿で、ニューヨークのピザレストランで収集したデータセットを分析するように大学院生に勧めたことを書いた。[46] 彼は大学院生に、最初に立てた仮説は「失敗」したが、仮説を支持しない結果を論文として発表したり、すべてをお蔵入りにしたりするのではなく、「(データセットを）救済する手が何かあるはずだ」と伝えた。彼女はそれに応えて、「毎日のように……不可解な新しい結果を持ってきて……毎日のように……データを再分析する別の方法を思いついた」。ワンシンクは、自分のデータセットをさらって何かしら「重要なもの」を探していたことを率直に認めたことによって、自分だけでなく残念ながら大勢の科学者が研究をおこなう方法に大きな欠陥があることを、意図せず明らかにした。

これは「ｐ値ハッキング」[47]と呼ばれている欠陥だ。ｐ＜０・０５（ｐ値が０・０５未満）という基準は論文を出版する上でとても重要であり、実際に効果があったことを示していると考えられている。そのため、あいまいな結果や期待外れの結果が出たときに、科学者はｐ値を閾値よりわずかに下げる、つまりハッキングをする。ｐ値ハッキングには大きく２つの種類がある。１つは、ある仮説を追求する科学者が、実験の分析を何度も繰り返し、そのたびに手法をわずかに変えて、最終的にｐ値が０・０５未満になったところでやめるというものだ。特定のデータポイントを削除する、特定のサブグループ内の数値を再計算する（たとえば、男性だけの効果を確認した後に女性だけの効果を確認する）、異なる種類の統計的検定を試す、何かしら有意なものが出るまで新しいデータを収集し続けるなど、場当たり的に分析の手法を変えるやり方はたくさんある。[48]

46　実際の投稿は削除されているが、インターネットは忘れてくれない。デジタルアーカイブの「ウェイバックマシン」では今もアクセスできる。http://web.archive.org/web/20170312041524/http://www.brianwansink.com/phd-advice/the-grad-student-who-never-said-no

もう1つは、既存のデータセットを用いて、特定の仮説は立てずにその場しのぎの統計的検定を繰り返し、たまたまp値が0・05を下回った効果を報告する、というものだ。科学者は、おそらく自分を納得させる意味も含めて、最初からこのような結果を求めていたと宣言すればいい[49]。後者のp値ハッキング（あとから仮説を立てる）はHARKing（Hypothesising After the Results are Known／結果が分かった後に仮説を立てる）として知られている。いわゆる「テキサスの狙撃兵」のたとえがわかりやすい。リボルバーで納屋の側面を無造作に銃撃し、たまたま数個の弾痕が固まっている周りに標的の絵を描いて、ここを最初から狙っていたと主張するのだ[50]。

いずれのp値ハッキングも同じ間違いの例であり、皮肉なことに、p値がそれを回避するために発明されたもの、すなわちランダムな偶然性を利用している。p値はノイズとシグナルを区別しやすくするために設計されているが、同じ研究課題に対して数多くのp値を計算すると、この能力は失われる。データや統計的検定に何らかの調整を加えるたびに、サイコロをもう1回振っているようなもので、ランダムな変動を拾って「本物」と判断する確率が高くなるのだ。先ほど見たように、p＜0・05の閾値は、仮説が間違っていた（たとえば、新薬が実際には効かない）場合に5％の確率で偽陽性の結果が出るという意味である。ただし、この5％という値は、1回の検定に対するものだ。簡単な計算をすればわかるように、仮説が間違っている世界では、統計的な検定の数を増やすと偽陽性の結果が出る可能性は雪だるま式に高くなる[51]。（関連性のない）5つの検定をおこなった場合に少なくとも1つの偽陽性が発生する可能性が23％

なら、20の検定をすれば64％になる。このように何回も検定をおこなうと、フィッシャーが提案した５％の許容範囲をはるかに超える。そのときp値は、シグナルを見分ける助けになるどころか、ノイズの海に沈み始める。

p値の概念は必ずしも直感的ではない。そこで、統計学者が大好きなたとえを使ってみよう。私はコインの入った袋を持っていて、コインをめくるとすべて表が出る確率が高いだろうと考えている。実際、コインを１枚取り出して５回めくるとすべて表が出る。これは何かおかしなことが起きているという、それなりに説得力のある証拠になるだろう。しかし、最初のコインで５回のうち表が出たのは３回だけで、２回は裏が出た場合、私の理論の証拠としてはよろしくない。ここで、その理論をあきらめるのではなく、違うコインで確かめる。袋から次々にコインを取り出して、５回連続で表が出る１枚に出合うまで試すのだ。もっとも、これでは、最初に試したコインですべて表が出た場合よりはるかに説得力がない。では、何回か試したことを１つのストーリーで結びつけるというのはどうか。「実は、袋から次のコインを出すたびに、仮説の新しいバリエーションを検証していたのだ。２回目は、コインを左回りにめくったとき

51　偽陽性の誤りをおかす確率が０・05なら、その誤りをおかさない（すなわち、効果がないと正しく宣言する）確率は１から０・05を引いたものになる。n回の検定で誤りをおかさない確率はnのべき乗で（１－０・05）$^n$となる。したがってn回の検定で少なくとも１回の偽陽性の誤りをおかす確率は１－（１－０・05）$^n$。５回実施すれば１－（１－０・05）$^5$、つまり０・226で22・６％になる。技術的には、これは独立検定（各検定に関係する変数が互いにまったく関係しない状況）にのみ当てはまる。実際には、特にp値ハッキングの多くのケースでは同じ変数が何回も使われる場合、検定の回数の関数としての偽陽性率の増加はそれほど深刻ではないが、それでも高くなり続ければ同じ原則が当てはまる。

だけ表が出るように重み付けされているかどうかを調べていた。3回目は、部屋の温度が20度以上のときだけ起こるのかどうかを調べていた。4回目は……」。続きは自由に想像してほしい。私は自分でも、これらの新しくて面白い仮説を本当に検証しているのだと思い込むかもしれない。しかし基本的には、同じ検証を何回も繰り返しているうちに、偽陽性が出る可能性が高くなる。そして、5回連続で表が出る重要なコインを見つけたら、そのコインのデータだけを発表したいと思うかもしれない。

これは、「何カ月も連絡を取っていなかった人のことをふと思い出したら、その瞬間にメールが来た！」という一見すると驚くような偶然も、「誰かのことをふと思い出してもメールは来ない」という人が世界中に何千人、何万人いるのだろうかと考えたら、それほど驚くことではないのと同じ論理だ。あることが起きる確率が100万分の1だとしても、サンプルが数百万人いれば、かなりの回数になる。偶然の結果が生じる機会を増やしていけば、いずれ実際に起きることは間違いないが、膨大な数のなかから特定の事例を選んだというだけで、それが単なる偶然ではないという証拠にはならない。確かに、1回だけの検定でp＜0・05の基準を満たしても、偶然の結果に惑わされたという可能性はあるだろう。しかし、そのリスクは、p値ハッキングがおこなわれた場合に比べて大幅に低い。p値ハッキングがおこなわれると、複数回の検定のうちどれか1つが誤解を招くリスクが増大する。

こうした基本的な洞察を、多くの科学者が理解していない。何も起きていなくても、数多くの統計的検定をおこなった場合は特に、「有意な」ｐ値が繰り返し得られる。[52] これは、翌年何が起こるかについて数千通りの予測をし、その年の終わりに当たったものだけを取り上げて、魔法のような予測能力を持っているかのように見せる「超能力者」に似ている。[53] 統計のサイコロを何回も振れば、データのなかの偶然の産物だったとしても、何か有意なものが現れるだろう。[54] 有意ではなかったものをすべて隠してしまえば、ノイズとほとんど変わらない結果だとしても、本物だと思わせる完璧なレシピが完成する。

ここでワンシンクと大学院生、そしてピザレストランのデータの話につながる。学生は毎日データの分析を試み、かなり多くのｐ値を算出したが、出版された論文に掲載されたのはごく一部だった。科学出版の不文律によれば、掲載されるｐ値は一般に０・０５より小さい。文献を読む私たちには、どれだけの検定がおこなわれたかはわからない。多くの結果が隠されているということは、１つの研究のなかで出版バイアスが起きているようなものだ。ＮＵＬＬの結

52　ｐ値の閾値を何回も計算する場合、補正する方法はいろいろある。たとえば０・０５ではなく０・０１を下回るｐ値だけを有意と認めることもできる。問題は、ほとんどの研究者がこの点を忘れていることだ。ｐ値ハッキングをしているときは、自分が多くの検定をおこなったとは、実際におこなっていても思えなくなる。また、科学者はどのくらい多くのｐ値を補正するべきかという興味深い哲学的問題もある。特定の論文で計算したすべてのｐ値か。そのトピックを研究するときに計算したすべてのｐ値か。自分のキャリアをとおして計算したすべてのｐ値か。将来計算するかもしれないｐ値はどうするか。あらゆる興味深い哲学的質問と同じように、単純な答えはない。以下にある視点が紹介されている。Daniël Lakens, 'Why You Don't Need to Adjust Your Alpha Level for All Tests You'll Do in Your Lifetime', *The 20% Statistician,* 14 Feb. 2016; https://daniellakens.blogspot.com/2016/02/why-you-dont-need-to-adjustyou-alpha.html

54　新しい観察ではない。たとえば１９６９年の論文も主張している。P. Armitage et al., 'Repeated Significance Tests on Accumulating Data', *Journal of the Royal Statistical Society,* Series A (General) 132, no. 2 (1969): pp. 235–44; https://doi.org/10.2307/2343787

果も含めてすべてのプロセスを見ることができたら、典型的な「テキサスの狙撃兵」だとわかるだろう。ワンシンクは彼の運命を変えたブログ投稿で、偶然にも統計的に有意な結果が得られたときはその周囲に標的を描くというプロセスを、不用意にも明らかにした。しかし、統計学を理解する人々にとって、ワンシンクの標的は納屋の壁ではなく彼自身の足元にあった。

ブログの投稿が公表されると、懐疑的な読者たちがワンシンクの論文の数字を調べ始めた。[55] その結果、p値ハッキングは、ほかの多くの統計的ミスの1つにすぎないことがわかった。懐疑派の研究者チームは、ピザのデータセットを使って彼が発表した4本の論文から150件ものエラーを発見した。異なる研究のあいだで（ときには1本の論文のなかで）多くの数字が一致していなかった。[56] ワンシンクのほかの研究にも目が向けられるようになると、事態はさらに悪化した。料理本に関するある論文では、データを再分析したところ、ほぼすべての数字が間違っていた。[57] リンゴにエルモのシールを貼る実験の論文では、グラフの名前を取り違えたり、研究の方法の説明が間違っていたりした。[58] すぐに論文の撤回が始まった。本書の執筆段階でワンシンクの論文のうち18本が文献から削除されており、今後もさらに増えそうだ。[59] 悪名高いブログ投稿から2年足らずで、ワンシンクはコーネル大学に辞表を提出した。[60]

彼のミスや失態は、いずれも惨憺たるもので、p値ハッキングに関する最も広範な教訓を忘れそうにさえなる。論文の撤回が始まってスキャンダラスな報道が盛り上がるなか、バズフィード・ニュースのジャーナリストが、呪われたエルモ論文の執筆中にワンシンクが共著者の1

人に送った決定的な証拠のメールを公開した。そのなかでワンシンクは次のように悩んでいる。「シールはリンゴの選択を71％増やすが、どういうわけかｐ値は・０６［原文ママ］だ。もっと低くてもいい気がする。あなたも私の言っていることを自分で確かめたいと思わないか？ あなたがデータを手に入れることができて、多少の調整が必要なら、・０５［原文ママ］未満の値が出ることは好ましい[61]」

これは科学者が同僚にｐ値ハッキングを明示的に勧めているめずらしい例である。しかし、直接的だからこそ異例なのだ。ワンシンクの話が明るみに出たとき、多くの科学者は居心地の悪い思いをしたのではないか——自分たちも同じ穴のむじなだが、ワンシンクは極端すぎるだけだとわかっていたから。彼らはワンシンクほど杜撰ではないだけで、再分析を依頼するメールはもっと慎重に書く（あるいは、記録を残さずに直接会って依頼する)[62]かもしれない。「ある値

55　ワンシンクの論文を調べた研究者の1人で、私の同僚で友人でもあるニック・ブラウンがすべての情報を開示している。

59　撤回された18本以外にも、訂正されたり「懸念の表明」がなされたりしたものが数多くある。信頼できる「リトラクション・ウオッチ」のデータベース（http://retractiondatabase.org）で「Brian Wansink」を検索すれば見つかる。エルモ論文は特に動きが激しく、学術誌の編集者はワンシンクに訂正版の出版を認めたが、その直後に訂正版で別の重大な誤りが見つかった（研究対象の子供は8～11歳と記述されていたが、実際は3～5歳だった)。この訂正版も撤回された。私の知るかぎり、「科学の死刑」を2回宣告された唯一の科学論文である。Brian Wansink et al., 'Notice of Retraction. Wansink B, Just DR, Payne CR. Can Branding Improve School Lunches? *Arch Pediatr Adolesc Med.* 2012;166(10):967-968, JAMA Pediatrics 171, no. 12 (1 Dec. 2017): 1230; https://doi.org/10.1001/jamapediatrics.2017.4603

60　コーネル大学の調査で、ワンシンクは「彼の研究と学識において、調査データの報告を誤る、問題のある統計的手法を用いる、適切な文書をまとめて研究結果を保存していない、不適切なオーサーシップなど、学問的な不品行をおかした」とされた。Michael Kotlikoff, 'Provost Issues Statement on Wansink Academic Misconduct Investigation', *Cornell Chronicle*, 20 Sept. 2018; http://news.cornell.edu/stories/2018/09/provost-issues-statement-wansink-academic-misconduct-investigation

を0・05未満にしたい」という願望が強ければ、そして、学術誌が刺激的かつ派手でポジティブな結果を明らかに好むことを考えれば、p値ハッキングはほぼ必然的な結論である。

ワンシンクの不用意な告白は、本人にとって最悪の結果になった。しかし、別の著名な科学者たちが、過去に故意ではなく自分たちのデータをp値ハッキングしていたことを率直に認めたときは、科学界は温かい反応を示した。第2章で紹介したように、2010年に発表された再現性のない論文にもとづく「パワーポージング効果」という概念が大流行した。パワーポーズと言えば心理学者のエイミー・カディと思われているが、実は、論文の筆頭著者はカリフォルニア大学バークレー校のダナ・カーニーだった。そのカーニーは2016年に、パワーポージングに関する見解を変えるという声明を発表した。彼女は何年もかけて自分の考え方を更新し、本人の言葉を借りれば、もう「『パワーポージング効果』が本物だとは信じていない」。彼女はさらに、オリジナルの実験に関するいくつかの事実（42人という「小さな」サンプルで、効果の大きさも「ほとんどなかった」）を列挙し、そのすべてがp値ハッキングの明確なストーリーにつながると述べた。

・彼らは「まとまった数の参加者を募り、途中で効果を確認した」（つまり、有意な結果が出るまでサンプルを追加し続けた）。
・恣意的に思える理由で数名の参加者が除外された。

- はずれたデータポイントは、削除されたものも残されたものもある。
- 複数の測定方法を使い、複数の統計的検定を実施したが、p値が最も低いものだけを論文で報告した。
- パワーの自己評価に関して多くの質問をしたが、効果が見られたものだけを論文で報告した。[63]

「当時はp値ハッキングとは思えなかった」とカーニーは言うが、これは明らかにp値ハッキングだ。これを認めたカーニーは罵声を浴び、職を失ったのだろうか。そんなことはない。むしろ正反対の反応が返ってきた。ネット上のいじめっ子の巣窟と言われるツイッター（現X）を検索すると、ほかの研究者がカーニーの発言を「勇敢」「感動的」「称賛に値する」「前進している」「自分の研究が再現できなかったときの対処法」「科学の誠実さの素晴らしいお手本」などと称えていた（そのとおりではある）。ある神経科学者は、カーニーを「知的／学術的なヒーロー」と呼んだ。[64] 否定的な反応は、私はひとつも見なかった。ただし、カディはこの機会に乗じて、p値ハッキングから自分も距離を置いた。「データの収集と分析の両方を主導した筆頭著者［つまり、カーニー］の回想に……私が異議を唱えることはできない」[65]

ワンシンクの研究に蔓延し、パワーポージングの研究を台無しにした分析上のバイアスは、どのくらい広がっているのだろうか。2012年に2000人以上の心理学者を対象とした調査で、さまざまなp値ハッキングに関与したことがあるかどうかを質問した。[66] 複数の異なる結果からデータを収集したが、そのすべてを報告しなかったことがあると答えた人は約65％。結果をちらりと見てから、特定のデータポイントを分析から除外したことがあると答えた人は40％。そして約57％の人が、分析をしたが満足のいく結果が得られそうになかったため、さらにデータを収集したと答えた。

ほかの分野の調査でも、同じように残念な結果が出ている。２０１８年に生物医学統計学者を対象におこなわれた調査では30％の人が、科学者のクライアントから「実際の結果ではなく、期待値にもとづいて統計的知見を解釈してほしい」と頼まれたことがあり、55％の人が「有意な知見だけを強調して、有意ではないものは実際より少なく報告してほしい」と頼まれたことがあると答えている。[67] 別の調査では、回答した経済学者の32％が「『自分の』主張を裏づけるように経験的な結果を選択的に提示した」ことを認め、37％が「『自分の求める』結果が出た時点で統計分析をやめた」と答えている。p値が０・０５を下回った時点で、それが偶然だとしても、分析をやめたということだ。[68] 出版されている論文からすべてのp値を集めて大きさ別にグラフ化すると、０・０５のすぐ下に奇妙な隆起が見られる。つまり、０・０４、０・０４５、０・０４９などが、偶然と考えるにはたくさんあるのだ。圧倒的な証拠とはいかないが、p値ハッキングのにおいがする。科学者は０・０５のラインのすぐ下に結果が収まるように研究を調整し、それを出版に回しているようだ。[69]

注目すべきなのは、科学者がp値ハッキングについて、自分の頭のなかではおそらく真実である結果を、ある意味でより明確に、より現実的に、整理しているように感じているということだ。これも確証バイアスの1つである。あの被験者のデータは？　彼らは心理テストに集中せずに窓の外をながめていたと、私には確かにそう見えた。あのペトリ皿は？　小さなしみがついていたから汚染されている可能性があって、データセットから結果を削除するのが最善だ。

66　Leslie K. John et al., 'Measuring the Prevalence of Questionable Research Practices with Incentives for Truth Telling', *Psychological Science* 23, no. 5 (May 2012): pp. 524–32; https://doi.org/10.1177/0956797611430953. ここでは対照群と実験群が「自分の行為を認めた割合」の中間の数字を使っている（論文の表1を参照）。本当のことを認めれば慈善活動に寄付すると告げられた人は、いかがわしい研究慣行を認める割合が高くなった。この研究はアメリカの心理学者を対象にしているが、イタリアでも同様の結果が得られている。Franca Agnoli et al., 'Questionable Research Practices among Italian Research Psychologists', *PLOS ONE* 12, no. 3 (15 Mar. 2017): e0172792; https://doi.org/10.1371/journal.pone.0172792. ドイツでおこなわれた研究はアメリカの研究と同じ言い回しを一部使っている。Klaus Fiedler & Norbert Schwarz, 'Questionable Research Practices Revisited', *Social Psychological and Personality Science* 7, no. 1 (Jan. 2016): pp. 45–52; https://doi.org/10.1177/1948550615612150

67　Min Qi Wang et al., 'Identifying Bioethical Issues in Biostatistical Consulting: Findings from a US National Pilot Survey of Biostatisticians', *BMJ Open* 7, no. 11 (Nov. 2017): e018491; https://doi.org/10.1136/bmjopen-2017-018491. 本書では過去5年間にこのような依頼を1～9回、あるいは10回以上されたと答えた統計学者の割合を足している。

68　Sarah Necker, 'Scientific Misbehavior in Economics', Research Policy 43, no. 10 (Dec. 2014): pp. 1747–59; https://doi.org/10.1016/j.respol.2014.05.002. 同じ調査で実に2％の経済学者が、「（共）著者の性別を変える、データのアクセスを認める、特定の人物を売り込むことを『受け入れた』または『頼まれた』」ことがあると認めた。

69　E. J. Masicampo & Daniel R. Lalande, 'A Peculiar Prevalence of p Values Just Below .05', *Quarterly Journal of Experimental Psychology* 65, no. 11 (Nov. 2012): pp. 2271–79; https://doi.org/10.1080/17470218.2012.711335. 以下も参照。Adrian Gerard Barnett and Jonathan D. Wren, 'Examination of CIs in Health and Medical Journals from 1976 to 2019: An Observational Study', *BMJ Open* 9, no. 11 (Nov. 2019): e032506; https://doi.org/10.1136/bmjopen-2019-032506. この研究は信頼区間（p値と本質的に同じ情報をもたらす統計手法）を使って同じ問題を調べている。ちなみに、同じようなパターンは学校の試験結果のグラフにも見られる。教師が善意で、不合格だった生徒の成績を合格する程度に上方修正しているのだ。'Another Case of Teacher Cheating, or Is It Just Altruism?', https://freakonomics.com/2011/07/07/another-case-of-teacher-cheating-or-is-it-just-altruism/(7 July 2011).

統計的検定はYではなくXを実施したほうが理にかなっている（しかも、偶然にもXの統計的検定がポジティブな結果を出したではないか！）。もうおわかりだろう。前章で科学者の詐欺的行為の動機を考察したときのように、自分の仮説を検証する前にそれが正しいと信じていれば、不確かな結果を正しい方向に導くことはきわめて合理的に思える。そして、真の詐欺師は自分が非倫理的な行為をしていることを知っているが、p値をハッキングする普通の研究者は気づいていないことが多い。

データセットを分析する方法は、決して1つではない。はずれ値があるとサンプルが母集団を代表していないことになるときに、それらのデータポイントを削除するか、それともそのままにしておくか。サンプルは年齢層別に分けるのか、ほかの基準で分けるのか。第1週と第2週の観測値を統合したものと第3週と第4週を統合したものを比較するのか、それぞれの週ごとに分析するのか、あるいは違うグループ分けをするのか。この統計的モデルを選ぶのか、別のモデルにするのか。「コントロール」変数はいくつ投入するのか。このような問いに客観的な答えはない。研究対象の詳細や文脈、さらには統計学に対するあなたの考え方によって答えは変わる（結局のところ、統計学はそれ自体がつねに進化している）。10人の統計学者に質問すれば、10とおりの異なる答えが返ってくるかもしれない。メタサイエンスの実験では複数の研究グループが同じデータセットを分析したり、同じ仮説を検証するために独自の研究をゼロから設計したりするため、方法や結果にかなりのばらつきが見られる。[70]

選択肢は無限にあり、自分が何を探しているのかを明確にしないまま分析を始める科学者にとっては、チャンスも無限にある。しかし、ここで説明してきたとおり、分析の数が増えれば増えるほど、偽陽性の結果が出る可能性も高くなる。データサイエンティストのタル・ヤルコニとジェイク・ウェストフォールは次のように説明している。「調査する者が柔軟性を持てば持つほど――つまり、彼らがデータのなかに『見たい』と思うパターンの範囲が広がれば広がるほど――実際には存在しないパターンを幻視するリスクが高くなる」[71]

雲行きはさらに怪しくなる。ここまではすべてのp値ハッキングが明示的におこなわれているかのように説明してきた。多くの分析をおこない、p値が0・05より低いものだけを発表する。これは確かによくあることだが、本当の問題はもっと厄介だ。分析は1つしか実行しなくても、実行可能だったすべての分析を考慮する必要があるのだ。

統計学者のアンドリュー・ゲルマンとエリック・ローケンは、予定外の統計分析をおこなうプロセスを、ホルヘ・ルイス・ボルヘスの短編小説『八岐の園』にたとえている。分析のための決断が必要なそれぞれのポイントで、多くの選択肢のなかから1つを選ぶ。それぞれの選択肢は少しずつ異なる結果になる。[72]このとき自分の仮説を支持する結果とはどのようなものか、かなり具体的な基準を設定していないかぎり――「変数をこのように処理して、このような正確な条件とこのようなコントロールの下でp＜0・05になる」ことを期待していると明確にしておかないかぎり、可能性のある多くの結果のいずれかを、自分が正しい証拠として受け入れることになるかもしれない。しかし、分岐点における選択の組み合わせをたどって得られた結果が、統計的な偶然ではないことを、どのように確かめればいいのだろうか。適切な計画を立ててデータに臨まない科学者は、典型的なp値ハッキングのような試行錯誤をしなくても、再現性のない結果にたどり着くかもしれない。

再現性がない理由は、分岐点に立つたびにデータに引きずられるからだ。あるデータセットでは$p < 0.05$になりそうな選択をしても、別のデータセットで同じ結果になるとはかぎらない。これは明示的かどうかにかかわらず、あらゆる種類のp値ハッキングの問題点だ。専門用語を使うと、分析がデータに過剰に適合している。[73] つまり、ある分析が特定のデータセットのパターンをよく表しているかもしれないが、そのパターンは、異なるデータや現実世界には一般化できない、ノイズのような癖や特異性にすぎないかもしれないのだ。これでは役に立たない。ほとんどの場合、私たちは特定のデータセットの仕組みに関心はなく、世の中について一般化できる事実を探している（「コロラド州デンバーで2019年4～5月に203人の特定のサンプルで測定された、抗精神病薬の服用と統合失調症の症状との関連性」ではなく、「抗精神病薬の服用と統合失調症の症状の一般的な関連性」を知りたい）。

図3は過剰適合の例だ。ここに1年間、毎月1回、測定した降雨量のデータセットがある。これらのデータを線で結び、降雨量の変化を示したい。この線がデータの統計的モデルになり、それをもとに1年後の月ごとの降雨量を予測しようとしている。手っ取り早いのは図3Aのよ

うな直線だが、これではデータと似ても似つかない。この直線を使って来年の降雨量を予測すれば、毎月まったく同じ量の雨が降ることになり、ひどく不正確な予測になる。次に図３Bのようにデータを通る曲線を引いてみると、それなりの近似になって、次の年の予測をするために有効なモデルと言えるだろう。ただし、ここでやめないと危険なことになる。図３Cのようにすべてのデータポイントに触れる線を描くと、曲がりくねって進む。このモデルは今回のデータセットにはぴたりとフィットするが、来年のデータがまったく同じ浮き沈みをする可能性はどのくらいあるか。高いとは言えない。線をすべての点に合わせることは、データセットに存在するランダムなノイズをモデル化しているだけだ。このモデルはデータに過剰適合している。

科学者はp値ハッキングをおこなう際に、意図せずに過剰適合をおこなっている。ただのランダムなノイズを、（そもそもシグナルが存在するなら）シグナルを優先して無視すべき厄介な変動と見なすのではなく、大げさに取り上げてモデルの一部に含めている。p値ハッキングされて過剰適合したモデルを別のサンプルで再現しようとするなど、災難でしかない。そこで得られる結果は、ノイズの多いデータが分岐をたどった行き先に収束して、データセットの世界を超えた先のことはほとんど何も語らないだろう。

科学者が過剰適合の誘惑に駆られる理由はわかっただろう。自分のデータしか見えず、自分

73　Yarkoni & Westfall はp値ハッキングの問題をこのように捉え、「過剰適合のプロセス」と呼んだ。Yarkoni & Westfall, ‘Choosing Prediction’, p. 1103.

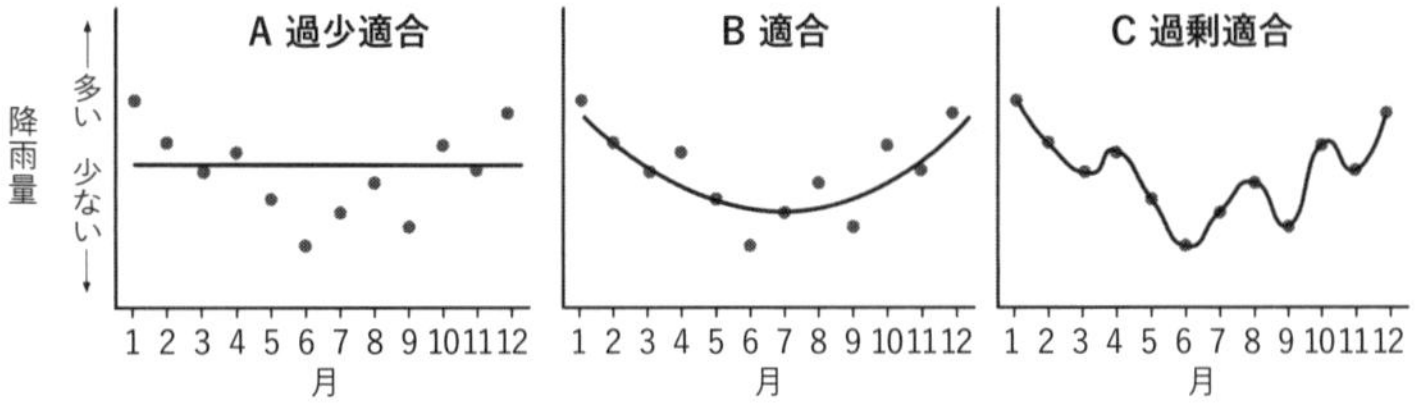


**図3**：年間降雨量のデータをモデル化したもの。Aは「過少適合」のモデルで、データをうまく説明できていない。Bは数年分のデータを一般化したものに近く、はるかに優れたモデルである。Cは「過剰適合」のモデルで、この年のデータに関しては優れた説明だが、ほかの年が同じようなパターンを描く可能性はほぼない（注：これらのデータセットはこの図のために作成した）。

の仕事は世界について一般的な説明をすることだということを忘れてしまうと、図3Cのようにデータと完璧にフィットしたモデルがとても魅力的に見える。不確定要素も、自分が引いた線から外れるような厄介なデータポイントもない。そこに圧倒的な魅力を感じるのは、整然としているからだけではない。グラフの点をつなぐだけなら科学的な知識は必要ない。しかし、このようなモデルを使えば、データを集める「前に」具体的な線の形（つまり自分の理論）が見えていたかのような論文を書けるのだ。こうしてあなたは科学界の注目を浴びる。自分のモデルや理論、研究には真剣に受け止める価値があると、ほかの科学者に納得させること。それが科学の主な目的だから。

同じ動機は、p値ハッキングのほうがより広く見られる。p値が0・05未満ばかりで有意ではない結果がほとんど混じっていない研究は、はるかに説得力がある。スティーブン・ジェイ・グールドは、前述の通り科学を「クリーン・・・・・・・で明確な発見に対して地位や権力を与える職業」と呼んだ

［傍点は筆者］。社会心理学者のロジャー・ギナー＝ソローリャも同じように述べている。「論文同士の真っ向勝負では……すべての結果が有意で一貫性のある論文のほうが、同じように公正な研究ながら、適格な結論を得るために欠点も含めて結果を報告している論文より好まれる[74]」

このように出版バイアスとp値ハッキングは、あらかじめ考えていた理論にうまく適合しない結果を消したいという同じ事象である。この事象は、ある経営学の研究者グループがおこなった聡明なメタサイエンス研究でも示された。この研究は、学生の学位論文には学術誌に掲載される前の結果が含まれているという事実に注目した。学位論文が学術誌に掲載されるまでに起こる事象は「さなぎ効果」と呼ばれている。論文がついに出版されるころには、醜い結果だったものが美しいチョウに変身していることが多いというわけだ。見た目が乱雑で有意ではない結果が、取り除かれたり変更されたりして、明確でポジティブな物語に整えられる。[75]ほとんどの場合、それらの結果を拒絶することによって、自分のデータがより明確に「ストーリーを語る」と学生は考えるのだろう。そして、出版に値する論文だと査読者を説得するためには、これが正しいやり方だと先輩研究者から教えられてきた。[76]しかし実際は、先輩科学者は未来の科学者に、研究の現場で起きていることを絶望的なバイアスを通して伝えているのだ。

魅力的に見える結果を求める気持ちは、最も「ハードな」科学にも影響を与える。物理学者のザビーネ・ホッセンフェルダーは著書『数学に魅せられて、科学を見失う』（邦訳・みすず書房）で、物理学者はひも理論のようなモデルの優雅さや美しさに目を奪われ、それが本当に正しいかどうかを実践的に検証しようとせずに酔いしれてきたと主張している[77]。ひも理論学者の高尚で数学的な仕事は、日常のあらゆるものを拾うブライアン・ワンシンクの「台所サイエンス」とはかけ離れているように感じられるが、どちらの研究も、同じ種類のあまりに人間的なバイアスに首まで浸かる可能性がある。

ただし、人の命に関わる分野では、そのようなバイアスは許されない。

医学生は数十年にわたり、二重盲検ランダム化プラセボ対照試験が、新しい治療法の証拠を集める代表的な手法であると教えられてきた。このような対照試験が適切におこなわれれば、プラセボ効果や、介入を管理する医師側のバイアス、治療以外の要因による誤った結果（いわゆる「交絡」）など、臨床研究を悩ませる多くの問題を排除することができる。しかし、どんなに厳密にコントロールされた臨床試験でも、結果が出た後に起こるバイアス、つまり試験のデータを分析する際に起こるバイアスを排除することはできない。

医学的な治験試験における「テキサスの狙撃兵」的な行動は、「アウトカム・スイッチング（結果のすり替え）」と呼ばれる（これもp値ハッキングに等しい行為だ）。先述の男女の身長差に関する研究の例に戻ろう。身長を測る際に、体重や、1週間にテレビを見る時間数、自己申告のストレスレベルなど、ほかの測定も一緒におこなうことにする。これらは副次的なデータポイントで、興味深いものではあるが、今回の研究の中心ではない。しかし、身長については期待していたような統計的に有意な結果が得られなかったが、たとえばテレビの視聴時間は男女で有意な差があるかもしれない。アウトカム・スイッチングとは、このようなときに、最初からテレビの視聴時間に関するものだったかのように研究を提示することだ。ただし、ここには聞き慣れた欠点がある。まず、身長に男女差がないという潜在的に有用な知識が埋もれてしまう。さらに、追加の統計的検定がおこなわれたということは、その解釈に細心の注意を払わなければならない。論文の読者に対して検定のプロセスを隠すと、彼らは偽陽性のリスクが高まることを警戒しなくなる。

医学雑誌編集者国際委員会（ＩＣＭＪＥ）は出版バイアスの大きな問題を踏まえて、２００5年から、人間の臨床試験はすべて事前に公的な登録をしなければならず、事前登録がなければ、論文は大半の一流医学雑誌に掲載されないと規定している。[78] これは研究の「お蔵入り」をさせないインセンティブをつくろうという発想でもある。臨床試験がおこなわれたことを、みんなが知ることになる。この規定はさらに、どのような結果を検証しようとしているのかなど、研究の計画を公表するという有益な副次的効果をもたらした。[79] 事前登録をさかのぼって検索す

76　この悪い助言の典型的な例は、ほかならぬダリル・ベム（私が再現実験に失敗した心霊研究の著者）が編集した書籍の1章にある。彼は若い研究者たちに、自分のデータから「何かしら、何でもいいから、興味深いものを根気よく探しだす」ように強く求めている。確かに、場合によっては偽陽性につながるかもしれないが、それでも「発見する側に立つ」と主張している。Daryl J. Bem, 'Writing the Empirical Journal Article', in *The Compleat Academic: A Career Guide*, eds. John M. Darley, Mark P. Zanna, and Henry L. Roediger III, 2nd ed., pp. 171–201 (Washington, DC: American Psychological Association, 2003): p.172.

れば、提案された計画と実際に書かれた内容との矛盾を見つけることもできる。ベン・ゴールドエイカーの「COMPare Trials」プロジェクトは、影響力が大きい5つの医学雑誌に4カ月間に掲載されたすべての臨床試験を調べ、登録内容と照合した。[80] 対象となった67件の臨床試験のうち、計画していたことをすべて報告していたのは9件だけだった。すべての論文について、登録から出版までのあいだに消えた結果が354件（そのほとんどはp値が0・05を超えていると考えていいだろう）あったのに対し、登録されていない357件の結果がどこからともなく現れて論文に掲載されていた。[81] 麻酔研究の事前登録についても同様の監査をしたところ、92%の臨床試験が少なくとも1件の結果を変更しており、おそらく予想どおりだろうが、その変更は統計的に有意な結果になるものが多かった。[82]

p値をハッキングされた臨床試験のせいで、どれだけの患者が役に立たない治療を受け、希望を失ったのか。正確に把握することはできないが、膨大な数であることは間違いない。[83] メタアナリシスの統合された分析結果は、そのテーマに含まれるすべての研究知識の信頼できる概要になるはずだが、メタアナリシスがp値ハッキングによって誇張されている場合（出版バイアスのために欠落している研究があることは、また別の話だ）は現実とかけ離れたものになる。[84] 少数の明確で再現性のある知見を除いて、このようにバイアスのかかった医学文献を医師や患者はどのように信頼すればいいのかと思うだろう。私にもわからない。

## 研究成果をゆがめる利害関係者のたくらみ

注目を集め、疑いの余地がなく、統計的に有意な結果を発表したいという欲求は、科学におけるバイアスの最も普遍的な原因の1つである。しかし、ほかにも偏向した力が働いている。真っ先に思い浮かぶのはカネだ。このようなデータを入手しやすいアメリカを見ると、近年、登録された医療的試験の3分の1強が製薬業界から資金提供を受けている。[85] 効果があればその薬を販売しようと計画している企業からのカネは、結果にどの程度、影響をおよぼすのだろうか。臨床試験に関するメタサイエンスの研究には、企業の資金提供を受けている薬物試験はポジティブな結果を報告しやすいという共通認識がある。最近の調査では、政府や非営利団体が資金を提供してポジティブな結果が出た臨床試験1件につき、製薬会社が資金を提供してポジティブな結果が出たものは1・27件あった。[86] こうしたバイアスは研究の設計中に生じるとき

79　研究の事前登録については第8章で取り上げる。
81　ゴールドエイカーの研究チームは、問題の臨床試験が結果を正確に報告していないことを指摘する書簡を学術誌で発表しようとしたが、ほとんどの編集者は興味を示さなかった。Ben Goldacre, 'Make Journals Report Clinical Trials Properly', *Nature* 530, no. 7588 (Feb. 2016): p. 7; https://doi.org/10.1038/530007a
84　メタアナリシス版の「ゴミを入れたらゴミが出てくる」の法則でもある。Morton Hunt, *How Science Takes Stock: The Story of Meta-Analysis* (New York: Russell Sage Foundation, 1998).
85　産業界が資金を提供する臨床試験の絶対数は時代とともに増えているが、すべての試験に占める割合は減っている。Stephan Ehrhardt et al., 'Trends in National Institutes of Health Funding for Clinical Trials Registered in ClinicalTrials.Gov', *JAMA* 314, no. 23 (15 Dec. 2015): pp. 2566–67; https://doi.org/10.1001/jama.2015.12206

もある。産業界が資金を提供する臨床試験では、新薬を次善の代替薬ではなく無用のプラセボと比較する傾向が強く、自社の新製品を人為的によく見せているという証拠もある。[87] しかし、バイアスが生じる理由の多くは、この章で説明してきた要因だろう。たとえば、産業界が資金を出している臨床試験は、ほかの資金源の試験よりお蔵入りになりやすいことがわかっている。[88]

現在、ほとんどの学術誌では、出版される論文の最後に利益相反事項として、著者が製薬会社のコンサルタントとして受け取った金銭などを開示することが義務付けられている。[89] そのほかの金銭的な相反の情報は、そこまで要求されていない。自分の科学的な成果をもとに出版した著書がベストセラーになったり、講演やビジネスコンサルティング、大学の卒業式でのスピーチなどで数十万ドル単位の報酬を継続して受け取ったりしている科学者はたくさんいる。[90] もちろん、著書の契約や講演、コンサルティングでいくら稼いでもかまわない。しかし、ある理論の真実性に、自分に経済的利益をもたらすキャリアがかかっているような場合、科学者はその理論を支持する研究のみを発表する（あるいは、支持するまでp値をハッキングする）という新たな動機を得る。これも金銭的な利益相反だ。このような状況にある科学者は、透明性を確保するために、関連する今後の研究のすべてで利益相反事項に明記するべきだろう。[91]

経済的な利益や名声以外にも、あまり明確に語られることのないバイアスが存在する。自分の研究が強力な結果を示すことを、心から望んでいる科学者のバイアスだ。彼らは、そうした結果が病気や、社会や環境の害悪など、重要な問題との闘いを前進させることにつながると考えている。出版のために有意な結果を出したいということではない（別の章で説明するとおり、それも重要なプレッシャーになる）。科学者はあくまでも善意で、自分の研究が有益であると思いたいだけだ。「善意のバイアス」と呼んでもいいだろう。新しい治療法を検証するために計画した試験で有意な結果が得られなければ、病気の人々を助けられる日が来るのだろうかと、

86　製薬会社には、より質の高い臨床試験を実施するための十分な資金などのリソースがあるという反論も出るだろう。しかし、臨床試験の質が高ければ、バイアスがあまり働かず、ポジティブな結果になりにくいと考えられる（ある治療法が有効ならバイアスのかかっていない試験で証明されるはずだが、バイアスのかかった試験は効果の大きさを誇張し、偽陽性の結果も見つかる可能性がある）。また、最近のあるレビュー研究はサンプルの大きさをコントロールしたが、やはり産業界が出資する臨床試験はポジティブな結果が出る可能性が高かった（産業界が主導する臨床試験はその資金力の大きさから、ほかの資金を受けている試験よりうまくいくことが多い）。Stig Waldorff, 'Results of Clinical Trials Sponsored by For-Profit vs Nonprofit Entities', *JAMA* 290, no. 23 (17 Dec. 2003): p. 3071; https://doi.org/10.1001/jama.290.23.3071-a

88　C. W. Jones, L. Handler et al., 'Non-Publication of Large Randomized Clinical Trials: Cross Sectional Analysis', *BMJ* 347, no. oct28 9 (29 Oct. 2013): f6104; https://doi.org/10.1136/bmj.f6104. ただし、製薬会社が資金を出している臨床試験では、結果の切り替えは体系的な悪というわけではなさそうだ (Christopher W. Jones et al., 'Primary Outcome Switching among Drug Trials with and without Principal Investigator Financial Ties to Industry: A Cross-Sectional Study', *BMJ Open* 8, no. 2 (Feb. 2018): e019831; https://doi.org/10.1136/bmjopen-2017-019831)。あるレビューは、非営利団体が資金を出している研究のほうが結果の切り替えは好ましくないと指摘している。Alberto Falk Delgado & Anna Falk Delgado, 'Outcome Switching in Randomized Controlled Oncology Trials Reporting on Surrogate Endpoints: A Cross-Sectional Analysis', *Scientific Reports* 7, no. 1 (Dec. 2017): 9206; https://doi.org/10.1038/s41598-017-09553-y.

89　私がときどき出席する大学の講演会では昼食が用意され、必ず「製薬会社に関係のないランチ」と明記されている。医学研究者は製薬会社からの贈り物を意図せず受け取ってしまうことを、そのくらい恐れているのだ。贈り物は、受け取った時点以降のすべての「利益相反」欄で申告しなければならない。

91　以下を参照。Lisa A. Bero & Quinn Grundy, 'Why Having a (Nonfinancial) Interest is Not a Conflict of Interest', *PLOS Biology* 14, no. 12 (21 Dec. 2016): e2001221; https://doi.org/10.1371/journal.pbio.2001221. ベロとグランディは私への反論として、金銭的な利益相反は知的な利益相反とは種類が異なり、両者を混同することは「問題を複雑にするだけだ」と主張している。いずれにせよ、私が次に再現性の危機に関連する科学論文を書くときは、「再現性の危機について本を執筆したが、科学が実際に問題のない状態であることが判明したら、私は少々気まずい立場になるだろう」という趣旨のことを書かなければならないのだろうか。そうするべきだという強い主張もある。

激しく落胆するだろう。ある生物学的要因と病気の関連性について仮説を立てたが、見当違いだったとわかればがっかりする。少なくとも、科学に対する姿勢が間違っていれば、そのように感じるかもしれない。

科学の世界では、ポジティブで統計的に有意な結果を求める風潮があまりに強く、多くの研究者は何もない「ＮＵＬＬの結果」も重要であることを忘れている。ある治療法が効かないことや、ある病気が特定のバイオマーカー（生理学的指標）と関係がないことは、有益な情報であり、将来的に別のところに時間とカネを使おうと考えることができる。適切にデザインされた研究であれば、ポジティブな結果が出ようが、ＮＵＬＬの結果が出ようが、興味を引くはずだ。

ここまで見てきたバイアスは、科学者個人に影響を与えるものだ。しかし、科学は社会的なものである。科学者のコミュニティで結果を共有することによって、少なくとも部分的には個々の科学者のバイアスを補うことができるが、そのバイアスがコミュニティ全体で共有されるようになると、危険な集団思考に発展しかねない。２０１９年にサイエンスライターのシャロン・ベグリーは、アルツハイマー病の「アミロイドカスケード仮説」をめぐる論争について素晴らしい記事を書いている。この仮説は、脳内の「プラーク」として観察されるタンパク質「アミロイドベータ」の蓄積が、アルツハイマーに伴う壊滅的な記憶喪失やその他の機能障害の究極の神経学的原因であるという考え方だ（プラークの蓄積は、アルツハイマー病の名前の由来となったアロイジウス・アルツハイマーが1世紀以上前に指摘していた)。[92]ガンや心疾患など、老化に関連のあるほかの病気の治療法は飛躍的に進歩している一方で、アルツハイマー病はいつまで経っても治療法が確立されず、アミロイドベータを分解して症状を緩和しようという薬剤の臨床試験が相次いで残念な結果に終わっていると、ベグリーは指摘している。[93]その理由は、ベグリーが取材した複数の研究者によると、単にアミロイドカスケード仮説が間違っているからだ。アミロイドベータのプラークは症状と「関連」しているが、原因ではない。つまり、アミロイドベータをターゲットにしても病気の治療にはならないのだ。[94]

アミロイドカスケード仮説に異論を唱える研究者たちによれば、仮説を支持する人の多くは名声のある有力な教授で、彼らが「陰謀団」さながらに、仮説に疑問を呈する論文を意地の悪い査読で切り捨て、異端の研究者が資金や終身在職権を得ることを妨害しているという。ただし、ベグリーは、これは必ずしも意識的な判断ではないと考える。研究者たちはアミロイドカスケード仮説に愛着を持ち、純粋に信じていて、アルツハイマー病の治療の突破口になると思っているからこそ、仮説を擁護する強いバイアスが働いているのだ。

何年も前に科学者がアミロイドカスケード仮説を手放していたら、アルツハイマー病の治療法（あるいは治癒法）が確立されていたことは十分にあり得るというのは、（ベグリーの取材に応じた人々のなかにはそう考える人もいるが）おそらく言いすぎだろう。治療法の研究が進展しないのは、人間の最も複雑な器官である脳に影響を及ぼすこの病気が、とにかく厄介だからかもしれない。あるいは、これまでに発表されたアミロイドベータ除去薬の臨床試験が、正しい命題を追究していないだけかもしれない（人生の終末期で、アミロイドベータがすでに有害な影響を及ぼしている人を対象にしているからかもしれない）[95]。しかし、アミロイドカスケード仮説に異議を唱える研究者に対するいじめや脅迫は、バイアスが集団で共有されていて、新しいアイデアに対して聞く耳を持たず、自分のお気に入りの理論から組織的な懐疑論を遠ざけることが日常的におこなわれている分野であることを示唆している。

一方で、結果の真偽に対し、よりイデオロギー的な、あるいは政治的な利害関係を持つ研究者はどうだろうか。私が目にした利益相反項目のなかでも異例だったのは、いわゆる「グラスゴー効果」に関する公衆衛生の論文だ。グラスゴー効果とは、スコットランドのグラスゴーの住民は、貧困や困窮のレベルを考慮して計算しても、似たような都市や国の住民より平均して早死にするという現象である。くだんの論文はグラスゴー効果に関する証拠を検証して、この特異な問題の根源は1980年代にマーガレット・サッチャー英首相の保守党政権がスコットランドに「政治的攻撃」をしたことにあり、その政策は脱工業化と、組織労働者に対する抵抗だったと結論づけている。利益相反の項目に金銭的な利害関係は記載されておらず、筆頭著者のゲリー・マッカートニーが「スコットランド社会党の党員である」[96]と記されている。まれに見る率直さは好感が持てる[97]。

私の専門分野である心理学では、左派を自認する科学者がめずらしくない。実際、心理学はかなり大きく左に寄っている。アメリカにおける調査では、心理学者のリベラルと保守の比率は約10対1だ（工学、経営学、コンピュータサイエンスなどの分野ではいずれも、アメリカ全体と同じように、両者の比率はほぼ均衡している）。心理学は人間とその行動に関する分野で、たとえば理論物理学や有機化学に比べて、はるかに深く政治的関心事と絡み合っている。２０１５年にホセ・ドゥアルテをはじめとする数名の著名な心理学者は、このような理由も含めて、政治的なバイアスが心理学に特にダメージを与える可能性があると主張した。[98] 本書で先に挙げた集団思考の例と同じように、ある政治的見解をコミュニティの大多数が有している場合、主張を可能なかぎり厳しく吟味するという査読の重要な機能が大幅に弱まると、ドゥアルテたちは考えた。それだけでなく、そもそも何を研究するべきかという優先順位がゆがむかもしれない。裏づけとなる証拠が比較的弱くても、政治的に受け入れられているテーマには不均衡なほど注意を払い、たとえ確かなデータにもとづいていても、特定のシナリオに反するものは敬遠するかもしれない。[99]

心理学のリベラルなバイアスを批判する人々は、ステレオタイプの脅威という考え方に矛先を向けた。[100] これは、女子に「男子は数学が得意である」というステレオタイプを思い出させてから数学のテストを受けさせると、成績が下がるという考え方だ。社会的にリベラルな政治的

97　彼の政治的信念ゆえとはかぎらない。科学の世界は情報の全面開示が求められる時代だから、私の政治信条も明らかにしておこう。私は社会自由主義を強く支持し、経済自由主義をそれなりに支持していて、www.politicalcompass.org のグラフでは四分円の右下のエリアの左側に位置する。

見解を持つ人は、より直感的にわかるだろう。ステレオタイプや性差別的な偏見は個人に影響を与え、社会を形成する強力な力になると、彼らは考える。ただし、ステレオタイプの脅威に関する証拠は非常に弱く、出版バイアスがかかっている可能性がある。このテーマに関連するすべての研究を検証した2015年のメタアナリシスは、ファンネルプロットが先の図2Bのようになった。[101]すなわち、規模が小さくて結果が有効ではないという研究があるべき領域に、明らかに空間があるのだ。規模が小さくて結果が有効ではない研究が実際におこなわれたが、科学者の圧倒的にリベラルな先入観にそぐわないために破棄された、という可能性も確かにある。その場合、この重要な教育的問題の証拠に関する視点がゆがめられる。[102]

ただし、ファンネルプロットのいびつな形が必ずしもバイアスの証拠ではないように、出版バイアスそのものを政治的なバイアスの直接的な証拠と解釈することはできない。結局のところ、科学者は政治的観点に関係なく、基本的にNULLよりポジティブを好む。とはいえ、ステレオタイプの脅威についての議論は、共有された仮説が、政治的なものであれそうでないものであれ、科学の発展に必要な自己批判を妨げかねないことに、あらためて警鐘を鳴らしている。

ステレオタイプの脅威の議論は、政治的バイアスと並んで科学者のあいだで最も議論されているバイアスの1つである、性差別の問題につながる。科学における性差別の重要な論点は、現実社会における女性の存在が適切に反映されているかどうかということで、さまざまな分野全体や上級職に占める女性の割合などが議論される。しかし、性差別的なバイアスが科学の実践そのものに与える影響も重要だ。[103]

たとえば、神経科学者が実験でマウスなどの動物を使う際は、オスだけを調べる傾向がある。これは一般にメスのほうがホルモンの変動の影響を受けやすいと考えられているからで、コントロールできない動物の脳と感情の変数が、実験の結果を損なうかもしれないとされている。ただし、オスの場合、テストステロンのようなホルモンが集団のヒエラルキー内の地位に応じて大きく変化するという事実は無視されている。オスのホルモンの変動も、全体としてメスと同じくらい行動にばらつきが生じ得るのだ。[104] このバイアスが発展してオスだけを研究するようになれば、メスは脳や行動の多くの面でオスと異なるため、結果は普遍的ではなくなるかもしれない。[105] 神経科学者のレベッカ・シャンスキーは次のように述べている。「鬱病や心的外傷後ストレス障害（ＰＴＳＤ）などの病気は女性が男性の2倍多いが、齧歯類の症状をモデル化す

99　ある調査研究によると、心理学がどのくらいリベラルであるかということと、心理学者が論文の査読や採用の可否の判断に際し、保守派と思う人をどのくらい積極的に差別するかということには相関関係がある。Yoel Inbar & Joris Lammers, 'Political Diversity in Social and Personality Psychology', *Perspectives on Psychological Science* 7, no. 5 (Sept. 2012): pp. 496–503; https://doi.org/10.1177/1745691612448792. ただし、興味深いことに２０１９年の研究によると、研究が「リベラル」か「保守的」かという分類（その結論をどのような人が好みそうか）によって再現性が変わることはなかった。Diego A. Reinero et al., 'Is the Political Slant of Psychology Research Related to Scientific Replicability?', preprint, *PsyArXiv* (7 Feb. 2019); https://doi.org/10.31234/osf.io/6k3j5

102　その後、同じ著者らが、ステレオタイプの脅威と数学の成績に関する性差について完全に事前登録された大規模な実験をおこなった。その結果、ステレオタイプの脅威の影響は認められなかった。Flore et al., 'Gender Stereotype Threat'.

るためにデザインされた一般的な行動実験は、オスを使って開発され、検証された[106]」

心理学者で哲学者でもあるコーデリア・ファインは、男女の行動の違いをテストステロンのレベルに単純に結びつけて説明しようとする、粗悪で、しばしばp値ハッキングを伴う研究を鋭く批判している。そうした研究には社会的な説明が抜け落ちている。ファインはさらに、医学研究では男性が「デフォルト」として扱われ、女性は二の次、あるいは異常とさえ考えられている問題も取り上げている[107]。そして、2018年に『ランセット』に掲載された意見記事で、「フェミニスト科学」がこのような脱落を強調することによってバランスを取り戻すことができると提案した。ファインは懐疑的な意見もあるだろうと認めつつ次のように述べている。「一般に、フェミニズムはジェンダー研究にとっては誠にけっこうなものだが、科学からは遠ざけるべきだとされている。女性が、男性が、そして世界がどうあるべきかという政治的な優先事項が、実際にどうあるかという科学的な証拠をゆがめないように、というわけだ[108]」。しかし、私たちは誰でもバイアスがあるのではないかと、彼女は主張する。「すべての人にそれぞれ視点があって、『どこから見たわけでもない景色』を楽しむ人はいない。フェミニスト科学の扉を開くことは、政治的バイアスの扉を開くことではない。全員が1つのぼんやりとした窓から見ているわけではないのだから[109]」

これはある意味で、ホセ・ドゥアルテらが心理学研究の分野に保守派が少ないという懸念を表明したことと、政治的には左右対称の鏡像のようなものだ。強調している対象は異なるが、ドゥアルテもファインも、科学の世界で代表されていない視点の存在感を高めようと主張している。これは重要な問題だ。科学的発見について議論することの意義は、人々がさまざまな角度から問題と向き合うことである。ただし、たとえ短期的には特定の問題の解決に役立つとしても、科学者や科学一般に社会的・政治的なコミットメントを求めるのは、私としては賢明とは思えない。むしろ、科学的な判断や分析に自分のバイアスが影響しないように最善を尽くすべきではないだろうか（ファインのように、バイアスを排除することは現実的ではなく不可能だと主張する人もいるだろうが、本書の後半でそのためのアイデアをいくつか紹介する）。

科学のバイアスを正すために同じ量のバイアスを注入してバランスを取ろうとしても、問題がさらに悪化して、異なるイデオロギー陣営間の分裂がさらに広がるという悪循環に陥りかねない。科学者は自分のイデオロギー的な見解が研究に影響を与えることを誇りに思うべきだという提案にいたっては、マートンの規範である無私性と普遍性の両方に反するだろう（無私性

106 Rebecca M. Shansky, 'Are Hormones a "emale Problem" for Animal Research?', *Science* 364, no. 6443 (31 May 2019): pp. 825–6; https://doi.org/10.1126/science.aaw7570, p. 826. シャンスキーが説明しているように、最近は多くの資金提供者や学術誌が研究者に対し、実験に男女両方を含めることを要件としている。以下も参照。Janine Austin Clayton, 'Applying the New SABV (Sex as a Biological Variable) Policy to Research and Clinical Care', *Physiology & Behavior* 187 (April 2018): pp. 2–5; https://doi.org/10.1016/j.physbeh.2017.08.012

109 注108 p. 1303。これはカール・マルクスの著作をルーツとする哲学的な「立場論」に依る考え方で、自身のアイデンティティと経験（マルクスに言わせれば、労働者階級のアイデンティティと経験）が現実に対する見方を形成し、意識しなければ見逃してしまうかもしれない疎外された人々の視点に特に耳を傾けるべきだと強調している。以下の文献の「立場論」の項を参照。Elizabeth Anderson, 'Feminist Epistemology and Philosophy of Science', *The Stanford Encyclopedia of Philosophy*, ed. Edward N. Zalta (Spring 2020 Edition); https://plato.stanford.edu/archives/spr2020/entries/feminism-epistemology

に対しては、非科学的な関心が研究に影響を与えることになる。普遍性に対しては、科学的な議論が発信者の政治的な所属によって異なる基準を持つことになるかもしれない）。ゲリー・マッカートニーがマーガレット・サッチャーに関する論文で自分は社会党員であると宣言したのは、論文の科学的結論がまさに社会党のイデオロギーに沿ったものだったため、党員であることが出版後に明らかになったら恥をかくからだ。マッカートニーのように研究と直接の関係がない場合でも、科学者は自分の政治信念を科学に融合させることを恥じる気持ちを持つべきだ。

## バイアスは人間の性《さが》である

すべての科学者は、自分の研究に影響を与えるイデオロギー的な視点を持っている。このことを踏まえて、サミュエル・モートンの頭蓋骨の測定とスティーブン・ジェイ・グールドによる批判の話に戻ろう。２０１１年に人類学者のジェイソン・ルイスらは、グールドのようにモートンの数値だけを検証するのではなく、ペンシルバニア大学に所蔵されているモートンのコレクションから実際の頭蓋骨を借りて、約半数を現代の技術で再測定した。[110] ルイスのチームは、モートンが人種のグループに順位をつけたことは明らかに人種差別的だったことに同意したうえで、モートンが実際に測定ミスをしていたことを確認した。ただし、そのミスはグールドが言うような体系的なものではないとも主張した。測定ミスは多くの頭蓋骨で見られ、ある人種グループを他のグループより有利にしたとは思えない。また、モートンが白人の頭蓋骨により多くの種を詰め込んだというグールドの「もっともらしいシナリオ」ではなく、モートンがミスをしたと言及している助手のせいだとも考えられる。ルイスたちはそう指摘した。

さらに、グールドはモートンがサンプルのグループ分けを操作した（頭蓋骨の平均的なサイズが大きい非白人のグループに言及しなかった）と批判したが、ルイスたちはそのような操作はなかったと主張した。それどころか、グールド自身がミスをおかし、頭蓋骨の大きさは人種によって変わらないという自分の信念に沿うように、モートンのサンプルを分割したと指摘したのだ。グールドは著書『人間の測りまちがい：差別の科学史』（邦訳・河出書房新社）の序文で、自分が社会正義や自由主義的な政治に強く傾倒していることを率直に認めている。[111] ルイスの論文は、「皮肉なことに、グールド自身のモートンに関する分析のほうが、結果に影響を与えるバイアスの例として、より強力と思われる」と結論づけた。[112]

110　Jason E. Lewis et al., 'The Mismeasure of Science: Stephen Jay Gould versus Samuel George Morton on Skulls and Bias', *PLOS Biology* 9, no. 6 (7 June 2011): e1001071; https://doi.org/10.1371/journal.pbio.1001071. 新しい測定では、種や散弾ではなく小さなアクリル球を使った。この点は図らずも、モートンの19世紀の手法が21世紀の基準からかけ離れていなかったことを示している。頭蓋骨の再測定は１９８８年にもおこなわれ、人種的な結論は別にして、モートンの測定法とほぼ同じ結論が導き出された。John S. Michael, 'A New Look at Morton's Craniological Research', *Current Anthropology* 29, no. 2 (April 1988): pp. 349–54; https://doi.org/10.1086/203646

111　「私が『人間の測りまちがい：差別の科学史』を書いた最初の動機は、個人的なものと専門的なものが入り混じっていた。まず、この特別な問題に対する私の強い思いを告白しよう。私は社会正義を求める運動に代々参加する家系で育った」Gould, *The Mismeasure of Man*, p. 36. ジェイ・グールド『人間の測りまちがい』【引用は訳者】

何とも挑発的な言葉だ。グールドのように評判の高い人物がおこなった有名な分析が、本当に間違っていたのだろうか。もっとも、ルイスたちの主張を誰もが完全に受け入れたわけではない。哲学者のマイケル・ワイズバーグは、頭蓋骨を再測定した値が正しいことと、グールドがいくつかの分析に失敗したことには同意したうえで、グールドの主張の要点は正しいと述べた。[113]助手が悪気のないミスをしたかもしれないというのは憶測にすぎず、モートン（あるいは助手）が非白人の頭蓋骨が大きいと認めることに対して偏見を持っていたことは、証拠と一致した。そして、ミスが修正された後も人種による頭蓋骨の大きさの違いはほとんどないことを、グールドは何よりも批判したのだ。

（今のところ）最後のどんでん返しは、モートン自身が追加でおこなった頭蓋骨の測定値が2018年に再発見されたことだ。これらの新しいデータを考慮すると、種を使った測定値と散弾を使った測定値の差はモートンが不利な扱いをした人種のほうが大きいという見解は、グールドの批判の大部分を占めるものだが、もはや筋が通らなくなった。[114]

科学の現実的な疑問に答えるという意味で、ほこりまみれの頭蓋骨をめぐる議論は空論にすぎない。モートンが主張した頭蓋骨の大きさと人種グループの「精神的・道徳的能力」との疑わしい関連性を、仮に認めたとしても、彼のコレクションは世界中の頭蓋骨の代表的なサンプルではなく、したがって人種グループの一般的な違いについてはほとんど何も結論づけることはできない。[115]しかし、この堂々巡りの議論は、科学におけるバイアスと向き合うための明確な道徳を示している。監視する側も監視され、嘘を暴く側も暴かれなければならないのだ。そして、暴く側を暴いた人々が事実を正しく理解しているかどうかを、確認することも重要である。私たちはもうわかっているように、誰もが自分のバイアスに支配されている。「人種差別のバイアス」も「平等主義のバイアス」も「歴史的な科学者の間違いを証明したいというバイアス」も、すべてが真実をゆがめることに加担しているかもしれない。[116]

偏見は人間の避けられない本質である。何をするにしても、偏見を根絶できると考えるのは現実を知らなすぎる。しかし、私たちには、科学のテーブルにもう少し客観性をもたらすためのツールがある。統計的分析の目的は、バイアスがかかった人間の手から判断を奪うことだが、数字を自分のほうに引き寄せることがいかに簡単であるかはご存じのとおりだ。査読は研究者の先入観をチェックする役割を担っているとされている。しかし、筆者たちは査読者や編集者を説得して論文を出版してもらうために、都合の悪い結果を完全に隠し、自分の思い込みに無理やり適合させる。こうしたバイアスは、科学的な教義や政治的な偏向、経済的な圧力、あるいは単に統計的に有意な結果を得たいという願望など理由はさまざまだが、いずれも完全に無意識なものだ。査読者や世間を納得させたいなら、まず自分を納得させることだ。もっとも、

116　もちろん、社会的な影響という点で、人種差別は最も悪質である。ここで言いたいのは、これらはすべて、科学の結果に対する私たちの見方を偏らせる可能性があるということだ。

だからこそ、これらのバイアスは実に厄介なのだ。

公平性は、誠実さと同じように、科学が確実に持っていなければならない資質である。しかし残念ながら、私たちの科学のやり方では、正反対のことがしばしば起きている。次の章では科学の新たな皮肉を取り上げる。科学は事実を正しく理解することを目的としているにもかかわらず、私たちの研究には最も基本的な種類の誤りが多い。

---

引用：Arthur Schopenhauer, The World as Will and Presentation: Vol II, tr. David Carus and Richard E. Aquila (New York: Routledge, 2011)' T. H. Huxley, 'The Darwin Memorial' (1885).

1 たとえば以下を参照。Samuel George Morton, *Crania Americana* (London: Simkin, Marshall & Co., 1839); https://archive.org/details/Craniaamericana00Mort

3 Samuel George Morton, 'Aug. 8th, 1848, Vice President Morton in the Chair', *Proceedings of the Academy of Natural Sciences of Philadelphia* 4 (1848):pp. 75–76.

4 Stephen Jay Gould, *The Mismeasure of Man*, Rev. and Expanded (New York: Norton, 1996): p. 97. スティーブン・ジェイ・グールド『人間の測りまちがい』（河出書房新社）【引用は訳者】

5 S. J. Gould, 'Morton's Ranking of Races by Cranial Capacity. Unconscious Manipulation of Data May Be a Scientific Norm', *Science* 200, no. 4341 (5 May 1978): pp. 503–9; https://doi.org/10.1126/science.347573

6 前掲 p. 504。

7 以下の論文の付録はこれらのバイアスの有用な分類法を示している。David L. Sackett, 'Bias in Analytic Research', *The Case-Control Study Consensus and Controversy*, Elsevier (1979): pp. 51–63; https://doi.org/10.1016/B978-0-08-024907-0.50013-4

9 Daniele Fanelli, '"Positive" Results Increase Down the Hierarchy of the Sciences', *PLOS ONE* 5, no. 4 (7 April 2010): e10068; https://doi.org/10.1371/journal. pone.0010068

12 Robert Rosenthal, 'The File Drawer Problem and Tolerance for Null Results', *Psychological Bulletin* 86, no. 3 (1979): pp. 638–41; https://doi.org/10.1037/0033-2909.86.3.638

15 p値の計算の詳細は、p値がどのように機能するかを理解するために厳密には必要ない。一般的な統計学の明快な入門書としては、David Spiegelhalter,『The Art of Statistics』を薦める。Zoltan Dienes, *Understanding Psychology as a Science: An Introduction to Scientific and Statistical Inference* (New York: Palgrave Macmillan, 2008). ゾルタン・ディエネス『科学としての心理学――科学的・統計的推測入門』（新曜社）は統計学を取り巻く哲学的な問題をわかりやすく論じている。

16 Scott A. Cassidy et al., 'Failing Grade: 89% of Introduction-to-Psychology Textbooks That Define or Explain Statistical Significance Do So Incorrectly', *Advances in Methods and Practices in Psychological Science* 2, no. 3 (Sept. 2019): pp. 233–39; https://doi.org/10.1177/2515245919858072. See also Raymond Hubbard & M. J. Bayarri, 'Confusion Over Measures of Evidence (p's) Vers Errors ( α 's) in Classical Statistical Testing', American Statistician 57, no. 3 (Aug.2003): pp. 171–78; https://doi.org/10.1198/0003130031856

20 David Salsburg, *The Lady Tasting Tea: How Statistics Revolutionized Science in the Twentieth Century* (New York: Holt, 2002): p. 98. デイヴィッド・サルツブルグ『統計学を拓いた異才たち：経験則から科学へ進展した一世紀』（日本経済新聞出版）

21 Ronald A. Fisher, 'The Arrangement of Field Experiments', *Journal of the Ministry of Agriculture of Great Britain* 33 (1926): pp. 503-513, p. 504.

22 https://www.taps-aff.co.uk/. 気温以外にもさまざまな要素を考慮しているこの素晴らしい情報サービスはコリン・ワデルが立ち上げた。

23 有意差に関する大々的な議論を紹介している論文もある。Daniël Lakens et al., 'Justify Your Alpha', *Nature Human Behaviour* 2, no. 3 (Mar. 2018): pp. 168–71; https://doi.org/10.1038/s41562-018-0311-x

24 David Spiegelhalter, 'Explaining 5-Sigma for the Higgs: How Well Did They Do?', *Understanding Uncertainty*, 8 July 2012; https://understandinguncertainty.org/explaining-5-sigma-higgs-how-well-did-they-do

25 Richard Dawkins, 'The Tyranny of the Discontinuous Mind', New Statesman, 19 Dec. 2011; https://www.newstatesman.com/blogs/the-staggers/2011/12/issueessay-line-dawkins. ドーキンスの素晴らしい共著でさらに詳しい議論がされている。Richard Dawkins & Yan Wong, *The Ancestor's Tale: A Pilgrimage to the Dawn of Life*, rev. ed. (London: Weidenfeld & Nicolson, 2016). ドーキンス『祖先の物語』（小学館〈上下〉）。

29 David R. Shanks et al., 'Romance, Risk, and Replication: Can Consumer Choices and Risk-Taking Be Primed by Mating Motives?', *Journal of Experimental Psychology*: General 144, no. 6 (2015): e142–58; https://doi.org/10.1037/xge0000116. 別の例として、プライミング研究でも似たような結果だった。Paul Lodder et al., 'A Comprehensive Meta-Analysis of Money Priming', *Journal of Experimental Psychology*: General 148, no. 4 (April 2019): pp. 688–712; https://doi.org/10.1037/xge0000570

30 Panayiotis A. Kyzas et al., 'Almost All Articles on Cancer Prognostic Markers Report Statistically Significant Results', *European Journal of Cancer* 43,

no. 17 (Nov. 2007): pp. 2559–79; https://doi.org/10.1016/j.ejca.2007.08.030

31 Ioanna Tzoulaki et al.,'Bias in Associations of Emerging Biomarkers with Cardiovascular Disease', *JAMA Internal Medicine* 173, no. 8 (22 April 2013): p. 664; https://doi.org/10.1001/jamainternmed.2013.3018

32 以下を参照。Erick H. Turner et al., 'Selective Publication of Antidepressant Trials and Its Influence on Apparent Efficacy', *New England Journal of Medicine* 358, no. 3 (17 Jan. 2008): pp. 252–60; https://doi.org/10.1056/NEJMsa065779. 本稿の執筆時点で、抗鬱剤に関する最新のメタアナリシスは、鬱の症状に対して（穏やかな）効果があることを示している。Andrea Cipriani et al., 'Comparative Efficacy and Acceptability of 21 Antidepressant Drugs for the Acute Treatment of Adults with Major Depressive Disorder: A Systematic Review and Network Meta-Analysis', *Lancet* 391, no. 10128 (April 2018): pp. 1357–66; https://doi.org/10.1016/S0140-6736(17)32802-7

33 Akira Onishi & Toshi A. Furukawa, 'Publication Bias Is Underreported in Systematic Reviews Published in High-Impact-Factor Journals: Metaepidemiologic Study', *Journal of Clinical Epidemiology* 67, no. 12 (Dec. 2014): pp. 1320–26, https://doi.org/10.1016/j.jclinepi.2014.07.002

34 D. Herrmann et al., 'Statistical Controversies in Clinical Research: Publication Bias Evaluations Are Not Routinely Conducted in Clinical Oncology Systematic Reviews', *Annals of Oncology* 28, no. 5 (May 2017): pp. 931–37; https://doi.org/10.1093/annonc/mdw691

36 Daniel Cressey, 'Tool for Detecting Publication Bias Goes under Spotlight', Nature, 31 March 2017; https://doi.org/10.1038/nature.2017.21728; Richard Morey, 'Asymmetric Funnel Plots without Publication Bias', BayesFactor, 9 Jan. 2016; https://bayesfactor.blogspot.com/2016/01/asymmetric-funnel-plotswithout.html

37 A. Franco et al., 'Publication Bias in the Social Sciences: Unlocking the File Drawer', Science 345, no. 6203 (19 Sept. 2014): pp. 1502–5; https://doi.org/10.1126/science.1255484

39 これらの数字は the 'Published' column of Franco et al.'s Table 2 の表から最終行の合計を用いて値を分けて計算した。

40 引用はすべて以下より。Franco et al.'s 'Publication Bias', Supplementary Table S6.

41 出版バイアスに関するフランコの結論は以下の論文も支持している。Kerry Dwan et al., 'Systematic Review of the Empirical Evidence of Study Publication Bias and Outcome Reporting Bias', *PLOS ONE* 3, no. 8 (28 Aug. 2008): e3081; https://doi.org/10.1371/journal.pone.0003081. この問題については以下の論文もよく知られている。An-Wen Chan et al., 'Empirical Evidence for Selective Reporting of Outcomes in Randomized Trials: Comparison of Protocols to Published Articles', JAMA 291, no. 20 (26 May 2004): pp. 2457–65; https://doi.org/10.1001/jama.291.20.2457

42 Winston Churchill, *The World Crisis*, Vol III, Part 1, abridged and rev. ed. Penguin Classics (London: Penguin, 2007): p.193. 引用：Andrew Roberts, *Churchill: Walking with Destiny* (London: Allen Lane, 2018).

43 ブッシュ米政権のプログラム：Susan S. Lang, 'Wansink Accepts 14-Month Appointment as Executive Director of USDA Center for Nutrition Policy and Promotion', *Cornell Chronicle*, 20 Nov. 2007; http://news.cornell.edu/stories/2007/11/wansink-headusda-center-nutrition-policy-and-promotion. スマーター・ランチルーム：たとえば以下を参照。https://snapedtoolkit.org/interventions/programs/smarter-lunchrooms-movement-sml/

44 'The 2007 Ig Nobel Prize Winners', 4 Oct. 2007; https://www.improbable.com/ig/winners/#ig2007. 底なしスープボウルの論文：Brian Wansink and Matthew M. Cheney, 'Super Bowls: Serving Bowl Size and Food Consumption', JAMA 293, no. 14 (13 April 2005): pp. 1727–28; https://doi.org/10.1001/jama.293.14.1727. Richard H. Thaler & Cass R. Sunstein, *Nudge: Improving Decisions about Health, Wealth and Happiness* (New Haven: Yale University Press, 2008): p. 43. リチャード・セイラー、キャス・サンスティーン著『NUDGE 実践 行動経済学 完全版』（日経BP）で「ワンシンクの……もうひとつの傑作」として紹介されている。セイラーはのちにノーベル経済学賞を受賞している。

45 食器の大きさ：Wansink & Cheney, 'Super Bowls'. Shopping when hungry: Aner Tal & Brian Wansink, 'Fattening Fasting: Hungry Grocery Shoppers Buy More Calories, Not More Food', *JAMA Internal Medicine* 173, no. 12 (June 24, 2013): 1146–48; https://doi.org/10.1001/jamainternmed.2013.650. シリアルのパッケージ：Aviva Musicus et al., 'Eyes in the Aisles: Why Is Cap'n Crunch Looking Down at My Child?, *Environment and Behavior* 47, no. 7 (Aug. 2015): 715–33; https://doi.org/10.1177/0013916514528793. ワンシンクは自分の研究を宣伝する動画を作成しており、YouTubeで視聴できるものもある。以下の動画はシリアルの研究について説明している（https://www.youtube.com/watch?v=8u6xdGCIq6o）。動画の大きな反響は、シリアルの研究がなぜ不合理なのかという理由を詳細に（おそらく必要以上に詳細に）物語っている。Donald E. Simaneck, 'Debunking a Shoddy "Research" Study', *Donald Simanek's Skeptical Documents and Links*, April 2014; https://www.lockhaven.edu/~dsimanek/pseudo/cartoon_eyes.htm. ニンジンにエルモのシールを貼る：Brian Wansink et al., 'Can Branding Improve School Lunches?', *Archives of Pediatrics & Adolescent Medicine* 166, no. 10 (1 Oct. 2012): 967–68; https://doi.org/10.1001/archpediatrics.2012.999

47 Christie Aschwanden, 'We're All "P-Hacking" Now', *Wired*, 26 Nov. 2019; https://www.wired.com/story/were-all-p-hacking-now/

48 Joseph P. Simmons et al., 'False-Positive Psychology: Undisclosed Flexibility in Data Collection and Analysis Allows Presenting Anything as Significant', *Psychological Science* 22, no. 11 (Nov. 2011): pp. 1359–66; https://doi.org/10.1177/0956797611417632

49 Norbert L. Kerr, 'HARKing: Hypothesizing After the Results Are Known', *Personality and Social Psychology Review* 2, no. 3 (Aug. 1998): pp. 196–217; https://doi.org/10.1207/s15327957pspr0203_4

50 「テキサスの狙撃兵」のたとえの由来は以下を参照。Barry Popik, 'Texas Sharpshooter Fallacy', *The Big Apple*, 9 March 2013; https://www.barrypopik.com/index.php/texas/entry/texas_sharpshooter_fallacy/

53 「超能力者」のたとえは以下を参照。Lee McIntyre, *The Scientific Attitude: Defending Science from Denial, Fraud, and Pseudoscience* (Cambridge, Massachusetts: The MIT Press, 2019).

56 Tim van der Zee et al., 'Statistical Heartburn: An Attempt to Digest Four Pizza Publications from the Cornell Food and Brand Lab', *BMC Nutrition* 3, no. 1 (Dec. 2017): 54; https://doi.org/10.1186/s40795-017-0167-x

57 'Notice of Retraction: The Joy of Cooking Too Much: 70 Years of Calorie Increases in Classic Recipes, *Annals of Internal Medicine* 170, no. 2 (Jan. 15, 2019): p. 138; https://doi.org/10.7326/L18-0647

58 Brian Wansink et al., 'Notice of Retraction and Replacement. Wansink B, Just DR, Payne CR. Can Branding Improve School Lunches? Arch Pediatr

Adolesc Med. 2012;166(10):967-968. Doi:10.1001/Archpediatrics.2012.999', *JAMA* Pediatrics, 21 Sept. 2017; https://doi.org/10.1001/jamapediatrics.2017.3136. 一連の問題を最初に指摘したのは Nicholas J. L. Brown, 'A Different Set of Problems in an Article from the Cornell Food and Brand Lab', *Nick Brown's Blog*, 15 Feb. 2017; http://steamtraen.blogspot.com/2017/02/a-different-set-of-problems-in-article.html。ワンシンクのオリジナルの研究を批判している別の研究者は問題が見つかった論文をすべてまとめている。Tim van der Zee, 'The Wansink Dossier: An Overview', *The Skeptical Scientist*, March 21, 2017; http://www.timvanderzee.com/the-wansink-dossier-an-overview/

61 Stephanie M. Lee, 'Here's How Cornell Scientist Brian Wansink Turned Shoddy Data Into Viral Studies About How We Eat', *BuzzFeed News*, 25 Feb. 2018; https://www.buzzfeednews.com/article/stephaniemlee/brian-wansink-cornell-p-hacking

62 「the Bullied into Bad Science」の取り組みが示しているとおり、残念ながら研究者への依頼は多くの場合実にぞんざいである。; http://bulliedintobadscience.org/

63 Dana R. Carney, 'My Position on "Power Poses"', 26 Sept. 2016; http://faculty.haas.berkeley.edu/dana_carney/pdf_My%20position%20on%20power%20poses.pdf

64 https://twitter.com/nicebread303/status/780395235268501504; https://twitter.com/PeteEtchells/status/780425109077106692; https://twitter.com/cragcrest/status/780447545126293504; https://twitter.com/timothycbates/status/780386384276230144;https://twitter.com/MichelleNMeyer/status/780437722393698305; https://twitter.com/eblissmoreau/status/780594280377176064

65 引用：Jesse Singal & Melissa Dahl, 'Here Is Amy Cuddy's Response to Critiques of Her Power-Posing Research', *The Cut*, 30 Sept. 2016; https://www.thecut.com/2016/09/read-amy-cuddys-response-to-power-posing-critiques.html

70 R. Silberzahn et al., 'Many Analysts, One Data Set: Making Transparent How Variations in Analytic Choices Affect Results', *Advances in Methods and Practices in Psychological Science* 1, no. 3 (Sept. 2018): pp. 337–56; https://doi.org/10.1177/2515245917747646; Justin F. Landy et al., 'Crowdsourcing Hypothesis Tests: Making Transparent How Design Choices Shape Research Results', *Psychological Bulletin* (16 Jan. 2020); https://doi.org/10.1037/bul0000220

71 Tal Yarkoni & Jacob Westfall, 'Choosing Prediction Over Explanation in Psychology: Lessons from Machine Learning', *Perspectives on Psychological Science* 12, no. 6 (Nov. 2017): pp. 1100–1122, p. 1104; https://doi.org/10.1177/1745691617693393

72 Andrew Gelman & Eric Loken, 'The Garden of Forking Paths: Why Multiple Comparisons can be a Problem, Even When There is no "Fishing Expedition" or "*p*-Hacking" and the Research Hypothesis was Posited Ahead of Time', unpublished, 4 Nov. 2013; http://www.stat.columbia.edu/~gelman/research/unpublished/p_hacking.pdf. And Jorge Luis Borges, 'The Garden of Forking Paths', *Labyrinths*, tr. Donald A. Yates (New York: New Directions, 1962, 1964).

74 Roger Giner-Sorolla, 'Science or Art? How Aesthetic Standards Grease the Way Through the Publication Bottleneck but Undermine Science', *Perspectives on Psychological Science* 7, no. 6 (Nov. 2012): pp. 567-571; https://doi.org/10.1177/1745691612457576

77 Sabine Hossenfelder, *Lost in Math: How Beauty Leads Physics Astray* (New York: Basic Books, 2018). ザビーネ・ホッセンフェルダー『数学に魅せられて、科学を見失う』（みすず書房）。ホッセンフェルダーは、物理における哲学的で理論的な厄介な問題は「ふたをされて」、物理学者は「出版されやすい結果を短期間で出せそうな問題」を好むと主張している。以下を参照。Lee Smolin, *The Trouble with Physics: The Rise of String Theory, the Fall of a Science and What Comes Next* (London: Allen Lane, 2007)・リー・スモーリン『迷走する物理学』（武田ランダムハウスジャパン）、Peter Woit, *Not Even Wrong: The Failure of String Theory and the Continuing Challenge to Unify the Laws of Physics* (London: Vintage Books, 2007). ピーター・ウォイト『ストリング理論は科学か―現代物理学と数学』（青土社）

78 Catherine De Angelis et al., 'Clinical Trial Registration: A Statement from the International Committee of Medical Journal Editors', *New England Journal of Medicine* 351, no. 12 (16 Sept. 2004): pp. 1250–51; https://doi.org/10.1056/NEJMe048225

80 http://compare-trials.org

82 Philip M. Jones et al., 'Comparison of Registered and Reported Outcomes in Randomized Clinical Trials Published in Anesthesiology Journals', Anesthesia & Analgesia 125, no. 4 (Oct. 2017): pp. 1292–1300; https://doi.org/10.1213/ANE.0000000000002272; 以下も参照。Douglas G. Altman et al., 'Harms of Outcome Switching in Reports of Randomised Trials: CONSORT Perspective', *BMJ* (14 Feb. 2017): j396; https://doi.org/10.1136/bmj.j396

83 臨床試験をめぐる問題を丸ごと1冊かけて取り上げている本もある。Ben Goldacre, *Bad Pharma: How Drug Companies Mislead Doctors and Harm Patients* (London: Fourth Estate, 2012)・ベン・ゴールドエイカー著『悪の製薬：製薬業界と新薬開発がわたしたちにしていること』（青土社）、*Richard F. Harris, Rigor Mortis: How Sloppy Science Creates Worthless Cures, Crushes Hope, and Wastes Billions* (New York: Basic Books, 2017). リチャード・ハリス著『生命科学クライシス―新薬開発の危ない現場』（白揚社）

87 D. N. Lathyris et al., 'Industry Sponsorship and Selection of Comparators in Randomized Clinical Trials', *European Journal of Clinical Investigation* 40, no. 2 (Feb. 2010): pp. 172–82; https://doi.org/10.1111/j.1365-2362.2009.02240.x. Candice Estellat, 'Lack of Head-to-Head Trials and Fair Control Arms: Randomized Controlled Trials of Biologic Treatment for Rheumatoid Arthritis', *Archives of Internal Medicine* 172, no. 3 (13 Feb. 2012): pp. 237–44; https://doi.org/10.1001/archinternmed.2011.1209

90 以下を参照。Tom Chivers, 'Does Psychology Have a Conflict-of-Interest Problem?', *Nature* 571, no. 7763 (July 2019): pp. 20–23; https://doi.org/10.1038/d41586-019-02041-5

92 Sharon Begley, 'The Maddening Saga of How an Alzheimer's "Cabal" Thwarted Progress toward a Cure for Decades', *STAT News*, 25 June 2019; https://www.statnews.com/2019/06/25/alzheimers-cabal-thwarted-progress-toward-cure/

93 Yan-Mei Huang et al., 'Major Clinical Trials Failed the Amyloid Hypothesis of Alzheimer's Disease', *Journal of the American Geriatrics Society* 67, no. 4 (April 2019): pp. 841–44; https://doi.org/10.1111/jgs.15830; and Francesco Panza et al., 'A Critical Appraisal of Amyloid-β-Targeting Therapies for Alzheimer Disease', *Nature Reviews Neurology* 15, no. 2 (Feb. 2019): pp. 73–88; https://doi.org/10.1038/s41582-018-0116-6

94 Karl Herrup, 'The Case for Rejecting the Amyloid Cascade Hypothesis', *Nature Neuroscience* 18, no. 6 (June 2015): pp. 794–99; https://doi.org/10.1038/

nn.4017

95 Judith R. Harrison & Michael J. Owen, 'Alzheimer's disease: The amyloid hypothesis on trial', *British Journal of Psychiatry* 208, no. 1 (Jan. 2016): pp. 1–3; http://doi.org/10.1192/bjp.bp.115.167569

96 G. McCartney et al., 'Why the Scots Die Younger: Synthesizing the Evidence', *Public Health* 126, no. 6 (June 2012): pp. 459-470, p. 467; https://doi.org/10.1016/j.puhe.2012.03.007. このめずらしい利益相反の記述に関する議論は以下を参照。G. L. McCartney et al., 'When Do Your Politics Become a Competing Interest?', *BMJ* 342 (25 Jan. 2011): d269; https://doi.org/10.1136/bmj.d269

98 José L. Duarte et al., 'Political Diversity Will Improve Social Psychological Science', *Behavioral and Brain Sciences* 38 (2015): e130; https://doi.org/10.1017/S0140525X14000430

100 Lee Jussim, 'Is Stereotype Threat Overcooked, Overstated, and Oversold?', *Rabble Rouser*, 30 Dec. 2015; https://www.psychologytoday.com/gb/blog/rabble-rouser/201512/is-stereotype-threat-overcooked-overstated-and-oversold

101 Paulette C. Flore & Jelte M. Wicherts, 'Does Stereotype Threat Influence Performance of Girls in Stereotyped Domains? A Meta-Analysis', *Journal of School Psychology* 53, no. 1 (Feb. 2015): pp. 25–44; https://doi.org/10.1016/j.jsp.2014.10.002 and Paulette C. Flore et al., 'The Influence of Gender Stereotype Threat on Mathematics Test Scores of Dutch High School Students: A Registered Report', *Comprehensive Results in Social Psychology* 3, no. 2 (4 May 2018): pp. 140–74; https://doi.org/10.1080/23743603.2018.1559647. ステレオタイプに関する出版バイアスが研究を脅かすという証拠は以下を参照。Oren R. Shewach et al., 'Stereotype Threat Effects in Settings with Features Likely versus Unlikely in Operational Test Settings: A Meta-Analysis', *Journal of Applied Psychology* 104, no. 12 (Dec. 2019): pp. 1514–34; https://doi.org/10.1037/apl0000420

103 Corinne A. Moss-Racusin et al., 'Gender Bias Produces Gender Gaps in STEM Engagement', *Sex Roles* 79, no. 11–12 (Dec. 2018): pp. 651–70; https://doi.org/10.1007/s11199-018-0902-z. 逆の見解は以下を参照。*The Underrepresentation of Women in Science: International and Cross-Disciplinary Evidence and Debate*, eds., Stephen J. Ceci et al., (Frontiers Research Topics: Frontiers Media SA, 2018); https://doi.org/10.3389/978-2-88945-434-1

104 Jill B. Becker et al, 'Female Rats Are Not More Variable than Male Rats: A Meta-Analysis of Neuroscience Studies', *Biology of Sex Differences* 7, no. 1 (Dec. 2016): 34; https://doi.org/10.1186/s13293-016-0087-5

105 International Mouse Phenotyping Consortium, Natasha A. Karp, et al., 'Prevalence of Sexual Dimorphism in Mammalian Phenotypic Traits', Nature Communications 8, no. 1 (Aug. 2017): 15475; https://doi.org/10.1038/ncomms15475

107 Cordelia Fine, *Testosterone Rex: Unmaking the Myths of Sex of Our Gendered Minds* (London: Icon Books, 2017).

108 Cordelia Fine, 'Feminist Science: Who Needs It?', *Lancet* 392, no. 10155 (Oct. 2018): pp. 1302–3; https://doi.org/10.1016/S0140-6736(18)32400-0

112 Lewis et al., 'The Mismeasure of Science', p. 6.

113 Michael Weisberg, 'Remeasuring Man', *Evolution & Development* 16, no. 3 (May 2014): pp. 166–78; https://doi.org/10.1111/ede.12077. See also Michael Weisberg & Diane B. Paul, 'Morton, Gould, and Bias: A Comment on "The Mismeasure of Science"', ed. David Penny, *PLOS Biology* 14, no. 4 (19

April 2016): e1002444; https://doi.org/10.1371/journal.pbio.1002444

114 Mitchell, 'The Fault in his Seeds'.

115 Jonathan Michael Kaplan et al., 'Gould on Morton, Redux: What Can the Debate Reveal about the Limits of Data?', *Studies in History and Philosophy of Science Part C: Studies in History and Philosophy of Biological and Biomedical Sciences* 52 (Aug. 2015): pp. 22–31; https://doi.org/10.1016/j.shpsc.2015.01.001. 同様の主張は以下も参照。 Joseph L. Graves, 'Great Is Their Sin: Biological Determinism in the Age of Genomics', *Annals of the American Academy of Political and Social Science* 661, no. 1 (Sept. 2015): pp. 24–50; https://doi.org/10.1177/0002716215586558

# 第5章　過失

無知は白紙であり、新たに書くことができるかもしれないが、誤りはすでに走り書きされていて、まずそれを消さなければならない。

――チャールズ・カレブ・コルトン『簡潔に、あるいは数語で多くを語る』（1820年）

物理学には法則があり、数学には証明があり、社会科学には「定型化された事実」がある。「より多くの教育を受けた人ほど、生涯に得る収入は高くなる」「民主主義国は互いに戦争をしない傾向がある」といった記述だ。[1] これらは法則や証明のように決定的なものではないが、広範かつ重要で再現性のある知見を簡潔に表現しているとされている。物理学者が新しい法則を発見したい（あるいは、すでにわかっている法則をくつがえす方法を見つけたい）と思うように、数学者が定理を証明しようとひたすら研究を続けるように、多くの社会科学者、特に経済学者は、重要な決定を下す人々が指針とするような、自分の名前を冠した定型化された事実を発見しようと躍起になる。経済学者のカーメン・ラインハートとケネス・ロゴフも２０１０年に重要な論文を発表したとき、定型化された事実を発見したいと思っていた。

２００8年から2年間、政治家は金融危機とそれに続く大不況に対処しようと必死だった。相反するアドバイスが飛び交うなか、「債務を抱える時期の経済成長」と題されたラインハートとロゴフの論文は、緊縮財政を推奨する強力な証拠を提示し、天からの贈り物と歓迎された。[2]ラインハートとロゴフは以前から、国が債権者に対して負う債務（公的債務。少々紛らわしいが、政府債務やソブリン債とも呼ばれる）と、その国が新たに生産できる財やサービス（ＧＤＰ／国内総生産）との関係を研究していた。そして、債務残高と経済成長率の関係に注目し、数十カ国の過去のデータを用いて調べたところ、債務残高のＧＤＰ比が30～60％と低い場合は経済成長との関連性はあまり見られないが、90％というきわめて高い閾値を超えた国は経済が縮小していることがわかった。

この研究が甚大な影響力を持った理由は、主な結果が様式化された事実――「債務残高がＧＤＰ比で90％を超えると経済成長が減速する」――になりやすかったからでもあるだろう。メディアで大々的に取り上げられただけでなく、不況に対処しようとしていた多くの国で、政府は（支出の削減か増税、あるいはその両方によって）債務の返済を進め、対ＧＤＰ比を重要な指標である90％以下にするべきだという緊縮財政政策の構築を支えた。さらに、ジョージ・オズボーン英財務大臣（当時）の重要な演説や、米上院および下院予算委員会の共和党議員による声明でも言及された。[3] ラインハートとロゴフが発信したメッセージを批判した経済学者のポール・クルーグマンによると、緊縮財政を支持する多くの政治家がこの研究に言及したため、「経済学史において過去に発表されたどの論文よりも、公の議論に直接的な影響を与えたかもしれない[4]」。

だからこそ、その後に起きたことが本書と関連してくる。この論文を批判していた研究者たちは２０１３年に、ラインハートとロゴフが分析に使ったマイクロソフト・エクセルのスプレッドシートに誤りがあることを発見した。[5] オーストラリア、オーストリア、ベルギー、カナダ、デンマークの債務が計算から除外されていたのだ。その理由は、恐ろしく平凡なものだった。タイプミスだ。これを修正し、さらにラインハートとロゴフがおこなった議論の余地のある分析上の選択をいくつか修正したところ、債務残高のＧＤＰ比と経済成長率の関係は劇的に変わった。[6] 当初は債務残高のＧＤＰ比が90％を超える場合、平均成長率はマイナス０・１％とされ

2　彼らの研究はしばらく「ワーキングペーパー」としてオンラインで公開されていたが（最後の章で説明するとおり、経済学ではよくあることだ）、最終的に以下の論文として出版された。Carmen M. Reinhart and Kenneth S. Rogoff, 'Growth in a Time of Debt', *American Economic Review* 100, no. 2 (May 2010): pp. 573–78; https://doi.org/10.1257/aer.100.2.573

ていたが、修正後はプラス2・2%になった。90%という数字は魔法でも何でもなく、その閾値を境に突然、経済成長率がマイナスになるわけでもなかった。実際は、「公的債務のあらゆるレベルにおいて、GDPの成長率に幅があった」のだ。[7]このように、最初の定型化された事実よりもはるかに複雑な主張を慎重に検討していれば、この論文がこれほどまでに注目されていたとは考えにくい。

では、1つのタイプミスが世界経済を変えたのだろうか。そうではない。ラインハートとロゴフの論文とその様式化された「事実」は驚くほど広い範囲に影響を与えたが、債務残高のGDP比を低く維持するという考え方は、1つの研究だけに依存するものではない。[8]タイプミスは、ラインハートとロゴフの結論を弱めただけで、完全に無効にしたわけではない。また、先述のとおり、タイプミスだけが批判されたわけでもない。2人の研究が存在しなかったとしたら緊縮財政を好む人々が別の根拠を見つけたかどうかを確かめるために、世界の政治をやり直すことはできないし、いずれにせよ間違いなく多くの人が緊縮財政を実施しただろう。

とはいえ、こうした初歩的な誤りが有力政治家の判断材料になったという事実は、深く憂慮するべきだ。このような誤りがほかにもどのくらい存在して、科学文献を脅かし、現実の意思決定にまで影響を与えているのだろうかと思わずにいられない。

ほかにもどのくらい存在するのか――答えは「あまりに多い」だ。この章では2種類の科学的な過失を取り上げる。1つは、怠慢や見落とし、不注意によって科学的分析に持ち込まれた誤りだ。もう1つは、よく知っているはずの科学者が、研究を計画する段階で誤りを組み込んでしまう場合だ。後者は訓練不足や無関心、忘れっぽさ、あるいは残酷な言い方だが、単なる無能によるものだ。こうした過失による誤りは、科学のシステムが本来の重要な目的を果たせていないことをあらためて示す痛ましい証拠になる。

## 数値の誤りをどう見抜くか

科学論文において数値の誤りはどのくらいあるのだろうか。2016年に心理学者のミシェル・ナウテンが率いるオランダの研究者グループがその解明に挑んだ。彼らが使ったツールは「スタットチェッカー」[9]だ。科学論文をスタットチェック（統計チェック）」というアルゴリズムで、いわば「統計学のためのスペルチェック」だ。科学論文をスタットチェックにかけると、論文中の数字を徹底的に調べてp値の間違いを指摘する。統計的検定の数値の多くが互いに依存しているため、一部の数値がわかれば、ほかの数値を再現できる（ピタゴラスの定理のおかげで、直角三角形の2辺の長さがわかれば、斜辺の長さを計算で求められるのと同じだ）。p値と他の関連する数値が矛盾しているなら、

6　ラインハートとロゴフは指摘されたエクセルの誤りを認めたが、ほかの多くの批判には同意しなかった。Carmen M. Reinhart & Kenneth S. Rogoff, 'Reinhart-Rogoff Response to Critique', *Wall Street Journal*, 16 April 2013; https://blogs.wsj.com/economics/2013/04/16/reinhart-rogoff-response-tocritique/

おそらく何かが正しくないのだろう。

ナウテンたちは1985〜2013年に主要な8つの心理学誌に掲載された論文3万件以上をスタットチェックにかけた。[10] この膨大なサンプルから発見されたことは、実に厄介だった。関連する統計を含む論文の半数近くに、少なくとも1つの数値的な矛盾が見つかったのだ。公平を期して言えば、その大半は軽微なもので、全体の結果にはほとんど影響を与えていなかった。ただし、なかには結論に大きな影響を与えるものもあった。実に13%の論文が、結果の解釈を完全に変えるかもしれない、ラインハートとロゴフのような重大な誤りをおかしていた（たとえば、統計的に有意なp値を有意でないp値に変えたり、その逆もあった）。もちろん、このような矛盾は、単純なタイプミスやコピー・アンド・ペーストのミスから意識的な不正行為まで、さまざまな理由で起こり得る。スタットチェックは科学的な文脈において誤りを強調するためのもので、真相究明をするわけではない。

ナウテンたちの分析結果で特に興味深いのは、過失とバイアスの関係だ。スタットチェックが指摘する矛盾は、論文の筆者にとって有利なものが多い。つまり、数字の間違いは、より自分の仮説に合致させるものであるという傾向が見られた。これらが完全に無作為なタイプミスであれば、平均して特定の側に寄ることはないだろう。しかし、バイアスについて私たちが知っていることから予想できるように、科学者は結果が自分の意に沿わない場合はもう一度、見直したがる。一方で、自分の理論を裏づける誤った結果は、再確認するにはあまりにも惜しいものだ。

論文で報告されている数値が正しいかどうかを調べる「GRIM（粒度に関連する平均値の不整合）テスト」[11]は、明らかに洗練されていない名前だが実に洗練された手法である。データ探偵のニック・ブラウンとジェームズ・ヘザーズが考案したこのテストは、ある数字の集合の平均（特に算術平均）が、その集合に含まれる数字の件数を考えたときに意味を成すかどうかを調べる。たとえば、自分の仕事にどのくらい満足しているかを0〜10で評価するアンケートをおこなう（点数は「4」「5」など整数のみで「3・7」は不可とする）。最も単純な例として、2人に回答させて平均値を出す。つまり、2つの点数を足して2で割る。このとき小数点以下の桁に注目すると、回答者が2人のとき、その平均の小数点以下は「・00」か「・50」にしかならない。もし平均が4・40なら、何かが間違っていることになる。整数を半分に割って、そのような小数点以下が出ることはあり得ないからだ。

GRIMテストは、この論理をより大規模なサンプルに適用する。たとえば、20人の参加者が対象を0〜10の整数で評価した場合、平均が3・08になることはあり得ない。20で割るときに、小数点以下は「・05」刻みにしかならないからだ。3・00や3・10、3・15になることはあるが、3・08はあり得ない。[12]ブラウンとヘザーズは、出版されている心理学の論文から71本を選んでGRIMテストをおこなった。すると、半分の論文が少なくとも1つの

12　計算機や以下のアプリを使って検証してみよう。http://nickbrown.fr/GRIM

あり得ない数値を報告しており、20％に複数のあり得ない数値が含まれていた。スタットチェックと同じように、ＧＲＩＭテストで発見された誤りには無害な理由によるものもあるが、さらに詳しい調査が必要だという警告なのだ。

ここで３・０８という数字を例に挙げたのは、ＧＲＩＭテストの歴史において、さらには一般的な心理学研究の歴史において、注目に値する数字の１つだからだ。２０１６年に心理学者のマッティ・ハイノは、史上最も有名な心理学論文の１つにＧＲＩＭテストを適用した。レオン・フェスティンガーとジェームズ・カールスミスが１９５９年に発表した「認知的不協和」に関する論文だ。[13]

認知的不協和とは、今では広く知られている理論で、人は自分の本当の考えと矛盾する言動を強要されると、心理的に不快感を覚え、それを解消するために自分の考えを変えて言動に合わせようとする。１９５９年の実験で、参加者はペグボード（パンチングボード）の穴に差したペグを回し続けるなど、退屈で無意味な作業をさせられた。作業が終わると一部の参加者に１ドルの報酬を渡し、次に同じ作業をする参加者に、とても興味深くて楽しい作業だったと伝えさせた。実験後のインタビューでは、１ドルをもらって楽しい作業だと嘘をついた参加者は、報酬をもらわなかった参加者より、はるかに楽しい作業だったと答えた。つまり、彼らは楽しい作業だと思い込むことによって、心理的な不協和を和らげていた。[14]

ただし、ハイノがＧＲＩＭテストを使って指摘したように、この実験では参加者の感覚だけでなく、フェスティンガーとカールスミスの数字も矛盾していた。[15] 彼らは20人のサンプルの平均を３・０８（０～10の整数で作業のおもしろさを評価）と報告しているが、先ほど見たとおり、あり得ない数字だ。ほかにもいくつかの平均の値がＧＲＩＭテストに合格しなかった。

認知的不協和は直感的に理解できる有用な概念であり、フェスティンガーとカールスミスの実験は聡明で印象に残るものだった。しかし、長年にわたり彼らの研究を引用してきた大勢の研究者は、あり得ない数字で埋めつくされていることを知っていても引用しただろうか。[16] この件は科学文献から得られた「古典的な」知見、つまり、最も厳密に検証されたと思いたいものでさえ、まったく信頼できないときもあることをあらためて気づかせる。最も重要な部分であるはずの数字やデータが、注目を集めるストーリーをつくるためのまやかしにすぎないのだ。

数値の間違いは、はるかにリスクの高い科学分野でも、不安になるほど多く見られる。先に紹介したとおり、世界で最も多くの（あくまでも本書の執筆時点で最も多くの）科学的不正をおこなってきたのは、麻酔科医の藤井善隆だ。藤井が長年、手を染めてきたデータ捏造に終止符を打ったのは、同じ麻酔科医でランダム化（無作為化）試験が本当にランダム化されているかどうかを確かめる統計手法を考案したジョン・カーライルだった。[17]

14　実は20ドルが支払われた第３のグループもあった。彼らは報酬が支払われなかったグループと同じように、作業は退屈だったと答えている。おそらく作業に対する自分の考えを変えるのではなく、20ドルのことを考えて認知的不協和を和らげたのだろう。

16　この論文はグーグル・スカラーによると２０２０年１月の時点で４２００回以上引用されている。

ランダム化比較試験では参加者のグループ分け（たとえば、治験薬を投与する群と、プラセボを投与する群）に際し、前もって用意した方法、つまりバイアスの影響を受けているかもしれない方法ではなく、参加者がそれぞれコインをはじくなどの方法でランダムに振り分ける。このグループ分けのプロセスはとても重要だ。特に、試験を始める前に（専門用語で「ベースラインにおいて」）グループ間に大きな違いがないことを確認しなければならない。一方のグループのほうが健康である、教育水準が高い、年齢が高いなど、結果に影響を与える可能性がある要素について著しく異なる場合、公正な試験とは言えない[18]。

したがって、ランダム化比較試験の最初の段階で複数の群のあいだに大きな違いが存在する場合、ランダム化のプロセスが失敗したのではないかという問題が生じる。反対に、複数の群が完全に一致していて、あらゆる数字にはノイズが含まれるという鉄則を不可解にも回避している場合も問題がある。ランダム化をおこなった後でも、群のあいだにわずかな差が偶然、生じると考えられるからだ。カーライルの分析手法はこの点に注目している。そして、藤井の論文を100本以上チェックしたところ、データが信じがたいほど完全に一致していた。たとえば、試験対象の患者の年齢、身長、体重の分布はほぼ完全に一致していた。このような偶然が現実に起きる確率は10の33乗（1兆×1兆×10億）分の1以下である[19]。予想どおり、藤井は詐欺師であることが判明した。

2017年にカーライルは、8つの学術誌に掲載された5087件の医学的な臨床試験にこの間違い探しの手法を用いて、欠陥のあるランダム化や疑わしいほど完璧なランダム化をあぶり出した。[20] もちろん、運悪く疑わしいと見えるだけの試験もあるだろう。しかし、その点を考慮しても、調査した試験の５％に疑わしいデータが含まれていることがわかった。グループを適切にランダム化しなかったために試験が完全に汚染されて、結果が無意味になったかもしれない試験が数百件、存在するということだ。藤井のような不正はこうした破綻のごく一部にすぎず、カーライルが発見したのは、基本的に故意ではない間違いだったと思われる。とはいえ、医師が患者の治療法を選択するために結果を利用するという医学的な試験の重要性を考えれば、そうした無邪気なミスが非常に深刻な事態につながる。[21]

スタットチェック、ＧＲＩＭテスト、カーライルの手法の優れた点は、p値、平均値、サンプルサイズ、標準偏差など、論文が日常的に提供しているサマリーデータがあれば実行できる

20　J. B. Carlisle, 'Data Fabrication and Other Reasons for Non-Random Sampling in 5087 Randomised, Controlled Trials in Anaesthetic and General Medical Journals', *Anaesthesia* 72, no. 8 (Aug. 2017): pp. 944–52; https://doi.org/10.1111/anae.13938. カーライルの主な目的のひとつは、麻酔に関する疑わしい臨床試験が、医学のほかの分野に比べて問題があるかどうかを検証することだった。そして、麻酔に関する間違いは、麻酔以外の研究における間違いと同じくらい悪質だと結論づけた。

21　誰もがカーライルの手法に感心したわけではない。『アネスシージアロジー』の編集者は痛烈な批判記事を執筆し、カーライルの統計の欠陥をいくつか指摘して、ランダム化の失敗の主な原因はエラーというより不正であると彼が示唆したことを責めた（Evan D. Kharasch & Timothy T. Houle, 'Errors and Integrity in Seeking and Reporting Apparent Research Misconduct', *Anesthesiology* 127, no. 5 (Nov. 2017): pp. 733–37; https://doi.org/10.1097/ALN.0000000000001875）。カーライルの反応は、私はとても説得力があると思うが（J. B. Carlisle, 2018, 'Seeking and Reporting Apparent Research Misconduct: Errors and Integrity – a Reply', *Anaesthesia* 73, no. 1 (Jan. 2018): pp. 126–28; https://doi.org/10.1111/anae.14148）、観察者自身が観察される必要があるという、また別の興味深い例でもある。いずれにせよ、次の章で見るとおり、栄養学研究のきわめて重要な試験についてランダム化の失敗が判明しており、カーライルの手法が完全に的外れだったわけではないと言えるだろう。

ことだ。完全なオリジナルデータのスプレッドシートにアクセスする必要はない。これは好都合でもある。科学者は、「誠実な」研究者から丁重に依頼されても、自分のデータをなかなか共有しようとしないからだ。2006年の調査では、電子メールで依頼された場合にデータをほかの研究者に送信してもいいと答えた心理学者はわずか26％で、ほかの分野でも似たような暗澹たる数字が報告されている。また、研究の発表から時間が経つほど、データにアクセスできる可能性はかなり低くなる。[22]

データの共有に消極的であることは、科学の中心にある自己批判の重要なプロセス、すなわちマートンの規範の「共有性」と「組織的な懐疑主義」を阻んでいる。また、先に挙げた3つの手法は優れているが、自由に使える詳細なデータセット全体を使った徹底的な監査に比べれば見劣りする。しかし、現時点では、科学者がデータを公開したがらない動機（自分が発表した研究の誤りを誰かが見つけるのではないかという不安も含む）は、データを共有するべきマートン的理由より明らかに強い。

基本的に、すべての科学分野に数値のミスはつきものだ。ただし、分野によって独自のエラーもある。例として、細胞株について考えてみよう。細胞株は永遠に増殖し続ける事実上不滅の生物学的培養物で、健康な細胞やガン細胞などさまざまな種類の細胞を研究する際のモデルとして使われる。最初の不死化細胞株が作られてから数年後の1958年に、科学者が十分に注意を払わないと、異なる細胞株や、さらには異なる種の細胞が混入するおそれがあることが指摘された。[23] 誰かがサンプルのラベルを貼り間違える、複数の研究者が近すぎる距離で作業する、研究室が散らかっている、機器が適切に洗浄・滅菌されていないなど、簡単に起こり得る事態だ。

細胞培養中の汚染がとりわけ深刻なのは、ほかの細胞株より成長が早いものや頑丈なものがあり、研究者が気づかないうちに別の細胞株に完全に取って代わられるかもしれないからだ。言うまでもなく、研究をしていたつもりが、間違った種類の細胞で実験をおこなえば、すべての結果が台無しになる。骨肉腫の研究をしていたつもりが、使っていた細胞が大腸ガンのものだった、人間の細胞で研究していたつもりが、実は豚やネズミの細胞だったというのだから。[24]

そのような実験結果は再現できなくて当然だ。権威ある『ネイチャー・レビューズ・キャンサー』に掲載されたある論説は、率直に憂慮を示している。「科学界はこの問題に取り組むことができず、その結果、誤って同定された細胞株を使用して、誤解を招き、おそらく間違っている論文が数千件発表されている」[25]

数千件どころではない。２０１７年におこなわれた分析では、同一性の誤認が判明している細胞株を使った研究の文献を徹底的に調べたところ、いわゆる成りすまし細胞を使った論文が３万２７５５件見つかり、それらの汚染された研究を引用した論文は50万件を超えていた[26]（科学者が研究する細胞株の多くはガン細胞なので、当然ながら、汚染された論文が最も多い研究分野は腫瘍学だった)。また、中国の研究室が中国の研究を調査したところ、最大で46%の細胞株が誤認されていた。[27] 別の研究は、中国で新しく樹立されたと思われる細胞株の最大85%にアメリカの細胞が混入していたと指摘している。研究室のあいだで細胞株を気軽に譲渡し合うため、このような誤りは一気に広まる。[28] ただし、中国だけの問題では決してない。汚染された細胞を使って発表された論文のうち、36%がアメリカのものであることも明らかになった。科学者がこの問題を知ってからかなり長い年月が経っているにもかかわらず細胞株だけでなく、誤りをおかした科学的研究の数も倍々に増えており、今なお増え続けている。[29]

これは細胞株の誤認をめぐって最も腹立たしい点でもある。医学の研究を後退させ、汚染された実験が莫大な資金を浪費しているという緊急の問題に対し、科学界は半世紀以上にわたり徹底して寛容だったのだ。成りすまし細胞が初めて確認されてから20年以上が経ってから、フクロウザルの細胞をヒトの細胞と間違えていたことが明らかになったときも、『ネイチャー』に掲載された論説はこの問題を軽視し、汚染を指摘した内部告発者を「自称自警団」と断じた。[30]

もちろん、すべての誤認が研究結果に深刻な影響を与えるわけではない。たとえば、異なる種類のヒト前立腺ガン細胞が混ざっても、価値のある発見をすることは可能だ。しかし、誤認に関連する論文撤回が増え続けていることを考えればわかるように、誤認の多くは研究結果をまったく意味のないものにする。[31]

細胞株の取り違えは、尋常ではないほど細胞生物学を悩ませ続けている。ここ10年だけでも

２０１０年、２０１２年、２０１５年、２０１７年、２０１８年に複数の著名な学術誌に細胞株の取り違えに関する論説や注意喚起が掲載されており、こうした呼びかけは１９５０年代から始まっている。[32] 現在では新しいＤＮＡ技術を用いて、より優れた安価な方法で細胞株を認証することができるようになり、今後はこのようなミスをより多く防げるだろう。[33] とはいえ、これまでの細胞生物学者の無頓着な対応を考えると、期待するのは賢明ではないかもしれない。単なる不幸なミスではなく、重大な失敗を何十年も否定してきたのだ。ほかの分野、たとえば航空分野では、同じ問題が二度と起こらないように事故の原因究明に多大な努力が払われていることに比べると、科学者はあまりに力不足に見えてくる。こうした頑迷さがガンの研究を遅らせているのだから、きわめて不幸な道徳的問題でもあるだろう。

科学の分野で誤りをおかすことは、その被害の大きさを考えれば、単なる学術的な問題をは

26　Serge P. J. M. Horbach & Willem Halffman, 'The Ghosts of HeLa: How Cell Line Misidentification Contaminates the Scientific Literature', *PLOS ONE* 12, no. 10 (12 Oct. 2017): e0186281; https://doi.org/10.1371/journal.pone.0186281. この数字は誤認された細胞株を用いた細胞に関する全論文の約０・８％に相当するが、問題のある研究のいずれかへの言及を含む論文（自己引用を除く）の場合は10％に相当する。

28　「最大85％に混入」：Fang Ye et al., 'Genetic Profiling Reveals an Alarming Rate of Cross-Contamination among Human Cell Lines Used in China', The FASEB Journal 29, no. 10 (Oct. 2015): pp. 4268–72; https://doi.org/10.1096/fj.14-266718; see also Xiaocui Bian et al., 'A Combination of Species Identification and STR Profiling Identifies Cross-Contaminated Cells from 482 Human Tumor Cell Lines', *Scientific Reports* 7, no. 1 (Dec. 2017): 9774; https://doi.org/10.1038/s41598-017-09660-w. 誤認された細胞株を使ったことが確認されている研究は、以下のリンクに本稿の執筆時点でなんと５２９件登録されている (https://iclac.org/databases/cross-contaminations/)。ちなみに、第3章で小保方晴子について議論した際に言及したＳＴＡＰ幹細胞も、画像の偽造などの問題は別にして、誤認のひとつであり、論文のなかで説明しているマウスと異なる種類のマウスを使ったことに関連している。Haruko Obokata et al., 'Retraction Note: Bidirectional Developmental Potential in Reprogrammed Cells with Acquired Pluripotency', *Nature* 511, no. 7507 (July 2014): p. 112; https://doi.org/10.1038/nature13599

るかに超えている。そうした道徳的な側面は、命を直接、犠牲にするような研究分野も同様だ。動物（ここでは人間以外の動物の話だ）を対象とした研究では、新薬を投与した後に脳の状態を調べるときなどに実験の一環として「安楽死」させる、つまり殺すことがよくある。この種の研究は通常、政府機関によって厳しく規制されている。科学的に正当な理由がないのに実験動物を殺すことや、あるいは苦痛を与えるだけでも、道徳に反することにほぼ異論はないからだ。[34] 動物実験は、資源を無駄にせずに正確で再現可能な結果を出すという、通常の科学的な責任を負うだけではない。必然的に引き起こされる痛みや死を、実験の設計や分析の誤りによって無意味にしないようにするという、さらなる責任があるのだ。しかし残念ながら、動物実験のかなりの割合が、測り方によっては大多数が、この点で落第している。

## サンプルサイズと検定力の関係

２０１５年に神経科医で神経科学者のマルコム・マクラウドが率いるチームが、動物実験が研究デザインの基本原則（このような種類の実験結果から健全な推論をするために不可欠な技術的側面）にのっとって報告されているかどうかを調べた研究を発表した。[35] 彼らが最初に検証した原則は、先述のランダム化だ。研究デザインに詳しい人なら誰でもランダム化の重要性を知っているはずだが、マクラウドの調査では、関連する研究のうちグループ分けをランダム化したと報告しているのはわずか25％だった。[36] 驚くほど低いこの数字は、ランダム化をおこなっているにもかかわらず報告していない研究があるのだろうか。しかし、ランダム化がデータの質に、ひいては研究結果の妥当性に決定的な違いをもたらすことを考えれば（それ以上に実務的な話として、論文が査読を経ていることを考えれば）、苦労してグループ分けをランダム化した研究者がそれに言及しないということは、まず考えられない。

マクラウドらが検証したもう１つの手法は「盲検化」と呼ばれるものだ。盲検化された研究において、データ収集を担当する科学者は、どのような仮説を検証するのかも、どのグループが治療群でどのグループが対照群なのかも、事前に知らされない。[37] 自分が担当する部分に必要な情報はすべて持っているが、それ以外の情報はない。すべてのデータがそろってから初めて、どのグループがどの群なのかを知る（盲検化をデータ分析のプロセスにも適用する研究もある。そ

34　もちろん、動物実験全般が非道徳的だと考える人も多い。やむを得ず動物を使う場合、科学者は研究をできるだけ倫理的なものにするために一連の原則に従う。これは「３つのＲ」として知られているもので、Replacement（代替／動物以外のもの、たとえば、普通は同意が得られる人間を研究に使おうと努めること）、Reduction（削減／できるだけ少ない数の動物からできるだけ多くの有用な情報を得ようとすること）、Refinement（洗練／動物が研究に使用されているあいだ、苦痛を軽減して動物の幸せをできるだけ高く保つこと）である。「３つのＲ」は以下で初めて言及された。William M. S. Russell & Rex L. Burch, *The Principles of Humane Experimental Technique, Special ed.* (Potters Bar: UFAW, 1992). 動物実験に関する原則と科学者が原則を守ろうと努力していることについては、イギリスの「National Centre for the 3 Rs」の公式サイトに詳しい情報がある。https://www.nc3rs.org.uk/

37　盲検化は人間を対象とする医学の臨床試験でも特に重要である。参加者の期待が試験結果に影響を与えないように、誰がどの治療を受けるかを事前に知らせるべきではない。このとき研究者と被験者の両方が、結果に偏りをもたらす可能性のある情報を知らないので、「二重盲検」試験と呼ばれる。研究の対象が人間ではない場合、実際の治療を受けているのか、それともプラセボを投与されているのかについて確実に盲検化されているかどうかは、明らかに優先順位が低くなる（それでも考慮すべき場合もあるだろう）。

の場合、統計的テストを実行する研究者は、すべてのテストが完了するまで、どのグループが実験群かを知らない）。

盲検化は、研究者の意識的あるいは無意識のバイアスが実験の遂行や分析に影響を及ぼさないようにする防波堤の役割を果たす。可能なかぎりすべての研究でおこなわれるべきだ。盲検化の概念はよく知られており、実験デザインに関するすべての授業で（少なくともデータ収集に関する盲検化については）教えている。それにもかかわらず、動物実験の論文のうち、盲検化を使用したと報告しているのはわずか30％だった。[38] マクラウドが事前におこなったいくつかのメタリサーチから、科学者がランダム化と盲検化を適切に用いると、実験で見つかる結果ははるかに小さなものになる傾向があることがわかっている。[39]

ランダム化と盲検化がおこなわれていなければ、膨大なサンプルサイズの研究でも誤解を招く結果になりかねない。[40] ただし、研究の規模が重要であることに変わりはなく、実験デザインにおいて最も重要な検討事項の1つだ。マクラウドらのチームもその点に注目して、研究対象にする動物の数を決めたプロセスを論文が読者に提示しているかどうかを調べたところ、わずか0・7％の論文しか提示していなかった。

この現状に失望する理由は2つある。1つ目は「p値ハッキング」だ。事前にサンプルサイズを設定しなければ、データを集めてはテストをして、目的のp＜0・05が得られるまで何回でも繰り返すことができる。2つ目の理由は統計の「検定力」だ。簡単に言うと、あまりに多くの科学研究が、検定力があまりに小さすぎる。

たとえば、どのような状況でも瞬時に痛みが消える完璧な頭痛薬があったとする。この超強力な効果を理解するために、p値や統計値は必要ないだろう。薬を服用した頭痛患者と、プラセボや効果の低い別の頭痛薬を飲んだ対照患者を1人ずつ比較すればその効果がわかる。前章で取り上げた男女の身長を比較する研究にあてはめるなら、世界中のすべての男性が世界中のすべての女性より背が高いという条件下で検証するようなものだ。

しかし、言うまでもなく、現実にそのようなことはない。実際の統計的効果のほとんどは、小さくて見つけにくい。実際の頭痛薬は、痛みを1～5の尺度で評価すると平均で0・5ポイント減らせるかもしれない。しかし、2人を比較しただけで、この小さな効果をランダムなノイズから切り離すことは不可能だろう。そのような研究に意味はない。また、10人ずつのグループ2つを比較する場合も、小さな効果がノイズに打ち消される例はいろいろ考えられる。数人の参加者が不注意から、痛みのアンケートで違う数字に丸をつけるかもしれない。アンケー

38　マクラウドらは第4章で取り上げた利益相反に関する記述の有無についても調べた。

40　この論点に関する典型的な例として多くの統計学の教科書で挙げられているのが、1936年のアメリカ大統領選挙だ。「リテラリー・ダイジェスト」は200万人を対象に大規模な世論調査を実施したが、電話で参加者に接触したため、ランダムにサンプルを集めることができなかった。当時、自宅に電話を引くことができたのは裕福な人々だったので、サンプルに偏りが生じ、情勢を完全に見誤って、共和党候補のアルフ・ランドンが民主党の現職フランクリン・D・ルーズベルトを破るだろうと予想したのだ。ルーズベルトは61％の票を獲得して再選を果たし、「リテラリー・ダイジェスト」は程なく廃刊となった。以下を参照。Sharon L. Lohr and J. Michael Brick, 'Roosevelt Predicted to Win: Revisiting the 1936 Literary Digest Poll', *Statistics*, Politics and Policy 8, no. 1, 26 Jan. 2017; https://doi.org/10.1515/spp-2016-0006

トに答える前に頭を殴られて頭痛がひどくなった人がいるかもしれない。酒をやめて頭痛が和らいだ人がいるかもしれない。

しかし、もっと多くの人を対象にした場合、たとえば500人に本物の頭痛薬を、500人にプラセボを投与した場合は、頭痛薬の穏やかな効果と偶然の変動をはるかに区別しやすくなる。なぜなら、薬の効果（シグナル）は系統的なもので、服用した十分な数の人々に同じ方向に作用するからだ。一方、ノイズはランダムなもので、薬を飲んだかプラセボを飲んだかとは関係ない状況で、どちらのグループの人も痛みが悪化したり改善したりするだろう。研究の参加者が多ければ、このようなランダムな変動は相殺される傾向があり、したがって大規模なサンプルの平均値は「真の」効果に近いものになる。統計学者はこれを、大規模な実験のほうが小規模な実験より検定力が高い、と説明する。そして、新薬がプラセボより本当によく効くなら、グループ間の差を検出できる可能性は高くなる。

前章で説明したように、p値は、ある研究と同じことが実際に起きなかったとしても同じような結果（あるいはそれ以上の素晴らしい結果）が得られる可能性を示すもので、通常はできるだけ低い値（少なくとも、通常は0・05に設定されている標準的な閾値より低い値）が望ましい。一方で、検定力とは、統計的に有意なシグナルが実際にあった場合にそれを確認できる可能性を示すもので、できるだけ高いほうが望ましい。より小さな効果、つまり弱いシグナルは、十分な量のデータがないと検出がかなり難しいため、普通は求めている効果が微妙なものであるほど、より多くのサンプルが必要になる。

もう少し具体的に考えてみよう。２０１３年に心理学者のジョセフ・シモンズらは、オンラインで集めた参加者に食べ物や政治などの好みに関する一連の質問に答えてもらい、彼らの性別や年齢、身長など基本的な人口動態学的データも収集した。[41] 続いてこのサンプルをさまざまなグループ（男性と女性、リベラル派と保守派など）に分けて、いくつかの変数についてグループの差を記録した。そして、これらをもとに、ある違いが存在することを知らないときに、その違いを検出できたと確信するために必要な参加者の数を算出した。[42] たとえば、お馴染みの身長と性別の関連性——男性は女性より平均的に背が高い——は、わずか男女6人ずつの調査で確実に証明できることがわかった。この効果は大きく、したがって明確である（前章の20人の調査も、検定力が高いと言える）。

もうひとつの例は、「サンプルのなかの年配者は、自分は退職年齢に近いと言う傾向があるか」というものだ。シモンズによれば、この効果は年長者と年少者が9人ずついれば検出できる。ただし、たとえば次のような効果はもっと多くのサンプルが必要になる。

42　効果を確実に検出することについて、論文の著者らは文献でよく使われる基準に言及している。統計的検定力とは基本的に、その効果が本当に存在するなら、統計的検定で80％以上の確率で発見できる（つまり、p値が0・05を下回る）ことを意味する。もちろん検定力は高いほど好ましく、十分な大きさのサンプル（または十分な大きさの効果）があれば、検定力はこの最低基準を大幅に上回る。検定力が80％の場合、本当に効果があるのに見逃してしまう20％が偽陰性の確率となる。

・香辛料が好きな人はインド料理を好きである確率が高い（香辛料が好きな人と嫌いな人がそれぞれ26人）。
・リベラル派は保守派より社会的正義を重視する傾向がある（リベラル派と保守派がそれぞれ34人）。
・男性は女性より平均して体重が重い（男女それぞれ46人）。

このような検証の目的は、科学者に自分の研究で想定している効果の大きさについて現実的に考えさせて、結果を意味のあるものにするために必要なサンプルのサイズを決めさせることだ。「男性は女性より体重が重い」という仮説を確実に検証するために十分な大きさのサンプルでなければ、あなたの理論が示唆する特定の効果を明らかにできるだけの検定力はないだろう。

検定力の低い研究は、はるかかなたの銀河を双眼鏡で探すようなものだ。探しているものが確かにそこにあるとしても、見える可能性は基本的にない。残念ながら、この点を多くの科学者が理解していないようだ。特にマクラウドが取り上げた動物研究の分野は、その傾向が強い。2013年に発表されたレビューは、マウスが迷路を進む能力の性差に関する研究など、さまざまな神経科学の研究に注目している。[43] たとえば、迷路を進む能力について、一般に期待される性差を確認するために必要な検定力を得るには134匹のマウスが必要である。「男性は女性より体重が重い」という効果より、はるかに微妙な効果を確認しようとしているのだ。しかし、レビューが調べた平均的な研究のサンプルは、わずか22匹だった。これは迷路をさまようマウスだけでなく、神経科学の大半の分野にあてはまる問題でもあるようだ[44]。また、複数の大規模なレビューから、医療試験や生物医学研究、経済学、脳機能イメージング、看護研究、行動生態学、そして――なんということか――心理学でも、検定力が足りない研究が蔓延していることが明らかになっている[45]。

検定力がこれほど低いにもかかわらず、なぜ多くの研究が効果を見出しているのか。ひとつには、p値ハッキングがおこなわれている可能性がある。最初の分析で効果が見つからなかったために、数字を「工夫」したのかもしれない[46]。しかし、p値ハッキングがなくても、検定力不足の研究が効果を見つけるときもある。これも困った問題だが、その理由は少々複雑だ。ここでサンプリング誤差の話を思い出してほしい。ある頭痛薬の平均的な効果が、実際は1～5の尺度で0・5ポイントだとする。たとえばサンプルを抽出する際に、偶然、薬の効果が平均以下の人ばかり選ぶと、薬の効果はまったくないという結果になるかもしれない。あるいは、偶然、薬の効果が大きい人だけを選ぶと、平均以上の効果を得られるかもしれない。検定力が小さい研究では、サンプルが例外的に偽りの大きな効果を示した場合にのみ、肯定的な結果（有意なp値）を得ることができる。

言葉遊びに聞こえるかもしれないが、検定力が低い研究は大きな効果しか検出できないので、検出できた大きな効果だけを提示する。したがって、検定力が低い研究が効果を見つけたとしても、おそらく誇張された効果だろう。[47] ここで出版バイアスが関係してくる。大きな効果は刺激的なので、出版される可能性がはるかに高い。だからこそ科学文献を読むと、ごく小規模な多くの研究が、大きな効果を報告しているように思えるのだ。前章で登場したファンネルプロットが示すとおり、「興味深い」ものを何も見つけられなかったために切り捨てられた小さな研究は、学術誌の目にも止まらない。

こうした状況は追跡研究で問題が生じる。研究者は過去の文献を見て、自分の実験ではどのような効果の大きさが期待できるかを考える。最初におこなわれた小規模な研究で効果の大きさが誇張されていると、将来の研究者は検定力が十分にあると見て、小規模なサンプルを使って追跡研究をするだろう。しかし、何らかの効果が見つかるとしても、予想していたよりはるかに小さな効果で、実際には小規模なサンプルの研究では見つけられないほどわずかなものになる。[48] これが、検定力が足りない研究がもたらす長期的なドミノ効果だ。電球に止まった蛾が映し出す巨大な影のような効果を追い求めて次々に研究を重ねて時間と労力と資源を無駄にするのだ。

小規模なサンプルを使うことは、大きな効果がたくさんある世界であれば、それほど悪いことではない。しかし、大きな効果は、本書で繰り返し取り上げている男女の身長差のように、一般にとても明白な要因から生じる。実際は、大半の効果はもっと目立たない。臨床試験を対象としたある研究によれば、平均的な医学的効果は小〜中程度だ。大まかに言うと、１００人が治療を、１００人がプラセボをそれぞれ受けて、プラセボ群の20人が改善した場合、治療群で良くなる患者は約６人多い（つまり約26人）[49]。統合失調症に抗精神病薬、不眠症にベンゾジアゼピン系睡眠薬、喘息にコルチコステロイドなど、十分に裏付けのある治療法でも、効果の大きさはそれぞれ中程度にすぎない。先の計算をあてはめると、これら３つの治療法で良くなる治療群の患者は、プラセボ群で良くなる患者より18人多い（つまり約38人）[50]。心理学の研究では平均的な効果でもかなり控えめで、ほかの多くの分野でも似たような状況だろう[51]。人間の体や脳、生態系、経済や社会など、きわめて複雑なシステムの研究では、ある要因が

47　これはオークションの落札者は出品物を過大評価しているという「勝者の呪い」の一種である。科学の世界では、変身する能力を持つギリシャ神話の海神にちなんで「プロテウス現象」とも呼ばれる。基本的には、効果が発見された初期の段階では、異なる研究間でその大きさが劇的に変わりやすいという考え方で、その一因はこれまで議論してきたような統計的検定力の問題や、小さな効果を見ることができない研究があることだ。以下を参照。John P. A. Ioannidis & Thomas A. Trikalinos, 'Early Extreme Contradictory Estimates May Appear in Published Research: The Proteus Phenomenon in Molecular Genetics Research and Randomized Trials', *Journal of Clinical Epidemiology* 58, no. 6 (June 2005): pp. 543–49; https://doi.org/10.1016/j.jclinepi.2004.10.019. Nathan P. Lemoine et al., 'Underappreciated Problems of Low Replication in Ecological Field Studies', *Ecology* 97, no. 10 (Oct. 2016): pp. 2554–61; https://doi.org/10.1002/ecy.1506; and Button et al., 'Power Failure'.

48　同じような問題は、先に言及した、特定の分野の検定力を調査した研究にも影響を及ぼす。これらの研究は、「発見された効果を検出するためには、どのくらいの検定力があったのか」を事後に推測する。しかし、元の研究が効果の本当の大きさを過大評価していた場合、事後の推測はその検定力を過大評価することになる。そして、その追跡研究は、検定力に問題があるにもかかわらず、追跡研究ではまったく問題がないように見えるかもしれない。そこで、より好ましい考え方としては、理想的な効果の大きさ――効果の実際的な意味をもとに、小さい、中くらい、あるいは大きいと考える効果（たとえば、痛みの尺度やドル換算の収入、温度、速度の変化など、より確かな指標における意味のある違い）――を想定し、それを確実に検出できるように、十分な参加者または観察を含めた研究を設計する。以下を参照。Andrew Gelman, 'Don't Calculate Post-Hoc Power Using Observed Estimate of Effect Size' (2018); http://www.stat.columbia.edu/~gelman/research/unpublished/power_surgery.pdf

ほかの要因に大きな影響を与えることはめったにない。それに対し、私たちが興味をそそられる心理的、社会的、そして医学的な現象のほとんどは、たくさんの小さな影響から成り立っており、それぞれが小さな役割を果たしている。たとえば、経済学者がサンプルの人々の収入が異なる理由を説明しようとすると、居住地、家庭環境、能力、性格、教育、国の税制とその変遷など、さまざまな要因や経験を考慮に入れる必要がある。それらのことが研究参加者の生涯にわたって、その人生をある方向に、また別の方向にと導くかもしれない。現実社会では小さな影響が圧倒的に多く、全体として大きな影響力を持つため、大きな効果に満ちた世界を描いた検定力の低い研究はいっそう誤解を招きやすい。

## 候補遺伝子研究の落とし穴

検定力の低い研究が科学者を惑わす最も恥ずべき例のひとつが、「候補遺伝子」をめぐる興奮だ。この10年、遺伝学者は検定力の低い研究の危険性について厳しい教訓を学んできた。身長や体重、知能指数（ＩＱ）、さまざまな病気や精神疾患の発症率など、私たちの数多くの特徴に遺伝子の違いが関係していることは、主に双子を対象とした研究によって以前から知られていた。[52] しかし、ＤＮＡのどの部分がどのような形質に関係しているかを正確に特定しようとする技術を遺伝学者が広く利用できるようになったのは、つい20年ほど前のことだ。初期の研究では、特定の遺伝子――「候補」――を分離して測定し、その変異が形質の変異と関連しているかどうかを確かめようと試みた。

当初、これらの試みは成功したかのように見えた。ＣＯＭＴ遺伝子の変異と認知機能テストのスコア、５－ＨＴＴＬＰＲ遺伝子の変異と鬱病、ＢＤＮＦ遺伝子の変異と統合失調症など、有望な候補遺伝子の研究が次々に発表され、数百件の研究が蓄積された。[53] 注目を集めた発見も少なくなかった。２００３年に『ネイチャー・ニューロサイエンス』に掲載された研究は、５－ＨＴ２ａ遺伝子の特定の変異体を持つ人は記憶力が21％低下するという結果を報告した。[54] これほど大きな効果が得られたのだから、人の重要な形質の遺伝的な基盤の解明に向けて研究は順調に進んでいると、私たちは確信した。さらに、遺伝子と形質のあいだの生物学的な「経路」の解明も始まった。たとえば、５－ＨＴＴＬＰＲ遺伝子は、その持ち主が脅威を感じたときに扁桃体（感情に関係する脳の領域）をより強く反応させることによって、

50　Stefan Leucht et al., 'How Effective Are Common Medications: A Perspective Based on Meta-Analyses of Major Drugs', *BMC Medicine* 13, no. 1 (Dec. 2015): 253; https://doi.org/10.1186/s12916-015-0494-1. この研究は広くおこなわれている治療法の効果量を調べたもので、大きな効果を持つ一般的な治療法（たとえば、オメプラゾールなど胃酸の分泌に大きな影響を与えるプロトンポンプ阻害薬）もあれば、驚くほど小さな効果（たとえば、アスピリンなど心臓血管疾患の予防に使われる薬）もあることが明らかになった。もちろん、たとえ効果が小さい薬でも、それを必要とする何百万という人々に処方されれば社会レベルでは非常に有益なものとなり、医療費の大幅な節約につながる。とはいえ、この研究の著者らは「薬剤の有効性について、より現実的になる必要がある」と勧告している（p.4）。注釈によると、本文で言及されている3つの治療法の効果量はコーエンのｄが０・５５である。以下も参照。Tiago V. Pereira et al., 'Empirical Evaluation of Very Large Treatment Effects of Medical Interventions', *JAMA* 308, no. 16 (24 Oct. 2012): 1676–84; https://doi.org/10.1001/jama.2012.13444

鬱病に影響を与えることがわかった。[55]

私が学部生だった２００５年から２００９年は、候補遺伝子の研究は情熱的で興奮に満ちた議論の対象だった。しかし、私が博士号を取得した２０１４年前半には、ほぼ信用を無くしていた。いったい何が起きたのか。主な要因は、技術が進歩して、人の遺伝子型の測定が著しく安価になったことだ。[56]その結果、遺伝子研究はより大規模なサンプルを使えるようになり、数千、数万というサイズのサンプルにも手が届くようになった。

さらに、遺伝学者のアプローチも変わって、１つまたは少数の候補遺伝子を調べるのではなく、人によって異なる数万カ所のＤＮＡポイントを同時に調べながら、対象の形質にどのポイントが最も強く関連しているかを確かめるようになった。このアプローチはゲノムワイド関連解析（ＧＷＡＳ）と呼ばれるもので、統計的な検定力が従来の手法よりはるかに高かった。つまり、すでによく知られている候補遺伝子の大きな影響に加えて、形質に及ぼす影響がはるかに小さい遺伝的変異を見つけることができると考えられた。[57]

しかし、ＧＷＡＳは候補遺伝子の大きな影響を見つけることができなかった。[58]どこにも見当たらなかったのだ。それらの影響が本当に存在するなら、親指を立てているかのように目についたはずだ。しかし、ごくまれな例外を除いて、人間の複雑な形質は一般に数千、数万という遺伝的変異と関連があり、それぞれの遺伝的変異はごくわずかな影響しか与えていないようだ。それが、検定力が高い新しいＧＷＡＳの結論だった。[59]そこに単一の遺伝子の大きな影響が加わる余地はなく、これまで称賛されてきた候補遺伝子の研究の結果とは完全に矛盾していた。以来、候補遺伝子の研究を高い検定力で再現しようとする試みもなされているが、ＩＱテストのスコア、鬱病、統合失調症については、まったく何も得られないＮＵＬＬの結果に終わっている。[60]

今となっては、候補遺伝子の文献を読み返してみると、なかなか現実離れしている。現在は完全に間違っていることがわかっている基礎の上に、詳細な研究の巨大な建造物を建てていたのだ。ブログ「スレート・スター・コーデックス」のスコット・アレキサンダーは次のように述べている。「探検家が東洋から戻ってきて、あそこにはユニコーンがいると主張しているだけではない。ユニコーンのライフサイクルや、ユニコーンが食べるもの、ユニコーンのすべての亜種、ユニコーンの肉はどの部位がいちばんおいしいか、さらにはユニコーンとビッグフットのレスリングの試合のようすまで、探検家が事細かに説明している[61]」

候補遺伝子の残念な物語は、検定力が低いことがいかに危険かという教訓である。初期の研究は小規模だったため、大きな効果しかわからなかったから、大きな効果が報告された。後か

56　現在では、ジェノタイピング（遺伝子型判定）の会社に自分の唾液サンプルを送付すれば、１００ポンドほどの費用で2、3週間後にはどのような遺伝子変異を持っているかがわかる。

57　問題の形質と何千という遺伝的変異の関連を調べる際に、ＧＷＡＳがいわゆる多重比較の餌食になるのではないかと疑問に思うかもしれない。ｐ値を計算する回数が増えるとともに、偽陽性の結果が雪だるま式に増えるというリスクがあるのだ。ＧＷＡＳの研究者はこの問題を十分に認識しており、それに応じてｐ値の基準を大幅に引き下げている。０・０５という閾値の代わりに、$5\times10^{-8}$（0.00000005）より低いｐ値のみを統計的に有意と認めている。

ら考えれば、これらの大きな効果は極端な異常値であり、サンプリング誤差による不慮の事故だった。追跡研究も大きな効果を予想していたため、サンプルサイズは比較的小さいままだった。このようにして研究は偶然の結果を利用し、誤解を招く発見の連鎖を構築して、それがこの分野の絶対的な判断基準になる主流の科学になっていたのだ。

確かにNULLの結果もいくつかあり、検定力の低さに警鐘を鳴らすメタアナリシスの学者もいた。[62] しかし、ほとんどの候補遺伝子学者は研究を続けた。彼らが自分たちの学問の歴史を学んでいたら、大きな効果を持つ遺伝子に強い疑問を抱いただろう。p値や「統計的有意性」の考え方を広めた統計学者のロナルド・フィッシャーは1918年の時点で、複雑な形質はきわめて多遺伝子性であり、何千という小さな効果を持つ遺伝子が関係しているに違いないと指摘していた。[63]

遺伝学者にとって幸運だったのは、技術の向上によって遺伝子型判定のコストが下がったおかげで、候補遺伝子のアイデアを適切な統計的検定力を持つGWASで検証できるようになり、自分たちが正しい方向に進んでいるかどうかを途中で確認できたことだ（そして、正しい方向に進んでいなかった）。その後は大規模なサンプルを日常的に使うようになり、候補遺伝子の信念の砦はまだいくつか残されているものの、この種の研究はほぼ息絶えた。[64]

## 謙虚で控えめな科学はどこへ

このような究極の試練を経験していない科学分野は、まだたくさんある。科学文献の大部分は、本当とは思えないほど大きな効果を示す小さな研究にもとづいているが、候補遺伝子の研究と同じように、間違った蜃気楼だという可能性は十分にある。とはいえ、検定力が低い研究をしている研究者を、それだけで怠慢あるいは無能だと決めつけていいのだろうか。神経科学者は実験動物とその維持費を払わなければならず、ＭＲＩ（磁気共鳴画像診断）脳スキャナーなど法外に高価な機器を使っていて、自分たちの研究にはとにかくカネがかかるのだと反論するかもしれない。これだけ費用がかさめば、小規模な研究しかできなくなる。しかも、多くの研究は博士課程の学生やポスドク（博士研究員）が運営しており、彼らには助成金が出るとしても微々たる金額だ。私が科学セミナーで検定力の低さに言及すると、「うちの学生は就職市場で競争するために論文を発表しなければならず、大規模な研究をする余裕はない。今あるもので何とかするしかない」という反論をよく耳にする。これは善意の科学者が、自分の研究を

64　ただし、遺伝学者が複雑な形質の遺伝を完全に理解したというわけでは決してない。欠陥のある古い手法を捨てて、より優れた手法に置き換えただけだ。どの遺伝子が関与しているのか、異なる集団間でどのように遺伝子を見つけるのか、社会的・人口統計的な違いによる複雑さがどのように分析に干渉するのか、具体的に遺伝子がどのような影響を及ぼすのか、病状がある人々を助けるために遺伝に関する知識をどのように活用するのかなど、やるべきことはまだ山ほどある。有用なレビューは以下を参照。Vivian Tam et. al, 'Benefits and Limitations of Genome-Wide Association Studies', *Nature Reviews Genetics* 20, no. 8 (Aug. 2019): pp. 467–84; https://doi.org/10.1038/s41576-019-0127-1

結局は非科学的なものにするような妥協を受け入れるように、組織的に強く促されている（強制されている、と言う人もいる）典型的な例だ。

いずれにせよ、検定力の低い研究がおこなわれている理由があるとしても、正当化することはできない。こうした怠慢の責任は誰に、もしくは何にあるのかという問題は、後の章で考える。しかし、検定力の低い研究を科学界として承認したときに、科学界は重要な責任を怠り、あるいは放棄したのだということは認めざるを得ない。

検定力の低い研究は誤解を招きやすく、私たちの知識を減少させている。そもそも研究をおこなわなかったほうがよかった場合さえ少なくない。そうした研究を意図的におこなう科学者や、そのまま出版させる査読者や編集者は、科学文献にわずかな毒を混入させて、科学には進歩が必要だという証拠を弱めている。動物研究も、現在おこなっている研究の検定力が低く、関連する科学的な疑問に答えられる見込みが最初からないのなら、すべての命を「安楽死」させることを正当化するのはきわめて難しい[65]。

世論調査では、科学者は一般にとても有能だと評価される[66]。この章で紹介した誤りについて何よりも腹立たしいのは、圧倒的多数の科学者が、本当はいろいろわかっているということだ。タイプミスなどの見落としを徹底的にチェックするべきだということも、ランダム化と盲検化の重要性についても、彼らは知っている。細胞株の汚染が腫瘍学のような分野にとって重大な問題であることも１９５０年代からわかっていた。小さな効果が集まっている世界では特に、統計的検定力を必ず考慮しなければならないことは、学部の統計学の講義でも学ぶ。小規模なサンプルでは、ほとんどの科学的な疑問に意味のある答えを出すことはできない。

それでもなお、科学者や査読者、編集者の怠慢により、こうした明らかな誤りを含む論文が、気が滅入るほど頻繁に科学文献として掲載されるのだ。バイアスと同じように、すべての誤りを回避することは不可能だ。人間の複雑な行動において、タイプミスなどの失敗は避けられない。しかし、謎を解明して、論争を仲裁し、客観性への道しるべになるという科学の独特な社会的地位を考えれば、誤りをおかした場合のリスクは不安になるほど高い。社会は科学を驚くほど真剣に受け止めるのだ。科学者もそれに応えるべく、今よりずっと高い基準を自らに課す必要がある。

知識が豊富で、組織的な懐疑主義を存在意義とするコミュニティで働く科学者が、回避できるはずの誤りに取り囲まれるというパラドックスは、何を意味するのだろうか。科学者は数字やデータに対して慎重で誠実だというイメージはありがちだが、彼らの「居眠り運転」がこれほど頻繁に発覚するのはなぜか。その潜在的な理由は本書の第3部で説明する。その前にもう

65　動物実験の統計的検定力には興味深いパラドックスがある。おそらく直観に反するが、少なくとも短期的には、研究にもっと動物を使うほうがいいのかもしれない。標本数を増やして統計的検定力を高めれば、より信頼性の高い結果を得ることができる。時間の経過と再現性に耐え得る研究であれば、結論の出ない、有益でもない実験が延々と繰り返されることを防ぎ、長い目で見れば、より多くの動物の死を避けることができるだろう。

1つ、私たちが向き合わなければならない科学の苦悩がある。科学が慎重で誠実であるという言葉には、自分のデータを超えて論理が飛躍しそうなときに抵抗するということや、ある研究から導き出す結論とその研究が世界に与える影響について自制的であるということが含まれる。それなら科学の文化は何よりも謙虚で控えめなのだろうと思うかもしれない。残念ながら、そうではないのだが。

---

引用：Charles Caleb Cotton, Lacon, or Many Things in Few Words (London, 1820).

1 Daniel Hirschman, 'Stylized Facts in the Social Sciences', *Sociological Science* 3 (2016): pp. 604–26; https://doi.org/10.15195/v3.a26

3 オズボーンの演説：George Osborne, 'Mais Lecture – A New Economic Model', 24 Feb. 2010; https://conservative-speeches.sayit.mysociety.org/speech/601526; 米共和党議員の声明：United States Senate Committee on the Budget, 'Sessions, Ryan Issue Joint Statement On Jobs Report, Call For Senate Action On Budget', 8 July 2011; https://www.budget.senate.gov/chairman/newsroom/press/ sessionsryan-issue-joint-statement-on-jobs-report-call-for-senate-action-on-budget

4 Paul Krugman, 'How the Case for Austerity Has Crumbled', *New York Review of Books*, 6 June 2013; https://www.nybooks.com/articles/2013/06/06/how-case-austerity-has-crumbled/

5 Thomas Herndon et al., 'Does High Public Debt Consistently Stifle Economic Growth? A Critique of Reinhart and Rogoff', *Cambridge Journal of Economics* 38, no. 2 (April 2013): pp. 257–79; https://doi.org/10.1093/cje/bet075

7 Herndon et al., 'High Public Debt', p. 14.

8 Betsey Stevenson & Justin Wolfers, 'Refereeing Reinhart-Rogoff Debate', *Bloomberg Opinion*, 28 April 2013; https://www.bloomberg.com/opinion/articles/2013-04-28/refereeing-the-reinhart-rogoff-debate

9 Michèle B. Nuijten, ‘statcheck – a Spellchecker for Statistics’, *LSE Impact of Social Sciences*, 28 Feb. 2018; https://blogs.lse.ac.uk/impactofsocialsciences/2018/02/28/statcheck-a-spellchecker-for-statistics/. スタッツチェックのアプリは以下で入手できる。 http://statcheck.io/
10 Michèle B. Nuijten et al., ‘The Prevalence of Statistical Reporting Errors in Psychology (1985–2013)’, *Behavior Research Methods* 48, no. 4 (Dec. 2016): pp. 1205–26; https://doi.org/10.3758/s13428-015-0664-2. スタッツチェックについては以下の批判もあることを明記しておく。 Thomas Schmidt, ‘Statcheck Does Not Work: All the Numbers. Reply to Nuijten et al. (2017)’, *PsyArXiv* (preprint), 22 Nov. 2017; https://doi.org/10.31234/osf.io/hr6qy
11 Nicholas J. L. Brown & James A. J. Heathers, ‘The GRIM Test: A Simple Technique Detects Numerous Anomalies in the Reporting of Results in Psychology’, *Social Psychological and Personality Science* 8, no. 4 (May 2017): pp. 363–69; https://doi.org/10.1177/1948550616673876
13 Leon Festinger & James M. Carlsmith, ‘Cognitive Consequences of Forced Compliance’, *Journal of Abnormal and Social Psychology* 58, no. 2 (1959): pp. 203–10; https://doi.org/10.1037/h0041593
15 Matti Heino, ‘The Legacy of Social Psychology’, *Data Punk*, 13 Nov. 2016; https://mattiheino.com/2016/11/13/legacy-of-psychology/
17 Carlisle (2012), Anaesthesia. カーライルの経歴は以下も参照。David Adam, ‘How a Data Detective Exposed Suspicious Medical Trials’, *Nature* 571, no. 7766 (July 2019): pp. 462–64; https://doi.org/10.1038/d41586-019-02241-z
18 See J. M. Kendall, ‘Designing a Research Project: Randomised Controlled Trials and Their Principles’, *Emergency Medicine Journal* 20, no. 2 (1 March 2003): pp. 164–68; https://doi.org/10.1136/emj.20.2.164
19 J. B. Carlisle (2012), ‘The Analysis of 168 Randomised Controlled Trials to Test Data Integrity: Analysis of 168 Randomised Controlled Trials to Test Data Integrity’, *Anaesthesia* 67, no. 5 (May 2012): pp. 521–37; https://doi.org/10.1111/j.1365-2044.2012.07128.x
22 Jelte M. Wicherts et al., ‘The Poor Availability of Psychological Research Data for Reanalysis’, *American Psychologist* 61, no. 7 (2006): pp. 726–28; https://doi.org/10.1037/0003-066X.61.7.726. 以下も参照。 Caroline J. Savage & Andrew J. Vickers, ‘Empirical Study of Data Sharing by Authors Publishing in PLoS Journals’, PLOS ONE 4, no. 9 (18 Sept. 2009): e7078; https://doi.org/10.1371/journal.pone.0007078. And Carol Tenopir et al., ‘Data Sharing by Scientists: Practices and Perceptions’, *PLOS ONE* 6, no. 6 (29 June 2011): e21101; https://doi.org/10.1371/journal.pone.0021101. Garret Christensen & Edward Miguel, ‘Transparency, Reproducibility, and the Credibility of Economics Research’ (Cambridge, MA: National Bureau of Economic Research, Dec. 2016); https://doi.org/10.3386/w22989. 時間が経つほどデータへのアクセスが難しくなることについては以下を参照。 Timothy H. Vines et al., ‘The Availability of Research Data Declines Rapidly with Article Age’, Current *Biology* 24, no. 1 (Jan. 2014): pp. 94–97; https://doi.org/10.1016/j.cub.2013.11.014
23 American Type Culture Collection Standards Development Organization Workgroup ASN-0002, ‘Cell Line Misidentification: The Beginning of the End’, *Nature Reviews Cancer* 10, no. 6 (June 2010): pp. 441-48; https://doi.org/10.1038/nrc2852, タイムラインは p. 444 を参照。
24 「大腸ガン」: ‘Retraction: Critical Role of Notch Signaling in Osteosarcoma Invasion and Metastasis’, *Clinical Cancer Research* 19, no. 18 (15 Sept. 2013); pp. 5256–57; https://doi.org/10.1158/1078-0432.CCR-13-1914; 「腎」: E. Milanesi et al., ‘Molecular Detection of Cell Line Cross-

Contaminations Using Amplified Fragment Length Polymorphism DNA Fingerprinting Technology', In *Vitro Cellular & Developmental Biology – Animal* 39, no. 3–4 (March 2003): pp. 124–30; https://doi.org/10.1007/s11626-003-0006-z; 「ホズミ」: Janyaporn Phuchareon et al., 'Genetic Profiling Reveals Cross-Contamination and Misidentification of 6 Adenoid Cystic Carcinoma Cell Lines: ACC2, ACC3, ACCM, ACCNS, ACCS and CAC2', *PLOS ONE* 4, no. 6 (25 June 2009): e6040; https://doi.org/10.1371/journal.pone.0006040

25 American Type Culture Collection Standards Development Organization Workgroup ASN-0002, 'Cell Line Misidentification'.

27 Yaqing Huang et al., 'Investigation of Cross-Contamination and Misidentification of 278 Widely Used Tumor Cell Lines', *PLOS ONE* 12, no. 1 (20 Jan. 2017): e0170384; https://doi.org/10.1371/journal.pone.0170384

29 Horbach & Halfmann, 'The Ghosts of HeLa'.

30 Editorial, 'Towards What Shining City, Which Hill?', *Nature* 289, no. 5795 (Jan. 1981): p. 212; https://doi.org/10.1038/289211a0

31 Christopher Korch & Marileila Varella-Garcia, 'Tackling the Human Cell Line and Tissue Misidentification Problem Is Needed for Reproducible Biomedical Research', *Advances in Molecular Pathology* 1, no. 1 (Nov. 2018): pp. 209–228, e36; https://doi.org/10.1016/j.yamp.2018.07.003

32 2010: American Type Culture Collection Standards Development Organization Workgroup ASN-0002, 'Cell Line Misidentification'; 2012: John R. Masters, 'End the Scandal of False Cell Lines', *Nature* 492, no. 7428 (Dec. 2012): p. 186; https://doi.org/10.1038/492186a; 2015: 'Announcement: Time to Tackle Cells' Mistaken Identity', *Nature* 520, no. 7547 (April 2015): p. 264; https://doi.org/10.1038/520264a; 2017: Norbert E. Fusenig, 'The Need for a Worldwide Consensus for Cell Line Authentication: Experience Implementing a Mandatory Requirement at the International Journal of Cancer', *PLOS Biology* 15, no. 4 (17 April 2017): e2001438; https://doi.org/10.1371/journal.pbio.2001438; 2018: Jaimee C. Eckers et al., 'Identity Crisis – Rigor and Reproducibility in Human Cell Lines', Radiation Research 189, no. 6 (June 2018): pp. 551–52; https://doi.org/10.1667/RR15086.1

33 Korch & Varella-Garcia, 'Tackling the Human Cell Line'.

35 Malcolm R. Macleod et al., 'Risk of Bias in Reports of In Vivo Research: A Focus for Improvement', *PLOS Biology* 13, no. 10 (13 Oct. 2015): e1002273; https://doi.org/10.1371/journal.pbio.1002273

36 以下を参照。Jennifer A. Hirst et al., 'The Need for Randomization in Animal Trials: An Overview of Systematic Reviews', *PLOS ONE* 9, no. 6 (6 June 2014): e98856; https://doi.org/10.1371/journal.pone.0098856

39 Malcolm R. Macleod et al., 'Evidence for the Efficacy of NXY-059 in Experimental Focal Cerebral Ischaemia Is Confounded by Study Quality', *Stroke* 39, no. 10 (Oct. 2008): pp. 2824–29; https://doi.org/10.1161/STROKEAHA.108.515957

41 Joseph P. Simmons et al., 'Life after P-Hacking: Meeting of the Society for Personality and Social Psychology', *SSRN*, (New Orleans, LA, 17–19 Jan. 2013); https://doi.org/10.2139/ssrn.2205186

43 Katherine S. Button et al., 'Power Failure: Why Small Sample Size Undermines the Reliability of Neuroscience', *Nature Reviews Neuroscience* 14, no. 5 (May 2013): pp. 365–76; https://doi.org/10.1038/nrn3475. See in particular Table 2.

44 ただし、神経科学のさまざまなサブフィールドによってかなり違いがある。Camilla L. Nord et al., 'Power-up: A Reanalysis of "Power Failure" in Neuroscience Using Mixture Modeling', *Journal of Neuroscience* 37, no. 34 (23 Aug. 2017): pp. 8051–61; https://doi.org/10.1523/JNEUROSCI.3592-16.2017

45 「医療試験」: Herm J. Lamberink et al., 'Statistical Power of Clinical Trials Increased While Effect Size Remained Stable: An Empirical Analysis of 136,212 Clinical Trials between 1975 and 2014', *Journal of Clinical Epidemiology* 102 (Oct. 2018): pp. 123–28; https://doi.org/10.1016/j.jclinepi.2018.06.014.「生物医学研究」: Estelle Dumas-Mallet et al., 'Low Statistical Power in Biomedical Science: A Review of Three Human Research Domains', *Royal Society Open Science* 4, no. 2 (Feb. 2017): 160254; https://doi.org/10.1098/rsos.160254.「経済学」John P. A. Ioannidis et al., 'The Power of Bias in Economics Research', *Economic Journal* 127, no. 605 (1 Oct. 2017): F236–65; https://doi.org/10.1111/ecoj.12461.「脳機能イメージング」: Henk R. Cremers et al., 'The Relation between Statistical Power and Inference in FMRI', ed. Eric-Jan Wagenmakers, *PLOS ONE* 12, no. 11 (20 Nov. 2017): e0184923; https://doi.org/10.1371/journal.pone.0184923.「看護研究」: Cadeyrn J. Gaskin & Brenda Happell, 'Power, Effects, Confidence, and Significance: An Investigation of Statistical Practices in Nursing Research', International *Journal of Nursing Studies* 51, no. 5 (May 2014): 795–806; https://doi.org/10.1016/j.ijnurstu.2013.09.014.「行動生態学」: M. D. Jennions & Anders Pape Møller, 'A Survey of the Statistical Power of Research in Behavioral Ecology and Animal Behavior', *Behavioral Ecology* 14, no. 3 (1 May 2003): pp. 438–45; https://doi.org/10.1093/beheco/14.3.438.「心理学」: Denes Szucs & John P. A. Ioannidis, 'Empirical Assessment of Published Effect Sizes and Power in the Recent Cognitive Neuroscience and Psychology Literature', ed. Eric-Jan Wagenmakers, *PLOS Biology* 15, no. 3 (2 Mar. 2017): e2000797; https://doi.org/10.1371/journal.pbio.2000797

46 Leif D. Nelson et al., 'Psychology's Renaissance', *Annual Review of Psychology* 69, no.1 (4 Jan. 2018): pp. 511–34; https://doi.org/10.1146/annurev-psych-122216-011836

49 Herm J. Lamberink et al., 'Statistical Power of Clinical Trials Increased While Effect Size Remained Stable: An Empirical Analysis of 136,212 Clinical Trials between 1975 and 2014', *Journal of Clinical Epidemiology* 102 (Oct. 2018): pp. 123–28; https://doi.org/10.1016/j.jclinepi.2018.06.014. ここで言う効果の大きさは、コーエンのd【平均値の差の大きさを示す効果量】が0・21である。私が示した解釈、つまり治療から恩恵を受ける人数については Kristoffer Magnusson が作成した非常に有用な計算機を使った（https://rpsychologist.com/d3/cohend/）。

51 E.g. Gilles E. Gignac & Eva T. Szodorai, 'Effect Size Guidelines for Individual Differences Researchers', *Personality and Individual Differences* 102 (Nov. 2016): pp. 74–78; https://doi.org/10.1016/j.paid.2016.06.069

52 ありがたいことに、シリル・バート【訳注：イギリスの心理学者（1883–1971年）。双子の研究から知能が遺伝子の影響を受けていると結論づけたが、論文は捏造だったことが判明している】の時代以降も、双子の研究は数多くおこなわれている。レビューは以下を参照。Tinca J. C. Polderman et al., 'Meta-Analysis of the Heritability of Human Traits Based on Fifty Years of Twin Studies', *Nature Genetics* 47, no. 7 (July 2015): 702–9; https://doi.org/10.1038/ng.3285

53 候補遺伝子と認知機能の関係に関するレビューは以下を参照。Antony Payton, 'The Impact of Genetic Research on Our Understanding of Normal Cognitive Ageing: 1995 to 2009', *Neuropsychology Review* 19, no. 4 (Dec. 2009): pp. 451–77; https://doi.org/10.1007/s11065-009-9116-z

54 Dominique J-F de Quervain et al., 'A Functional Genetic Variation of the 5-HT2a Receptor Affects Human Memory', *Nature Neuroscience* 6, no. 11 (Nov. 2003): pp. 1141–42; https://doi.org/10.1038/nn1146

55 Marcus R. Munafò et al., 'Serotonin Transporter (5-HTTLPR) Genotype and Amygdala Activation: A Meta-Analysis', *Biological Psychiatry* 63, no. 9 (May 2008): pp. 852–57; https://doi.org/10.1016/j.biopsych.2007.08.016

58 Laramie E. Duncan et al., 'How Genome-Wide Association Studies (GWAS) Made Traditional Candidate Gene Studies Obsolete', *Neuropsychopharmacology* 44, no. 9 (Aug. 2019): pp. 1518–23; https://doi.org/10.1038/s41386-019-0389-5

59 「まれな」という言葉に重要な意味がある。たとえば、学習障害や自閉症スペクトラム症の一部に関連する多くの「まれな」突然変異がわかっている（Mari E. K. Niemi et al., 'Common Genetic Variants Contribute to Risk of Rare Severe Neurodevelopmental Disorders', *Nature* 562, no. 7726 (Oct. 2018): pp. 268–71; https://doi.org/10.1038/s41586-018-0566-4）。私の知るかぎり、大規模なGWASの猛攻撃から生き残った、より一般的な「候補遺伝子」はAPOE遺伝子の変異だけだ。APOE遺伝子はアルツハイマー病のリスクと確実に関連があるとみられる。以下を参照。Riccardo E. Marioni et al., 'GWAS on Family History of Alzheimer's Disease', *Translational Psychiatry* 8, no. 1 (Dec. 2018): 99; https://doi.org/10.1038/s41398-018-0150-6

60 「IQテスト」：Christopher F. Chabris et al., 'Most Reported Genetic Associations with General Intelligence are Probably False Positives', *Psychological Science* 23, no. 11 (Nov. 2012): pp. 1314–23; https://doi.org/10.1177/0956797611435528.「鬱病」：Richard Border et al., 'No Support for Historical Candidate Gene or Candidate Gene-by-Interaction Hypotheses for Major Depression Across Multiple Large Samples', *American Journal of Psychiatry* 176, no. 5 (May 2019): pp. 376–87; https://doi.org/10.1176/appi.ajp.2018.18070881.「統合失調症」：M. S. Farrell et al., 'Evaluating Historical Candidate Genes for Schizophrenia', *Molecular Psychiatry* 20, no. 5 (May 2015): pp. 555–62; https://doi.org/10.1038/mp.2015.16

61 Scott Alexander, '5-HTTLPR: A Pointed Review', *Slate Star Codex*, 7 May 2019; https://slatestarcodex.com/2019/05/07/5-httlpr-a-pointed-review/

62 検定力の低さについては以下のアブストラクトの項で言及されている。H. Clarke et al., 'Association of the 5-HTTLPR Genotype and Unipolar Depression: A Meta-Analysis', *Psychological Medicine* 40, no. 11 (Nov. 2010): pp. 1767–78; https://doi.org/10.1017/S0033291710000516. ちなみに、候補遺伝子に関する文献には、かなりの出版バイアスがかかっていることは間違いない。候補遺伝子と環境の相互作用に関する研究もそれを裏づけている。Laramie E. Duncan & Matthew C. Keller, 'A Critical Review of the First 10 Years of Candidate Gene-by-Environment Interaction Research in Psychiatry', *American Journal of Psychiatry* 168, no. 10 (Oct. 2011): pp. 1041–49; https://doi.org/10.1176/appi.ajp.2011.11020191

63 R. A. Fisher, 'XV. – The Correlation between Relatives on the Supposition of Mendelian Inheritance', *Transactions of the Royal Society of Edinburgh* 52, no. 2 (1919): pp. 399–433; https://doi.org/10.1017/S0080456800012163. 以下の歴史的議論も参照。Peter M. Visscher et al., '10 Years of GWAS Discovery: Biology, Function, and Translation', *American Journal of Human Genetics* 101, no. 1 (July 2017): pp. 5–22; https://doi.org/10.1016/j.

ajhg.2017.06.005

66 たとえば以下を参照。Christine R. Critchley, 'Public Opinion and Trust in Scientists: The Role of the Research Context, and the Perceived Motivation of Stem Cell Researchers', *Public Understanding of Science* 17, no. 3 (July 2008): pp. 309–27; https://doi.org/10.1177/0963662506070162

# 第6章 誇張

これから話す宇宙人との遭遇は真実です。真実というのは、正しくないということです。

すべて嘘です。でも、楽しい嘘です。

そして、結局のところ、それが本当の真実なのか？　その答えはノーです。

――レナード・ニモイ『ザ・シンプソンズ』

2010年、カリフォルニア州のモノ湖に生息する謎のバクテリアについて、NASA（米航空宇宙局）の研究者による論文が『サイエンス』に掲載された。[1] モノ湖は不思議な場所だ。水が強アルカリ性で塩分が海水の約3倍の濃さというだけでなく、鍾乳洞の床のように石灰石のいびつな塔がそびえ立ち、まるでSF映画のセットのようだ。[2] 世界で最もエキゾチックな生物を調査したい、それがほかの惑星における生命の化学的性質について何かを教えてくれるのではないかと考えている科学者にとって、うってつけの場所でもあった。

微生物学者のフェリサ・ウルフ゠サイモンが率いる研究チームによると、バクテリアがこの湖の極端な環境に適応したことにより、2つの特異な現象が起きた。1つは、あらゆる生物に不可欠な元素の1つと考えられているリンがほとんど存在しない環境で、バクテリアが成長して増殖したこと。もう1つはさらに衝撃的だった。ウルフ゠サイモンがGFAJ－Iと名づけたこのバクテリアが成長できた理由は、自らのDNAの基本構造を変えることができたからで、DNAを構成する元素のうちリンを、モノ湖に豊富に存在するヒ素と置き換えていたというのだ。ヒ素は毒物としてよく知られており、この結果を二重の意味で驚くべきものにしていた。DNAの分子内のリンが別の元素に置き換わるという現象は前例がないというだけでなく、モノ湖周辺のように高濃度のヒ素は、通常は生命にとって有毒である。しかし、GFAJ－Iにとって、ヒ素は生命を維持する役割を果たしているのだ。[3] この結果が支持されれば、「フェリサに仕事をあげる（Give Felisa Job）」どころの話ではない（バクテリアの名前はこのフレーズの頭文字を取っている）。[4] 生命についての考え方が変わるだろう。そのことはウルフ゠サイモンも間違いなく意識していた。彼女は記者会見で、この発見が「宇宙のどこかに生命が存在する可能性への扉を開いた」と語った。[5]

ただし、教科書を破り捨てるのは気が早そうだ。ほかの研究者は最初から、「ヒ素で生きる生命」について懐疑的だった。[6] ブリティッシュ・コロンビア大学の微生物学者ローズマリー・レッドフィールドはこの研究の欠陥を指摘し、一連の詳細なブログ記事で説明した。[7] ウルフ＝サイモンは批判を無視した。「このような議論をするつもりはない」と、彼女はあるジャーナリストに語っている。「どのような主張も、私たちの論文と同じように査読を受けなければならない」[8]

彼女の反応はやや滑稽だった。というのも、研究の発表に際してＮＡＳＡは明らかに、広く一般の人々の興味を引こうとしていたのだ。この数日前には、新しい発見が「地球外生命体の証拠の探索に影響を与える」[9] という思わせぶりなプレスリリースを世界に向けて発表していた。実際、多くの憶測が飛び交った。ある人気ブログはすぐに、土星最大の衛星タイタンで生命の痕跡が見つかっていたかもしれないと示唆した。[10] 研究が最初に発表された当初はそこまで興奮をそそるものではなかったが、ＮＡＳＡはもったいぶった表現で盛り上げた。発表直後にＮＡＳＡ長官は、「まさに生命の定義が拡大した」と熱弁を振るった。「太陽系で生命の痕跡を探し

2　厳密には鍾乳洞で見られる石筍ではなく石灰華と呼ばれるもので、見た目は似ているが、内部がスポンジ状になっているなどわずかに性質が異なる。https://itotd.com/articles/2773/tufa/

3　ウルフ＝サイモンの研究は宇宙生物学の一分野に属する。研究室で研究できるような別惑星からの本物のエイリアンがいないため、宇宙生物学者はそのような生命がどんなふうに見えるかを研究する。その方法のひとつは、モノ湖のような過酷な環境に生息するバクテリアなどの「極限環境微生物」に注目することだ。

続けている私たちは……私たちが知らない生命について考えなければならない」[11]

ウルフ＝サイモンの望みがかなって、議論の舞台が学術誌に移るまでに時間はかからなかった。学術誌が過去に自分たちが掲載した論文に対する強い批判を掲載することは比較的めずらしいが、科学的プロセスが正常に機能していることを示唆する例と言えるかもしれない。『サイエンス』はレッドフィールドの反論を含む「テクニカル・コメント」を少なくとも8件と、ウルフ＝サイモンたち研究者による挑発的な回答を掲載した。[12]

レッドフィールドの研究チームはさらに、ヒ素で生きるバクテリアについて適切な検証をおこなった。[13] ウルフ＝サイモンの主な観察結果によると、リンもヒ素もない環境ではバクテリアは増殖しないが、ヒ素を加えると増殖したという。レッドフィールドらは実験室でこの現象を再現しようと試みたが、できなかった。GFAJ－Iはリンを与えないとまったく成長しないことがわかったのだ。GFAJ－IのDNAに関しては、サンプルを水で洗った後はわずかなヒ素しか検出されなかった。

これについて最もありそうな説明は、ありふれた話で、単純な汚染というものだ。ウルフ＝サイモンがバクテリアに与えたヒ素に、成長に必要なだけのリンが混入していた（つまり汚染されていた）のかもしれない。あるいは反対に、ウルフ＝サイモンのDNAサンプルには、彼女が研究室でつくったモノ湖に似せた環境から、ヒ素が混入していたのかもしれない。スイス連邦工科大学チューリッヒ校で並行しておこなわれた再現実験でもレッドフィールドらとほぼ同様の結果が得られ、ヒ素生命体の棺に経験主義が最後の釘を打った。[14] 生命は、まだ私たちが知っている生命だった。

ヒ素生命体のエピソードには称賛すべき点がたくさんある。人々を驚かせた主張が、すぐに科学界の厳しい審査にかけられたのだ。自分の意見を修正させることは、まさに科学の目的であり、今回は多くの意味でそのプロセスがうまくいった教科書的な例である。もっとも、その影響は厳しかった。ウルフ＝サイモンはヒ素生命体事件の後、論文をわずか１本発表しただけで、研究より教育に専念している。一方のＮＡＳＡは、おそらく世界で最も著名な科学機関であり、畏敬の念と称賛の念を集めているが、これ以降に発表するプレスリリースの信頼性を大きく損なった。問題は、言うまでもなく、ＮＡＳＡが発見を過剰に宣伝して研究者を窮地に追い込み、結果的に科学論文の価値を下げたことだ。

こうした暫定的な結果を誇張するのも悪くないと、ＮＡＳＡが純粋に考えたという可能性もある。しかし、より考えられる要因は、経済的な圧力だ。科学機関は資金提供者に（ＮＡＳＡの場合はアメリカ政府に）、自分たちが価値のあることをしていると納得させようと必死になる。ヒ素生命体研究の事後評価の１つが指摘しているように、ＮＡＳＡは「継続的な関連性を演出しなければならない」[15]。この衝動が高まりすぎると、あまりに誇張したプレスリリースになることは想像に難くない。

言うまでもなく、科学者も似たような必要に迫られている。彼らは助成金に頼って研究を維持しており、私たちの知識に小さな断片を加えるにすぎない実用的な研究より、これ見よがしの派手な研究結果が好まれる空気のなかで仕事をしているのだ。こうした現状が、本書で取り上げる科学の問題を、もちろん正当化はしないが理解しやすくするかもしれない。まずは、科学者が自分の研究について、誤解されやすい宣伝をするさまざまなケースを見ていこう。科学の研究は、一般の報道機関によって誤って伝えられるだけでなく、科学者自身が誇張の主な原因になっている。科学者が自分の成果を誇張したり、誤った表現をしたりするたびに、科学に対する信頼を損なう恐れがある。そして、誇張が過熱すると、研究分野全体が信頼を失いかねない。

## 注目が誇張を生み出す

ヒ素生命体の震源地は、NASAのプレスリリースだった。科学分野のプレスリリースは広報担当者だけで作成するわけではなく、科学者が深く関わっていることはあまり知られていない。科学者が自ら全文の草稿を書くこともある。何も知らない研究者が自分の仕事に集中しているときに、メディアが突然、彼らの発見を取り上げて大げさに報道するという筋書きは、決してよくあることではない。[16]

プレスリリースの大きな問題点は、世の中を揺るがすような調査結果が誤っていたという、ありがちな話ではない。むしろ、普通の科学論文の結果を誇張して、実際よりも重要で画期的なもの、あるいは人々の生活を変えるようなものに見せることだ。英カーディフ大学の研究者を中心とした２０１４年の研究は、健康に関する科学研究のプレスリリース数百件を調べ、そこに説明されている研究と最終的に発表されたニュース記事を照合した。[17] その結果、プレスリリースには3種類の誇大広告があることがわかった。

１つ目は「正当な根拠のないアドバイス」だ。人々が行動を変えるべき方法（特定の種類の運動をすすめるなど）を提案するプレスリリースは、その研究結果が裏づけるよりも短絡的または直接的だった。この傾向は検証の対象となったプレスリリースの40％に見られた。

２つ目の誇大広告は「異種間の飛躍」だ。前述のとおり、前臨床研究の多くはラットやマウスなど人間以外の動物を使っておこなわれる。これはトランスレーショナルリサーチ（橋渡し研究）または動物モデリングと呼ばれるものだ。[18] 脳や腸、心臓などの働きの基本原理を動物の「モデル」で研究し、多くの研究を重ねることで、その結果が最終的に人間に反映され、より良い治療法の設計に役立つという考え方だ。ただし、マウスで（あるいは皿のなかの細胞やコン

16　決して起こらないというわけでもない。科学的発表に関する職業上の危険は、研究結果がメディアで不正確に報じられたり、誤解されたり、切り刻まれたりすることだ。これには些細な誤りもあるが、深刻で有害なものもある。後者の例として、２０１１年にスタチン（心臓病のリスクを低減させる、十分に証明された安全な薬）の副作用について不正確な報道が不安をあおり、数年にわたり人々がスタチンを服用しようとしなかったという影響が生じたとみられる。Anthony Matthews et al., 'Impact of Statin Related Media Coverage on Use of Statins: Interrupted Time Series Analysis with UK Primary Care Data', *BMJ* (28 June 2016): i3283; https://doi.org/10.1136/bmj.i3283

ピュータのシミュレーションで）発見したことを人間に関連づけるまでには、多くの段階がある。開発、検証、試験の一連のサイクルは、ときには何十年もかかる骨の折れる作業だ。[19] マウスで得られた結果の約90％は、最終的に人間には適用されない。[20]

もちろん、このことは動物研究者も十分に承知している。それにもかかわらず、カーディフ大学の研究チームによると、動物実験の初期段階で得られた結果が人間にとって重要な意味を持つことを暗示したり、あるいは明確に主張したりして、プレスリリースを誇張する例はなくならない。調査したプレスリリースの36％にこのような誇張が含まれていた。一方、ヘルス部門の研究に関するニュース記事は、その研究が人間を使っておこなわれたものではないという事実を、第8段落か第9段落のどこかに埋もれさせることもめずらしくない。心理生理学者のジェームズ・ヘザーズはツイッター（現X）にアカウントを開設して、「ジャンクフードを食べたくなる注射を開発中」「ニンジンに含まれる成分がアルツハイマー病のような症状を逆行させる」など、トランスレーショナルリサーチに関するニュースについて誤解を招くような見出しをひたすらリツイートして、「……ただし、マウスの実験で」とつけ加えている。[21]

カーディフ大学の研究チームが指摘する3つ目の誇大広告は、おそらく最も困惑させられるものだ。誰もが、特に科学者は、「相関関係は因果関係ではない[22]」ことを知っている。この基本的な考え方は統計学の入門コースで必ず教えており、科学、教育、経済などに関する公開討論でも昔から取り上げられている。科学者が「観察／観測」データセットを見るときに、ランダム化された実験的介入なしに集められたデータなら、一般には相関関係を示すにすぎない。たとえば、子供の成長に伴う語彙の増加を示す研究もそのひとつだ。そのことに物足りなさを感じる必要はない。世の中には物事が互いにどのように関連しているかについて学べることがたくさんあり、相関関係のパターンを正確に把握することは、脳や社会などのシステムを理解する上で不可欠な基礎となる。

ただし、その相関関係をどのように解釈するかについては、かなり注意が必要だ。たとえば、コーヒーをたくさん飲む人はＩＱが高いという相関関係があったとしても、「コーヒーを飲むとＩＱが高くなる」[23]と結論づけることはできない。因果関係の矢印は、頭がいいとコーヒーをより多く飲むという反対の方向を示しているかもしれない。あるいは、社会経済的に裕福な層に属することで健康になり、その結果としてＩＱが高くなる、自分が属する社会で流行しているからコーヒーを多く飲むなど、第３の要因が先の２つの要因の両方を引き起こしているかも

21　https://twitter.com/justsaysinmice. 前章で取り上げたように、マウスなどの動物を使った研究の質が低いことも忘れてはならない。
22　「Correlation does not imply causation.（相関関係は因果関係を意味しない）」という表現もよく見かけるが、「imply」には複数の意味があるため、あいまいさが生じる。強い定義としては（たとえば、ダンスという言葉がダンサーの存在を「imply」するのと同じように、ＡはＢを論理的に含む）、確かにそのとおりだ。しかし、弱い意味（上司からの少々そっけないメールが、あなたに不満を持っているかもしれないことを暗示しているように、ＡがＢを明示的ではなく示唆する）の場合、そこに因果関係がなくても、相関関係が因果関係を暗示することはある。言い換えれば、相関関係が因果関係を「imply」しないなら、２つがこれほど混乱を招くことはないだろう。 23 Janie Corley et al., 'Caffeine Consumption and Cognitive Function at Age 70: The Lothian Birth Cohort 1936 Study', *Psychosomatic Medicine* 72, no. 2 (Feb. 2010): pp. 206–14; https://doi.org/10.1097/PSY.0b013e3181c92a9c

しれない。[24] こうした指摘は当たり前すぎて退屈に聞こえるかもしれないが、カーディフ大学の研究では33％のプレスリリースが因果関係を強調していた。自分たちの観察の結果や相関的な結果が、あたかもランダム化された実験から得られたもので、何が原因かを明らかにできるかのように書かれていたのだ。[25]

プレスリリースの誇大表現は、報道の誇大表現とつながっていた。カーディフ大学の研究チームによると、プレスリリースが最初に誇張した場合にメディアが同様の誇張をする確率は、助言としての誇張は6・5倍、因果関係を主張する誇張は20倍、言い換えによる誇張は実に56倍にのぼる（プレスリリースがより慎重な言い回しの場合、ジャーナリストによる誇張はごく小さかった）。

この研究は相関研究だけに注目したものだったが、カーディフ大学の研究チームはフォローアップとして2019年に素晴らしいランダム化試験をおこなっている。[26] このときは大学の広報室と協力して、無作為に選んだプレスリリースに根拠のない因果関係の記述を加え、その効果を、より証拠に沿ったプレスリリースと比較した。その結果、プレスリリースの流れが変われば見出しも変わり、誇張が誇張を生んだ。2019年におこなわれた別の実験では、誇張された健康ニュース記事を読んだ人は、ある治療法は有益だと信じやすくなった。[27]

時間に追われるジャーナリストがプレスリリースの内容をそのまま記事にする（文章もほぼ同じという記事も少なくない）チャーナリズム〔訳注：ジャーナリズムと大量生産（churn out／チ

ャーン・アウト）を合わせた造語〕の時代に、科学者は大きな力を持ち、そして大きな責任を負っている。[28] 査読の制約は確かに緩いかもしれないが、メディアの報道には査読のような機能が存在さえしないため、自分の研究結果の重要性に関する科学者のバイアスは野放しになる。

腹立たしいことに、プレスリリースで膨らんだ誇大広告のバブルを破裂させることは難しい。２０１７年のある研究によると、メディアで取り上げられた健康に関する研究のうち、最終的にメタアナリシスで立証されるものは約50％にすぎない（つまり、50％は概ね再現可能である）。これだけでも恥ずべきことだが、さらに輪をかけて、検証のメタアナリシスがメディアで取り上げられることはほとんどない。[29] 取り上げられたとしても、そのころにはすでに誇大広告のダ

24　ほかにも2つの変数に相関関係がある要因として、「合流点（コライダー）バイアス」がある。これについては以下のブログが優れた説明をしている（Julia Rohrer, 'That One Weird Third Variable Problem Nobody Ever Mentions: Conditioning on a Collider', *The 100% CI*, March 14, 2017; http://www.the100.ci/2017/03/14/that-one-weird-third-variable-problem-nobody-evermentions-conditioning-on-a-collider/）。その投稿によると、ＩＱと誠実さについて、母集団全体ではまったく相関関係が見られなくても、大学生のサンプルだけを見ると、驚くことに負の相関があるかもしれない。その理由は、ＩＱと誠実さの両方が大学への進学率を高める特性であり、両方の特性が低い人がサンプルからふるい落とされているからだ。ＩＱが低くて誠実ではない人が大学生のサンプルから欠落しているという事実は、２つの変数のあいだに偽相関を生じさせる。これは厄介な問題であり、私たちが思っている以上に研究に蔓延している。以下も参照。Marcus R. Munafò et al., 'Collider Scope: When Selection Bias Can Substantially Influence Observed Associations', *International Journal of Epidemiology* 47, no. 1 (27 Sept. 2017): pp. 226–35; https://doi.org/10.1093/ije/dyx206

25　哲学者のデイヴィッド・ヒュームの「帰納の問題」を考えてみよう。簡潔に説明すると、相関関係は相関関係ですらなく、前に起きたことが再び起きるという主張には合理的根拠がない（古典的な命題は「翌日の朝、太陽が昇ることを証明する」こと）という原理である。哲学の世界では数世紀にわたって議論されており、多くの聡明な思想家が挑んできたが、決して解けない問いとも言われている。以下に優れた議論が紹介されている。Leah Henderson, 'The Problem of Induction', *Stanford Encyclopedia of Philosophy*, ed. Edward N. Zalta, Winter 2019; https://plato.stanford.edu/archives/win2019/entries/induction-problem

メージは広がっているかもしれない。ジョナサン・スウィフトの言葉を借りれば、誇張された科学は空を飛び、反論は足を引きずりながら追いかける。

## ポピュラーサイエンス本の誇張された期待感

メディアの記事が広める一時的な喧伝は、そこまで案じることもないのだろう。しかし、書籍となると話は別だ。科学者が書いた本が話題になって時流に乗れば、その考えが定着するかもしれない。優れた本は、複雑な科学的結果を誇張せず、ゆがめることもなく、一般の読者に合わせてかみくだき、私たちや世界について考えるための新しい手段を提供する。しかし、最悪の場合は、査読委員会の管轄が遠く及ばないところで誇大広告の無法地帯と化す[30]。ここでもまた、私の専門分野であり、自己啓発や人生に関する助言など商業的に大成功を収めているジャンルにうってつけの心理学が、悪名をとどろかせている。

とりわけ影響力のある例のひとつが「成長マインドセット」だ。成長マインドセットとは、人の能力は生まれつき決まっているのではなく、努力すれば生涯を通じて向上する可能性があると信じることだ。それに対し、持って生まれた能力を伸ばすことができると思わない「固定マインドセット」には、誰でも陥りたくないだろう。この概念を提唱したスタンフォード大学の心理学者キャロル・S・ドゥエックは数百本の科学論文を発表しているが、大成功をもたらしたのはベストセラーになった書籍『マインドセット「やればできる!」の研究』(邦訳・草思社)だ。彼女はマインドセットの概念が人生を変える可能性があると述べている。「自分をどのように見るかという選択は、歩んでいく人生に大きな影響を与える」。「あるマインドセットになるということは、新しい世界に入るということだ」[31]。実際、マインドセットについて学ぶと、「科学や芸術、スポーツ、ビジネスの分野で、偉大な人や偉大になったかもしれない人のことを突然、理解できるようになる。自分の可能性や自分の子供の可能性をどのように引き出せばいいかもわかるだろう」[32]。ドゥエックの本(主に事例的なエピソードが並んでいる)と一般的なマインドセットの考え方の成功と影響力は、彼女が科学者であることから生まれている。それもただの科学者ではない。

30　科学者ではない著者によるポピュラーサイエンスの本も例外ではなく、大きな問題を招きかねない。スティーブン・ピンカーはマルコム・グラッドウェルのエッセイ集『犬は何を見たのか』(講談社)の書評で、グラッドウェルが「eigenvalues(固有値)」(多くの統計分析で重要な数学的概念)を「igon values」と間違えて引用していることを「Igon Values 問題」と命名した。インタビューした相手の言葉を耳で聞いたまま綴り、後で確認しようとしなかったと思われる。Igon Values 問題はポピュラーサイエンスの文章ではよくあることで、執筆者がその分野の専門家ではない場合に起こり得る理解のずれを浮き彫りにする。しかし、本書で見ていくように、科学者が自身の専門テーマについて書いても、Igon Values と同じくらい悲惨な問題を抱えた本が生まれることもある。Steven Pinker, 'Malcolm Gladwell, Eclectic Detective', *New York Times*, 7 Nov. 2009; https://www.nytimes.com/2009/11/15/books/review/Pinker-t.html

31　Carol S. Dweck, Mindset: *The New Psychology of Success* (New York: Ballantine Books, 2008): pp. 6, 15. キャロル・S・ドゥエック『マインドセット「やればできる!」の研究』(草思社)【引用は訳者】。ドゥエックが「成長を促す場所で生きることは、すべての子供の基本的人権である」と語るTEDトークは人気を集め、本稿の執筆時点でTEDサイトの再生回数は1020万回、YouTube は330万回に達している。Carol Dweck, 'The Power of Believing That You Can Improve'(必ずできる! 未来を信じる「脳の力」), *TEDxNorrkoping*, Nov. 2014; https://www.ted.com/talks/carol_dweck_the_power_of_believing_that_you_can_improve

一流大学の世界的に名の知れた教授であり、本の冒頭で自ら強調しているとおり、自分の科学的な研究を広めているのだ。マインドセットの概念は教育界で熱狂を巻き起こした。2016年にアメリカの教師を対象におこなわれた調査では、57％の人が成長マインドセットの原則に関するトレーニングを受けたことがあり、98％が成長マインドセットの考え方を教室で実践すれば生徒の学習が向上すると答えている。イギリスでも数千の学校が公式サイトで、成長マインドセットの方針を掲げている。[33]

成長マインドセットに関する優れた研究は何を語っているのだろうか。2018年には300件以上のマインドセット研究のメタアナリシスがおこなわれ、[34]成長マインドセットと学校や大学での成績の相関関係をアンケートを用いて測定した研究と、成長マインドセットに誘導して成績を向上させようという実験を解析した。いずれの場合も効果は実際にあったが、弱かった。相関関係については、生徒のマインドセットが成績の変動に関与する割合は約1％だった。成長マインドセットに誘導する試みでは、トレーニングを受けた実験群と受けていない対照群を比較したが、それほど大きな差は見られなかった。マインドセットの効果がまったくなければ、2つのグループの成績分布は100％重なる（同じ分布になる）と考えられる。そして実際には、トレーニングによる介入が成績分布を変えたとはいえ、その差はほんのわずかで、介入後も96・8％の重なりが見られた。[35]これは大きな効果とは言えない。

もちろん、これほど小さな効果でも、何万人、何十万人という学生に介入すれば、全体としてそれなりの効果は得られるだろう。[36] ただし、ドゥエックは成長マインドセットをそのような論理で説明していないし、そのような論理で語っていたら、親や教師が彼女の本を競って買い求めなかっただろう。ドゥエックは個別の事例の効果を誇張しており、その描写はまるで啓示のようだった。[37] こうした過剰な宣伝のリスクは、教師や政治家がマインドセットを教育の万能薬と思うようになって、勉強についていけない子供がとらわれている社会的、経済的理由やそのほかの理由が絡み合った複雑な網をほどくために費やすべき時間と資源を、マインドセットに注ぎ込むことだ。ドゥエックの本に書かれている大げさな主張に比べれば、現実はどうしても見劣りする（つけ加えておくと、科学が求める知的な謙虚さに反する主張でもあった）。前章で

35　統計マニアのためにつけ加えると、相関効果はピアソンのr値で０・１０、実験効果はコーエンのd値で０・０８にそれぞれ相当する。０・０８というd値について別の視点から、分布が96.8%重なると考えるのではなく、マインドセット群からランダムに1人を選んで成績が対照群の平均より上か下かを考えるという方法がある。マインドセットの効果がなければ確率は50%、つまり平均は同じになる。メタアナリシスでは、成長マインドセットを持つように訓練された人の成績が対照群の平均より高くなる確率は52・3%だった。計算には以下のサイトを使った。https://rpsychologist.com/d3/cohend/

36　メタアナリシスでは、リスクが特に高い子供（たとえば、より貧しいバックグラウンドを持つ子供）は、マインドセットの介入からより多くの恩恵を得るかもしれないという証拠がいくつか見られた。成長マインドセットを擁護する人々がおこなった最近の大規模な研究でも、基本的にメタアナリシスと同じような結果が得られた。David S. Yeager et al., 'A National Experiment Reveals Where a Growth Mindset Improves Achievement', *Nature* 573, no. 7774 (Sept. 2019): pp. 364–69; https://doi.org/10.1038/s41586-019-1466-y

37　誇大広告が科学的な「ミッションクリープ」の感覚を引き起こす格好の例として、２０１１年に『サイエンス』に掲載されたドゥエックらの論文がある。この論文はどちらかと言えば弱く見える証拠をもとに、中東和平の促進に成長マインドセットを利用できるのではないかと提案している。E. Halperin et al., 'Promoting the Middle East Peace Process by Changing Beliefs About Group Malleability', *Science* 333, no. 6050 (23 Sept. 2011): pp. 1767–69; https://doi.org/10.1126/science.1202925

見たように、複雑な現象は多くの小さな影響で構成されている。子供の教育のような複雑なことに、たったひとつの「手っ取り早い解決策」があるという考え方を広めるべきではないということは、科学者なら承知しているはずだ。[38]

ドゥエックに免じて言えば、このメタアナリシスは、2006年に彼女の著書『マインドセット』が出版されてから10年以上後におこなわれた。当時は自分の研究結果がどのような展開になるか、わからなかったかもしれない（だからこそ、知的な謙虚さが求められるのかもしれないが）。

ただし、科学者からベストセラー作家になった人のなかには、そのような弁解のしようがない人もいる。イェール大学の心理学者ジョン・バーグは、「被験者に高齢者を連想させるプライミングをすると、歩くスピードが遅くなる」という論文の筆頭著者だった。この研究は第2章で紹介したとおり、2012年により多くのサンプルとより厳密な実験設計で検証したところ、再現できなかった。[39]

しかし、バーグの再現実験が失敗し、心理学全般で再現性の危機が起きてから数年後の2017年に、バーグの著書『あなたが知らないうちに：私たちが無意識に行動する理由』がベストセラーになった。[40] そこでは潜在意識が人間の行動に強い影響を与えると主張しているが、この分野における再現性の大きな問題にいっさい触れていないばかりか、社会心理学的な研究を引用していながら（その多くはサンプルのサイズが小さく、結果がどちらとも言い難いものだ）、人間の行動について頭をひねるような主張を平然と続けている。[41]

たとえば、本の序文には、無意識の影響が「就職や交渉できる給与の額を左右することさえあり、あなたの雇用主になる人が手に持っている飲み物や座っている椅子の種類によって運命

38　教育に関する誇大広告のもう１つの例は、成長マインドセットの概念の再来とも言える「GRIT（グリット／やり抜く力）」だ。これは心理学者のアンジェラ・ダックワースが提唱したもので、情熱を感じている仕事をやり抜き、壁が立ちはだかってもあきらめない能力が、人生の成功のカギであり、生まれつきの才能よりはるかに重要だとする。そのメッセージは多くの人の心をつかんだ。本稿の執筆時点で彼女のＴＥＤトークの再生回数は２５５０万回（ＴＥＤサイトで１９５０万回、YouTube で６００万回）に達している。Angela Lee Duckworth, 'Grit: The Power of Passion and Perseverance'（成功のカギは、やり抜く力）, presented at TED Talks Education, April 2013; https://www.ted.com/talks/angela_lee_duckworth_grit_the_power_of_passion_and_perseverance)。著書『やり抜く力 GRIT（グリット）――人生のあらゆる成功を決める「究極の能力」を身につける』（ダイヤモンド社）はニューヨーク・タイムズ紙のベストセラーリストに載り、今も売れ続けている。マインドセットと同じように、グリットも多くの学校の教育哲学に組み込まれている。全米最大のチャータースクールプログラムで約９万人の生徒を指導しているＫＩＰＰ（Knowledge is Power Program）もその１つだ（https://www.kipp.org/approach/character/）。ダックワースの名誉のためにつけ加えると、彼女は自分の研究結果をめぐる過剰な宣伝に懸念を示している。２０１５年にはＮＰＲ（米公共ラジオ放送）のインタビューで「過熱ぶりは科学の域を超えている」と語っている（Anya Kamenetz, 'A Key Researcher Says "Grit" Isn't Ready For High-Stakes Measures', *NPR*, 13 May 2015; https://www.npr.org/sections/ed/2015/05/13/405891613/akey-researcher-says-grit-isnt-ready-for-high-stakes-measures)。グリット（あるいはグリットを教育しようとする介入）の効果に関するメタアナリシスの証拠はきわめて弱く、賢明な発言と言えるだろう。Credé et al., 'Much Ado about Grit: A Meta-Analytic Synthesis of the Grit Literature', *Journal of Personality and Social Psychology* 113, no. 3 (Sept. 2017): pp. 492–511; https://doi.org/10.1037/pspp0000102. And Marcus Credé, 'What Shall We Do About Grit? A Critical Review of What We Know and What We Don't Know', *Educational Researcher* 47, no. 9 (Dec. 2018): pp. 606–11; https://doi.org/10.3102/0013189X18801322

39　ダニエル・カーネマンは社会心理学者たちに宛てた公開書簡で、バーグの結果の１つ（第３章で取り上げた「高齢者を連想させるプライミングをすると、歩くスピードが遅くなる」という研究）の再現に失敗したことを受けて、「大惨事が待ち受けており」、プライミングの研究のやり方を変えたほうがいいと呼びかけた。

41　心理学者のユーリック・シマックは以下のブログの投稿でバーグの著書について詳細な「量的レビュー」を報告し、バーグが引用している研究をそれぞれどこまで信頼できるかを評価している。Ulrich Schimmack, '"Before You Know It" by John A. Bargh: A Quantitative Book Review', *Replication Index*, 28 Nov. 2017; https://replicationindex.com/2017/11/28/before-you-know-it-by-john-a-bargh-aquantitative-book-review/.「書籍の量的レビュー」は多くの科学者が実践するべき素晴らしいアイデアだ。

いる。参加者がバーグのオフィスに入って、ある椅子に座ると、特定のタイプの人々は自分の人種差別的な態度を認めやすくなった。これはデスクの反対側にある小さめの椅子に座った人と比べて、その椅子に自分は強いと感じさせる「プライミング」効果があったからだという。[43] 飲み物については41人の参加者を対象に実験をおこない、温かい飲み物をしばらく持った後は他人をより好意的に評価する傾向があり、まさに「温かい」気持ちを持つという。[44] ここでは再現性に関する懸念は別にして、どちらの研究も、「あなたの雇用主になる人」と何の関係もない。バーグは学部生を対象とした小規模な研究から導き出した知見を、検証されていない環境に単純に当てはめている。限定的な環境における結果を過大に主張するという典型的な例だ。

これまでに挙げた本は、著者が薄い証拠を膨らませている。[45] 続いて紹介するベストセラーは、その主張の根拠とする科学をあからさまに誤って解釈していると批判されている。カリフォルニア大学バークレー校教授で神経科学者のマシュー・ウォーカーは、2017年に『睡眠こそ最強の解決策である』（邦訳・SBクリエイティブ）を出版。1日8時間の睡眠をとらなければ、健康に（そのほかのことにも）恐ろしい影響が出ると主張した。[46] この本も世界的なベストセラーになった。ウォーカーのTEDトーク「睡眠はあなたのスーパーパワー」は約1000万回の再生回数を記録している。[47] 元BMJ（ブリティッシュ・メディカル・ジャーナル）編集長のリチャード・スミスは、「あなたの世界観を変え、社会と医療を変える稀有な本」と評した。[48]

ウォーカーの主張は眠気を誘うどころではない。第1章から、「睡眠時間が短いほど寿命が短くなる」「6、7時間以下の睡眠を続けていると、免疫システムが破壊され、ガンのリスクが2倍以上になる」という警告が並ぶ。[49] ただし、いずれも証拠に反する内容だ。2019年にライターでもある研究者のアレクセイ・グゼイが、ウォーカーの主張の多くについて出典をたどった記事を発表した。[50] グゼイはまず、複数の研究で、睡眠時間の長さと死亡リスクの関係はU字曲線を描いていることを確認した。毎日8時間以上寝る人は、5時間以下の人と同じように、寿命が短くなっているのだ。[51] さらに、睡眠時間が短いと免疫系が「破壊」されてガンのリスクが高まるという主張は（この主張は相関関係を示すデータから誤って因果関係を導き出した例でもある）、証拠と矛盾していることもわかった。睡眠時間が短い人はガンのリスクが増加するという関係は、あるとしても弱く、おそらくそのような関係は存在しない。[52] グゼイはほかにもウォーカーの主張の多くについて批判し、ウォーカーが睡眠と怪我のリスクの関係を示すグラフの一部だけを提示して、睡眠時間が5時間の人は6時間の人より怪我をする可能性が低いという不都合な部分を省いていることも指摘した。[53]

もちろん、睡眠や睡眠時間の確保が重要ではない、という意味ではない。『睡眠こそ最強の

45　ベストセラーになったエイミー・カディの著書は、のちにp値ハッキングの典型例であることが明らかになった研究にもとづいていた。第2章・第4章を参照。

47　https://www.ted.com/talks/matt_walker_sleep_is_your_superpower. TEDの公式サイトの670万回とYouTubeの330万回を足したもの（いずれも2019年11月時点の再生回数）。

解決策である』に書かれているほかの主張は、もっと正確かもしれない。しかし、この本は、科学的な誇大広告が自己啓発的な語り口にとどまらず、破滅的な結果をもたらし得ることを自ら例示している。ウォーカーはデータが示すことだけに限定して、はるかに慎重な本を書くこともできたかもしれないが、そのような本はあまり売れなかっただろうし、「科学と医療を変える」と称賛されることもなかっただろう。とはいえ、このままでは、睡眠時間を気にしすぎたり、必要以上に寝て時間を無駄にしたりするなど、人々に誤解を与えかねない。事実の正確さの問題として、これだけ売れた本に、誤解を招く記述がこれだけ多く含まれていることに、私たちは夜も眠れない思いだ。

これは的外れな指摘なのかもしれない。商業的な事業であるポピュラーサイエンスの本は、100%厳密に正確である必要はなく、重箱の隅をつつくような批判に反論できる必要はないのかもしれない。科学的知見をわかりやすく説明することは、少々簡略化されているとしても、全体として有益なのかもしれない。科学を世の中に広め、科学を人々の生活と関連づけているのだから。少なくとも証拠を無視していないのならいいではないか。

そうした主張にもそれなりの意味はあるが、長い目で見れば好ましくない。聞き心地のいいストーリーを優先させて事実をないがしろにすれば、科学分野の書籍はますます不正確になり、データからかけ離れる危険がある。そのような本の嘘が暴かれ、推奨されたライフスタイルの変化が誇張されたとおりの結果をもたらさなければ、科学全般の評判が損なわれることになる。

先ほど紹介した本は、それぞれスタンフォード大学、イェール大学、カリフォルニア大学バークレー校の教授が執筆している。一流の科学者が証拠を誇張することを気にとめないなら、誰が気にするというのか。

ポピュラーサイエンスの本の簡潔さは、「科学は複雑である」という事実と相容れない。これは本書にとっても今のところ耳が痛い事実なのだが。優秀なライターでも、科学の進歩の険しい道のりを魅力的に伝えることは難しい。発見は矛盾と混乱を伴い、最良の証拠が新しいデータによって突然、覆されることもある。しかし、そうした複雑さをわかりやすく表現して、複雑な現象に唯一の簡潔な原因と解決策があるかのように語ることが、科学の実際とは異なるイメージを助長する。[54] ポピュラーサイエンスが育んできた誇張された期待感は、残念ながら、科学の実践そのものに影響を与え始めているかもしれない。

## 科学者が注目を集めるテクニック

喜ばしいことに、科学の革新は進んでいる。少なくとも、学術誌で使われている言葉をそのとおりに理解すればそう思うだろう。２０１５年に科学論文のアブストラクト（概要）にポジティブな響きを持つ言葉が使われる頻度の分析が発表された。[55] アブストラクトとは科学論文の冒頭にある要約で、科学者はここで読者の関心を引こうとする。競争がますます激しくなる科学論文の市場では、注目を集めるためにことさら力を入れなければならない。

この分析は特定の用語を含むアブストラクトの割合を年別にグラフ化している。それによると、「革新的（innovative）」「有望（promising）」「頑健（robust）」の使用率は飛躍的に増加しており、「ユニーク（unique）」「前例のない（unprecedented）」も（逆説的かもしれないが）大幅に増えて、「良好な（favourable）」は着実に増えている。[56]「画期的（groundbreaking）」は、1999年頃まではほぼゼロで推移していたが、何らかの理由で突然、増加した。平均すると、これらの自画自賛のポジティブな言葉の使用率は、1974年のわずか2％から2014年には17・5％と、分析期間を通じて9倍近くに増えている。この論文の著者たちは、「過去40年間のポジティブな単語の増加傾向から推定すると、2123年にはすべて（のアブストラクト）に『斬新（novel）』という言葉が登場するだろう」[57]と痛烈に結んでいる。

誇張された言葉の劇的な増加に伴って、科学の革新が本当の意味で加速したかどうかは疑問だ。[58]むしろ、科学者がこの類の言葉を頻繁に使うようになったのは、読者や、おそらくそれ以上に重要なのは著名な科学誌の査読者や編集者に、自分の結果をアピールする最適な方法だからだろう。とりわけ華やかな学術誌のサイトには、「潜在的に大きな影響力を持つ」（ネイチャー）、「その分野で最も影響力があり」「斬新かつ広範に重要なデータを提示する」（サイエンス）、「並外れて重要である」（セル）、「他に例を見ないほど重大である」（プロシーディングス・オブ・ナショナル・アカデミー・オブ・サイエンス）論文を求める、と掲げられている。[59]そこには明らかに、厳密さや再現性に関する言葉が抜け落ちている。世界屈指の医学誌『ニューイングランド・ジャーナル・オブ・メディスン』が、「科学的な正確さ、斬新さ、重要性」の順に要件を提示していることに敬意を表したい。[60]

学術誌でポジティブな表現が急増していることは、誇大広告がプレスリリースやポピュラーサイエンスの書籍にとどまらず、科学者の論文の作成方法にも浸透していることを物語る。科学界では、こうした誇大広告は、政治の言葉にならって「スピン」と呼ばれることが多い。2010年のある分析では、NULLの結果になったランダム化臨床試験（試験対象の治療法とプラセボで差がなかった臨床試験）の代表的なサンプルについて、スピン（ここでは、ポジティブな発見がないことから読者の注意をそらすために使われている表現を指す）がどの程度含まれてい

---

55 Christiaan H. Vinkers et al., 'Use of Positive and Negative Words in Scientific PubMed Abstracts between 1974 and 2014: Retrospective Analysis', *BMJ* 351 (14 Dec. 2015): h6467; https://doi.org/10.1136/bmj.h6467. この分析は、出版される論文の数が毎年増えている点を調整している。分析の対象となっただろうフレーズもいくつか思い浮かぶ。「この論文は初めて……を検証している」という表現を私が読んだ（ときには書いた！）回数は数え切れない。

56 その後、ある研究がガンの研究について「前例のない（unprecedented）」という言葉に注目したところ、第3のパターンが見つかった。そもそも事実に反していたのだ。論文の著者が「前例がない」と主張しても、同じ治療法についてさらに大きな効果を報告した論文が既に存在していた。以下を参照。Kristy Tayapongsak Duggan et al., 'Use of Word "Unprecedented" in the Media Coverage of Cancer Drugs: Do "Unprecedented" Drugs Live up to the Hype?', *Journal of Cancer Policy* 14 (Dec. 2017): pp. 16–20; https://doi.org/10.1016/j.jcpo.2017.09.010

57 Vinkers et al., 'Use of Positive and Negative Words', p. 2. 奇妙なことに、アブストラクトにおけるネガティブな単語も、ごくわずかではあるが頻度が増加している。中立的な単語やランダムに選ばれた単語は頻度がまったく増えていなかった。

58 実際、科学の進歩は時間とともに減速しているという証拠もある。Tyler Cowen and Ben Southwood, 'Is the Rate of Scientific Progress Slowing Down?', 5 Aug. 2019; https://bit.ly/3ahf70m

るかを調べた。[61] その結果、論文のアブストラクトの68%および本文の61%に、臨床試験で失敗したにもかかわらず、その治療法の利点を強調しようとする部分があった。また、論文の20%はすべてのセクション（イントロダクション／序論、メソッド／手法、リザルツ／結果、ディスカッション／考察）に少なくとも1つのスピンがあり、18%はタイトルにもスピンが含まれていた。

科学論文でよくあるスピンは、有意でないp値について、わざとあいまいな表現をすることだ。第4章で説明したとおり、ある結果が「統計的に有意」だと宣言するためには、普通は$p<0.05$でなければならない。統計学者のマシュー・ホーキンズは出版された論文から、p値が明らかにその閾値を超えているにもかかわらず、著者が有意な結果を強く望んでいることがわかる例を挙げている。

「有意水準に近づいている傾向」（$p<0.06$とされている結果について）
「かなり有意である」（$p=0.09$）
「有意に有意である」（$p=0.065$）
「統計的有意性をわずかに逃している」（$p=0.0789$）
「有意の前後で推移している」（$p=0.061$）
「統計的有意性の限界にきわめて近い値を示した」（$p=0.051$）
「絶対的に有意ではないが、ほぼそうである」（$p>0.05$）[62]

科学のスピンについては数多くの論文があり、それぞれの分野の現状を明らかにしている。たとえば、産科・婦人科の臨床試験のうち15％は、有意ではない結果をあたかも治療の効果を示しているかのように見せている。[63] ガンの予後検査に関する研究の35％は、有意でない結果をあいまいにしてわかりにくくするためにスピンを使っていた。[64] 複数の一流学術誌に掲載された肥満治療の臨床試験の47％に何らかのスピンがおこなわれていた。[65] 抗鬱薬と不安神経症の治療薬の臨床試験について報告している論文の83％が、研究デザインに関する重要な限界を議論し

62　Matthew Hankins, 'Still Not Significant', *Probable Error*, 21 April 2013; https://mchankins.wordpress.com/2013/04/21/still-not-significant-2/. For an analysis of the prevalence of such statements in the oncology literature, see Kevin T. Nead, Mackenzie R. Wehner, & Nandita Mitra, 'The Use of "Trend" Statements to Describe Statistically Nonsignificant Results in the Oncology Literature', *JAMA Oncology* 4, no. 12 (1 Dec. 2018): pp. 1778–79; https://doi.org/10.1001/jamaoncol.2018.4524. これらの記述に対し、結果がつねに有意に向かっているかのように書かれているという指摘もある。しかし、p値がどのように機能するのかを無視して、言葉遊びで結果を考えるのだとしたら、数字がp値から遠ざかっていないことがどのようにわかるのだろうか。その意味で、有意な側にいる結果が、あらゆる手を尽くして$p>0・05$に「戻った」わけではないと言えるのだろうか。不思議なことに、科学者は0・05をわずかに下回るp値を「有意性から遠ざかる傾向にある」と表現する必要性を感じないようだ（'Dredging for P' at the following link: http://www.senns.demon.co.uk/wprose.html)。第4章でp値の閾値は恣意的であると説明したことと、閾値より少し上の結果を得てもなお有意である（もしくは、ある意味で有意に近づいている）と解釈する科学者をここで批判することは、矛盾していると思えるかもしれない。重要なのは、p値を使ってゲームをするのならルールを守るということだ。$p<0・05$の結果しか有意と認めないと最初に宣言したのであれば、結果が出てからゴールポストを動かしてはならない。そうでなければ閾値の持つ有用な機能、すなわち、仮説が間違っていた場合に偽陽性の結果が出るリスクをコントロールするという機能が失われる。

64　Emmanuelle Kempf et al., 'Overinterpretation and Misreporting of Prognostic Factor Studies in Oncology: A Systematic Review', *British Journal of Cancer* 119, no. 10 (Nov. 2018): pp. 1288–96; https://doi.org/10.1038/s41416-018-0305-5. この種のスピンの1つが、レビューのなかで31の異なる研究で見られ、科学者は有意でないp値を一覧表の下に隠す一方で、有意なp値は表の本欄で目立つように報告している。

ていない。[66] 脳機能イメージングの研究に関するレビューは、相関関係を因果関係に誇張することが「横行」していると結論づけている。[67] スピンのなかには、不正行為に発展したり、少なくとも重大な機能不全にいたったりするものもある。２００９年のレビューによると、中国の医学誌に掲載されたランダム化対照試験と称する研究のうち、実際にランダム化をおこなっているのはわずか７％だった。[68]

すでに見てきたとおり、メタアナリシスもスピンと無縁ではない。診断テスト（たとえば、アルツハイマー病の血液検査）に関するメタアナリシスを検証した２０１７年のレビューによると、対象のメタアナリシスの50％が、統計的に有意ではない平凡な効果を見出したにもかかわらず、分析した臨床試験について肯定的な結論を導き出していた。このスピンは「臨床の現場で、試験のパフォーマンスについて不当な楽観につながりかねない」と、レビューは指摘している。[69] これもまた、科学者が自分の結果を誇示したいという衝動に駆られて、自分を最も信頼している人々を誤解させるという例だろう。[70]

こうしたスピンの目的は、プレスリリースや書籍の誇張表現と同じだ。つまり、科学者が自分の研究の印象や「インパクト」を強調したがるのは、印象的でインパクトのある研究が助成金や論文の出版につながり、称賛を集めるからだ。問題は、これがフィードバックを繰り返しながら増幅されることだ。研究の誇張は、資金提供者や出版社、世論のあいだで単純明快なストーリーへの期待を膨らませる。科学者は自分の研究に対する関心を維持して資金提供を受け続けるために、説明の難易度をさらに下げて、美化しなければならなくなる。このフィードバックループが、科学そのものを不健全にする。

続いて、メディアにおける誇張と科学論文における誇張が結びついたフィードバックループが特に強力な分野を見ていこう。

いつの時代にも、たちの悪い誇張の犠牲になる「新興」分野がある。典型的なパターンは、わかりやすい結果の論文が権威ある学術誌にいくつか掲載されると、世間の関心が高まって、

67　David Marc Anton Mehler & Konrad Paul Kording, 'The Lure of Causal Statements: Rampant Mis-Inference of Causality in Estimated Connectivity', *ArXiv:1812.03363 [q-Bio]*, 8 Dec. 2018; http://arxiv.org/abs/1812.03363. この論文は「グレンジャー因果性」という専門用語が注目されたことについて述べている。これはノーベル経済学賞を受賞したクライヴ・グレンジャーが１９６０年代に提唱した概念で、ある「時系列」のデータ（たとえば、株式市場の変動）が別のデータ（たとえば、ある国の別の経済指標の変化）の将来の変化を予測するのに役立つなら、基本的な相関関係を一歩超えるという考え方だ。この例の場合、株式市場の変化は経済の変化に「グレンジャー的な因果がある」という言い方もする。このような相関関係は興味深いかもしれないが、あくまでも相関関係でしかなく、第３変数の交絡因子に関する一般的な懸念が強く当てはまる。この例の場合、第３の並行する時系列が、最初の株式市場の変化と、その後の経済指標の変化を引き起こしたのかもしれない。因果関係を明らかにするために（実験や、データの因果構造を推測する優れた方法を使って）デザインされていない研究について、『起因する』という言葉を使うのは危険である。

70　私の知るかぎり、臨床の文脈で科学論文のスピンの効果についておこなわれたランダム化対照試験は1件しかない。研究者たちはガン研究の論文から、結果がＮＵＬＬで、ポジティブに聞こえるように「スピンされた」アブストラクトを抜粋した。そこから誇大広告の部分を取り除き、不当な誇張を削除して、すべての結果が正直に報告されるように書き直したものを３００人の臨床医に読ませた。臨床医は誇張されたアブストラクトがターゲットとする読者であり、薬やさまざまな治療法について頻繁に判断を下しているからだ。果たして予想どおり、臨床医は誇張されたアブストラクトが提示する治療のほうが有益だと評価した。ただし、この研究の効果は比較的小さく、p値は０・０５をわずかに下回ったにすぎない。私としては、この研究を信頼するには再現研究を待ちたいので、ここで言及するにとどめている。Isabelle Boutron et al., 'Impact of Spin in the Abstracts of Articles Reporting Results of Randomized Controlled Trials in the Field of Cancer: The SPIIN Randomized Controlled Trial', *Journal of Clinical Oncology* 32, no. 36 (20 Dec. 2014): pp. 4120–26; https://doi.org/10.1200/JCO.2014.56.7503

その分野の科学者は無謀な言動をするようになり、軽率な大言壮語で誇張のサイクルを加速させる。やがて、大口をたたいた主張が検証実験で再現できないとわかり、興奮も収まって、通常の科学が再開される。幹細胞、遺伝学、エピジェネティクス、機械学習、脳機能イメージングなどの分野が過熱しているが、近年の「最も誇張されている賞」の有力候補はマイクロバイオーム（ヒトの体に共生する無数の微生物）の研究だ。[71]

過剰な盛り上がりのおかげで、マイクロバイオームを対象とした製品や治療法はあふれんばかりだ。腸内の「善玉菌」を増やす、いわゆる「プロバイオティクス」の飲料やサプリメントは今や数十億ドル規模の産業になっている。[72]「糞便移植（FMT）」という治療法への関心も高まっている。[73]これは、健康な人からさまざまな腸内細菌を含む便を採取して、通常は大腸内視鏡を使って患者の消化管に移植する治療法で、カプセルにして口から飲み込む場合もある。[74]不快で現実離れしていると思えるかもしれないが、クロストリジウム・ディフィシル菌に感染した大腸炎の再発には、ある種類の糞便移植が有効だという確かな証拠がある。抗生物質でクロストリジウム・ディフィシル菌を撃退できず、その過程で善玉菌がすべて除去されてしまった重症のケースでは、腸内環境が良好な人の微生物を糞便移植によって投与すると、悪玉菌との戦いの援軍になる。[75]

ただし、腸と明らかな関連性がない病気や症状の一因としてマイクロバイオームが引き合いに出されると、主張と現実が大きく乖離することになり注意が必要である。科学文献を読むと実にさまざまな心と体の問題について、マイクロバイオームが原因であり、解決策であるかのような印象を受ける。たとえば、マイクロバイオームと鬱病、不安症、統合失調症の関連性を主張する論文がいくつもあり、糞便移植は心臓疾患、肥満、ガン、アルツハイマー病、パーキンソン病、自閉症などの治療法としても提案されている。[76] 腸内の微生物のさまざまな活動や発酵により、有害な化学物質が生成され、それが全身をかけめぐって腸の外でも問題を引き起こすというわけだ。[77]

もっとも、これらの主張を裏づける証拠には、それほど目を引くものはない。自閉症に関しては特に、データと誇張のあいだに大きな隔たりがある。[78] 2019年に世界的な学術誌『セル』に掲載された論文は、自閉症と診断された子供と診断されていない子供16人から糞便を採取し、マウスに移植するという実験をおこなっている。[79] 研究チームは糞便を移植したマウスを無菌状態で繁殖させた。これらの子マウスは、生まれたときから人間の微生物にしかさらされていない（自閉症は発達障害であり、マイクロバイオームの影響を受けるとしたら、生まれたときから受けていると考えられる）。そして、人間の自閉症に相当する症状を引き出すようなタスクをさせると、自閉症のドナーと非自閉症のドナーのどちらの微生物が腸内に定着しているかによって、子マ

78　腸内環境と自閉症の関連は、第3章で述べたようにアンドリュー・ウェイクフィールドがすでに提起していた。マイクロバイオームの違いが自閉症を引き起こすのか、それとも自閉症が原因でマイクロバイオームに違いが生じるのか（たとえば、自閉症の人はより制限された食事をしていることが多いという事実が原因なのか）、断言するには程遠い。

79　一部の分析では自閉症児5人と対照群3人のサンプルしか使っていない。

ウスの振る舞いが違った。たとえば、自閉症の子供の微生物を受け継いだマウスは、ほかのマウスと一緒にケージに入れられてもあまり近づこうとせず、自閉症の社会性の障害に似た振る舞いを見せた。また、おがくずで満たされたケージのなかにビー玉を埋めている時間が長く、自閉症児によく見られる反復行動に関連があると思われる。[80]

マウスのこうした振る舞いと人間の自閉症との関連性は、控えめに言っても弱そうだ。また、十数人のドナーが自閉症全体を代表していると本当に言えるだろうか。[81] それでも論文の著者たちは、「プロバイオティクス［あるいは］糞便によるマイクロバイオームの移植など、マイクロバイオームにもとづく介入は、［自閉症スペクトラム症の］生涯続く課題に対処するために……タイムリーで利便性の高いアプローチを提供できるかもしれない[82]」という印象的な結論を導き出している。彼らは糞便移植の「広範な」効果を説明するプレスリリースを発表し、自分たちの研究が、プロバイオティクスが自閉症の症状の治療に使われる日が来るかもしれないことを示唆しているとあらためて主張した。[83]

これらはすべて、紛れもない誇張である。サンプル数の少なさや、人間とマウスの行動を同等と見なす疑わしい前提は別にしても、プロバイオティクスや糞便移植によって、齧歯類の自閉症とされる症状が軽減されるかどうかも、人間で「同等」の症状が軽減されるかどうかも、いっさい検証していないのだ。

論文の著者たちは不作為によるスピンも試みているようだ。彼らの研究では社交性のテストとしてもうひとつ、マウスが別のマウスと「小さな物体」のどちらと一緒に過ごすことを選ぶかという実験もおこなっている。仮説では、自閉症の子供のマイクロバイオームを持つマウスは、別のマウスではなく物体を選ぶだろうとされていたが、実際に違いは見られなかった。サイエンスライターのジョン・ブロックがこの研究に関する詳細な批評で指摘しているように、論文はこの不都合な結果に一文だけ触れて素通りしているのに対し、有意であることが判明した結果はいずれもフルカラーのグラフで紹介されている。[84]

このような小さい予備研究を誇張するスピンは十分に問題だが、それだけでは終わらなかった。生物統計学者のトーマス・ラムレイが論文の著者たちのデータを入手して分析結果を再現しようとしたところ、統計的テストの間違いが判明したのだ。彼らはすべてのマウスに個別の人間の糞便ドナーがいるかのように分析をおこなっているが、実際はごく少数の人間のドナーを１００匹のマウスで共有していたのだ。[85] あらためて正しい統計的テストを適用したところ、統計的に有意であるとして生き残ったのはおがくずにビー玉を埋める行為に関する結果だけで、そのp値は０・０３とボーダーラインに近かった。これらの厳しい批判にもかかわらず、私の知るかぎり、著者たちは何も反応していない。

マイクロバイオームに関するすべての研究が、マウスと自閉症の論文のように統計的に根本的な欠陥があるわけではないが、大げさな結論を導き出すという点では多くの研究が同じように揺らいでいる。自閉症の論文と同じような手法を採用した２０１９年の研究は、統合失調症患者のマイクロバイオームをマウスに移植すると、ネズミが精神疾患の症状を示すことがあると主張している。研究チームはこの結果が統合失調症の「新しい診断および治療の戦略につながる可能性がある」と締めくくっているが、かなり気が早いようだ。[86]

自閉症や統合失調症、あるいは先に挙げたような症状の複合的な原因に、マウスでも人間でもマイクロバイオームの違いが何らかの役割を果たしていることが、いずれ判明するかもしれない。[87] ただし、マイクロバイオームの研究者は、効果を見出した小さな研究（おそらくp値ハッキングのような研究）を、科学の大きなブレイクスルーだと主張してメディアで注目を集めようとするのではなく、時間をかけて確かな研究を積み重ねていく必要がある。プレスリリースの数は、科学分野の未熟さと連動しているかもしれない。「有望な」結果が数多く出ていても再現性の高い結果は少ない分野ほど、メディアの注目が集まるものだ。

最近では科学界の内側から、マイクロバイオームと関連する治療法をめぐる派手な宣伝を抑制して、研究の質を向上させることを求める声が上がっている。[88] 一方で、これらの論文やプレスリリースに見られる誇張された主張は、マイクロバイオームを使った治療法について、役に立たないものや有害なもの、あまりに粗野なものに、科学的なお墨付きを与えている。たとえば、一流アスリートの腸内で発見された微生物を使ってつくったプロバイオティクス飲料が、パフォーマンスを向上させると言われている。水で腸を洗い流す「腸内洗浄」の流行には、「直腸穿孔」など恐ろしい響きのリスクが伴う。マイクロバイオームの検査キットを消費者に販売しているある企業は、「マイクロバイオームの国籍[89]」がわかると宣伝している。

## 栄養学研究の期待と現実

マイクロバイオームのような熱狂的なブームはいずれ冷めるものだが、つねに誇張され続け、メディアの関心が膨らみ、本書で議論しているような欠陥に悩まされている研究分野がある。栄養学だ。栄養学の研究成果とされるものにメディアは貪欲だ。「牛乳が体に悪いことを示す恐ろしい新科学」「殺人的なイングリッシュブレックファスト――ベーコンはガンのリスクを高める」「最新の研究で卵が心臓を壊すことが判明[90]」。膨大な量の報道や、食生活をどのように変えればいいかという矛盾する主張の数を考えれば、私たちは何を食べるべきなのかと混乱するのも不思議ではない。長年、誇張された結果を聞かされているうちに、人々はこの分野の研究を信頼できなくなり、懐疑的になっている。[91]

栄養学は、心理学と同じように、再現性の危機に直面している。その理由のひとつは科学的

87　懐疑的になる理由はほかにもある。結腸切除（結腸を外科的に切除して関連するマイクロバイオームをすべて除去する）を受けた患者１５００人以上を対象とした２０１５年の研究は、数年後に心臓疾患になる可能性が対照群と比べて低いかどうかを追跡調査した。マイクロバイオームが病気に大きく関与しているのなら、つまり、結腸切除を受けた患者はマイクロバイオームが非常に不健康な状態であったのなら、病気のリスクは低下するのではないかと考えられる。しかし、違いはなかった。Anders Boeck Jensen et al., 'Long-Term Risk of Cardiovascular and Cerebrovascular Disease after Removal of the Colonic Microbiota by Colectomy: A Cohort Study Based on the Danish National Patient Register from 1996 to 2014', *BMJ Open* 5, no. 12 (Dec. 2015): e008702; https://doi.org/10.1136/bmjopen-2015-008702

な詐欺に関連があるだろう。心臓専門医のディパック・ダスは赤ブドウの皮に多く含まれるレスベラトロールというポリフェノールが心臓の健康に良いという論文を数十本発表して注目を集めていたが、19件の研究でデータを偽造していたことが発覚し、2012年にコネチカット大学を解雇された。[92] あるいは、バイアスも要因になり得る。栄養学の多くの研究が、食品業界から資金提供を受けているからだ。[93] また、多くの研究者は自分が調査している食生活を忠実に守っているため、その恩恵の証拠を見つけたいという個人的な動機もありそうだ。[94]

本書ではお馴染みになったさまざまなバイアスとエラーも関連している。たとえば、食事の飽和脂肪酸を減らして不飽和脂肪酸を増やすという考え方がある。これは栄養学の基礎となる助言で、数え切れないほどの食生活のガイドラインで繰り返されている。[95] ただし、その主張は、飽和脂肪酸と多価不飽和脂肪酸が心臓疾患や死亡に与える影響を比較した2017年のメタアナリシスでは裏づけられなかった。[96]

これには3つの理由が考えられる。1つ目は、出版バイアスの明確な兆候があったことだ。分析が示す偏ったファンネルプロットから、サンプルの規模が小さくて効果が小さい論文が「引き出し」にしまい込まれていたことがうかがえる。[97] 2つ目は、ランダム化されていると主張していた臨床試験の1つに間違いがあったことで、おそらくランダム化されていないことを意味する。[98] 3つ目は、多くの臨床試験の設計が不十分だったことで、結果に影響を与える可能性のある食生活以外の要因が変更されていた。[99] メタアナリシスの結論によれば、飽和脂肪酸を不飽和脂肪酸に置き換えることの利点を示す説得力のある証拠はほとんどなく、（いくつかの政府が栄養上の助言の根拠としていた）以前の複数のメタアナリシスもすべての問題を網羅していたわけではなかった。

メディアで騒がれている栄養学研究は、その多くがp値ハッキングの影響を受けているとも言えるだろう。栄養学の研究では一般に、参加者が、たとえば過去１週間など一定期間に食べたものをすべて、名前や量、頻度を食物摂取頻度質問票（ＦＦＱ）に記入する。この大規模なデータセットには数多くの関連する変数が含まれており、大量のデータをさらって何らかの統計的に有意なものを探し出す機会は十分にある。これは、栄養学の研究が自己矛盾する相関関係の寄せ集めになりやすい理由のひとつだ。

91　誇張された結果を聞かされているうちに、人々がこの分野の研究を信頼できなくなり懐疑的になっている点については、以前にも栄養学研究者のケビン・クラットが指摘している。https://twitter.com/kcklatt/status/902558341414694912. 英国栄養基金の調査は、栄養学の研究に関する「複雑なメッセージ」は非常にわかりにくいと人々が感じている証拠をいくつか示しているが、調査対象がどのくらい代表的なサンプルだったかは明らかではない。https://www.nutrition.org.uk/press-office/pressreleases/1156-mixedmessages.html

93　最近も赤身肉の研究の質をめぐって論争が起こった。主要な関係者の一方は食肉業界とつながりがあり、もう一方は、赤身肉の消費を減らすことが利益につながるベジタリアン向け製品を販売する企業とつながりがあった。Rita Rubin, 'Backlash Over Meat Dietary Recommendations Raises Questions About Corporate Ties to Nutrition Scientists', *JAMA* 323, no. 5 (4 Feb. 2020): 401; https://doi.org/10.1001/jama.2019.21441

97　脂肪酸の種類による差はないことを示すいくつかの臨床試験も、発表されるまでに異例なほど長い時間を要しており、共著者（および査読者）が出版に消極的だったと思われる。

99　あらゆる実験において、変える必要があるのは関連する変数だけだ。この場合は、飽和脂肪酸と不飽和脂肪酸のどちらを食べるかという変数だけである。しかし、いくつかの臨床試験では、グループ間にそれ以外の異なる要素がみられた。たとえば異なる食事のアドバイスを受けたり、病院の研究の一環として異なる薬剤を投与されていた実験もあった。

ジョナサン・シェーンフェルトとジョン・イオアニディスは有名な論文「私たちが食べるものはすべてガンに関係があるのか？」で、ある料理本から50個の食材を無作為に選び、ガンのリスクに影響を与えると言われているかどうかを科学文献で調べた。[100] その結果、ベーコン、豚肉、卵、トマト、パン、バター、紅茶（いずれも「殺人的なイングリッシュブレックファスト」のメニューに使われている）を含む40個は、科学文献でガンのリスクに影響すると指摘されていた。明らかにリスクを高める食材もあれば、リスクを軽減するものや、異なる研究で異なる影響が挙げられている食材もあった。数字にノイズはつきものだから、科学文献の記述にぶれがあるのは当然だろう。それを踏まえたうえで、広く消費されている食品のサンプルの80％が実際にガンのリスクに影響を与えており、大きな影響も多いと考えるべきなのか。あるいはハードルが低くて質の低いp値ハッキングされた研究が出版されていて、多くの主食が危険である、もしくは健康的な長寿を保証すると、誤解を招いているのだろうか。[101]

栄養学の研究は、実験より観察研究に大きく依存するため、誇大宣伝のとおりにいかないことも少なくない。言い換えれば、多くの研究はランダム化比較試験をおこなわずに、人々が何を食べているかというデータを集めているだけだ。観察研究で健康にいい、もしくは悪いと判断された食品と、ランダム化試験で健康にいい、もしくは悪いと判断された食品とのあいだには、あるとしても疑わしい相関関係しかない。つまり、2種類の研究のうちどちらかが間違っていることになる。[102]

さらに、健康状態の違いは食べるもの自体の影響ではなく、健康状態と食生活の両方に影響を与える文化的・社会経済的要因によるものかもしれない。人の食事のあらゆる側面は、おそらくほかの側面と関連があり、影響の分析は複雑になる。たとえば、卵を多く食べる人はベーコンやソーセージも多く食べているだろうし、研究の質問項目にないほかの多くの食品や栄養素も取っているだろう。このような交絡因子を「調整」する統計的手法もあるが、正確に把握することは難しく、重要と思われるあらゆる種類の食品や栄養素の摂取量を測定していることが前提となる。[103]

このような測定の正確さは、それだけで重要な議論が必要であり、観察調査による食物摂取の記録方法については驚くほど辛辣な論争が展開されている。FFQが食べたものについて本人の不正確な記憶に依存していることなどから、「致命的な欠陥がある」とも言われている。[104]

また、研究の参加者が、過去7日間にダブルチーズバーガーを5個食べたことを明らかにした

101　ほかのいくつかの分野でもオリジナルの研究にもとづくメタアナリシスから、ガンのリスクに対する大きな影響が、実際ははるかに小さいものであることが見つかることも少なくない。

102　栄養学の研究で挙げられている相関関係はランダム化試験で裏づけられなかった。S. Stanley Young & Alan Karr, 'Deming, Data and Observational Studies: A Process out of Control and Needing Fixing', *Significance* 8, no. 3 (Sept. 2011): pp. 116–20; https://doi.org/10.1111/j.1740-9713.2011.00506.x. ただし、この考え方には反論もある（'Myth 4' in Ambika Satija et al., 'Perspective: Are Large, Simple Trials the Solution for Nutrition Research?', *Advances in Nutrition* 9, no. 4 (1 July 2018): p. 381; https://doi.org/10.1093/advances/nmy030）。大きな問題は、ランダム化比較試験は実施するコストがかなり高いため、観察研究よりもはるかに小規模になる傾向があり、リンゴかオレンジかという比較になりがちなことだ（文字どおりの意味ではないが、栄養疫学の年鑑のどこかにリンゴとオレンジの研究がきっと存在するだろう）。

がらないなど、社会的望ましさのバイアスもデータをゆがめる。[105]

栄養疫学を改善するために以前から提案されていることのひとつは、研究者が観察データセットの整理に費やしてきたリソースを使って大規模で簡潔な「メガトライアル」を実施して、最適な食生活に関する一連の事実を誰もが納得できるようなかたちで明らかにすることだ。[106] ただし、問題は、大規模な栄養学的試験が簡単ではないことだ。[107] 2013年に『ニューイングランド・ジャーナル・オブ・メディスン』に掲載された栄養学の分野で過去最大規模のランダム化比較試験は、7000人以上の参加者を対象とし、地中海式食事法に焦点を当てたものだ。[108] 低脂肪食を勧められた対照群と比較して、地中海式（白身の肉と魚介類、ナッツと豆類、オリーブオイルをより多くとる）を実践した参加者は、その後の5年間、脳卒中、心臓発作、心血管系事象による死亡件数を反映する指標のスコアが大幅に低下した。試験を実施したスペインの研究者たちは、結果を見て自分たちも地中海食に変えたと公表した。

この研究は「PREDIMED（地中海食による疾患予防）」と呼ばれ、メディアでもてはやされた。ご想像のとおり、「地中海食が心臓発作と脳卒中を防ぐ」[109]「地中海食が心血管リスクを低減する」[110]といった見出しが躍った。カリフォルニア州のウォールナット協会も興奮気味にプレスリリースを出した。[111] 彼らを責めることはできない。人々はPREDIMEDの共同著者から、地中海食の効果は「強力な証拠」で「証明された」「重要な研究」であると聞かされていた。[112]

そこに現れたのがジョン・カーライルだ。数千件の「ランダム化された」対照試験を検証して、多くの試験がまったくランダム化されていないことを突き止めた、あの勇敢なデータ探偵だ。ＰＲＥＤＩＭＥＤもカーライルの網にかかった。ベースラインの数値が、この試験が適切にランダム化されたことを示していなかったのだ[113]。論文の共同著者は自分たちのデータを調べ直し、いくつか重大な間違いを見つけた。なかでも、被験者は無作為に２つの食事のうちの１つを与えられたのではなく、同じ世帯から複数の被験者が参加している場合もあり、彼らは全員が同じ食事を与えられていた。また、ある実験会場では、参加者ではなく診療所単位でランダム化をおこない、同じ診療所に通っている人は全員が同じ食事になっていた。同じ世帯や同じ診療所の人々は、必然的にさまざまな影響を共有しているため、ほかの人々との結果の違いを食事だけに求めることはできない[114]。これらのミスは全参加者のうち１５８８人、サンプルの約21％に当てはまった。

すでに３０００回以上、引用されていた論文は撤回され、２０１８年に修正版に差し替えられた[115]。共同著者たちは、偶然の産物ではあるが、修正された結果は地中海式食事法の利点を示す「より強力な」証拠になると主張している。ただし、それでも慎重さは必要だ。たとえば、この研究が追跡している３種類の有害事象をそれぞれ詳しくみると、食事は脳卒中のリスクに影響を与えるだけで、心臓発作と心血管系事象による死亡には影響がないようだ[116]。また、食事の効果があまりに目覚ましかったため、研究は当初の予定よりも早く中止されたが、この点は臨床試験の文献で議論を呼んでいる。[117]

懸念されるのは、ＰＲＥＤＩＭＥＤのデータを使って地中海食のほかの効果を調べた論文がすでに２５０件も発表されていることで、なかには説明のつかない数値の不一致もみられる。[118] それらもランダム化問題の影響を受けているかどうかはわからない。

この章でＰＲＥＤＩＭＥＤを取り上げたのは、悪い誇張の例だからではなく、特に誇張が多い研究分野で最も素晴らしい研究のひとつだからこそだ。厳格さの手本のような研究にさえ、欠陥が隠れている。心理学と同じように、栄養疫学も実に厄介だ。私たちがどのように料理して何を食べるかを決める方法には、信じられないほど複雑な生理的・精神的メカニズムが関係している。そして、観察データは膨大なノイズと人間の記憶の気まぐれに左右され、ランダム化試験はそれ自体の管理の複雑さにつまずく。そのような状況で、栄養学研究に対するメディアの関心の高さは、特に不幸なことだ。何を食べればいいのか、子供をどう教育すればいいのか、雇用主にどう話せばいいのかなど、一般の人々が最も答えを求めている科学的な問題は、それをめぐる科学が最もあいまいで、最も難しく、最も自己矛盾をはらんでいる問題でもあるかもしれない。だからこそ、これらの分野の科学者は、自分たちの研究を一般の人々に正しく伝えるという仕事に、より真剣に取り組む必要がある。

## 正しさより誇張を強いるシステム

誇張を戒めて、現実がいかに複雑であるかを指摘することはもちろん素晴らしいのだが、一方で、科学者は自分の成果を「世に出さなければならない」というプレッシャーにさらされている。最新の科学的成果には税金が投入されていることも多く、一般の人々はつねに新しい情報を知る権利がある。過剰な表現を避けながら、科学的知見を伝える方法はないだろうか。そのひとつを紹介しよう。

科学的なコンセンサスによれば、光の速度より速く動く物体はない。これはアインシュタインの特殊相対性理論の基本であり、これまでの物理学の結果はすべてこれを裏づけるものだっ

117　研究が早期に中止されたため、その結果が示す影響の大きさは誇張されているかもしれない。Dirk Bassler et al., 'Early Stopping of Randomized Clinical Trials for Overt Efficacy Is Problematic', *Journal of Clinical Epidemiology* 61, no. 3 (Mar. 2008): pp. 241–46; https://doi.org/10.1016/j.jclinepi.2007.07.016

118　Arnav Agarwal & John P. A. Ioannidis, 'PREDIMED Trial of Mediterranean Diet: Retracted, Republished, Still Trusted?', *BMJ* (7 Feb. 2019): p. 1341; https://doi.org/10.1136/bmj.l341. この研究では、食事が心臓発作や死亡率ではなく脳卒中にしか影響を与えないと思われる事実が、いわゆる「複合エンドポイント」を使って覆い隠されている。統計的検定力を高めるために複数の異なる結果を融合させることは、臨床試験ではよく見られる。その欠点は、介入の具体的な効果の解釈が難しくなることだ。以下を参照。Christopher McCoy, 'Understanding the Use of Composite Endpoints in Clinical Trials', *Western Journal of Emergency Medicine* 19, no. 4 (29 June 2018): pp. 631–34; https://doi.org/10.5811/westjem.2018.4.38383. See also Eric Lim et al., 'Composite Outcomes in Cardiovascular Research: A Survey of Randomized Trials', *Annals of Internal Medicine* 149, no. 9 (4 Nov. 2008): pp. 612–17; https://doi.org/10.7326/0003-4819-149-9-200811040-00004. 最終的に論文の共同著者はさまざまな結果を検証したが、論文が出した数多くのp値はいっさい修正せず、偽陽性のリスクを高めることになった。

た。したがって、２０１１年におこなわれたＯＰＥＲＡ実験の観測結果は実に奇妙だった。[119]ＯＰＥＲＡは素粒子物理学の共同プロジェクトで、スイスのジュネーブにあるＣＥＲＮ（欧州原子力研究機関）の研究所とイタリアのグラン・サッソ国立研究所にある検出器のあいだで、地殻を通過する素粒子を研究していた。多くの大学から集まった約１５０人の研究者チームは、ニュートリノ（電子に似ているが電荷を持たない粒子）があまりにも早く目的地に到達することに気がついた。光が同じ距離を移動するのにかかる時間より60・７ナノ秒（約1億分の６秒）も早くイタリアに到着していたのだ。[120]

ＯＰＥＲＡの物理学者は計算や機器を必死に確認したが、ミスを突き止めることはできなかった。光より速いニュートリノという結果は、本物に見えた。噂が広まり始めたので、研究者たちは世界に向けて情報を発信することを決議し、この発見に関するワーキングペーパーを作成してプレスリリースを発表した。[121]

この時点ではＮＡＳＡの「ヒ素生命体」の報道戦略にならって、宇宙に関する私たちの基本的な理解が、この衝撃的な新発見によっていかに覆されたかと書くこともできただろう。しかし、彼らは慎重だった。そこには誇張もスピンもなかった。むしろ、最初の発表で不確実さを明確に強調している。「このような結果が広範囲に影響をもたらす可能性があることを考えると、この効果が反証されるか、あるいは確固たるものになる前に、独立した測定が必要である。そのためＯＰＥＲＡ共同研究は、結果を公開して、より広く精査することを決めた[122]」

ＯＰＥＲＡの研究者が発表した付随の声明は、「完全な驚き」であり「とうてい信じられない」結果だと困惑していた。そして、彼らはメディアでどのように扱われるかを見守った。「ＣＥＲＮの科学者が『光速を突破した』」（デイリー・テレグラフ紙）、「タイムトラベルが現実に？」（ＡＢＣニュースのグッドモーニング・アメリカ）など性急な見出しもあったが、懐疑的な見解はなんとか受け入れられた。[123] 大半のニュース記事は、実に奇妙な結果だという研究者の言葉を引用しながら、特殊相対性理論が間違っていることが証明されれば初めてのことだ、ほかの実験による検証が必要である、と書いていた。

そして、やはり、ミスが見つかった。計測の信号を送信する光ファイバーケーブルの接続が緩んでいて、ニュートリノの飛行時間が過小評価されていたのだ。ケーブルを正しく接続すると、計測された時間はアインシュタインの理論と一致した。[124] 異なる測定法を用いた2回目の実験で、ニュートリノが光速を超えないことが確認された。ただし、話はここで終わらなかった。この一件を研究チームの多くの物理学者が恥と受け止め、最初から発表するべきではなかったと主張する人もいた。[125] ＯＰＥＲＡの委員長とコーディネーターの1人はメディアの注目にも慎重に対処したが、研究チームの投票で結果を公表することが決まったにもかかわらず、不信任決議が僅差で通って辞任した。[126]

124　実際には73ナノ秒の過小評価だった。その後、タイミング回路にわずかな遅れが生じる2つ目の問題が発見された。この2つの問題が相まって60ナノ秒の過小評価につながった。Stephens, 'The Data That Threatened to Break Physics'

2人の辞任は残念だ。予想外の結果に対するOPERAの対応は、ほぼ模範的だった。研究者たちは再現が必要な発見に注目を集めながらも、誇張した表現を避け、必要な疑念をすべて説明し、科学の不確実性について世界に貴重な教訓を与えた。最初の盛り上がった報道に続いて、解決までの道のりも詳しく報道された。[127] 彼らが物理学者ではなく心理学者だったら、結果のダブルチェックを省略して、『壁を打ち破る』『超高速：迅速なニュートリノはあなたの自信にとってどのような意味を持つか』といったタイトルの書籍の執筆契約を急いだだろう。そう考えてしまうのは飛躍しすぎだろうか。

OPERAの一件は、物理学の法則を覆すかもしれないという実にめずらしい出来事であり、誇張に関係なく大きな注目を集めただろうから、プレスリリースの成功例として取り上げるのは不公平かもしれない。それでも、科学者が報道のサイクルに最初から注意して、発見を過大評価したくなる本能に真っ向から逆らうことができる例となった。想像してみてほしい——すべてのプレスリリースや科学論文に、研究結果が暫定的なものであることを読者に伝え、過度に受け取らないように忠告する「誇張防止」の記述が最初から組み込まれていたとしたら。

しかし、それは科学のシステムに逆行するやり方だ。慎重さ、自制心、懐疑心が科学の基本的な美徳であるにもかかわらず、現代の科学のシステムは正反対の動機づけをする。科学者は、科学が正しくあることを阻む学術的なシステムによって、できるだけ多くの論文を発表し、とことん誇張することを強いられている。このシステムと、それをどのように修正していくかについては、本書の最後で説明する。


引用：Reid Harrison, 'The Springfield Files', The Simpsons, Steven Dean Moore, dir. (Season 8, Episode 10, 12 Jan. 1997).

1 F. Wolfe-Simon et al., 'A Bacterium That Can Grow by Using Arsenic Instead of Phosphorus', *Science* 332, no. 6034 (3 June 2011): pp. 1163–66; https://doi.org/10.1126/science.1197258

4 Paul Davies, 'The "Give Me a Job" Microbe', *Wall Street Journal*, 4 Dec. 2010; https://on.wsj.com/2PAX4ut

5 引用：Tom Clynes, 'Scientist in a Strange Land', *Popular Science*, 26 Sept. 2011; https://www.popsci.com/science/article/2011-09/scientist-strange-land/. ウルフ＝サイモンは『グラマー』誌で経歴に関するインタビューに答えている。Anne Gowen, 'This Rising Star's Four Rules for You', *Glamour*, June 2011; https://bit.ly/2wbLLCb

6 科学ジャーナリストのカール・ジマーの以下の記事は懐疑派の言葉を数多く紹介している。Carl Zimmer, '"This Paper Should Not Have Been Published": Scientists See Fatal Flaws in the NASA Study of Arsenic-Based Life', *Slate*, 7 Dec. 2010; https://slate.com/technology/2010/12/the-nasa-study-of-arsenic-basedlife-was-fatally-flawed-say-scientists.html

7 「#arseniclife」のハッシュタグでレッドフィールドのブログを検索すれば多くの投稿が見つかる。http://rrresearch.fieldofscience.com/

8 Editorial, 'Response Required', Nature 468, no. 7326 (Dec. 2010): p. 867; https://doi.org/10.1038/468867a

9 NASAのプレスリリースは以下を参照。https://www.nasa.gov/home/hqnews/2010/nov/HQ_M10-167_Astrobiology.html

10 Jason Kottke, 'Has NASA Discovered Extraterrestrial Life?', *Kottke*, 29 Nov. 2010; https://kottke.org/10/11/has-nasa-discovered-extraterrestrial-life. 以下の記事は映画『E.T.』の名場面の写真を使っている。'NASA to Unveil Details of Quest for Alien Life', *Fox News*, 2 Dec. 2010; https://www.foxnews.com/science/nasa-to-unveil-details-of-quest-for-alien-life

11 引用：Tony Phillips, ed. 'Discovery of "Arsenic-Bug" Expands Definition of Life', 2 Dec. 2010; https://science.nasa.gov/science-news/science-at-nasa/2010/02dec_monolake

12 『サイエンス』のブルース・アルバーツ編集長は以下の投稿ですべての回答に言及している。B. Alberts, 'Editor's Note', *Science* 332, no. 6034 (3 June 2011): p. 1149; https://doi.org/10.1126/science.1208877

13 M. L. Reaves et al., 'Absence of Detectable Arsenate in DNA from Arsenate-Grown GFAJ-1 Cells', *Science* 337, no. 6093 (27 July 2012): pp. 470–73; https://doi.org/10.1126/science.1219861

14 Erb et al., 'GFAJ-1 Is an Arsenate-Resistant, Phosphate-Dependent Organism', Science 337, no. 6093 (27 July 2012): pp. 467–70; https://doi.org/10.1126/science.1218455

15 Clynes, 'Scientist in a Strange Land'.

17 P. S. Sumner et al., 'The Association between Exaggeration in Health-Related Science News and Academic Press Releases: Retrospective Observational Study', *BMJ* 349, (9 Dec. 2014): g7015; https://doi.org/10.1136/bmj.g7015

18 動物モデリングの簡単な歴史は以下を参照。Aaron C. Ericsson et al., 'A Brief History of Animal Modeling', *Missouri Medicine* 110, no. 3 (June 2013): pp. 201–5; https://www.ncbi.nlm.nih.gov/pubmed/23829102

19 D. G. Contopoulos-Ioannidis et al., 'Life Cycle of Translational Research for Medical Interventions', *Science* 321, no. 5894 (5 Sept. 2008): pp. 1298–99, https://doi.org/10.1126/science.1160622

20 J. P. Garner, 'The Significance of Meaning: Why Do Over 90% of Behavioral Neuroscience Results Fail to Translate to Humans and What Can We Do to Fix It?', *ILAR Journal* 55, no. 3 (20 Dec. 2014): pp. 438–56; https://doi.org/10.1093/ilar/ilu047

23 Janie Corley et al., 'Caffeine Consumption and Cognitive Function at Age 70: The Lothian Birth Cohort 1936 Study', *Psychosomatic Medicine* 72, no. 2 (Feb. 2010): pp. 206–14; https://doi.org/10.1097/PSY.0b013e3181c92a9c

26 Rachel C. Adams et al., 'Claims of Causality in Health News: A Randomised Trial', *BMC Medicine* 17, no. 1 (Dec. 2019): 91; https://doi.org/10.1186/s12916-019-1324-7

27 Isabelle Boutron et al., 'Three Randomized Controlled Trials Evaluating the Impact of "Spin" in Health News Stories Reporting Studies of Pharmacologic Treatments on Patients'/Caregivers' Interpretation of Treatment Benefit', *BMC Medicine* 17, no. 1 (Dec. 2019): 105; https://doi.org/10.1186/s12916-019-1330-9

28 Nick Davies, *Flat Earth News: An Award-Winning Reporter Exposes Falsehood, Distortion and Propaganda in the Global Media* (London: Vintage Books, 2009). Daniel Jackson and Kevin Moloney, 'Inside Churnalism: PR, Journalism and Power Relationships in Flux', *Journalism Studies* 17, no. 6 (17 Aug. 2016): pp. 763–80; https://doi.org/10.1080/1461670X.2015.1017597

29 Estelle Dumas-Mallet et al., 'Poor Replication Validity of Biomedical Association Studies Reported by Newspapers', *PLOS ONE* 12, no. 2 (21 Feb. 2017): e0172650; https://doi.org/10.1371/journal.pone.0172650

32 前掲 ix。【TEDの日本語サイト https://www.ted.com/talks/carol_dweck_the_power_of_believing_that_you_can_improve/transcript?language=ja】

34 Victoria F. Sisk et al., 'To What Extent and Under Which Circumstances Are Growth Mind-Sets Important to Academic Achievement? Two Meta-Analyses', *Psychological Science* 29, no. 4 (April 2018): pp. 549–71; https://doi.org/10.1177/0956797617739704. マインドセットに懐疑的な同じ研究者

たちによる詳しい研究は以下を参照。Alexander P. Burgoyne et al., 'How Firm Are the Foundations of Mind-Set Theory? The Claims Appear Stronger Than the Evidence', *Psychological Science*, 3 Feb. 2020; https://doi.org/10.1177/0956797619897588

40 John Bargh, *Before You Know It: The Unconscious Reasons We Do What We Do* (London: Windmill Books, 2018).

42 Bargh, *Before You Know It*, p. 16.

43 Serena Chen et al., 'Relationship Orientation as a Moderator of the Effects of Social Power', *Journal of Personality and Social Psychology* 80, no. 2 (2001): pp. 173–87; https://doi.org/10.1037/0022-3514.80.2.173

44 Christopher F. Chabris et al., 'No Evidence that Experiencing Physical Warmth Promotes Interpersonal Warmth: Two Failures to Replicate', *Social Psychology* 50, no. 2 (Mar. 2019): pp. 127–32; https://doi.org/10.1027/1864-9335/a000361. バーグに公平を期すためにつけ加えると、コーヒーカップを使った再現実験は、彼の著書が刊行された後に発表された。しかし、「温かさ」の概念に関する類似した研究（コーヒーカップの代わりに治療用の温熱パックを持たせた）も再現に失敗しており、これらの結果についてバーグはもう少し慎重になれたのではないか。以下を参照。Dermot Lynott et al., 'Replication of "Experiencing Physical Warmth Promotes Interpersonal Warmth" by Williams and Bargh (2008)', *Social Psychology* 45, no. 3 (May 2014): pp. 216–22; https://doi.org/10.1027/1864-9335/a000187

46 Matthew Walker, *Why We Sleep: The New Science of Sleep and Dreams* (London: Allen Lane, 2017). マシュー・ウォーカー『睡眠こそ最強の解決策である』（SBクリエイティブ）

48 Richard Smith, 'Why We Sleep – One of Those Rare Books That Changes Your Worldview and Should Change Society and Medicine', *TheBMJOpinion*, 20 June 2018; https://blogs.bmj.com/bmj/2018/06/20/richard-smith-why-we-sleep-oneof-those-rare-books-that-changes-your-worldview-and-should-change-society-andmedicine/

49 Walker, *Why We Sleep*, pp. 3–4.

50 Alexey Guzey, 'Matthew Walker's "Why We Sleep" Is Riddled with Scientific and Factual Errors', 15 Nov. 2019; https://guzey.com/books/why-we-sleep/

51 Xiaoli Shen et al., 'Nighttime Sleep Duration, 24-Hour Sleep Duration and Risk of All-Cause Mortality among Adults: A Meta-Analysis of Prospective Cohort Studies', *Scientific Reports* 6, no. 1 (Feb. 2016): p. 21480; https://doi.org/10.1038/srep21480

52 Yuheng Chen et al. (2018), 'Sleep Duration and the Risk of Cancer: A Systematic Review and Meta-Analysis Including Dose–Response Relationship', *BMC Cancer* 18, no. 1 (Dec. 2018): p. 1149; https://doi.org/10.1186/s12885-018-5025-y

53 Andrew Gelman, '"Why We Sleep" Data Manipulation: A Smoking Gun?', *Statistical Modeling, Causal Inference, and Social Science*, 27 Dec. 2019; https://statmodeling.stat.columbia.edu/2019/12/27/why-we-sleep-data-manipulation-asmoking-gun/. 以下に『睡眠こそ最強の解決策である』への批判に対する（おそらくウォーカーの）反応が挙げられている。SleepDiplomat, 'Why We Sleep: Responses to Questions from Readers', 19 Dec. 2019; https://sleepdiplomat.wordpress.com/2019/12/19/why-we-sleep-responses-to-questions-from-readers/

54 ポピュラーサイエンスの著作に関する考察は以下も参照。Christopher F. Chabris, 'What Has Been Forgotten About Jonah Lehrer', 12 Feb. 2013; http://

blog.chabris.com/2013/02/what-has-been-forgotten-about-jonah.html

59 『ネイチャー』: https://www.nature.com/authors/author_resources/about_npg.html; 『サイエンス』: https://www.sciencemag.org/about/mission-and-scope; 『セル』: https://www.cell.com/cell/aims; 『プロシーディングス・オブ・ナショナル・アカデミー・オブ・サイエンス』: http://www.pnas.org/page/authors/purpose-scope

60 『ニューイングランド・ジャーナル・オブ・メディシン』: https://www.nejm.org/about-nejm/about-nejm

61 Isabelle Boutron, 'Reporting and Interpretation of Randomized Controlled Trials with Statistically Nonsignificant Results for Primary Outcomes', *JAMA* 303, no. 20 (26 May 2010): pp. 2058–64; https://doi.org/10.1001/jama.2010.651. 次も参照。Isabelle Boutron & Philippe Ravaud, 'Misrepresentation and Distortion of Research in Biomedical Literature', *Proceedings of the National Academy of Sciences* 115, no. 11 (13 Mar. 2018): pp. 2613–19; https://doi.org/10.1073/pnas.1710755115

63 Mark Turrentine, 'It's All How You "Spin" It: Interpretive Bias in Research Findings in the Obstetrics and Gynecology Literature', *Obstetrics & Gynecology* 129, no. 2 (Feb. 2017): pp. 239–42; https://doi.org/10.1097/AOG.0000000000001818

65 J. Austin et al., 'Evaluation of Spin within Abstracts in Obesity Randomized Clinical Trials: A Cross-Sectional Review: Spin in Obesity Clinical Trials', *Clinical Obesity* 9, no. 2 (April 2019): e12292; https://doi.org/10.1111/cob.12292

66 Lian Beijers et al., 'Spin in RCTs of Anxiety Medication with a Positive Primary Outcome: A Comparison of Concerns Expressed by the US FDA and in the Published Literature', *BMJ Open* 7, no. 3 (Mar. 2017): e012886; https://doi.org/10.1136/bmjopen-2016-012886

68 Taixiang Wu et al., 'Randomized Trials Published in Some Chinese Journals: How Many Are Randomized?', *Trials* 10, no. 1 (Dec. 2009): p. 46; https://doi.org/10.1186/1745-6215-10-46

69 Trevor A. McGrath et al., 'Overinterpretation of Research Findings: Evidence of "Spin" in Systematic Reviews of Diagnostic Accuracy Studies', *Clinical Chemistry* 63, no. 8 (1 Aug. 2017): p. 1362; https://doi.org/10.1373/clinchem.2017.271544. 次も参照。Kellia Chiu et al., '"Spin" in Published Biomedical Literature: A Methodological Systematic Review', *PLOS Biology* 15, no. 9 (11 Sept. 2017): e2002173; https://doi.org/10.1371/journal.pbio.2002173

71 Ed Yong, *I Contain Multitudes: The Microbes within Us and a Grander View of Life* (New York: HarperCollins, 2016).

72 Timothy Caulfield, 'Microbiome Research Needs a Gut Check', *Globe and Mail*, 11 Oct. 2019; https://www.theglobeandmail.com/opinion/article-microbiomeresearch-needs-a-gut-check/

73 Andi L. Shane, 'The Problem of DIY Fecal Transplants', *Atlantic*, 16 July 2013; https://www.theatlantic.com/health/archive/2013/07/the-problem-of-diyfecal-transplants/277813/

74 Dina Kao et al., 'Effect of Oral Capsule- vs Colonoscopy-Delivered Fecal Microbiota Transplantation on Recurrent *Clostridium Difficile* Infection: A Randomized Clinical Trial', JAMA 318, no. 20 (28 Nov. 2017): p. 1985; https://doi.org/10.1001/jama.2017.17077. この移植術に関する最初の記録は1

958年のものだが、治療法として関心が向けられたのはさらに数十年後だった。B. Eiseman et al., 'Fecal Enema as an Adjunct in the Treatment of Pseudomembranous Enterocolitis', *Surgery* 44, no. 5 (Nov. 1958): pp. 854–59; https://www.ncbi.nlm.nih.gov/pubmed/13592638

75 Wenjia Hui et al., 'Fecal Microbiota Transplantation for Treatment of Recurrent C. Difficile Infection: An Updated Randomized Controlled Trial Meta-Analysis', *PLOS ONE* 14, no. 1 (2019): e0210016; https://doi.org/10.1371/journal.pone.0210016; Theodore Rokkas et al., 'A Network Meta-Analysis of Randomized Controlled Trials Exploring the Role of Fecal Microbiota Transplantation in Recurrent Clostridium Difficile Infection', *United European Gastroenterology Journal* 7, no. 8 (Oct. 2019): pp. 1051–63; https://doi.org/10.1177/2050640619854587

76 「マイクロバイオームと鬱病、不安症、統合失調症の関連性」: Jane A. Foster & Karen-Anne McVey Neufeld, 'Gut–Brain Axis: How the Microbiome Influences Anxiety and Depression', *Trends in Neurosciences* 36, no. 5 (May 2013): pp. 305–12; https://doi.org/10.1016/j.tins.2013.01.005; T. G. Dinan et al., 'Genomics of Schizophrenia: Time to Consider the Gut Microbiome?', *Molecular Psychiatry* 19, no. 12 (Dec. 2014): pp. 1252–57; https://doi.org/10.1038/mp.2014.93.「心臓疾患」: Shadi Ahmadmehrabi Shadi & W. H. Wilson Tang, 'Gut Microbiome and Its Role in Cardiovascular Diseases', *Current Opinion in Cardiology* 32, no. 6 (Nov. 2017): pp. 761–66; https://doi.org/10.1097/HCO.0000000000000445.「肥満」: Clarisse A. Marotz & Amir Zarrinpar, 'Treating Obesity and Metabolic Syndrome with Fecal Microbiota Transplantation', *Yale Journal of Biology and Medicine* 89, no. 3 (2016): pp. 383–88; https://www.ncbi.nlm.nih.gov/pmc/articles/PMC5045147/.「がん」: Chen et al., 'Fecal Microbiota Transplantation in Cancer Management: Current Status and Perspectives', *International Journal of Cancer* 145, no. 8 (15 Oct. 2019): pp. 2021–31; https://doi.org/10.1002/ijc.32003.「アルツハイマー病」: Ana Sandoiu, 'Stool Transplants from "Super Donors" Could Be a Cure-All', *Medical News Today*, 22 January 2019; https://www.medicalnewstoday.com/articles/324238.「パーキンソン病」: T. Van Laar et al., 'Faecal Transplantation, Pro- and Prebiotics in Parkinson's Disease; Hope or Hype?', *Journal of Parkinson's Disease* 9, no. s2 (30 Oct. 2019): pp. S371–79; https://doi.org/10.3233/JPD-191802.「自閉症」: Stefano Bibbò et al., 'Fecal Microbiota Transplantation: Past, Present and Future Perspectives', *Minerva Gastroenterologica e Dietologica*, no. 4 (Sept. 2017): pp. 420–30; https://doi.org/10.23736/S1121-421X.17.02374-1

80 Gil Sharon et al., 'Human Gut Microbiota from Autism Spectrum Disorder Promote Behavioral Symptoms in Mice', *Cell* 177, no. 6 (May 2019): 1600-1618.e17; https://doi.org/10.1016/j.cell.2019.05.004

81 Derek Lowe, 'Autism Mouse Models for the Microbiome?', *In the Pipeline*, 31 May 2019; https://blogs.sciencemag.org/pipeline/archives/2019/05/31/autismmouse-models-for-the-microbiome

82 Sharon et al., 'Human Gut Microbiota', p.1162.

83 California Institute of Technology, 'Gut Bacteria Influence Autism-like Behaviors in Mice' (news release), 30 May 2019; https://www.eurekalert.org/pub_releases/2019-05/ciot-gbi052319.php

84 Jon Brock, 'Can Gut Bacteria Cause Autism (in Mice)?', *Medium*, 14 June 2019; https://medium.com/dr-jon-brock/can-gut-bacteria-cause-autism-in-mice-582306fd7235; 以下も参照。Nicholette Zeliadt, 'Study of Microbiome's Importance in Autism Triggers Swift Backlash', *Spectrum News*, 27 June

2019, https://www.spectrumnews.org/news/study-microbiomes-importance-autism-triggers-swift-backlash/

85 Thomas Lumley, 'Analysing the Mouse Microbiome Autism Data', *Not Stats Chat*, 16 June 2019; https://notstatschat.rbind.io/2019/06/16/analysing-themouse-autism-data/; see also Jon Brock's own analysis, at the following page: https://rpubs.com/drbrocktagon/506022

86 Zheng et al., 'The Gut Microbiome from Patients with Schizophrenia Modulates the Glutamate-Glutamine-GABA Cycle and Schizophrenia-Relevant Behaviors in Mice', *Science Advances* 5, no. 2 (Feb. 2019): p. 8; https://doi.org/10.1126/sciadv.aau8317. 以下にこの研究を批判しているツイッター（現X）のスレッドがある。 https://twitter.com/WiringTheBrain/status/1095012297200844800

88 William P. Hanage, 'Microbiology: Microbiome Science Needs a Healthy Dose of Scepticism', *Nature* 512, no. 7514 (Aug. 2014): pp. 247–48; https://doi.org/10.1038/512247a. Gwen Falony et al., 'The Human Microbiome in Health and Disease: Hype or Hope', *Acta Clinica Belgica* 74, no. 2 (4 Mar. 2019): pp. 53–64; https://doi.org/10.1080/17843286.2019.1583782; and J. Taylor, 'The Microbiome and Mental Health: Hope or Hype?', *Journal of Psychiatry and Neuroscience* 44, no. 4 (1 July 2019): pp. 219–22; https://doi.org/10.1503/jpn.190110

89 「パフォーマンスを向上させる」: Andrew Holtz, 'Harvard Researchers' Speculative, Poop-Based Sports Drink Company Raises Questions about Conflicts of Interest', *Health News Review*, 19 Oct. 2017; https://www.healthnewsreview.org/2017/10/harvard-researchers-speculative-poop-based-sports-drink-company-raises-questionsabout-conflicts-of-interest/; 以下も参照。 the *Lancet Gastroenterology & Hepatology* (Editorial), 'Probiotics: Elixir or Empty Promise?', *Lancet Gastroenterology & Hepatology* 4, no. 2 (Feb. 2019): p. 81; https://doi.org/10.1016/S2468-1253(18)30415-I;「直腸穿孔」: Shapiro, Nina, 'There Are Trillions Of Reasons Not To Cleanse Your Colon', *Forbes*, 19 Sept. 2019; https://www.forbes.com/sites/ninashapiro/2019/09/19/there-are-trillions-of-reasons-not-to-cleanse-your-colon/; 危険性については以下も参照。 Doug V. Handley et al., 'Rectal Perforation from Colonic Irrigation Administered by Alternative Practitioners', *Medical Journal of Australia* 181, no. 10 (15 Nov. 2004): pp. 575–76; https://doi.org/10.5694/j.1326-5377.2004.tb06454.x. いずれにせよ、すべての努力は水の泡と化す。2週間後に腸を洗浄するときにマイクロバイオームはすっかり洗い流されて、すべてが洗浄前の状況に戻るのだ。以下も参照。 Naoyoshi Nagata et al., 'Effects of Bowel Preparation on the Human Gut Microbiome and Metabolome', Scientific Reports 9, no. 1 (Dec. 2019): p. 4042; https://doi.org/10.1038/s41598-019-40182-9.「マイクロバイオームの回復」: https://atlasbiomed.com/uk/microbiome/results. 以下も参照。 Kavin Senapathy, 'Keep Calm And Avoid Microbiome Mayhem', *Forbes*, 7 March 2016; https://www.forbes.com/sites/kavinsenapathy/2016/03/07/keep-calm-and-avoid-microbiome-mayhem/

90 Milk: Josh Harkinson, 'The Scary New Science That Shows Milk Is Bad For You', *Mother Jones*, Dec. 2015; https://www.motherjones.com/environment/2015/11/dairy-industry-milk-federal-dietary-guidelines/; bacon: 'Killer Full English: Bacon Ups Cancer Risk', *LBC News*, 17 April 2019; https://www.lbc.co.uk/news/killer-full-english-bacon-ups-cancer-risk/; eggs: Physicians' Committee for Responsible Medicine, 'New Study Finds Eggs Will Break Your Heart', 16 March 2016; https://www.pcrm.org/news/blog/new-study-finds-eggs-will-break-yourheart. これには「アメリカ人は年間279個の卵を食べており、新しい研究から**命の危険がある**［太字は引用元より］ことがわかった」という見出しがついていた。オリジナルの研究は以下を参照。 Victor Zhong et al., 'Associations of Dietary Cholesterol or Egg Consumption with Incident Cardiovascular Disease and Mortality',

JAMA 321, no. 11 (19 Mar. 2019): p. 1081; https://doi.org/10.1001/jama.2019.1572. 詳しい批評は以下を参照。Zad Rafi, 'Revisiting Eggs and Dietary Cholesterol', *Less Likely*, 22 March 2019; https://lesslikely.com/nutrition/eggs-cholesterol/. ちなみに、こうした報道を揶揄するパロディで私がいちばん気に入っているのはサイト「Clickhole」の投稿だ。'Nutritional Shake-Up: The FDA Now Recommends That Americans Eat A Bowl Of 200 Eggs On Their 30th Birthday And Then Never Eat Any Eggs Again', *Clickhole*, 24 Oct. 2017; https://news.clickhole.com/nutritional-shake-up-the-fda-now-recommends-that-ameri-1825121901

92 ダス（解雇された翌年に死亡した）の問題の詳しい要約は以下を参照。Geoffrey P. Webb, 'Dipak Kumar Das (1946–2013) Who Faked Data about Resveratrol – the Magic Red Wine Ingredient That Cures Everything?', *Dr Geoff Nutrition*, 10 Nov. 2017; https://drgeoffnutrition.wordpress.com/2017/11/10/dipak-kumar-das-1946-2013-who-faked-dataabout-resveratrol-the-magic-red-wine-ingredient-that-cures-everything/

94 John P. A. Ioannidis and John F. Trepanowski, 'Disclosures in Nutrition Research: Why it is Different', *JAMA* 319, no. 6 (13 Feb. 2018): p. 547; https://doi.org/10.1001/jama.2017.18571

95 たとえばイギリスの国民保健サービス（NHS）の公式サイト（https://www.nhs.uk/live-well/eat-well/different-fats-nutrition/）やアメリカのメイヨー・クリニックのサイト（Mayo Clinic Staff, 'Dietary Fats: Know Which Types to Choose', 1 Feb. 2019; https://www.mayoclinic.org/healthy-lifestyle/nutrition-and-healthy-eating/in-depth/fat/art-20045550）を参照。

96 Steven Hamley, 'The Effect of Replacing Saturated Fat with Mostly N-6 Polyunsaturated Fat on Coronary Heart Disease: A Meta-Analysis of Randomised Controlled Trials', *Nutrition Journal* 16, no. 1 (Dec. 2017): p. 30; https://doi.org/10.1186/s12937-017-0254-5

98 詳しい説明は以下を参照。Matti Miettinen et al., 'Effect of Cholesterol lowering Diet on Mortality from Coronary Heart-Disease and Other Causes', *Lancet* 300, no. 7782 (Oct. 1972): pp. 835–38; https://doi.org/10.1016/S0140-6736(72)92208-8

100 Jonathan D. Schoenfeld & John P. A. Ioannidis, 'Is Everything We Eat Associated with Cancer? A Systematic Cookbook Review', *American Journal of Clinical Nutrition* 97, no. 1 (1 Jan. 2013): pp. 127–34; https://doi.org/10.3945/ajcn.112.047142

103 Jakob Westfall & Tai Yarkoni, 'Statistically Controlling for Confounding Constructs Is Harder than You Think', *PLOS ONE* 11, no. 3 (31 Mar. 2016): e0152719; https://doi.org/10.1371/journal.pone.0152719

104 Edward Archer et al., 'Controversy and Debate: Memory-Based Methods Paper 1: The Fatal Flaws of Food Frequency Questionnaires and Other Memory-Based Dietary Assessment Methods', *Journal of Clinical Epidemiology* 104 (Dec. 2018): p. 113; https://doi.org/10.1016/j.jclinepi.2018.08.003

105 食物摂取頻度質問票（FFQ）の信頼性に関する厳しい批判は以下を参照。Edward Archer et al., 'Validity of U.S. Nutritional Surveillance: National Health and Nutrition Examination Survey Caloric Energy Intake Data, 1971–2010', *PLOS ONE* 8, no. 10 (9 Oct. 2013): e76632; https://doi.org/10.1371/journal.pone.0076632. こうした批判そのものが誇張であり度が過ぎているという見方もある。妥当な擁護は以下を参照。James R. Hébert et al., 'Considering the Value of Dietary Assessment Data in Informing Nutrition-Related Health Policy', *Advances in Nutrition* 5, no. 4 (1 July 2014): pp. 447–55; https://doi.org/10.3945/an.114.006189. 一連の議論の文脈について補足は以下を参照。Alex Berezow, 'Is Nutrition Science Mostly

Junk?', *American Council on Science and Health,* 20 Nov. 2018; https://www.acsh.org/news/2018/11/19/nutrition-sciencemostly-junk-13611; David Nosowitz, 'The Bizarre Quest to Discredit America's Most Important Nutrition Survey', *TakePart,* 29 July 2015; http://www.takepart.com/article/2015/06/29/america-dietary-guidelines-self-reporting

106 Trepanowski & Ioannidis, 'Disclosures in Nutrition'.

107 Satija et al., 'Perspective'. この記事は本書の批判の多くに対して栄養学の研究を擁護している。同様の擁護は以下も参照。Edward Giovannucci, 'Nutritional Epidemiology: Forest, Trees and Leaves', *European Journal of Epidemiology* 34, no. 4 (April 2019): pp. 319–25; https://doi.org/10.1007/s10654-019-00488-4. イオアニディスの反応は以下を参照。John P. A. Ioannidis, 'Unreformed Nutritional Epidemiology: A Lamp Post in the Dark Forest', *European Journal of Epidemiology* 34, no. 4 (April 2019): pp. 327–31; https://doi.org/10.1007/s10654-019-00487-5

108 Ramón Estruch et al., 'Primary Prevention of Cardiovascular Disease with a Mediterranean Diet', *New England Journal of Medicine* 368, no. 14 (4 April 2013): pp. 1279–90; https://doi.org/10.1056/NEJMoa1200303

109 Gina Kolata, 'Mediterranean Diet Shown to Ward Off Heart Attack and Stroke', *New York Times,* 25 Feb. 2013; https://www.nytimes.com/2013/02/26/health/mediterranean-diet-can-cut-heart-disease-study-finds.html

110 David Brown, 'Mediterranean Diet Reduces Cardiovascular Risk', *Washington Post,* 25 Feb. 2013; https://www.washingtonpost.com/national/health-science/mediterranean-diet-reduces-cardiovascular-risk/2013/02/25/ 20396e16-7f87-11e2-a350-49866afab584_story.html

111 California Walnut Commission, 'Landmark Clinical Study Reports Mediterranean Diet Supplemented with Walnuts Significantly Reduces Risk of Stroke and Cardiovascular Diseases' (news release), 25 Feb. 2013; https://www.prnewswire.com/news-releases/landmark-clinical-study-reports-mediterraneandiet-supplemented-with-walnuts-significantly-reduces-risk-of-stroke-andcardiovascular-diseases-192989571.html

112 「強力な証拠」：M. Guasch-Ferré et al., 'The PREDIMED Trial, Mediterranean Diet and Health Outcomes: How Strong Is the Evidence?', *Nutrition, Metabolism and Cardiovascular Diseases* 27, no. 7 (July 2017): p. 6; https://doi.org/10.1016/j.numecd.2017.05.004「証明された」：Universitat de Barcelona, 'Mediterranean Diet Helps Cut Risk of Heart Attack, Stroke: Results of PREDIMED Study Presented' (news release), 25 Feb. 2013; https://www.sciencedaily.com/releases/2013/02/130225181536. htm;

113 J. B. Carlisle, 'Data Fabrication and Other Reasons for Non-Random Sampling in 5087 Randomised, Controlled Trials in Anaesthetic and General Medical Journals', *Anaesthesia* 72, no. 8 (Aug. 2017): pp. 944–52; https://doi.org/10.1111/anae.13938

114 Ramón Estruch et al., 'Primary Prevention of Cardiovascular Disease with a Mediterranean Diet Supplemented with Extra-Virgin Olive Oil or Nuts', *New England Journal of Medicine* 378, no. 25 (21 June 2018): e34 (34); https://doi.org/10.1056/NEJMoa1800389

115 引用回数はグーグル・スカラーより。修正版：Estruch et al., 'Primary Prevention . . . Olive Oil or Nuts'.

116 Julia Belluz, 'This Mediterranean Diet Study Was Hugely Impactful. The Science Has Fallen Apart', *Vox,* 13 Feb. 2019; https://www.vox.com/science-and-health/2018/6/20/17464906/mediterranean-diet-science-health-predimed

119 OPERA（Oscillation Project with Emulsion-tRacking Apparatus／写真乳剤飛跡検出装置によるニュートリノ振動検証プロジェクト）は、ニュートリノがスイスの放出器からイタリアの検出器まで移動するあいだにその性質（ニュートリノ振動）がどのように変化するかを観測しようというもの。詳細は以下を参照。http://operaweb.lngs.infn.it/

120 Ransom Stephens, 'The Data That Threatened to Break Physics', *Nautilus*, 28 Dec. 2017; http://nautil.us/issue/55/trust/the-data-that-threatened-to-break-physics-rp

121 T. Adam et al., 'Measurement of the Neutrino Velocity with the OPERA Detector in the CNGS Beam', *Journal of High Energy Physics* 2012, no. 10 (Oct. 2012): 93; https://doi.org/10.1007/JHEP10(2012)093

122 CERN, 'OPERA Experiment Reports Anomaly in Flight Time of Neutrinos from CERN to Gran Sasso', 23 Sept. 2011; https://home.cern/news/press-release/cern/opera-experiment-reports-anomaly-flight-time-neutrinos-cern-gran-sasso

123 'CERN Scientists "Break the Speed of Light"', *Daily Telegraph*, 22 Sept. 2011; https://www.telegraph.co.uk/news/science/8782895/CERN-scientistsbreak-the-speed-of-light.html and 'The Speed of Light: Not So Fast?', *ABC News*, 24 Sept. 2011; https://www.youtube.com/watch?v=zgmL47lD7RA

125 Lisa Grossman, 'Faster-than-Light Neutrino Result to Get Extra Checks', *New Scientist*, 25 Oct. 2011; https://www.newscientist.com/article/dn21093-faster-than-light-neutrino-result-to-get-extra-checks/

126 Antonio Ereditato, 'OPERA: Ereditato's Point of View', *Le Scienze*, 30 March 2012; http://www.lescienze.it/news/2012/03/30/news/opera_ereditatos_point_of_view-938232/

127 Jason Palmer, 'Faster-than-Light Neutrinos Could Be down to Bad Wiring', *BBC News*, 23 Feb. 2012; https://www.bbc.co.uk/news/science-environment-17139635; Lisa Grossman & Celeste Biever, 'Was Speeding Neutrino Claim a Human Error?', *New Scientist*, 23 Feb. 2012; https://www.newscientist.com/article/dn21510-was-speeding-neutrino-claim-a-human-error/

# 第 3 部
# 原因と対処法

# 第7章　逆インセンティブ

あなたが守ったルールがこのような事態を招いたのなら、
そのルールは何の役に立つのか。
——コーマック・マッカーシー『血と暴力の国』（2005年）

2017年に発生したカリフォルニア州の山火事は4000平方キロ以上を延焼し、数千棟の建物を破壊して47人が死亡した。その後、州史上最大となる13億ドル規模の災害復旧作業がおこなわれた。[1] 米陸軍工兵隊が動員されて指揮をとり、地元の業者を雇って膨大な量のがれきを撤去した。ただし、陸軍工兵隊は重大なミスをおかした。業者に重量単位で支払いをしたのだ。重い荷物を積むほど稼げるわけだが、これを非常識なほど悪用する業者が出てきた。作業員が「濡れた泥で積荷の重さをかさましている」のを見た人もいる。がれきを拾うだけではなく、新たに巨大な穴を掘り、住宅の基礎を壊して、土やコンクリートをトラックに詰め込む業者もいた。カリフォルニア州政府は復旧作業の現場を整理して新たな作業員を雇い、最初に契約した業者が掘り起こした穴を埋め戻すために、350万ドルを追加で負担した。

これは典型的な「逆インセンティブ」だ。陸軍工兵隊は、がれきをきれいにすることではなく、トラックの荷台が重いという事実だけにインセンティブを与え、不注意にも新たな問題を引き起こした。似たような例はほかの分野でもすぐに思いつくだろう。たとえば、ジャーナリストのインセンティブを独自の報道ではなく収益にすれば、クリック稼ぎの薄っぺらな記事が増える。教師のインセンティブが学習ではなく学校のランキングなら、疑わしい採点が出てくるだろう。政治家のインセンティブが長期的な解決策ではなく短期的な票の獲得になれば、化石燃料産業への補助金が増える。[2] この章では、現在の科学的実践に組み込まれているインセンティブを検証して、それが客観性に報いるものなのか、あるいはまったく別のものなのかを考える。

本書ではここまで、科学者がデータを捏造する、都合の悪い結果を公表しない、p値ハッキングをする、間違いの確認を怠る、結果を誇張する、という問題を取り上げてきた。そこから科学の理想とは根本的に異なる科学の実践の姿が浮かび上がってくるが、どうしてそのようなことが起きるかについても詳しく見てきた。ただし、このパズルにおいて、「なぜ」というピースはあいまいなままだ。ほとんどの科学者は科学というキャリアを選んだ理由を聞かれたら、幼いころからずっと自然に興味があるから、科学の先生や指導者に感銘を受けたから、社会に変化をもたらしたいからと答える。[3]さらに突っ込んで質問されると、圧倒的に多くの科学者が、マートンの４つの規範――普遍性、無私性、共有性、組織的な懐疑主義――のすべてを支持すると答える。[4]科学とその原理を愛するがゆえに科学者になった人々が、なぜこれほどひどい行動を取るのだろうか。

その答えの一部は、本書の序文のとおり、心霊研究をめぐる私の再現研究と、それが学術誌に即座に却下されたエピソードが物語っている。ＮＵＬＬの結果や再現研究は、証拠が示す全体像を把握するために非常に重要であるにもかかわらず、学術誌にはほとんど見向きもされないのだ。ポジティブで、派手で、斬新で、ニュースになるような結果を報告する研究は、そうではない研究よりはるかに高く評価されるため、科学者はほかのすべてを犠牲にしてもそのような研究を生み出すことがインセンティブになる。自分の論文が本当にそのような特徴を持っていると査読者や編集者に信じさせるために、ルールを曲げたり破ったりする研究者があまり

2　関連する逆インセンティブに、アメリカの種の保存法（ＥＳＡ）がある。これは希少動物の生息地に適した土地をその所有者が破壊すれば、自分の土地が規制の対象にならずに済むというインセンティブを与えている。Jacob P. Byl, 'Accurate Economics to Protect Endangered Species and Their Critical Habitats', *SSRN* preprint (2018); https://doi.org/10.2139/ssrn.3143841

に多い。

この章で見ていくように、科学的なインセンティブのシステムは、特定の種類の論文だけでなく、論文出版そのものに強迫観念を生んでいる。科学者に科学を実践させるのではなく、おのれのゆがんだ欲求を満たすように動機づけているのだ。私たちの研究を台無しにするたくさんの怪しげな慣行の根底に、このようなインセンティブがある。

チャールズ・ダーウィンは、正真正銘、最後の真の科学専門家とも称される。彼は専門分野である自然史について、当時知るべきことをすべて知っていた。それは少なからず、事実を探求するための世界的な航海と、彼自身の言葉を借りれば「手紙でしつこく質問した」科学者の文通ネットワークのおかげだった。[5] こんにちでは、ダーウィンのようにすべてを知っている専門家は、いかなる科学の分野にも存在しない。なぜなら私たちは科学論文の海で溺れているからだ。現代のダーウィンは、生物学と生物医学の分野で毎年約40万件発表される新しい研究についていかなければならない。科学分野全体で、2013年だけで240万件の新しい論文が発表された。[6] 科学史全体を見わたせば、論文の増加傾向は加速している。1650〜1750年は年0・5%、1750〜1940年は年2・4%、それ以降は年8%のペースで増えており、科学文献全体の規模が9年ごとに2倍になっている計算だ。[7]

ある意味で、これは前向きな発展だ。人類全体として、世界について知っていることは過去数世紀にくらべてはるかに多いのだ。ただし、必然的に疑問がわいてくる。このような大量の論文の増殖は、純粋に私たちの知識の増大を反映しているのだろうか。

そうではないと考える理由がある。懸念される科学的なインセンティブの例として最も悪名高いのは、論文掲載に報酬が支払われる仕組みだ。１９９０年代初頭から中国の大学では、（少なくとも自然科学系分野の）科学者が国際的に著名な学術誌で論文を発表するたびに、現金でボーナスを支払ってきた。論文が掲載された学術誌の権威に応じて報酬が加算され、超一流の学術誌は大幅に積み増しされる。[8]『ネイチャー』や『サイエンス』に論文が掲載されれば、少なくとも一部の大学では、年俸の何倍もの報酬を期待できる。

この方針は中国では広くおこなわれており、大きな利益をもたらしているようだ。トルコや韓国では政府の政策として、同じように論文出版に直接、現金を支払う仕組みが報告されており、カタール、サウジアラビア、台湾、マレーシア、オーストラリア、イタリア、イギリスなどでも特定の大学で報告されている。[9] しかし、科学者は、おのれの金銭的な利益のためにこのゲームに参加してはならない。[10]

8　ある調査では年俸の約20倍にあたる16万５０００ドルの報酬が支払われたケースもあった。報酬の平均額は約４万４０００ドル。これらはすべて、中国の学術界の給与が低いことを浮き彫りにしている。Wei Quan et al（以下を参照）によると中国の研究者の年俸は平均で約８６００ドル。支給された報酬のうち個人が手にするのはほんの一部で、残りは将来の研究に投資される場合もあるようだ。実際の金額や用途は謎に包まれていることが多い。Wei Quan et al., 'Publish or Impoverish: An Investigation of the Monetary Reward System of Science in China (1999-2016)', *Aslib Journal of Information Management* 69, no. 5 (18 Sept. 2017): pp. 486–502; https://doi.org/10.1108/AJIM-01-2017-0014

論文掲載が現金報酬になる仕組みは、大学が科学者にできるだけ多くの論文を発表するように促す手法のなかでもとりわけ露骨だが、一方で、研究者はもっと微妙な、しかし痛切な経済的プレッシャーにさらされている。学術界の雇用市場では、採用や昇進の判断は、履歴書に並ぶ論文の数と、どの学術誌に掲載されているかということが少なからず基準になる。論文の数が少なすぎたり、あまりにも無名な媒体に掲載されていたりすると、仕事を得る、あるいは維持できる可能性は低くなる。アメリカでは終身在職権（大学教員のシステムのなかで最もランクの低い助教が准教授になり、その時点で実質的に雇用が生涯、保証される）は基本的に、似たような生産性の指標をもとに決まる。

なぜ大学は、ランダム化や盲検化、再現性など研究の質に関係する指標より、論文の出版にもとづく指標を優先するのだろうと、疑問に思うかもしれない。その答えは、大学も経済的なプレッシャーにさらされているからだ。イギリスをはじめ多くの国では大学自体が、在籍する研究者が発表する論文の権威をもとに政府によってランクづけされ、それに応じて納税者からの資金が分配される。[11]「出版か、さもなくば死を（publish or perish）」という陳腐なフレーズが思い浮かぶ。論文を量産して、可能なかぎりインパクトの高い学術誌に投稿し続けなければ、現代の学術界の激しい競争で生き残ることはできない。[12]

論文だけではない。先に述べたとおり、科学研究を始めるにあたり最初のステップは、設備や材料、データへのアクセス、参加者への報酬、スタッフの報酬などを払うために助成金を得ることだ。科学者は研究を続けるために、つねに助成金を申請する必要がある。これについても、大学も同じプレッシャーにさらされている。大学は科学者がどうにか獲得した助成金の一部を、教育、雇用、建物の維持などに利用する。つまり、大学は資金をもたらす研究者に大きく依存しているのだ。アメリカでおこなわれた調査の推定によれば、科学者は平均して総労働時間の約８％、研究時間の約19％を助成金申請書の作成に費やしている。どちらの数字も、私にはかなり控えめに思える。[13]

つねに研究資金の確保を考えなければならないことは、時間の無駄というだけでなく、膨大な量の失敗と失望を招く。この問題に「マタイ効果」が拍車をかける。すなわち、科学研究に助成金が割り当てられるときは、すでに十分持っている人がさらに豊かになるのだ（新約聖書のマタイによる福音書第25章29節に、「だれでも持っている人は更に与えられて豊かになるが、持っていない人は持っているものまで取り上げられる」とある）。[14] マタイ効果を裏づけるわかりやすい証拠もある。大規模な調査によると、キャリアの初期における助成金の申請内容が、実際に助

10　少なくともインパクトのある論文の発表を奨励するという限定的な目的において、この方針は効果があるようだ。ある分析によると、奨励金の現金支給を採用した国々では『サイエンス』への投稿が46％増加した（ほかのインセンティブより増え方が大きい）。ただし、これらの論文が実際に掲載された確率とは負の相関関係が見られる。つまり、科学者は一流ジャーナルを狙い撃ちするようになったが、それほど成功していないということだ。以下を参照。C. Franzoni et al., 'Changing Incentives to Publish', *Science* 333, no. 6043 (5 Aug. 2011): pp. 702–3; https://doi.org/10.1126/science.1197286. 皮肉なことに、『サイエンス』誌に掲載されたこの論文の著者の1人は出版に対して３５００ドルのボーナスを現金で受け取った（その後、寄付した）。以下を参照。Alison Abritis, 'Cash Bonuses for Peer-Reviewed Papers Go Global', *Science*, 10 Aug. 2017; https://doi.org/10.1126/science.aan7214

成金を得るための恣意的な基準をわずかに上回ると判断された科学者は、内容の質はあまり変わらないにもかかわらず基準をわずかに下回ると判断された科学者に比べて、その後の8年間でほかの助成金から2倍以上の資金を得ていた。[15] このような環境で、多くの科学者が不満を募らせて研究職を離れる。そして残った科学者は、資金力のある古参の科学者との資金獲得競争に挑み、助成金の申請を誇張せざるを得なくなる。この有毒な空気のなかで、科学そのものの正確さが後回しになることは想像に難くない。[16]

こうした金銭的なインセンティブとは別に、人間の本性を忘れてはいけない。人間は地位や名声を追いかけて厳しい競争に身を投じ、自分の評判を落とすような実績を増やし、客観的には意味のない目標（ここでは論文や助成金の数）のために努力するものだ。したがって、より野心的で競争心の強い人のなかには、長い履歴書それ自体で報われたと思う人もいる。どんな科学論文でも、著者として自分の名前が載るだけで意味がある成果だと感じる人もいるのだ。

いずれにせよ、科学者がより多くの論文を発表しようと思うインセンティブにはそれなりの効果がある。出版される論文の割合が大幅に増えているだけでなく、科学者が生産性を追求する傾向が強くなっているのだ。フランスのある研究によると、2013年に研究職を得た若い進化生物学者の論文数は、2005年の採用者の約2倍で、採用基準が年々高くなっていることを示唆している。[17] 研究職をめぐる競争は、まさにクジャクに尾を与え、ヘラジカに角を与えた自然淘汰の過程なのだから、進化生物学がその証拠を提供していることはぴったりだ。希少な資源（クジャクやヘラジカは交尾の機会、科学者は助成金や仕事）の争奪戦は、より派手な特徴を持つ者が勝ち続けるため、とんでもなく派手な特徴やとんでもなく長い履歴書が進化した。ただし、授与される博士号の数が増える一方で、新たに博士号を取得した科学者が就くはずの大学の仕事の増加は追いついていない（博士号取得者の増加は、彼らを含む学生が大学に莫大なカネを払うのだから、大学が収益に目を向けた結果でもある）。[18]

論文を出版しなければ学術界がすたれるのも、当然だと思うかもしれない。大学が研究者に、より多くのエキサイティングな研究結果を期待して、権威ある学術誌に掲載されて世界で共有してほしいと願うのは、いいことではないだろうか。むしろ大学の成功を測る適切で効果的な

16　このことを裏づける主な証拠は2つある。まず、科学分野で博士号を取得した人の大多数は、そのまま科学の道を歩き続けるわけではない。２０１０年に英国王立協会がおこなった分析によると、博士号取得者の53%がすぐに科学の世界を離れ、さらに26・5%がキャリアの初期段階で離れている。彼らのうち17%は、たとえば産業界や政府機関で研究するために、アカデミアの外に出ている。全体として科学界に永続的に留まったのはわずか3・5%だった（そして、正教授の職を得たのは０・４５%だった）。Royal Society, *The Scientific Century: Securing Our Future Prosperity* (London: Royal Society, 2010); https://royalsociety.org/-/media/Royal_Society_Content/policy/publications/2010/4294970126.pdf. 2つ目の証拠は科学者を対象とした調査から得られた。ウェルカム・トラストが２０２０年前半におこなった調査では78%以上の科学者が、科学における競争の激化が「不親切で攻撃的な状況を生み出している」と答えている。Wellcome Trust, *What Researchers Think about the Culture They Work In* (London: Wellcome Trust, 2020); https://wellcome.ac.uk/reports/what-researchers-think-about-research-culture

18　David Cyranoski et al., 'Education: The PhD Factory', *Nature* 472, no. 7343(April 2011): pp. 276–79; https://doi.org/10.1038/472276a. これほど多くの博士号取得者が研究職にあぶれているのに、科学やテクノロジー、エンジニアリング、数学の仕事を選ぶ人が、現代の先進工業国経済の需要に追いついていないという危機的状況が頻繁に指摘されている。しかし、ある文献のレビューによると2つの事実が並立していることがわかった。大学で仕事を探している博士号取得者は需要より多いが、政府と産業界では需要に追いついていないのだ。Yi Xue & Richard Larson, 'STEM Crisis or STEM Surplus? Yes and Yes', *Monthly Labor Review* (26 May 2015); https://doi.org/10.21916/mlr.2015.14

方法ではないのか。研究者は助成金を獲得するために競争し、優れたアイデアだけがカネを勝ち取るという意味で、学術界は自ら資金を集めるべきではないか。そうでなければ世の中の知識に何の貢献もせず、大学でぶらぶらしている「居候」が生まれるだけだ——。

## 駄論文が量産される2つの原因

理想的な世界なら、こうした生産性のインセンティブは理にかなっている。学術誌が品質管理を徹底して科学者が生来の誠実さを貫けば、出版される論文の数が増えても品質が損なわれることはないはずだ。しかし、現実には、何かしらインセンティブが必要になる。

ライトが点滅したらできるだけ早くボタンを押すという認知心理学の実験について、研究者は「スピードと正確さのトレードオフ」を指摘する。被験者が急ぐことに集中すると正確性が損なわれ、正確に押すことに集中するとスピードが落ちるというわけだ（ちなみに、これはとても明確な心理的効果で、関連するほぼすべての実験で再現されている）[19]。科学の論文出版も同じだ[20]。時間は無限ではない。より多くの論文を発表し、より多くの資金を集めることを科学者に強いて、さらに教育や指導、管理業務などの責任も求めれば、必然的に1つの研究に費やす時間は短くなる。査読者（彼ら自身も多忙な科学者だ）により多くの論文の査読を強いることは、より多くの誤った研究や過大評価された研究が、さらには詐欺的な研究が、出版プロセスのフイルターを通過しやすいということだ。どちらの場合も、出版の基準が緩むことは言うまでもない。[21]

多くの科学者がこのシステムを巧妙に悪用していることは、少なくとも一部の科学者にとって、量が質を凌駕しているという証拠にほかならない。先に挙げた研究も、論文掲載に現金で報酬が支払われる中国の制度を次のように分析している。

黒竜江大学のガオ教授は『アクタ・クリスタログラフィカ・セクションE』という１つの学術誌に２７９本の論文を発表し、２００４〜２００９年に黒竜江大学が支給した報奨金の半分

21　もちろん、私の主張に反論する研究があることは承知している。Daniele Fanelli et al., 'Misconduct Policies, Academic Culture and Career Stage, Not Gender or Pressures to Publish, Affect Scientific Integrity', *PLOS ONE* 10, no. 6 (17 June 2015): e0127556; https://doi.org/10.1371/journal.pone.0127556. ２０１５年には、２０１０年と２０１１年に起きた科学論文の訂正と撤回の調査がおこなわれた。この期間の科学的な記録について、修正を余儀なくされたすべてのケースを集計し、研究者の個別の修正回数と、出版総数や研究をおこなった国などの要素との相関関係を調べたものだ。全体的な結論として、論文単位で研究者に報酬を支払う国や、科学的不正行為に対処する優れた政策がない国は撤回率が高かった。ここまでは私の主張に沿っている。しかし一方で、年間の論文出版数が多い研究者ほど、全体として撤回率がやや低いこともわかった。調査をおこなった研究者たちはこの発見を、「出版か、さもなくば死を」の文化が研究不正を増やすという考えに反すると解釈した。とは言え、撤回はきわめてまれで、極端な対応でもある。撤回とは論文を文献から除外することでもあり、多くの場合、不正行為のような重大違反が原因となる。したがって、論文の訂正と撤回に関する２０１５年の論文は、論文の質について何も測定していないため、「出版か、さもなくば死を」の擁護にはなり得ないと私は考える。この論文はさらに、定期的に論文を発表する研究者ほど訂正の発表が多いという傾向も指摘したうえで、訂正は「汚名を着せられることがない」から、これはいい傾向だと主張している。しかし、この主張はどうだろうか。私の経験では、訂正は間違いなく汚名を着せられるだけでなく、当然ながら、訂正は誤りを意味する。そもそもしてはならなかった間違いを訂正するのだから。

以上を受け取った……ガオ教授はこの5年間にひたすら、自分の研究室で新しい結晶構造を発見し、その結果を同じ学術誌に発表し続けた。なぜなら、長期的な研究プロジェクトは報奨金の回数が少なくなるのに対し、短期的に現金のボーナスを獲得するという目的を達成できるからだ。[22]

ガオ教授はイギリスのロックバンド、ステイタス・クォーの学者版だ。彼らは1970年代以降、2、3曲のベーシックな歌のマイナーなバリエーションを延々と作り続けて成功した。チャールズ・ダーウィンとは似ても似つかない。ガオは「サラミ・スライス戦略」として知られるプロセスをおこなっていた。これは、1組の科学的な結果（多くの場合、1つの研究から得られた結果）を1つの論文にまとめて発表できるはずなのに、小さな論文に分割して別々に出版されるようにするという手法だ。[23] まさに、積み荷の重さを増やすために泥を積んだ災害復旧作業のトラックだ。履歴書を人為的に膨らませ、より多くの研究をおこなったように見せれば、少なくとも学術界の一部のシステムでは利益を最大化できる。簡単に言えば、私がこの本の各章と序文、エピローグを別々に出版して10冊の本を執筆したと発表し、それぞれについて報奨金を得るようなものだ。

私が最近、遭遇した愚かなサラミ・スライスは、第5章で説明したゲノムワイド関連解析（GWAS）の手法を用いて精神疾患に関連する遺伝子を研究しているケースだ。人間には遺伝物質を含む染色体が23対あり、標準的なＧＷＡＳでは、対象の形質との関連性を見つけるために23対すべてを一度にスキャンする（だから「ゲノムワイド」と呼ばれる）。しかし、件の遺伝学者たちは、そのような標準的で大規模な解析をおこなわずに、23対の染色体をそれぞれ個別に解析して論文をまとめた。つまり、通常の研究で得られる1本の論文を、23本の個別の論文として発表したのだ。本書の執筆時点で、そのうち6本が出版されている。[24]

愉快なくらいの厚かましさで、著者たちの履歴書や、おそらく銀行口座の残高にはきっとプラスになるだろうが、科学の足を引っ張ることになる。この研究に関心がある人は、1つの論文に記載されるべき情報を見つけるために20本近く論文を読まなければならないのだ。無駄な煩わしさであり、それぞれの論文を吟味する編集者や査読者の時間も浪費する。また、自分の研究結果を長い網羅的な論文にまとめようとする几帳面な科学者は、出版の量の多さが就職に有利に働く世界では不利になる。

サラミ・スライスをすること自体が、サラミ1枚1枚に含まれる科学の質が必ずしも低いという意味ではない（ただし、研究者が出版の仕組みをあからさまに利用しようとしている事実は、彼らの信頼性を保証するものではない）。しかし、サラミ・スライスのなかには、履歴書の装飾

23　「サラミ・スライス」という言葉が科学の文脈で初めて使われた出版物は、私の調べたかぎり以下の記事である。John Maddox, 'Is the Salami Sliced Too Thinly?', *Nature* 342, no. 6251 (Dec. 1989): p. 733; https://doi.org/10.1038/342733a0. 記事によると、サラミ・スライスのたとえは以前からあって、たとえば従業員が職場から何かを少しずつ長期間にわたって盗み続けて大量にせしめた場合など、科学以外の文脈で使われていた。

より邪悪な目的を持つものもあるかもしれない。製薬会社などの医薬品研究者は臨床試験に関して、論文の読者がすべての出版物に注意を払っていないという現実を利用して、戦術的なサラミ・スライスをおこなっていると言われている。自分の薬の研究をいくつかの論文に分けて発表すれば、1、2本の論文を発表した場合に比べて、薬の有効性がより強く裏づけられているように見せることができる。ずる賢いが、おそらく効果的な戦略だろう。多忙な医師は、6本の論文が支持する薬と1本の論文が支持する薬があるときに、前者を処方する可能性が高いかもしれない。すべての医師が同じ学術誌を読んでいるわけではなく、分割して出版することによって、より多くの読者にアピールできるかもしれない。

ある調査では、抗鬱剤のデュロキセチンの研究で広範囲に渡ってサラミ・スライスがおこなわれていることがわかった。数多くの例から1つだけ挙げると、ある研究者たちはデュロキセチンの効果に関する黒人と白人の民族的差異を検証した論文と、ヒスパニック系と白人の差異を検証した論文の2本を発表しているが、いずれも同じ臨床試験から得られたデータをもとにしている。[25] これら2つの分析結果を、1つの論文にまとめて発表できなかった理由はなさそうだ。つまり、製薬会社が自社の薬のために構築した「出版戦略」の一環として、より多くの論文を発表すること以外の理由はない、という意味だ。これは科学ではなくマーケティングであり、その代償を払うのは、医師の意図的な誘導によって、自分が思っているよりはるかに効果が低いかもしれない薬を処方される患者だ。[26]

量が質を損なうことを示すもうひとつの証拠は、いわゆる「ハゲタカジャーナル（粗悪学術誌）」の出現だ。ここ15年ほどで、専門知識がない人には本物の科学誌のように見えるが、通常の査読や編集の基準をまったく適用していないウェブサイトが急増している。[27] こうした見せかけの出版物は、より多くの論文を出版したいという科学者の欲求を利用する悪徳業者が運営している。たいていは怪しい英語で書かれたスパムメールを科学者に浴びせ、自分たちの学術誌が迅速に論文を掲載していることを喧伝する。残念ながら、経験が浅くて不注意な、あるいは自暴自棄な研究者たちが、わなにかかって論文を掲載され（論文を「処理」する費用として学術誌が要求する金額を払う）、自分の評判を落としている。偽の学術誌に論文が掲載されるということは、だまされやすくて無節操な科学者であるということだ。[28]

ハゲタカジャーナルと本物の学術誌は、普通は簡単に見分けられる。サイトのデザインはお粗末で、論文の活字もひどく、編集委員は誰も聞いたことがないような大学や、場合によっては存在しない大学の出身者で構成されている。とはいえ、本物とハゲタカの境界線はあいまいになりがちだ。ハゲタカジャーナルの一覧表をつくろうにも、誰もが納得する「ハゲタカ」の定義を決めることができず、問題の出版社から法的な脅しが来て、そのあいだにも新しい偽学

25　ちなみに、いずれの論文も差異はいっさい見つけられなかった。つまり、少なくともＮＵＬＬの結果が出版されたことになる。Glen I. Spielmans et al., 'A Case Study of Salami Slicing: Pooled Analyses of Duloxetine for Depression', *Psychotherapy and Psychosomatics* 79, no. 2 (2010): pp. 97–106; https://doi.org/10.1159/000270917

術誌が次々に登場している。[29]

最悪のハゲタカジャーナルは、たとえ明らかなつくり話でも、文字どおり何でも出版する。2014年にコンピュータサイエンスの研究者ピーター・ヴァンプリューは、ハゲタカの『インターナショナル・ジャーナル・オブ・アドバンスド・コンピュータ・テクノロジー』から延々と送られてくるスパムメールに腹を立てて、「Get Me Off Your Fucking Mailing List（おまえのくだらないメーリングリストから私を削除しろ）」と題したジョークの論文を投稿した。「Get me off your fucking mailing list.」という文章を800回以上、繰り返しているだけの論文だ（Get → me → off → Your → Fucking → Mail → ing → Listというメッセージを表すボックスや矢印を使ったフローチャートもある）。雑誌はこれを「優秀」と評価して出版した。[30]

サラミ・スライスもハゲタカジャーナルでの論文出版も、厳密にはルール違反ではない。サラミ・スライスを定義することは、すべての学術誌を「ハゲタカジャーナル」と「本物の学術誌」に分類するのと同じくらい難しい。ただし、科学者が少しでも多くの論文出版を求めるなかに、真のルール違反、つまり不正行為がないとは言い切れない。本書でこれまで見てきたとおり、科学の世界にはつねに不正が存在し、データを収集して論文を書くプロセスと同じように出版プロセスにも影響を与えている。

たとえば、科学者が学術誌に論文を投稿する際に、査読者を自ら推薦できるという意外な事実がある。詐欺師はこれを利用する。推薦された査読者に論文を送るか、あるいは編集者が選んだ査読者に送るかは編集者の自由だが、たいてい前者になる。著者が査読者を推薦するというそもそもの意図は、多忙な編集者が論文に関連のある適切な専門家を探す負担を軽くするためだ。この仕組みは、言うまでもなく、悪用にうってつけだ。著者が友人や同僚を査読者として推薦すれば、出版までの道のりが楽になる。それだけでも十分に問題だが、不正行為は簡単にエスカレートする。ある編集者は、生物学者のムン・ヒュイン（「リトラクション・ウォッチ・リーダーボード」では現在13位、撤回された論文は35件にのぼる）のケースを紹介している。

［ムンは］好ましい査読者を推薦していた……［彼らは］偽の名前と身元やアカウントを使った、彼自身や同僚だった。実在する人物の名前もいくつかあったが（ネットで検索すればわかる）、自分や同僚が管理できるメールアドレスを勝手に作成し、自分で査読してコメントを記していた。偽名でメールアドレスを作成しただけの場合もあった。これらの査読者が提出したコメントは、ほぼすべてが好意的だったが、論文を改善するための提案もあった。[31]

30　残念ながらこの論文は正式なかたちで出版されることはなかった。ヴァンプリューがこのジャーナルに対して出版費用１５０ドルの支払いを拒否したからだ（詳細は以下を参照。Joseph Stromberg, "Get Me Off Your Fucking Mailing List" Is an Actual Science Paper Accepted by a Journal', *Vox*, 21 Nov. 2014; https://www.vox.com/2014/11/21/7259207/scientific-paper-scam）。この数年前に似たような目的でコンピュータサイエンティストのDavid Mazières と Eddie Kohler が書いたオリジナル原稿の愉快な全文が以下のリンクにある。http://www.scs.stanford.edu/~dm/home/papers/remove.pdf

編集者たちは何か怪しいと思い始めた。査読の結果が24時間以内に届くことが多かったのだ。これはムンの子供じみたミスだった。本物の科学者は多忙なことで知られており、査読が数週間、あるいは数カ月遅れることはあっても、ここまで時間厳守な人はまずいない。ただし、ムンだけでは決してない。偽の査読は「リトラクション・ウォッチ・リーダーボード」の定番でもある。[32] ２０１６年に大手科学出版社のシュプリンガーは、自社の『トゥモア・バイオロジー』誌で査読の不正が横行していることに深く絶望し、わずか4年分のバックナンバーから汚染された論文１０７本を撤回した後、この学術誌の発行をあきらめて別の会社に売却した。[33]

しかし、科学論文にまつわる少々残念な事実が思わぬ救世主となり、怪しげな出版慣行による打撃をいくらかやわらげてくれるかもしれない。その事実とは、膨大な数の論文が、実際にはほかの科学者からほとんど注目されていないことだ。ある分析では、発表後の5年間で医学研究論文の約12％、自然科学・社会科学論文の約30％が、引用された回数はゼロだった。[34] これらの孤独な論文がいつかは引用される可能性もあるし、この分析が引用を見逃したのかもしれない。[35] とはいえ、量を最大化するシステムが生む質の低い製品が大きな影響力を持たないことは、おそらく好ましいことではあるが、何らかの欠陥を示唆していると考えるべきだろう。私たちの時間や研究費は、科学文献にほとんど貢献していない研究で効果的に使われているのだろうか。被引用回数が少ないことが、論文の質と関係があるとはかぎらない。しかし、科学を発展させるためではなく、仕事や助成金を得るために役に立たない論文を発表しているのであれば、多くの論文が同業者の興味を引くことができないのも当然だ。

## 被引用数が自己目的化する

サラミ・スライス、ハゲタカジャーナル、査読の不正という悪のトリオを考えると、科学者を出版物の総数で評価するべきではないことは明らかだ。そこで、代わりに論文の被引用回数によって科学者を評価するという方法もある。先に説明したとおり、この指標は科学やコミュニティへの実際の貢献度を、より適切に示すだろう。ただし、極端な例として、ある科学者が数千単位の被引用回数を誇る1本の論文で大成功した後に、誰も読まないような価値のない論文を何十本も書くことも考えられる。その場合、被引用回数の単純な合計では、その人の科学への広範な貢献を適切に表現できない。

２００５年に物理学者のホルヘ・ハーシュは、この問題を回避する方法を考案して「h指数」と名づけた。[36] ある研究者のh指数は、出版された論文のうち、それぞれが少なくともh回引用されている論文がh本以上あることを示す。本書の執筆時点で私のh指数は33。少なくとも33

35　少なくとも科学の分野は、人文科学の分野ほど状況は悪くなさそうだ。出版から5年以内に引用される人文科学の論文は20％にも満たない。もちろん、科学と人文科学では引用の仕方が異なり、人文科学では論文より書籍が重視される。それでも80％の引用されない論文が、知識に本当に貢献しているかどうかは疑問だ。

回引用されている論文が33本ある。h指数の賢いところは、引き上げることが次第に難しくなることだ。私のh指数を34にするためには、さらに1本の論文が34回以上引用されて、ほかの33本も34回以上、引用されなければならない。したがって、著名な科学者のようにh指数を数百レベルにしようと思ったら、大変な努力とほかの研究者からの注目が必要になる。

グーグルの学術論文検索サービス「グーグル・スカラー（Google Scholar）」は、研究者のh指数を自動計算する。多くの科学者は（私も含めて）多少の恥じらいを覚えつつ、スカラーの自分のページをときどきチェックして、被引用回数が更新されていることを確認している（私の経験では、自分のh指数を確認することにまったく興味がないという科学者は、研究者を評価する指標という考え方そのものを嘲笑するような人だとしても、嘘をついているか、グーグル・スカラーを知らないか、どちらかだろう）[37]。

科学者のh指数は、おそらく言うまでもないが、採用や昇進において明示的に考慮されることが多い。したがって、科学者には論文を引用されたいという強い動機があり、引用されそうな論文をたくさん発表したいという動機がある。h指数は適切な目的にもとづいているが、それが生み出すインセンティブは、科学の目標ではなく科学のシステムに都合の良い行動につながる可能性があるのだ。

もちろん、論文を引用されるための最善の方法は、重要で画期的な結果を出すことだ。研究者のなかには、自分の結果がまさにそのようなものであることを学術誌に（そして世界に）納得させるために、途方もない時間を費やす人もいる。前章で説明したような「スピン」も、引用されやすくする方法だ。ある研究では、有意な結果を示した論文は、ＮＵＬＬの結果を示した論文に比べて１・６倍多く引用されているが、著者が「結果は自分の仮説を支持する」と明確に結論づけている論文は２・７倍多く引用されている。[38] 要するに、論文を引用されたいなら、よりポジティブな表現で書けばいいのだ——研究の結果について、洗練されていないが現実的で鋭い部分を、ことごとく言葉で研磨して滑らかにすることにはなるが。

被引用回数を増やすはるかに効果的な方法は、単純に自分で自分を引用することだ。自己引用は、ある分析によると、論文発表後の最初の３年間で全引用の約３分の１を占めているが、これはグレーゾーンだ。[39] 科学の進化は漸進的であり、研究者は特定のテーマを何年も研究する。したがって、自分の研究プログラムの次のステップに進む際に、自分の過去の研究をまったく引用させないことに意味はない。ただし、行きすぎもある。許容できる自己引用と問題のある自己引用の境界線はあいまいだが、明確にわかるケースもある。[40] 心理学者のロバート・スタンバーグは、いくつかの懸念のなかでも自己引用をめぐって厳しく批判され、２０１８年に権威

37　グーグル・スカラーはどこまで引用に含めるかについて寛大なため、ここではh指数が過大評価されているとつけ加えなければならない。Web of Science など、より厳密なh指数の計算方法もある。

39　「全引用の約３分の１」: Dag W. Aksnes, 'A Macro Study of Self-Citation', Scientometrics 56, no. 2 (2003): pp. 235–46; https://doi.org/10.1023/A:1021919228368.「サラミ・スライス」と同様に、サラミ・スライスされた論文がすべて互いに引用し合っていれば、あなた以外に誰もあなたの論文を読んだり引用したりしなくても、はるかに多くの引用数を得ることができる。サラミがつながってリングソーセージになったようなものだと言いたいところだが、比喩としては苦しいかもしれない。

ある学術誌『パースペクティブス・イン・サイコロジカル・サイエンス』の編集長を辞任した[41]。学術誌の編集長が、その号に掲載された論文について論説を書くのは一般的なことだ。ただし、スタンバーグは論説を書く際に、頻繁に自分の論文に言及した。7本の論説において引用文献の46％が自分の論文であり、65％に達する論説もあった[42]。編集長は自分の学術誌にどの論文を掲載するかを管理しており、自分のh指数を高めるために地位を乱用しないという点ではある程度の自制心が必要だ。この自制心が弱い編集長もいるようだ。

自分で自分のh指数を操作するのはあからさますぎると感じるなら、誰かに圧力をかけてやらせることもできるだろう。匿名の査読者が論文X、Y、Zを引用文献にするように提案して、偶然にもX、Y、Zの著者が同じ人物で、その著者が偶然にも匿名の査読者と同じ人物である「可能性」はまずない――しかし、学術関係者ならほぼ全員が、そういう話を聞いたことがある。逸話だけでなく証拠もいくつかある。引用の「提案」を含む査読に関する研究では、29％が査読者自身の研究の引用を提案しており、自己引用の提案はネガティブなレビューよりポジティブなレビューに多く見られた（つまり、査読者は、自分が出版を支持する論文のレビューに自分の研究の引用を提案することが多い[43]）。

スタンバーグは、「サラミ・スライス」と「自己引用」のハイブリッドとも言える「自己盗用」にも手を出した。新しい論文を発表する際に、以前に自分が別の場所で発表した文章の一部を再利用したのだ。自分で自分を盗用することができるのか、盗用とは他人のアイデアや言い回しを盗むことではないのか、とも思うだろう。確かに文章の再利用は、怠慢かもしれないが、少なくとも世の中に悪いアイデアや間違ったアイデアを増やすことにはならない。しかし、自己盗用は、著作物がオリジナルであることを定めた著者としての契約を破ることになる（著作権表示に関しては法律的な契約だが、より重要なのは読者との比喩的な契約だ）。同じアイデアを使いまわしているだけなのに、生産性が高いと見せかけることもできる。また、サラミ・スライスのように、研究者の履歴書を比較する際に不公平が生じる。

近年では多くの科学者が、相当な数の段落や、ときには論文全体を、出典などをいっさい示さずに複数の学術誌に堂々と転載して発覚している。スタンバーグは『ジャーナル・オブ・コグニティヴ・エデュケーション・アンド・サイコロジー』に掲載された自分の論文を、過去に出版した書籍の文章と組み合わせ、論文のタイトルの「認知教育（Cognitive Education）」を「学校心理学（School Psychology）」に変えて、『スクール・サイコロジー・インターナショナル』に掲載されたこともあった。[44] 後者の編集者は、最終的に「冗長な出版であるという理由」でスタンバーグの論文を撤回した。[45] オーストラリアの学術関係者の論文を対象とした比較的小規模なサンプルの分析によると、自己盗用を、出典を明らかにせずに過去の論文から10％以上の文

44　スタンバーグがこのような手法を使って出版システムを操ろうとしたのは何とも皮肉なことだ。というのも、彼は２０１７年に学者向けの本で次のように助言している。「自己盗用は、自分の研究を十分に引用しなかったときに起こる……極端な例では、論文が以前に発表されたことに気づかずに、まったく同じ論文を２回、発表しようとする人がいるかもしれない」。Robert J. Sternberg, & Karin Sternberg, *The Psychologist's Companion: A Guide to Professional Success for Students, Teachers, and Researchers* (Cambridge: CUP, 2016): p.141.

章を再利用することと定義した場合、サンプルの著者の6割が有罪だった。[46]

科学者が出版や引用のシステムを個人的に悪用する方法の多くは、学術誌でも悪用できる。これが特に懸念される理由は、学術誌は科学的基準の保証人であるはずだからだ。この現実もまた、科学が直面している問題が体系的なもので、科学の文化全体がゆがんでいることを物語る。

学術誌のh指数、つまり学術誌のレベルを示す指標の1つがインパクトファクターだ。インパクトファクターはそもそも、予算が限られている大学の図書館員が購読する学術誌を選ぶためのツールとして考案された。[47]しかし、時が経つにつれて、学術誌の重要性と権威を数値化するものとして公に認められるようになった。大まかに言えば、インパクトファクターは、学術誌が最近、掲載した論文が1年間に引用された回数の平均値で、毎年計算される。[48]本書の執筆時点で、超一流の『ネイチャー』と『サイエンス』のインパクトファクターはそれぞれ43・070と41・063だ。出版ヒエラルキーの底辺に近い学術誌は1桁かもしれない。[49]

インパクトファクターは平均値ではあるが、同じ学術誌に掲載された論文でもその後の運命は大きく異なるため、かなり幅広い数字の平均値になる。被引用回数の分布は、所得の分布によく似ている。最上位の数本の論文が被引用回数の大部分を占め、大多数の論文は引用されても数えるほどだ。[50]つまり、最上位の「高額所得者」が平均を押し上げているだけで、『ネイチャー』のインパクトファクターがいくら高くても、『ネイチャー』に掲載されたばかりのあなたの論文が近いうちに43回、引用されるとはかぎらない。あなたがある国で出会う人の大半が、その国の平均所得と同じくらい稼いでいるとはかぎらないのと同じだ。

それにもかかわらず、現在のシステムでは、インパクトファクターが大きいほど学術誌のブランド力が高まる。学術誌の大半はエルゼヴィアやシュプリンガーなどの営利企業が運営しているため、編集者がインパクトファクターの数値を改善するように出版社から強い圧力を受けるであろうことは、科学に求められる誠実さとは相反するが、驚くまでもない。論説に引用を詰め込むというスタンバーグのワザを使う編集者もいて、その引用は「偶然にも」同じ学術誌に掲載された論文だけを参照している。しかも過去2年以内に掲載された論文だけだ――インパクトファクターの毎年の計算では、2年以上前の論文はカウントされない。[51]

前述のような「強制引用」を試みる査読者もいる。査読の際に、その学術誌に掲載された過去の論文のリストから、研究と厳密に関係があるかどうかにかかわらず引用するように著者に要求するのだ。ある調査では、科学者の約5人に1人がそのように求められた経験があると答えている。[52]

48　インパクトファクターとは、厳密には、そして少々紛らわしいが、ある年にその学術誌が掲載した論文について、その前の2年間の平均被引用回数である。これを計算するためには丸1年経過しなければならず、当然ながらつねにやや古い数字となる。たとえば、2020年のある学術誌のインパクトファクターは、2017年と2018年に掲載した論文が2019年に引用された回数の平均となる。

49　『アメリカン・ジャーナル・オブ・ポテト・リサーチ』【訳注：第1章を参照】のこと。現在のインパクトファクターは1.095。

極端なケースでは、編集者が「引用カルテル」を立ち上げて、複数の異なる学術誌で記事を引用し合う密約を結ぶ。２０１２年に出版コンサルタントのフィル・デイヴィスは、ある悪質な例を指摘した。彼がたどったウサギの巣穴のように曲がりくねった引用の足跡は、少々長いが引用する価値はある。

２０１０年に『メディカル・サイエンス・モニター』に４９０件の論文を引用したレビューが掲載され、うち４４５件は『セル・トランスプランテーション』に掲載された論文だった。これら４４５件はすべて、２００８年または２００９年に発表された論文を引用していた……残り45件のうち44件は『メディカル・サイエンス・モニター』の論文を引用しており、やはり２００８年と２００９年に掲載されたものだった……このレビュー論文の著者４人のうち３人が、『セル・トランスプランテーション』の編集委員を務めている。

同じ２０１０年に、これらの編集委員のうち２人が『サイエンティフィック・ワールド・ジャーナル』に掲載されたレビューで１２４件の論文を引用し、うち96件は２００８年と２００９年に『セル・トランスプランテーション』に掲載されたものだった。残り28件のうち26件は２００８年と２００９年に『サイエンティフィック・ワールド・ジャーナル』に掲載された論文の引用だった。パターンが見えてきた。[53]

引用カルテルの増加に対し、インパクトファクターを計算しているトムソン・ロイターは、「異常な引用」の慣行を理由に一部の学術誌をランキングから除外するようになった。[54]

つまり、論文の出版数やh指数と同じように、インパクトファクターも意図的に操作できる。科学者が自己引用や強制的な引用などの疑わしい行為でこれらの数字を人為的にふくらませるようになると、科学の質を測る基準としての意味はたちどころに失われる。どの科学者や学術誌が最も優れているかということより、自分たちの指標を高めることだけを考えている学術誌はどれかということを示す数字になるのだ。これは、「測定基準が目標になると、良い測定基準ではなくなる」というグッドハートの法則のわかりやすい例である。[55] これまで見てきたように、現代の科学文化ではこうした基準が明確な目標となって、再現性や厳密さ、真の科学的進歩より、無意味な指標や表面的な統計を優先するという、倒錯したインセンティブの構造が生まれている。

特に困惑させられるのは、この価値のない数字の雑木林に迷い込んでいるのが科学者であることだ。彼らこそが統計学に最も精通し、その誤用に最も批判的な人々であるはずなのに、気がつけば、空虚で誤解を招くような指標が何よりも重視されるこのシステムで働いている。科

54　Paul Jump, 'Journal Citation Cartels on the Rise', *Times Higher Education*, 21 June 2013; https://www.timeshighereducation.com/news/journal-citationcartels-on-the-rise/2005009.article. カルテルが生まれれば、その撲滅に執念を燃やす取締官が登場するものだ。２０１７年に開発されたアルゴリズムは、被引用に関するデータを入力すると、互いに不釣り合いに引用していると思われる著者のグループにフラグを立てる。Iztok Fister Jr. et al., 'Toward the Discovery of Citation Cartels in Citation Networks', *Frontiers in Physics* 4:49 (15 Dec. 2016); https://doi.org/10.3389/fphy.2016.00049

学者や学術誌の貢献度を定量化できる数値は、一見すると科学的に魅力があると思えるかもしれない。客観的な定量化は科学ならではの強みのひとつだ。

しかし、グッドハートの法則のとおり、数字が示す原則（ここでは、私たちの知識に大きく貢献する研究を見つけるという原則）ではなく数字そのものを追いかけ始めると、完全に道を見失う。これらの指標が、地位を争う科学者個人だけでなく大学と出版の両方のシステムの構造に織り込まれているという事実は、科学のシステムがその主要な目的に関して、いかにひどい失敗をしているかという例でもある。

## 質を低下させるインセンティブ設計

本書では、お粗末な研究になる要因を数多く見てきた。科学者のなかには自分の理論を信じ込んでいるために、あるいは自分が影響をもたらしたと思いたいがために、不正やp値ハッキングに手を出してあいまいさを消してしまう人もいる。カネや名声、権力などの欲望に駆られて真実など気にもかけないペテン師のような科学者や、多忙やストレスのために自分の仕事の誤りをチェックする余裕がない科学者、自分が訓練された方法に疑問を抱かずに昔ながらの誤ったやり方を続ける科学者もいる。ただし、こうしたすべての問題の根底に科学出版システムがあるという考え方は、本当に正しいのだろうか。論文の出版や引用、助成金を優先させることから生まれる逆インセンティブが、詐欺行為やバイアス、怠慢、誇張に直接つながると言えるのだろうか。

こうした問題行為をする際に科学者が何を考えているのか、本当のところを知ることはできないが、ある程度の推測はできるだろう。科学者は人間であり、人間はインセンティブに反応する。本書で見てきたような科学の問題は、世界中で科学のさまざまな分野に広がる問題でもあり、より広範な科学の文化の視点から説明する必要がある。数個の腐ったリンゴが、すべての人にとって科学を腐らせるという単純な話ではない。それでも、論文の指数関数的な増殖、出版物や引用、h指数、助成金をめぐる学術の世界の淘汰、インパクトファクターや新しくて刺激的な結果への執着、ハゲタカジャーナルのような現象（言うまでもなく、需要があるから生まれた）など、ここ数十年の科学的実践の傾向を考えるときに、システムの問題だけでなく、そうした行為をする科学者について考えないわけにはいかない。

一面的な説明で満足してはならないし、たとえば、問題はインセンティブそのものではなく、システムの監督にあるのかもしれない。しかし、出版に関するインセンティブが科学を衰退させているという理論は、私たちが置かれている状況を見事に説明している。少なくとも一般にあらゆる犯罪の動機になり得るだろう。

科学を取り巻くシステム全体についてメタサイエンスの実験をおこなうことは、アカデミックな職種をすべて網羅して、何千という大学や学術誌、さまざまな国のさまざまな研究分野を対象としなければならず、きわめて困難だろう。しかし、単に推測する以上のことはできるだろうし、実際にコンピュータモデルを構築して出版システムをシミュレートして、出版のインセンティブが研究に与える影響を検証している独創的な科学者もいる。

こうしたモデルのなかには、進化の観点から科学システムを考察するものもある。本書では先に、学術的な仕事に就くための履歴書が長くなる過程を、相手を惹きつけるために派手な見た目が進化する性淘汰にたとえた。ここでもうひとつ、進化のたとえを紹介しよう。これまで見てきたように、現在の科学のシステムは、不正な方法に手を染めた者が報われるようになっている。より信頼できる研究者、すなわち、地位やカネなど非科学的な目的ではなく科学のために活動している研究者がこのシステムで競争できなければ、彼らは学術の世界から脱落し、どこか別の場所で別の仕事をするようになるだろう。少なくとも、トップレベルの研究職を得るための競争力は低下する。つまり、このシステムは全員を信頼性の低い研究方法に向かわせるだけでなく、正しいことをするという強い信念を持つ研究者の代わりに、喜んでルールを曲げる研究者が選ばれてしまうのだ。

認知科学者のポール・スマルディノと生態学者のリチャード・マケレスが構築したモデルは、一連のプロセスを時間の経過に合わせて鮮明に描きだす。[56] このプロセスは何回も繰り返されるゲームのようなものだ。最初はいくつかの研究室があり、それぞれが偽陽性の結果を出さないようにさまざまな努力をしながら新しい仮説を検証して、論文を出版しようとする。ポジティブな結果を得た研究室には出版という報酬が与えられるが、ＮＵＬＬの結果なら報酬はない。したがって、より多くの論文を発表している研究室ほど「再生産」を試みるだろう。つまり、訓練に成功した博士課程の学生に自分の研究室をつくらせて、研究室の方法論的手法（および、その細心さのレベル）を科学界に広めようとする。

このモデルが作動し続けると、悪質な魔法を使おうとするインセンティブが働く。より多くの論文を発表すれば「再生産」という報酬が与えられるため、ますます多くの研究室が科学の質を確保するための努力をしなくなるのだ。偽陽性の結果は真陽性と同じように出版されやすく、しかも容易に手に入る。結果として、偽の発見の論文が出版される割合が急上昇する。スマルディノとマケレスはこれを「悪い科学による自然淘汰」と呼んでいる。

出版システムに関するほかのコンピュータモデルも同様の結論を出している。あるモデルによれば、科学文献で新規性が強く求められることを考慮すると、積極的な野心を持つ科学者にとって最適な戦略は、「力不足の小規模な研究を数多くおこなって論文の数を最大化すること」だが、これは約半分が偽陽性になるという意味でもある」[57]。別のモデルは学術誌がポジティブな結果に固執することが、「勤勉な科学を犠牲にして、偽陽性や不正な結果に誤った報酬を与える」ことになると示している。[58] もちろん、コンピュータモデルは、はるかに多くの不確定要素がある現実とは異なる。しかし、これらの単純化されたシミュレーションは、私の推論の骨子に数学の肉をつけて、インセンティブ構造の弱点が時間の経過とともに科学の質を低下させ

コルネリス・ベガ『錬金術師』1663年
Getty Museum

得ることを示している。

ロサンゼルスのゲッティセンターに、コルネリス・ベガという画家がオランダ黄金時代を描いた『錬金術師』という作品がある。[59] 名ばかりの錬金術師が荒れ果てた実験室に座り、ひび割れた鍋や欠けたボウル、砕けた瓶などに囲まれている。卑金属を金に変えようとして失敗した残骸だ。もっとも、一般なイメージと違って、錬金術はこのように価値がないものばかりではない。一部の錬金術の活動と、現在私たちが化学と呼んでいるものの初期の姿との境界線は、少なくともあいまいだ。[60] しかし、ベガは金に執着することの無意味さを語ってもいる。彼が描く錬金術は、現代の科学的なインセンティブのシステムをうまくたとえている。出版や引用など学術的な宝物を追い求めた後に、壊れて役に立たない科学研究の残骸が残されるというわけだ。[61]

逆インセンティブは機嫌の悪いランプの精霊のようなものだ。あなたが要求したとおりのものを与えるが、それは必ずしもあなたが望むものではない。出版の量を増やすインセンティブが働いて実際に増えても、一方で、科学者は誤りを確認する時間が少なくなり、サラミ・スラ

59　同じ画家が別の錬金術師を描いた作品が米ワシントンD.C.のナショナル・ギャラリーにある。
61　錬金術師と現代の科学者の大きな違いは、現代の科学者にとって金が本物であることだ。第6章で見たように、発見を誇大に宣伝してベストセラー本を出版し、注目される講演ツアーを喜んでおこなう科学者は莫大な金銭的報酬を手にする。

イスが当たり前になる。インパクトのある学術誌で出版するというインセンティブが働いて実際に出版されても、一方で、科学者はそこに到達するためにp値ハッキングや出版バイアス、さらには詐欺を利用することになる。助成金獲得のための競争を促すインセンティブが働いて実際に獲得しても、科学者は提供者の注意を引くために発見を誇張したり、ありえないほどスピンさせたりするだろう。表面的には、現在の科学の資金調達と出版のシステムは、生産性と革新を促進しているように見えるかもしれない。しかし実際は、努力の精神ではなく文字だけを追いかける人が報われやすい。[62]

インセンティブの問題を知っている科学者も、不正行為に手を出せば見逃されることはない。私たちはインセンティブの力を目の当たりにしているが、科学のためにこそ、できるかぎり拒否しなければならない。[63] もっとも、世界について発見をしようというときに、「出版か、さもなくば死か」というシステムの重圧に抵抗する必要がなくなれば、それに越したことはない。科学者が勤勉さや創造性だけでなく慎重さや厳格さにもインセンティブを与えられ、ただ出版されるだけでなく「適切に」出版されるという方向にバイアスがかかる。そんな妥協点を見いだすことが、より望ましいだろう。[64]

そのためにはどうすればいいか。インセンティブを改善し、その過程で科学の信頼性を高めることができるだろうか。これについては次の章で説明する。

引用：Cormac McCarthy, No Country for Old Men (London: Picador, 2005).

1 Sukey Lewis, 'Cleaning Up: Inside the Wildfire Debris Removal Job That Cost Taxpayers $1.3 Billion', *KQED*, 19 July 2018; https://www.kqed.org/news/11681280/cleaning-up-inside-the-wildfire-debris-removal-job-that-costtaxpayers-1-3-billion

3 Cary Funk & Meg Hefferon, 'As the Need for Highly Trained Scientists Grows, a Look at Why People Choose These Careers', *Fact Tank*, 24 Oct. 2016; https://www.pewresearch.org/fact-tank/2016/10/24/as-the-need-for-highly-trained-scientists-grows-a-look-at-why-people-choose-these-careers/

4 Melissa S. Anderson et al., 'Extending the Mertonian Norms: Scientists' Subscription to Norms of Research', *Journal of Higher Education* 81, no. 3 (May 2010): pp. 366–93; https://doi.org/10.1080/00221546.2010.11779057. ただし、回答者がこれらの規範に従うことに必ずしも同意するわけではない。以下を参照 Melissa Anderson et al., 'Normative Dissonance in Science: Results from a National Survey of U.S. Scientists', *Journal of Empirical Research on Human Research Ethics* 2, no. 4 (Dec. 2007): pp. 3–14; https://doi.org/10.1525/jer.2007.2.4.3

5 Darwin Correspondence Project, 'Letter no. 5986' (6 March 1868); https://www.darwinproject.ac.uk/letter/DCP-LETT-5986.xml

6 毎年約40万件：Steven Kelly, 'The Continuing Evolution of Publishing in the Biological Sciences', *Biology Open* 7, no. 8 (15 Aug. 2018): bio037325; https://doi.org/10.1242/bio.037325; ２０１３年だけで２４０万件：Andrew Plume & Daphne van Weijen, 'Publish or Perish? The Rise of the Fractional Author . . .', *Research Trends*, Sept. 2014; https://www.researchtrends.com/issue-38-september-2014/publish-or-perish-the-rise-of-the-fractional-author/. アメリカ国立科学財団によると、２０１６年に最も多くの科学論文を発表した国は中国でアメリカをわずかに上回った。Jeff Tollefson, 'China Declared World's Largest Producer of Scientific Articles', *Nature* 553, no. 7689 (18 Jan. 2018): p. 390; https://doi.org/10.1038/d41586-018-00927-4

7 Lutz Bornmann & Rüdiger Mutz, 'Growth Rates of Modern Science: A Bibliometric Analysis Based on the Number of Publications and Cited References: Growth Rates of Modern Science: A Bibliometric Analysis Based on the Number of Publications and Cited References', *Journal of the Association for Information Science and Technology* 66, no. 11 (Nov. 2015): pp. 2215–22; https://doi.org/10.1002/asi.23329

9 Alison Abritis, 'Cash Bonuses for Peer-Reviewed Papers Go Global', Science, 10 Aug. 2017; https://doi.org/10.1126/science.aan7214. 以下も参照。'Don't Pay Prizes for Published Science', *Nature* 547, no. 7662 (July 2017): p. 137; https://doi.org/10.1038/547137a

11 https://www.ref.ac.uk. Other countries have debated and ultimately decided not to use similar processes: Gunnar Sivertsen, 'Why Has No Other European Country Adopted the Research Excellence Framework?', *LSE Impact of Social Sciences*, 18 Jan. 2018; https://blogs.lse.ac.uk/impactofsocialsciences/2018/01/16/why-has-no-other-european-country-adopted-the-research-excellence-framework/

12 「出版か、さもなくば死を（publish or perish）」の出典をたどる（結論は出ていない）試みは以下を参照。Eugene Garfield, 'What is the Primordial Reference for the Phrase "Publish or Perish"?', *Scientist* 10, no. 2 (10 June 1996): p. 11.

13 Albert N. Link et al., ‘A Time Allocation Study of University Faculty’, *Economics of Education Review* 27, no. 4 (Aug. 2008): pp. 363–74; https://doi.org/10.1016/j.econedurev.2007.04.002

14 引用は欽定訳聖書（キング・ジェームズ聖書）より。【訳注：日本語は新共同訳（日本聖書協会）より】。マタイ効果を科学の文脈で初めて取り上げたのは、マートンの規範を提唱したロバート・マートンである。R. K. Merton, ‘The Matthew Effect in Science: The Reward and Communication Systems of Science Are Considered’, *Science* 159, no. 3810 (5 Jan. 1968): pp. 56–63; https://doi.org/10.1126/science.159.3810.56

15 Thijs Bol et al., ‘The Matthew Effect in Science Funding’, *Proceedings of the National Academy of Sciences* 115, no. 19 (8 May 2018): pp. 4887–90; https://doi.org/10.1073/pnas.1719557115

17 François Brischoux & Frédéric Angelier, ‘Academia’s Never-Ending Selection for Productivity’, *Scientometrics* 103, no. 1 (April 2015): pp. 333–36; https://doi.org/10.1007/s11192-015-1534-5. ほかの研究も似たような傾向を示している。カナダの心理学者の求人市場に関する同様の証拠は以下を参照。Gordon Pennycook & Valerie A. Thompson, ‘An Analysis of the Canadian Cognitive Psychology Job Market (2006–2016)’, *Canadian Journal of Experimental Psychology/Revue Canadienne de Psychologie Expérimentale* 72, no. 2 (June 2018): pp. 71–80; https://doi.org/10.1037/cep0000149

19 Richard P. Heitz, ‘The Speed-Accuracy Tradeoff: History, Physiology, Methodology, and Behavior’, *Frontiers in Neuroscience* 8 (11 June 2014): p. 150; https://doi.org/10.3389/fnins.2014.00150

20 Remco Heesenがこの問題を数学的に分析している。Remco Heesen, ‘Why the Reward Structure of Science Makes Reproducibility Problems Inevitable’, *Journal of Philosophy* 115, no. 12 (2018): pp. 661–74; https://doi.org/10.5840/jphil20181151239. 以下も参照。Daniel Sarewitz, ‘The Pressure to Publish Pushes down Quality’, *Nature* 533, no. 7602 (May 2016): p. 147; https://doi.org/10.1038/533147a

22 Quan et al., ‘Publish or Impoverish’.

24 これらの論文を具体的に挙げることは、著者を利することになるのでしたくないが、1つだけ例を紹介する。Xing Chen et al., ‘A Novel Relationship for Schizophrenia, Bipolar and Major Depressive Disorder Part 5: A Hint from Chromosome 5 High Density Association Screen’, *American Journal of Translational Research* 9, no. 5 (2017): pp. 2473–91; https://www.ncbi.nlm.nih.gov/pubmed/28559998

26 さらに詳しい例として、抗精神病薬に関するものは以下を参照。Glen. I. Spielmans et al., ‘“Salami Slicing” in Pooled Analyses of Second-Generation Antipsychotics for the Treatment of Depression’, *Psychotherapy and Psychosomatics* 86, no. 3 (2017): pp. 171–72; https://doi.org/10.1159/000464251

27 言うまでもなく、本書の主張の重要な柱は、科学ジャーナルに通常の査読と編集の基準に著しい不備があるということだ。しかし、ハゲタカジャーナルはその努力すらしていない。

28 似たような詐欺ビジネスとして偽の学会があり、研究者にしばしば迷惑メールで招待が届く。わかりやすい概説は以下を参照。James McCrostie, ‘“Predatory Conferences” Stalk Japan’s Groves of Academia’, *Japan Times*, 11 May 2016; https://www.japantimes.co.jp/community/2016/05/11/issues/predatory-conferences-stalk-japans-groves-academia/ and Emma Stoye, ‘Predatory Conference Scammers Are Getting Smarter’, Chemistry World, 6 Aug. 2018; https://www.chemistryworld.com/news/predatory-conference-scammersare-getting-smarter/3009263.article

29 コロラド大学デンバー校の司書ジェフリー・ビールはハゲタカジャーナルに対抗する運動を個人的に展開している（Jeffrey Beall, 'What I Learned from Predatory Publishers', *Biochemia Medica* 27, no. 2 (15 June 2017): pp. 273–78; https://doi.org/10.11613/BM.2017.029)。彼がまとめた疑わしいサイトのリストは最終的にインターネット上から消えたが（https://retractionwatch.com/2017/01/17/bealls-list-potential-predatory-publishers-go-dark/)、新しく「ハゲタカジャーナルの可能性がある」リストが以前よりかなり長くなって登場している（https://predatoryjournals.com/journals/)。以下も参照。Pravin Bolshete, 'Analysis of Thirteen Predatory Publishers: A Trap for Eager-to-Publish Researchers', *Current Medical Research and Opinion* 34, no. 1 (2 Jan. 2018): pp. 157–62; https://doi.org/10.1080/03007995.2017.1358160 and Agnes Grudniewicz et al., 'Predatory Journals: No Definition, No Defence', *Nature* 576, no. 7786 (Dec. 2019): pp. 210–12; https://doi.org/10.1038/d41586-019-03759-y

31 引用：Ivan Oransky, 'South Korean Plant Compound Researcher Faked Email Addresses so He Could Review His Own Studies', *Retraction Watch*, 24 Aug. 2012; https://retractionwatch.com/2012/08/24/korean-plant-compoundresearcher-faked-email-addresses-so-he-could-review-his-own-studies/

32 あるケースについて詳細な議論と、査読の不正を見逃した編集者たちの「懺悔」は以下を参照。Adam Cohen et al., 'Organised Crime against the Academic Peer Review System: Organised Crime against the Academic Peer Review System', *British Journal of Clinical Pharmacology* 81, no. 6 (June 2016): pp. 1012–17; https://doi.org/10.1111/bcp.12992

33 Alison McCook, 'A New Record: Major Publisher Retracting More than 100 Studies from Cancer Journal over Fake Peer Reviews', *Retraction Watch*, 20 April 2017; https://retractionwatch.com/2017/04/20/new-record-major-publisherretracting-100-studies-cancer-journal-fake-peer-reviews/

34 Vincent Larivière et al., 'The Decline in the Concentration of Citations, 1900-2007', *Journal of the American Society for Information Science and Technology* 60, no. 4 (April 2009): pp. 858–62; https://doi.org/10.1002/asi.21011.9

36 J. E. Hirsch, 'An Index to Quantify an Individual's Scientific Research Output', *Proceedings of the National Academy of Sciences* 102, no. 46 (15 Nov. 2005): pp. 16569–72; https://doi.org/10.1073/pnas.0507655102

38 Bram Duyx et al., 'Scientific Citations Favor Positive Results: A Systematic Review and Meta-Analysis', *Journal of Clinical Epidemiology* 88 (Aug. 2017): pp. 92–101; https://doi.org/10.1016/j.jclinepi.2017.06.002; 以下も参照。R. Leimu and J. Koricheva, 'What Determines the Citation Frequency of Ecological Papers?', *Trends in Ecology & Evolution* 20, no. 1 (Jan. 2005): pp. 28–32; https://doi.org/10.1016/j.tree.2004.10.010

40 「行きすぎ」の例は以下を参照。John P. Ioannidis (2015), 'A Generalized View of Self-Citation: Direct, Co-Author, Collaborative, and Coercive Induced Self-Citation', *Journal of Psychosomatic Research* 78, no. 1 (Jan. 2015): pp. 7–11; https://doi.org/10.1016/j.jpsychores.2014.11.008

41 Colleen Flaherty, 'Revolt Over an Editor', *Inside Higher Ed*, 30 April 2018; https://www.insidehighered.com/news/2018/04/30/prominent-psychologist-resigns-journal-editor-over-allegations-over-self-citation. 自閉スペクトラム症に関する世界的な調査をめぐっても同様のことが起きている。以下を参照。Pete Etchells & Chris Chambers, 'The Games We Play: A Troubling Dark Side in Academic Publishing', *Guardian*, 12 March 2015; https://www.theguardian.com/science/head-quarters/2015/mar/12/games-we-play-troubling-dark-side-academic-publishing-matson-sigafoos-lancioni

42 Eiko Fried, '7 Sternberg Papers: 351 References, 161 Self-Citations', *Eiko Fried*, 29 March 2018; https://eiko-fried.com/sternberg-selfcitations/

43 Brett D. Thombs et al., 'Potentially Coercive Self-Citation by Peer Reviewers: A Cross-Sectional Study', *Journal of Psychosomatic Research* 78, no. 1 (Jan. 2015): pp. 1–6; https://doi.org/10.1016/j.jpsychores.2014.09.015

45 オリジナルの論文（問題の文章が最初に出版された文献）は以下を参照。Robert J. Sternberg, 'WICS: A New Model for Cognitive Education', *Journal of Cognitive Education and Psychology* 9, no. 1 (Feb. 2010): pp. 36–47; https://doi.org/10.1891/1945-8959.9.1.36.「冗長な出版である」という撤回理由は以下に掲載された。Editorial, 'Retraction Notice for "WICS: A New Model for School Psychology" by Robert J. Sternberg', *School Psychology International* 39, no. 3 (June 2018): p. 329; https://doi.org/10.1177/0143034318782213. 以下も参照。Nicholas J. L. Brown, 'Some Instances of Apparent Duplicate Publication by Dr. Robert J. Sternberg', *Nick Brown's Blog*, 25 April 2018; https://steamtraen.blogspot.com/2018/04/some-instances-of-apparent-duplicate.html

46 Tracey Bretag & Saadia Carapiet, 'A Preliminary Study to Identify the Extent of Self-Plagiarism in Australian Academic Research', *Plagiary: Cross-Disciplinary Studies in Plagiarism, Fabrication, and Falsification* 2, no. 5 (2007): pp. 1–12.

47 Éric Archambault & Vincent Larivière, 'History of the Journal Impact Factor: Contingencies and Consequences', *Scientometrics* 79, no. 3 (June 2009): pp. 635–49; https://doi.org/10.1007/s11192-007-2036-x

50 Vincent Larivière et al., 'A Simple Proposal for the Publication of Journal Citation Distributions', *bioRxiv*, 5 July 2016; https://doi.org/10.1101/062109; 以下も参照。Vincent Larivière & Cassidy R. Sugimoto, 'The Journal Impact Factor: A Brief History, Critique, and Discussion of Adverse Effects', in *Springer Handbook of Science and Technology Indicators*, eds. Wolfgang Glänzel, Henk F. Moed, Ulrich Schmoch, & Mike Thelwall, pp. 3–24 (Cham: Springer International Publishing, 2019); https://doi.org/10.1007/978-3-030-02511-3_1. 一連の議論について別の視点は以下を参照。Lutz Bornmann & Alexander I. Pudovkin, 'The Journal Impact Factor Should Not Be Discarded', *Journal of Korean Medical Science* 32, no. 2 (2017): p. 180–82; https://doi.org/10.3346/jkms.2017.32.2.180

51 Richard Monastersky, 'The Number That's Devouring Science', *Chronicle of Higher Education*, 14 Oct. 2005; https://www.chronicle.com/article/the-numberthats-devouring/2648152 A. W. Wilhite & E. A. Fong, 'Coercive Citation in Academic Publishing', *Science* 335, no. 6068 (2 Feb. 2012): pp. 542–43; https://doi.org/10.1126/science.1212540

52 A. W. Wilhite & E. A. Fong, 'Coercive Citation in Academic Publishing', Science 335, no. 6068 (2 Feb. 2012): pp. 542–43; https://doi.org/10.1126/science.1212540

53 Phil Davis, 'The Emergence of a Citation Cartel', *Scholarly Kitchen*, 10 April 2012; https://scholarlykitchen.sspnet.org/2012/04/10/emergence-of-a-citation-cartel/

55 Charles Goodhart, 'Monetary Relationships: A View from Threadneedle Street', *Papers in Monetary Economics* I (Reserve Bank of Australia, 1975). 引用は以下より。Marilyn Strathearn, 'Improving Ratings: Audit in the British University System', *European Review* 5, no. 3 (July 1997): pp. 305–21; https://doi.org/10.002/(SICI)1234-981X(199707)5:3<305::AID-EURO184>3.0.CO;2-4

56 Paul E. Smaldino & Richard McElreath, 'The Natural Selection of Bad Science', *Royal Society Open Science* 3, no. 9 (Sept. 2016): 160384; https://doi.org/10.1098/rsos.160384

57 Andrew D. Higginson & Marcus R. Munafò, 'Current Incentives for Scientists Lead to Underpowered Studies with Erroneous Conclusions', *PLOS Biology* 14, no. 11 (10 Nov. 2016): p.6; https://doi.org/10.1371/journal.pbio.2000995

58 David Robert Grimes et al., 'Modelling Science Trustworthiness under Publish or Perish Pressure', *Royal Society Open Science* 5, no. 1 (Jan. 2018); https://doi.org/10.1098/rsos.171511

60 以下を参照。Anton Howes, 'Age of Invention: When Alchemy Works', *Age on Invention*, 6 Oct. 2019; https://antonhowes.substack.com/p/age-of-invention-when-alchemy-works.　Richard Conniff, 'Alchemy May Not Have Been the Pseudoscience We All Thought It Was', *Smithsonian Magazine*, Feb. 2014; https://www.smithsonianmag.com/history/alchemy-may-not-been-pseudoscience-we-thought-it-was-180949430/

62 Marc A. Edwards & Siddhartha Roy, 'Academic Research in the 21st Century: Maintaining Scientific Integrity in a Climate of Perverse Incentives and Hyper competition', *Environmental Engineering Science* 34, no. 1 (Jan. 2017): pp. 51–61; https://doi.org/10.1089/ees.2016.0223

63 Tal Yarkoni, 'No, It's Not The Incentives – It's You', *[Citation Needed]*, 2 Oct. 2018; https://www.talyarkoni.org/blog/2018/10/02/no-its-not-the-incentives-its-you/

64 Edwards & Roy, 'Academic Research', Fig. 1 を参照。

# 第8章　科学を修正する

科学的発見のプロセスは……これからの20年で、
これまでの300年より大きく変わるだろう。
——マイケル・ニールセン『科学の未来』（2008年）

本書で見てきた科学の問題点の大半は、2018年に発表された1本のメタサイエンスの論文に集約されている。精神医学を研究するユムジェ・アナナ・デ・フリースらは、新薬の治験から最終的に世の中に出るまでに発生するすべてのステップを検証した。[1] サンプルはFDA（米食品医薬品局）が承認した105種類の抗鬱剤の臨床試験で、ポジティブな結果とネガティブな結果の比率はほぼ半々、すなわち、53件で抗鬱剤が対照薬やプラセボより優れた効果を示し、52件で「NULL」（FDAはこれらを「ネガティブ」とした）または「疑わしい」結果が得られた。[2] ここまでは予想どおりだ。有意な結果が得られた研究もあれば、得られなかった研究もある。問題はその次だった。

デ・フリースの研究チームはすべての研究を見わたして、文献ロンダリングのプロセスに気がついた。混乱したさまざまな試験を、より整然とした科学的発見のストーリーに変換し、対象の薬を実際よりはるかに効果があるように見せていたのだ。文献ロンダリングの第1段階は、出版バイアスだ。ポジティブな結果が出た試験の98％（53件のうち52件）が最終的に論文として出版されたのに対し、ネガティブな結果が出た試験は48％（52件のうち25件）しか出版されていない。実際はポジティブな結果とネガティブな結果の比率はほぼ均衡していたが、出版されたものは2対1でポジティブな結果が多かった。先述のとおり学術誌はNULLの結果を好まないが、科学の記録を明確に読み取るためにはNULLの結果も見る必要がある。

文献ロンダリングの第2段階は、p値ハッキングだ。具体的には、主要な結果が統計的に有意でないことがわかったときに研究の焦点を変更する。このように結果を切り替えると、ネガティブな研究のうち10件がポジティブに変わった（第4章で説明したとおり、研究結果を切り替えることによって、結果が単なる偽陽性である可能性が高くなる）。この時点で、明らかにネガティブな結果が出た研究は15件。このうち10件は、結果をよりポジティブに見せるために、論文のアブストラクト（概要）や本文中に何らかのスピンを入れていた。

このバイアスとスピンのサイクルを経て、明らかにネガティブな研究はわずか5件しか残らなかった。当初の10分の1だ。そして、ケーキのいちばん上にある腐ったチェリーのように、ポジティブな研究はネガティブな研究の3倍の頻度で引用された。この段階的なプロセスは図4に示したとおりだ。

抗鬱剤の研究だけでなく、新しい心理療法の臨床試験でも同じような連鎖が見られた。[3] 実際、似たようなことは、多かれ少なかれ、科学研究のほぼすべての分野で起きている。今後、特定の研究分野の全体像を知ろうとするメタアナリシスの研究者は、ひどくゆがんだ視点から始めることになる。そして、臨床試験登録を詳細に調べないかぎり、そのことに気づきさえしないだろう（ちなみに医学以外の分野の試験では、登録は義務づけられていない）。デ・フリースの研究では、不正の可能性、研究デザインや分析におけるエラー、メディアやマーケティングで治療法を提示する際の誇張表現については調査していないが、こうした現象もいたるところで発生しており、研究の実態をさらに不明瞭にしていると考えていいだろう。

科学の理想は、本書の冒頭で述べたように、出版と査読という社会的なプロセスによって事実が世界に共有され、偶発的な誤りが排除されることだ。しかし、デ・フリースたちの発見は

3　具体的にはスピンと引用バイアスが確認された。ただし、心理療法の臨床試験には新薬の臨床試験のように事前登録が義務づけられていないため、スピンやバイアスの評価は難しくなる。

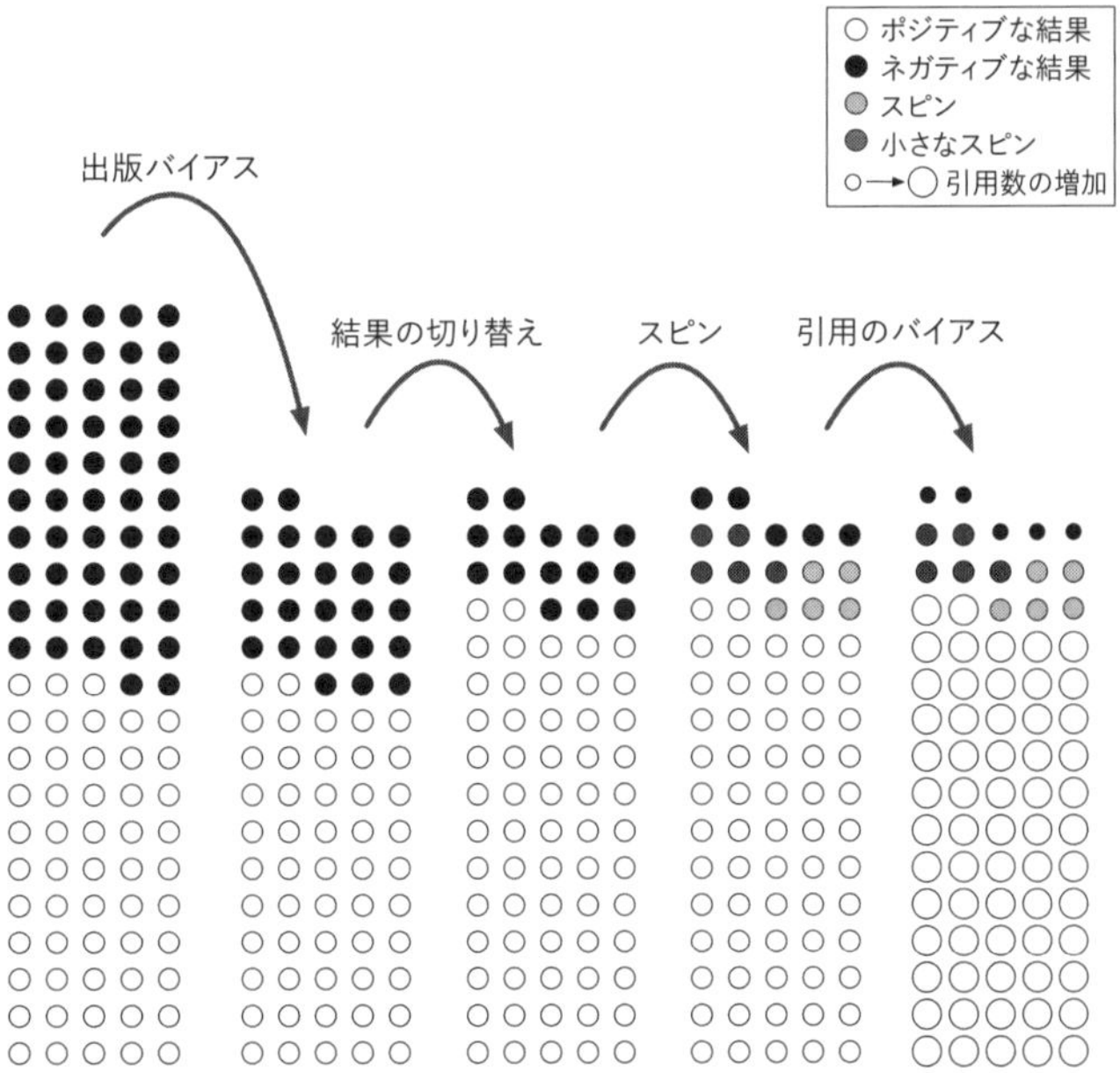


**図4**：ネガティブな結果を隠すバイアスとスピンのサイクル。それぞれの点は抗鬱剤の臨床試験の結果を示す。左から右に進むにつれて、ネガティブな結果の臨床試験（黒い点）が消えていく。ネガティブな結果は、1）ポジティブな結果より出版される割合がかなり低い、2）結果の切り替えによってポジティブな結果に変わる、3）ポジティブに見えるようにスピンがおこなわれる、4）ポジティブな結果より引用される頻度がかなり低い。ポジティブな結果（白い点）もバイアスとスピンのサイクルを経て、右端の列では引用頻度が増えている。最終的に私たちが目にするのは、ほぼすべてがポジティブな結果だ。（Vries et al. (2018), Psychological Medicineより）

明らかに、この理想とかけ離れている。では、どうすれば科学を救うことができるのか。派手なストーリーではなく真実と信頼性が報われるように、出版や資金調達、ランキングのプロセスなど、科学の文化とインセンティブを再構築するにはどうすればいいのか。BBCラジオのドキュメンタリー番組のタイトルを借りれば、「科学者から科学を救う」にはどうすればいいのだろうか。

最後の章では、これらの疑問に対する答えをいくつか示したい。まず、不正、バイアス、過失、誇張の4つの問題を防ぐために、あるいは少なくともその影響を軽減するために、さまざまな改革が可能であることを説明する。次に、科学者の日々の仕事だけでなく、科学文化そのものを変える方法について議論する。ここで取り上げる変化は、すでに進行中のものもあれば、科学のあり方を一変させるような急進的な提案もある。

## 科学を治す潮流

第3章で、科学的な不正をおこなった研究者を、大学がその行為の影響から守ろうとする場合が多いと述べた。本書で見てきた有名な事例では、秘密のダムが最後に決壊し、ディーデリク・スターペル、パオロ・マッキャリーニ、ファン・ウソク、ヤン・ヘンドリック・シェーンなどたくさんの詐欺師の名前が明らかになった。ただし、重要度や規模が小さい研究不正の場合、身元はあまり公表されない。[4] 気づかれる可能性が低く、かつ見つけられても多くの人に知られる可能性が低ければ、多くの科学的な詐欺行為は責任を問われないままだろう。したがって、最初に必要な変化は、科学的な不正行為が明らかになった人々を名指しで非難することかもしれない。[5]

大学が研究者の不正行為を特定しようとするインセンティブは、言うまでもなく、特に強くはない。そこで、大学や研究所に身内の問題を調べさせないという考え方もある。たとえば、カロリンスカ研究所がマッキャリーニの気管移植事件で恥をさらしたことを受けて、スウェーデン政府は2019年に、大学が学内の研究不正を自ら調査することを禁止し、新しい独立した政府機関がその役割を担うという法律を制定した。[6]

不正が発覚した後の対応はそれでもかまわないが、そもそも論文が学術誌に掲載されないような体制をつくるほうが好ましいだろう。それにはテクノロジーの力が必要になる。すでに、科学論文のデータの偽造を見破ったり、画像の複製などを検出したりする効果的なアルゴリズムの開発が進んでいる。[7] これらのアルゴリズムを、第3章で紹介したエリザベス・ビクのように画像の重複を発見する熟練した人間のスキルと比べてみるのも興味深いが、理論的には、不適切なデータ操作を指摘するタスクはアルゴリズムのほうがはるかに労力を要しないはずだ。学術誌は投稿された論文を、GRIMやスタットチェックなども含むこうしたアルゴリズムで評価することを義務づけて、査読の前に疑わしいものを識別することができる。さらに、盗用や自己盗用が疑われる論文があれば警告するようなプログラムも利用できる。[8]

このようなアルゴリズムは、過失に対抗する手段でもある。[9] スタットチェックのアルゴリズムで指摘されるエラーの大部分は、研究者が統計解析ソフトから、論文作成に使用した文章作成ソフトに数字をコピー・アンド・ペーストする際に生じたありふれたミスだろう。完成した論文をスタットチェックにかければ、文献として掲載される前にこのようなエラーを発見することができる。さらに、テクノロジーを使ってそのようなミスを未然に防ぐこともできる。近年では統計解析と文章作成を1つのプログラムにまとめて、論文内の関連するすべての表や図を自動的に作成するソフトウエアが開発されている。[10] データをテクノロジーで扱えば、注意散漫で誤りをおかしやすい科学者のミスを回避できる。また、データから論文までの「パイプライン」全体を誰でも見ることができるため、意図的に数字や分析をいじることも難しくなる。[11]

こうした新しいテクノロジーには、つい興奮してしまう。しかし、どんなソフトウエアにも

8　テクノロジーは、科学者が科学文献をより明確に読むことも手助けできる。第3章で、撤回された後も引用され続けるゾンビ論文の問題を挙げた。これについて自動化された解決策がある。無料でダウンロードできる参考文献管理ソフトウエア「Zotero」（多くの科学者が論文ごとに参考文献を保存整理するために利用しており、時間の節約と間違い防止の主要なツールになっている。私も本書の執筆に使った）は最近、「リトラクション・ウオッチ」との提携を発表した。撤回済みの論文を引用しようとすると警告が表示され、「この研究は撤回された」と教えてくれるようになるという。Dan Stillman, 'Retracted Item Notifications with Retraction Watch Integration', *Zotero*, 14 June 2019; https://www.zotero.org/blog/retracted-item-notifications/

9　洗練されたアルゴリズムが何万件もの論文をスキャンすれば、おそらく人間の読者は気づかないような、研究結果が再現可能かどうかを予測するためのあらゆる特徴を見つけることができるとも言われている。Adam Rogers, 'Darpa Wants to Solve Science's Reproducibility Crisis With AI', *Wired*, 15 Feb. 2019; https://www.wired.com/story/darpa-wants-to-solve-sciences-replication-crisis-with-robots/

バグはつきものだ。とりわけ見苦しい例を挙げると、研究で調べた遺伝子をマイクロソフト・エクセルのスプレッドシートを使ってリストアップした遺伝学の論文の約20%に、「SEPT2」「MARCH1」などの遺伝子名を誤って日付に変換するというオートコレクトのエラーが見つかっている。[12] ソフトウエアの自動処理は、少なくともコンピュータにすみついて悪さをするグレムリンを退治したと確信できるまでは、人間がその作業を注意深くチェックする必要がある。理論上は、人間ではない知性のほうが、多くの科学的な定型タスクをより正確におこなえるだろう。大量のデータを分析してパターンを見つける、科学文献の数字をしらみつぶしに調べて平均値を予測する、ブロットや細胞、脳スキャンの画像を読むなどのタスクは、特にそうだ。科学論文には膨大な数のエラーがあり、論文作成プロセスの自動化によってその多くを簡単に回避できるのなら、これらの仕事を人間だけに頼ることは、突き詰めれば非倫理的かもしれない。

私たちが繰り返し直面している問題に、目新しさに傾倒する科学者の根深いバイアスがある。新しい刺激的な結果は科学の進歩の原動力だが、「画期的」な結果にこだわるあまり、研究分野全体が薄っぺらで再現性のない証拠にもとづいたものになりかねない。生物学者のオットーリン・ライザーの言葉を借りれば、着工（breaking ground）とは何かをつくり始めることであり、画期的な（groundbreaking）ことばかりしていると、地面は穴だらけになるが建物の姿は見えないままだ。[13] 確かな結果より目新しい結果を優先させる考え方を、どうすればひっくり返すことができるだろうか。出版バイアスに対抗して、画期的であろうとＮＵＬＬであろうと、すべての結果が出版されるようにするにはどうすればいいだろうか。

その答えのひとつは、ＮＵＬＬの結果の発表に特化した学術誌をつくり、ネガティブな結果について、「引き出し」より魅力的な場所を提供することだ。２００２年に創刊された『ジャーナル・オブ・ネガティブ・リザルツ・イン・バイオメディスン』は、まさにそうした場所になるはずだった。しかし、善意のアイデアではあったが、当然ながら、ＮＵＬＬの結果専門の無名の学術誌に自分の研究が掲載されることを誰も望まなかった。「ほかの学術誌には掲載されない論文を出版する」[14] とうたったこの学術誌は、２０１７年に廃刊になった。世に出たい新しい論文の量に押しつぶされそうな世界に生まれた科学出版の新しい機会としては、異例の短命だった。[15]

11　さらに急進的な提案として、心理学者のジェフ・ルーダーが提唱した「ボーン・オープン・データ」がある。実験に参加した新しい被験者のデータが、実験をおこなった日の終わりに毎回、オンラインのデータセットに自動的にアップロードされるというものだ。Jeffrey N. Rouder, 'The What, Why, and How of Born-Open Data', *Behavior Research Methods* 48, no. 3 (Sept. 2016): pp. 1062–69; https://doi.org/10.3758/s13428-015-0630-z

15　『ジャーナル・オブ・ネガティブ・リザルツ・イン・バイオメディスン』に掲載された論文のアーカイブは以下を参照（https://jnrbm.biomedcentral.com/article)。ほかにも『ジャーナル・オブ・ネガティブ・リザルツ：エコロジー・アンド・エヴォリューショナリー・バイオロジー』は、さらに学術性が低いと見なされて論文の提出もほとんどなかった。２０１４年と２０１５年に掲載された論文はゼロ件、２０１６年に2件、２０１８年に1件のみで、それ以降は音沙汰がない。NULL の結果しか受け入れない学術誌に自分の論文を発表したい人がいないことを物語る格好の例だ。http://www.jnr-eeb.org/index.php/jnr

ＮＵＬＬの結果に特化した学術誌が機能しないのであれば、方法論的に正しいと判断された研究ならどのような結果でも受け入れることを明示している学術誌はどうだろうか。こうした学術誌は再現研究の発表の場になりやすいが、再現研究はＮＵＬＬの結果と同じような偏見を受けている。近年はこうした学術誌が次々に登場しており（ポジティブな結果や「刺激的な」結果を求めないため、必然的に数多くの論文を出版することになり、メガジャーナルとも呼ばれる）、私と共同研究者がダリル・ベムの超能力実験の再現を試みてＮＵＬＬの結果が出た論文がようやく掲載されたのも、『プロス・ワン』というメガジャーナルだった。[16] これは進歩ではあるが、そのような学術誌は、ステータスにこだわる科学者の意識のなかでは下層と見なされる恐れがある。理想としては、華やかでインパクトの高い学術誌でも、ＮＵＬＬの結果が占める正確な割合が示され、より多くの再現実験がおこなわれてほしい。

この点については、いくつか良い傾向もある。多くの著名な学術誌が、ＮＵＬＬの結果を出版すると明言していなくても、再現実験の出版に関して従来の態度を緩和しているのだ。たとえば、ベムの論文を掲載した『ジャーナル・オブ・パーソナリティ・アンド・ソーシャル・サイコロジー』は当時、「過去の実験を繰り返した研究はいっさい掲載しない」という一律の方針にのっとって私たちの再現実験の論文を却下した。しかし、再現性の危機を経験した現在は、同誌のサイトにも再現性に関するセクションがあり、編集委員会は「私たちの分野で蓄積された知識のベースを構築するうえで、再現性の意義を認識している」と述べている。「したがって、重要な知見を再現しようとする投稿、特に『ジャーナル・オブ・パーソナリティ・アンド・ソーシャル・サイコロジー』に過去に掲載された研究の再現を奨励する」[17]。これは心理学者のサンジェイ・スリヴァスタヴァが提案した科学雑誌の新しいルールの素晴らしい例で、陶器店で見かける「壊した商品は弁償していただきます」という忠告にヒントを得ている。論文を出版した学術誌にも、その論文の再現性を確かめるための新たな研究の出版について、少なくとも部分的な責任はあるのだ[18]。

さまざまな分野で多くの学術誌の編集委員が、この方針にならっている。最近では１０００誌以上が再現研究を歓迎することなどを明示したガイドラインを採用しており[19]、オランダ科学研究機構（ＮＷＯ）のように再現研究に資金を投じている基金もある[20]。これらは前向きな動きだが、実際に学術誌がより多くの再現実験を頻繁に掲載するかどうかは、まだわからない。メタサイエンティストは今後も注視するだろう。

16　ＰＬＯＳは「Public Library of Science」の略。「関心度」に関係なく査読を通過した論文は何でも掲載するという戦略は大成功を収め、掲載論文数で世界最大の学術誌に成長した。２０１７年に同様の出版戦略をとるメガジャーナル『サイエンティフィック・リポーツ』がこれを抜いた。Phil Davis, 'Scientific Reports Overtakes PLoS ONE As Largest Megajournal', 6 April 2017; https://scholarlykitchen.sspnet.org/2017/04/06/scientific-reports-overtakes-plos-one-as-largest-megajournal/．『サイエンティフィック・リポーツ』の発行元はネイチャー・パブリッシング・グループであり、その人気には世界屈指の学術誌『ネイチャー』の名声の恩恵もいくらかあるだろう。ほかにも「広く認められているインパクトに関係なく、質の高い研究はすべて受け入れる」学術誌に『ピアＪ』(https://peerj.com/)『ロイヤル・ソサエティ・オープン・サイエンス』(https://royalsocietypublishing.org/journal/rsos) がある。

## 統計的有意性のワナ

科学者が再現実験やNULLの結果を発表しやすくなれば、出版バイアスは減るかもしれない。しかし、p値ハッキングに関連するバイアスはどうか。多くの論文がp値の落とし穴について説明しており、p値だけを取り上げた書籍もあるが、難解な議論が多く、本当に知りたいこともp値が簡単に悪用されることも書かれていない。[21] 大まかに言うと、統計的な有意性（p値が0・05という恣意的な閾値を下回ること）にとらわれすぎずに、実用的な有意性を重視する必要がある。サンプルサイズが十分に大きい（かつ統計的検定力が十分に高い）研究では、ごく小さな効果でも（たとえば、ある薬が頭痛の症状を1〜5の尺度で1ポイントの100分の1だけ減らす）、統計的には有意となってp値が0・05をはるかに下回ることも少なくないが、絶対的な意味では役に立たない場合もある。経済学者のスティーブン・ジリアクとディアドラ・マクロスキーは、これを「サンプルサイズを無視した統計的有意性」と呼ぶ。科学者は自分が研究している効果の「活力」を考慮することなく、p値にレーザーのように神経をとがらせる。[22]

これに対して最も頻繁に提案される改善策は、統計的有意性という考えを放棄することだ。2019年に850人以上の科学者が、まさにそう主張する公開書簡に署名して『ネイチャー』に投稿した。「統計的有意性を手放す時が来た[23]」と、彼らは述べている。研究者は有意性を強調するのではなく、自分の発見の不確実性をより明確にするべきで、有意性のかわりに各数値に関する誤差を報告し、しばしば不鮮明な統計的結果から導き出されるものに関して、基本的にもっと謙虚でなければならないのだ。[24] これについてはさまざまなことが言われているが、最もよく計算される誤差、いわゆる「信頼区間」は、新しい統計情報というより、データに対してp値とは異なる見方を提供するものであることに留意しなければならない。[25]

統計的な有意性にこだわりすぎると、見えなくなるものもある。恣意的ではあるが客観的な指標を科学者に提供することは、科学者の手を縛ることになる。p値を放棄しても、必ずしも問題が改善されるわけではない。むしろ、別の主観的な要素を導入することで、状況をより悪化させるかもしれない。[26] ジョン・ヨアニディスは皮肉を込めて、p値のような客観的な尺度をすべて取り除けば、「あらゆる科学が栄養疫学のようになる」状況を招くだろうと言った。実に恐ろしい予想だ。[27]

同じような批判は、p値に代わる主要な手段とされるベイズ統計にも向けられる。これは18世紀の統計学者トーマス・ベイズが提唱した確率の定理にもとづく統計学で、研究者が新しい発見の重要性を評価する際に、過去の証拠の強さ、つまり「事前」の情報を考慮に入れる手法である。たとえば、秋にロンドンは雨が降るだろうという天気予報を聞いたら、すぐに納得す

25　影響の大きさとp値がわかれば信頼区間を導き出せる（その反対も同様である）。D. G. Altman & J. M. Bland, 'How to Obtain the Confidence Interval from a P Value', *BMJ* 343 (16 July 2011): d2090; https://doi.org/10.1136/bmj.d2090 and D. G. Altman & J. M. Bland, 'How to Obtain the P Value from a Confidence Interval', *BMJ* 343 (8 Aug. 2011): d2304; https://doi.org/10.1136/bmj.d2304

るだろう。一方で、7月にサハラ砂漠で吹雪になるだろうと言われても、砂漠の灼熱の夏を経験したことがある人は嫌でも懐疑的になる。ベイズ統計学では、最初に計算をする際に、既にわかっている証拠をすべて取り入れることができる。7月にサハラ砂漠で吹雪になるという予報は、気象学の従来の知識をすべて覆せるほど説得力のあるものでなければならない。[28] p値はほとんどの場合、「事前」の証拠と関係なく計算される。それに対し、ベイズ統計学の「事前」は、本質的に主観である。サハラ砂漠が暑くて乾燥していることには誰もが同意するが、ある薬が鬱の症状を軽減することや、ある政策が経済成長を促進することを、「研究を始める前に」どこまで強く信じるかは大いに議論の余地がある。

ベイズ統計には、事前の証拠を考慮すること以外にもp値との違いがある。[29] たとえば、ベイズ統計はサンプルサイズの影響をあまり受けない。ベイズ統計学のアプローチは、特定の条件の効果を検出することが目的ではなく、仮説を裏づける証拠と否定する証拠を比較することが目的であるため、統計的検定力は要因ではない。この点は通常の統計学の考え方に近いと言えるだろう。ベイズ派は、「これらの観測結果から、私の仮説が正しい確率はどれくらいか」と考える。これは、「私の仮説が正しくないと仮定して、これらの観測結果が得られる確率はどれくらいか」と問うp値のアプローチより直感的だ。[30]

あらゆる統計的手法には長所と短所がある。[31] このような議論では、p値が諸悪の根源であり、頭脳明晰な科学者を迷わせるハーメルンの「数字」笛吹きであるかのように言う専門家もいるが、この統計ツールを捨てて別のツールを採用したところで、本書で見てきたすべての詐欺やバイアス、過失、誇張が消えてなくなるとは考えられない。統計だけでは根本的な問題を解決することはできない。人間の本性が、ひいては科学システムの本性が、ねじ曲がっているのだ。どのような統計的視点が主流になったとしても、それを利用して自分の結果を実際より印象的に見せる方法を、科学者はきっと見つけるだろう。後述するように、これらの問題を解決するには、動機づけと文化に関するアプローチが必要になる。

一方で、統計的手法を、特に有意差検定のように深く浸透しているものを完全に手放すことを求めるよりも、統計手法が何を示し、何を示さないかについて、科学者をより効果的に教育し、誤りを回避できるようにその使い方を改善するほうがいいかもしれない。たとえば、最近では、有意性の基準を $p < 0.05$ から $p < 0.005$ に変更して、興味深い結果だと思う前にクリアしなければならないハードルを高くするという提案がなされている。[32] 再現性の危機が明らかにした科学のシステムの欠陥を考えれば、自分の仮説の証拠として受け入れるものに対し、もっと保守的になろうというわけだ。ただし、ハードルを上げる場合は、同時に領域全体でサンプル数を増やさないかぎり、統計的検定力が大幅に下がるというデメリットがある。も

28　この意味で、ベイズ統計における事前の計算は、「途方もない主張には、それに見合う途方もない証拠が必要だ」というカール・セーガンの有名な格言を数学的に呼び覚ます。

29　統計学のより広い伝統のなかで、p値は頻出主義統計学と呼ばれる考え方に連なる。基本的に、p値を使う人は「頻度」に関心があると言えるからだ。特に、研究を無限に繰り返し実行して、検証している仮説が真実ではない場合に、p値が0.05を下回る結果が見つかる頻度に関心がある。

っとも、$p<0.005$を提唱する人々は、偽陽性は偽陰性よりも差し迫った問題だと主張している。

統計的バイアスやp値ハッキングに対処するもうひとつの方法は、分析を研究者の手から完全に切り離すことだ。科学者はデータを収集した後、その分析を独立した統計学者などに依頼することになる。分析の専門家は、実験を計画して実施した人の特定のバイアスや願望の影響を、ほぼ受けないと考えられる。[33] ただし、このようなシステムの運営は厄介だろう。科学者が、統計を担当した専門家が自分の貴重なデータにおこなった分析や解釈に異議を唱えれば、対立が生じることは想像がつく。[34] それでも、この章の後半で紹介する大胆な改革案と同様に、小規模であれば試す価値はあるかもしれない。

第4章で見たとおり、データセットの解析方法の種類が多いことも科学者を悩ませている。自分が選んだ解析方法は、まぐれの結果を出すことはないと言い切れるだろうか。そこで、正しい分析方法を選択したかどうかを心配するかわりに、それぞれの選択肢の結果は少しずつ異なるという「八岐の園」の現実を受け入れて、自分のデータセットで実行できる可能性のあるすべての分析を試すこともできる。特定の参加者を含めたり除外したり、特定の変数を組み合わせたり分割したり、特定の交絡因子を調整したりしなかったりしながら、結果が全体として何を物語っているかをもとに、結論を出すのだ。この考え方には、「仕様曲線分析」「振動効果分析」、あるいは私が個人的に気に入っている「マルチバース（多元宇宙）分析」など、さまざまな名前がついている。[35] 無限のパラレルユニバース（並行宇宙）で、それぞれの宇宙でわずかに異なる分析をおこなったとしたら、そのうちどのくらいの割合で同じ効果が発見されるだろうか。まったく逆の効果が得られるのはどのくらいだろうか。すべての分析が、全体として同じ結果に収束するのだろうか。

オックスフォード大学の心理学者のエイミー・オルベンとアンドリュー・シビュルスキーは、スクリーンタイムが若者のメンタルヘルスに与える影響という近年注目の問題に取り組む際に、マルチバース分析を用いた。[36] この問題に関する研究はメディアで繰り返し話題になっており、多くの新聞記事やベストセラー書籍で、現代の若者はネットで過ごす時間が長いことに悪影響を受けていると指摘されている。[37] ソーシャルメディアが特に問題視されるのは、若者が他人と顔を合わせる機会が減って、ネットいじめやハードコアポルノにさらされ、注意力が低下するからだと言われている。[38]「テレビゲーム症候群」「オンラインポルノ中毒」「ｉＰｈｏｎｅ依存症」など、新しい心理学的な診断名も次々に生まれている。[39] こうしたテクノロジーパニックを引き起こす「証拠」の多くは、思春期の子供のスクリーンタイムと精神的な健康問題の相関関係を

33　あるいは、研究者が分析を実行し、その解釈を独立した統計学者にまかせることもできる。Isabelle Boutron & Philippe Ravaud, 'Misrepresentation and Distortion of Research in Biomedical Literature', *Proceedings of the National Academy of Sciences* 115, no. 11 (13 March 2018): pp. 2613–19; https://doi.org/10.1073/pnas.1710755115

34　統計学者が、そもそも研究計画が適切でなかったと考える場合もある。ロナルド・フィッシャーは１９３８年に次のような言葉を残している。「実験が終わった後に統計学者に相談することは、死んだ後に検視を頼むようなものだ。実験がなぜ死んだかを教えてくれるだろう」 https://www.gwern.net/docs/statistics/decision/1938-fisher.pdf

調べた大規模な観察研究にもとづいている。このような研究はp値ハッキングをしやすいため（先述のとおり、栄養学研究の大規模データでは、すべての食品が何らかのかたちでガンと関連している可能性があり、p値ハッキングが簡単にできた）、マルチバース分析の理想の対象とされている。

これらの主張を検証するために、オルベンとシビュルスキーは3つの大規模な観察データをもとに、可能な分析をすべて検証した。たとえば、幸福感ではなく自尊心と自殺願望について問うのか。あるいは3つのうち2つを問うのか、3つを問うのか。親による評価を使うのか、自己申告を使うのか、両方を使うのか。「スクリーンタイム」はテレビを見ることだけか、ビデオゲームも含めるのか。性別や学校の成績などの要因で調整するのか、あるいは重要と思われる変数をすべて調整するのか。アンケートの回答者の平均値を使うのか、合計を使うのかなど、さまざまな分析が考えられる。

「正当化できる」組み合わせ、つまり、データを分析する正しい方法であるという科学的にもっともらしい説明ができる組み合わせの総数は、最初のデータセットでは数百件、2番目のデータセットでは数万件、3番目のデータセットでは数億件にのぼった（これだけ多くの分析をおこなうと、たいていのコンピュータは負荷が大きすぎるため、3番目のデータセットについては「わずか」2万件まで減らした）。

これらの組み合わせをすべて検討したところ、スクリーンタイムがかなり大きな悪影響を及ぼすことを示す分析結果がいくつかあること、まったく影響を及ぼさないことを示す分析結果がいくつかあること、そしてスクリーンタイムが実際は有益であることを示す分析結果がいくつかあることがわかった。オルベンとシビュルスキーはその平均を採用した。すると、負の影響はあるものの、その影響は非常に弱く、スクリーンタイムは幸福感の変動の約０・４％を占めるにすぎなかった。見方を変えれば、ジャガイモをよく食べることと幸福感の相関と同じくらいの大きさで、眼鏡をかけていることと幸福感の相関より小さい。こうしてスクリーンタイムをめぐる恐ろしい警告の限界が見えてきた。マルチバース分析が示唆するように、思春期のメンタルヘルス問題を説明するには、スクリーンタイムという安易なスケープゴート以外に目を向ける必要がある。[40] 関連性とは、もっと広いものだ。自分のバイアスに合いそうな分析を１つだけおこなうのではなく、もっと広い視野で統計をとらえ、すべての反事実を見て、ほんの少し違う方法で分析していたらどうなっただろうかと考えなければならない。

## 事前登録の運用と効果

マルチバース分析の難点は、一般の研究者が利用できないスーパーコンピュータが必要になることだ。さらに、このような分析は、議論の多い問題をより明確にする方法として優れているが、最も印象的に見える結果を選び、それを自分の最初の仮説として提示するという、科学者につきまとう誘惑と重圧から逃れることはできない。そこで、科学を修正する別の手段を用いることもできる。「事前登録」だ。

事前登録は、アメリカでは2000年から政府の資金援助を受ける臨床試験に義務づけられており、2005年以降は大半の医学雑誌で論文掲載の前提条件になっている。[41] 登録にあたり、研究者はデータを収集する前に、どのようなことをする計画なのかを詳細に記した文書にタイムスタンプをつけてオンラインで公開する。これから実施される実験を共有するリポジトリ〔訳注：論文や発表資料など学術研究の成果物をサーバーに収集・保存して公開するシステム〕は、実際に出版される研究の割合を確かめる基準となる。また、研究者がどのような仮説を検証しようとしていたかがわかり、途中で仮説が変更されていないかどうかを確認できる。

研究がおこなわれるという事実だけでなく、データをどのように分析するかという詳細な計画を事前に登録することもできる。統計解析の「計画性のない」性質——公開されない柔軟な部分が、選択を重ねていくうちに統計的には有意（かつ出版可能）でありながら現実とは一致しない結果へと導くときもあること——はこれまでに見てきたとおりだ。分析手法を事前に登録するというアイデアは、いわばオデュッセウスの誓いの科学版だ。分析の計画を公開することによって、自分を帆柱に縛りつけ、セイレーンのp値ハッキングの誘惑の歌声に屈しないようにするのだ。

科学者が言い訳の余地をいっさい残さなければ、セレンディピティの機会がなくなるという反論も、もちろんあるだろう（この議論でよく引き合いに出される偶然の発見のなかで、ペニシリンとバイアグラは特によく知られている）。[42] ただし、それは事前登録の問題ではない。事前登録された研究でも、データの興味深いパターンをさらに探るための即興的な分析は許されているが、事前に計画されていたかのように見せかけてはいけない、というだけのことだ。このような「探索的な」分析は、多くの重要な新しい洞察やアイデアにつながる可能性がある。たとえば、新薬が若い被験者より高齢者によく効くことを思いがけず発見し、その理由を解明するために新たな研究の方向性を構築できるかもしれない。本書で繰り返し指摘してきたとおり、数字にはノイズが多く、データをさまざまな方法で切り刻めば、何かしらおもしろいことが見つかる。ただし、統計的に有意な結果を得るために試行回数を増やせば、探索的分析で得られたポジティブな結果は、新しいサンプルでは再現されない偶然の産物である可能性が高くなる。

もっとも、けしからぬことだが、大半の科学分野では「探索的」な分析の結果をあたかも「確証的」であるかのように、つまり、研究開始前に計画された試験の結果であるかのように扱っている。その点、研究の事前登録をすれば、仮説を立てるためにデータを探索的に用いたのか（どうやら変数Xは変数Yと関連がありそうだ。新しいデータセットでも再現されるかどうか確認してみよう）、それとも仮説を確定させるために確証的に用いたのか（このデータセットでは変数Xが変数Yと関連していると予測して、やはり関連していた）、明確に伝えることができる。[43]

心臓病予防に関する大規模な臨床試験の研究は、事前登録の影響を端的に語っている[44]（図５）。事前登録が義務づけられるまで、学術誌では、グラフの下半分の白い点（心臓病のリスクが低いことを示す）で表されているようなポジティブな効果が多く掲載されていたが、黒い点で示されているＮＵＬＬの結果も同じくらい多かった。ところが、事前登録が導入された２０００年を境に、ポジティブな結果がいくつか報告されているだけで、残りはＮＵＬＬの結果が横の点線の近くに集中している。事前登録が必要になる前の臨床試験の成功率は57％だったが、その後は８％まで激減している。繰り返しになるが、事前登録が必要になる前は、心臓病に「効果があると思われる」多くの研究がおこなわれ、大成功を収めていたのだ。やがて真実が明らかになった。これらの研究で試された薬や栄養補助食品は、私たちが信じさせられていたほどに有用ではまったくなかったのだ。

ここで、相関関係と因果関係を混同してはならない。新しい登録要件が、ポジティブな結果が減った原因であるとは必ずしも言えないのだ。たとえば、２０００年に別の種類の治療法が注目されるようになるなど、ほかにも変化があったのかもしれない。しかし、計画を事前に登録することが、臨床試験で発見したことに対する透明性と誠実さを高めただろうと考えることはできる。これらの結果が本当に因果関係を示しているのであれば、すべての科学研究を事前登録する必要性の根拠となり、登録制の前から続いていた一般的な科学的慣行に対する強力な告発にもなるのだ。[45]

とはいえ、事前登録は万能ではない。事前登録をした研究者の多くは、登録時に定められた期間内に研究を発表していないか、少なくとも結果を報告していない。また、事前登録をしたにもかかわらず、試験を始めた後に分析内容を変更する場合もある。[46] 臨床試験の場合、その研究者は一般に最善とされる方法を軽視しているだけでなく、法律に違反していることにもなる。2020年に『サイエンス』がおこなった調査によると、55％以上の臨床試験の結果が、米政府の事前登録で定められた期間を過ぎてから報告されていた。あえて言うなら、事前登録は、登録された計画に従った場合にのみ有益である。

臨床試験に関しては、このような「違反常習者」に対する取り締まりや罰則を強化する必要がある（政府の補助金の申請を禁止したり、特定の雑誌に一定期間、論文を掲載することを禁止したりするなどの対処が考えられる）。[47] 一方で、事前登録に従わなければならないという法的義務がないほかの分野では、登録した内容を守らせる方法を考えなければならない。イギリスの国立衛生研究所（NIHR）は研究助成金を支給したプロジェクトのほぼすべてが論文の出版にこぎ着けているが、その理由の1つは、臨床試験の報告書が出るまで助成金の10％を保留しているからだ。[48]

事前登録をさらに厳密化することも考えられる。たとえば、登録自体を査読にかけて、承認され、研究のデザインに問題がないと査読者が認めた場合に、「研究の結果にかかわらず」最終的に論文を出版することを学術誌は保証する。そのうえで、実際にデータの収集を始めるという流れになる。[49] このような「事前登録研究論文」は、結果の統計的有意性と出版の判断のあいだの有害な関連性を排除することによって、出版バイアスを完全になくすだけでなく、p値

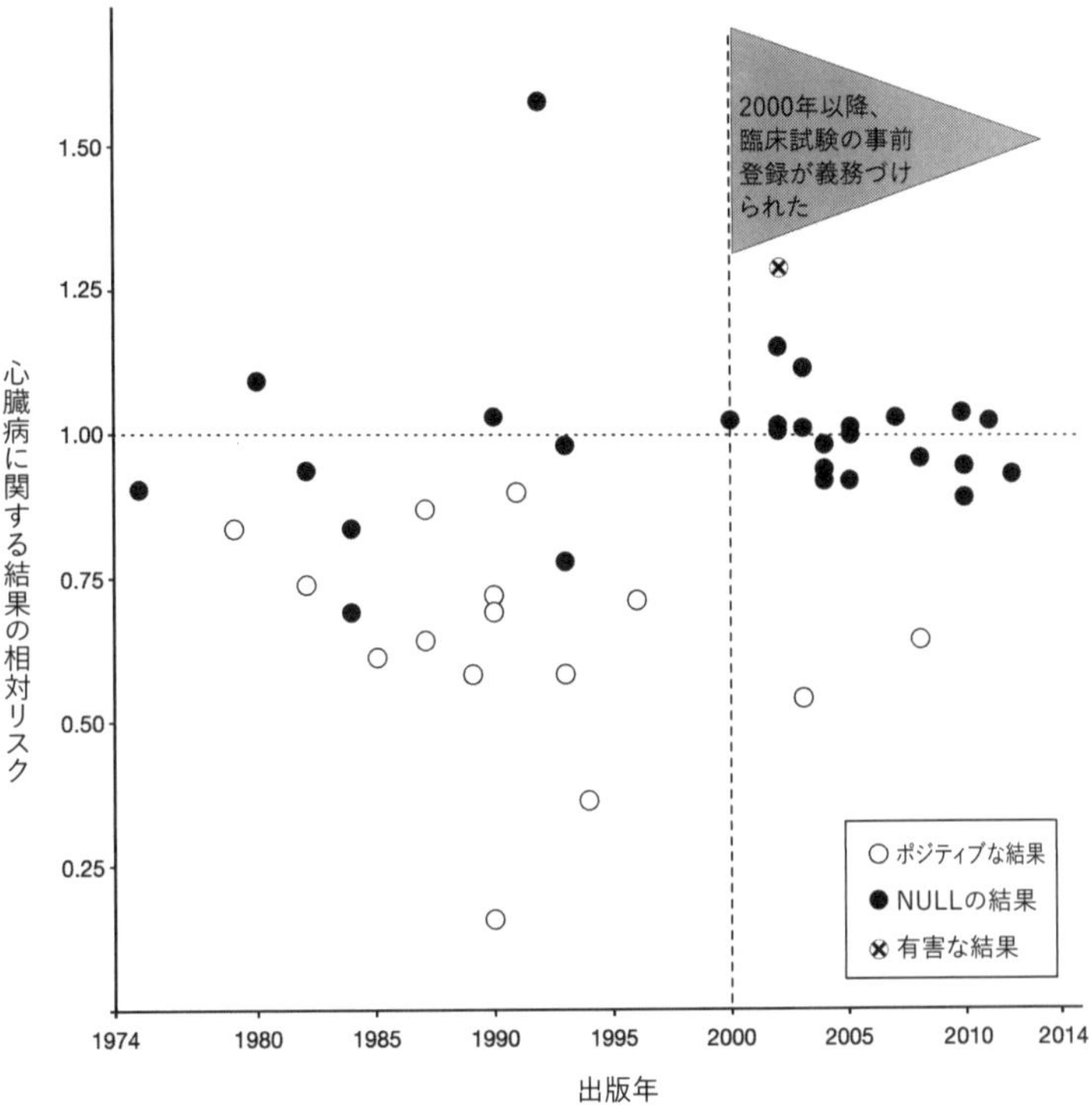


**図 5**：心臓病の治療と予防について出版された研究。2000年（縦の破線）に臨床試験の事前登録（少なくとも最初の結果の登録）が義務づけられた。横の点線より下の点で示された研究は、試験をおこなった予防法や治療法が心臓病のリスクを低下させることがわかった（点が下にあるほどリスクが低い）。白い点は統計的に有意な効果が認められた研究。黒い点はNULLの結果。ただし、2000年以降におこなわれた統計的に有意な研究のうち、治療が実際は有害だったもの（内側にバツ印がある点）もある。
(Kaplan &Irvin (2015), PLOS ONE より)

ハッキングも減らすことにつながる。分析について事前に査読者の同意を得なければならず、何をしたかを明確にしないまま「事後に」分析のプロセスを変更することはできないからだ。そして何よりも、バイアスや不正につながる逆インセンティブの多くを無効にすることができる。どのような場合でも論文は出版されるのだから、自分の結果を美化しなければならないというプレッシャーも存在しない。[50]

## 広がるオープンサイエンスの思想

実用性の問題は別にして、事前登録の考え方自体はいいものだ。自分の計画や分析結果を世界から隠そうとするのではなく、透明性が重要なのだ。事前登録に関連する「オープンサイエンス」の概念は、再現性の危機が注目されるようになる前からあったが、再現性の危機に対す

50　事前登録研究論文に関する初期の調査は、図5と同じように注目すべき結果となった。心理学および生物医学の研究において、事前登録研究論文は61％の結果がＮＵＬＬ（無効）だったのに対し、登録しない通常の研究はわずか10％だったのだ。Christopher Allen & David M. A. Mehler, 'Open Science Challenges, Benefits and Tips in Early Career and Beyon4d', *PLOS Biology* 17, no. 5 (1 May 2019): e3000246; https://doi.org/10.1371/journal.pbio.3000246 (see their Figure 1); 以下も参照。Anne M. Scheel et al., 'An Excess of Positive Results: Comparing the Standard Psychology Literature with Registered Reports', *PsyArXiv*, preprint, 5 Feb. 2020; https://doi.org/10.31234/osf.io/p6e9c, この研究は心理学についてもほぼ同じ結果だった。ここでもまた、その違いについて別の説明が考えられる。事前登録研究論文を作成する傾向が高い研究と、事前登録があまり一般的ではない研究のタイプが異なる場合（たとえば、自分自身が非常に懐疑的な発見であり、したがっておそらく真実である可能性が低い発見ほど、事前登録研究論文を作成しようと思うかもしれない）、事前登録されているかどうかに関係なく、ポジティブな発見とネガティブな発見の割合に違いが見られると予想される。

る強力な解毒剤になるかもしれない。[51] オープンサイエンスとは、科学的プロセスのあらゆる部分を、可能なかぎり自由にアクセスできるようにするという考え方だ。[52] 完璧なオープンサイエンスの研究は、すべてのデータ、データを分析するために使用したすべての統計コード、最初にデータを収集するために使用したすべての資料を、関連のウェブサイトからダウンロードできる。[53]（査読者の身元が公開されていない場合も）査読の評価と査読前のドラフトが論文と一緒に公開され、読者は出版プロセス全体を見ることができる。[54]

すべてのデータと方法に自由にアクセスできるようにすることは、マートンの規範の「共有性」を体現しており、ほかの研究者はあなたの研究を再利用して自分の研究をより効率的におこなうことができる。さらに、ほかの研究者があなたの論文に不注意な間違いがないかどうか確認したり、結果の再現を試みたり、あなたの発見全体をより詳細に調べたりしやすくなることは、「組織的な懐疑主義」に貢献する。学術誌の出版物に基本的に含まれている集計表やグラフしか利用できない場合より、はるかに簡単に検証できる。また、あなたのデータセットを使いたいと直接、連絡を取って頼む必要もない（私たち研究者は知っているとおり、そういうお願いはまず通用しない）。オープンサイエンスのアプローチは、科学者の同僚に対し、すべてが正確に報告されているだろうと無批判に信じる必要はないというメッセージになる。あなたは何も隠していないのだから。

つまり、もしあなたが何かを隠しているなら――データや結果を偽造しているなら――オープンサイエンスはあなたの人生をはるかに困難なものにする。第3章で見たとおり、本物のように見える不正なデータセットをつくることはきわめて難しい。従来は、不正な結果を発見したデータ探偵は、論文に記載されたデータの要約だけを見ることが多かった。このような調査は、完全なデータセットにアクセスできれば、かなり簡単になる。もっとも、ほとんどの場合、オープンデータは不正行為に対する抑止力として機能している。偽のデータセットを公共のウェブサイトに掲載するなど、よほどの恥知らずでなければやらないだろう。[55] 同じことは、詐欺に近いp値ハッキングや、もう少し罪のない過失にも言える。ほかの科学者があなたのデータとその分析方法を確認できるようにすることは、鋭い観察眼を持つ同業者が、スプレッドシートのタイプミスや不正確な統計、ありえない数字、公表されていない分析など、あなたの結果を解釈するべき方法に影響を与え得る問題を、見つけることができるということだ。

51　実際、17世紀に英国王立協会が学術誌を創刊したのは、科学を開放して、一部の個人の私的な娯楽以上のものにするための最初のステップのひとつと考えることもできる。以下を参照。Paul A. David, 'The Historical Origins of "Open Science": An Essay on Patronage, Reputation and Common Agency Contracting in the Scientific Revolution', *Capitalism and Society* 3, no. 2, 24 Jan. 2008; https://doi.org/10.2202/1932-0213.1040

53　「オープンサイエンスフレームワーク」(https://osf.io/) は、タイムスタンプつきの事前登録やワーキングペーパーなどとともにデータを保存できるオンラインリポジトリである。

54　一般向けの生物学ジャーナル「eLife」もこのような方針を採用している。掲載されている論文の各ページに査読前のバージョンやレビューのリンク先がある。https://elifesciences.org

55　しかし、実際に起きているのだ。この原稿を書いている今も、行動生態学の分野でまさにこのような事例が起きているかもしれない。Giuliana Viglione, '"Avalanche" of Spider-Paper Retractions Shakes Behavioural-Ecology Community', *Nature* 578, no. 7794 (Feb. 2020): 199–200; https://doi.org/10.1038/d41586-020-00287-y

ただし、すべてのデータをオンラインで公開できるわけではない。[56] たとえば、研究の参加者の遺伝子データを公開することは、プライバシーの法的な権利はもちろん、研究参加の前提となる匿名性が侵害される。公開が危険を招くかもしれないデータはほかにもある。２０１１年にウイルス学者が、「鳥インフルエンザ」ウイルスＨ５Ｎ１の遺伝子を組み換えて感染力を高めた方法をあまりに詳細に発表し、議論を巻き起こした。[57] ウイルスの仕組みに関する重要な研究だったが、その情報が邪悪な動機を持つ人々の手に渡れば大変なことになるという、まれな状況でもあった。研究者たちは、関連する方法論の詳細を論文から削除するように求められた。[58] もっとも、これらは例外であり、原則として、大多数の科学者が自分の研究についてはるかにオープンにすることを妨げるものはない。

科学を開放するもうひとつの方法は、科学を拡大することだ。個人主義の錬金術師が用心深く秘密を守りながら孤独に作業をしていた時代から、科学者が国際的な学術誌で研究を共有する段階を経て、より大きな科学的疑問に答えるためには、さらに次の段階に進む必要があることが明らかになってきた。すなわち、さまざまな研究所や大学の科学者が、より大規模な共同プロジェクトに取り組むこと、いわゆる「チームサイエンス」だ。[59]

このような共同研究がいち早くおこなわれたのは素粒子物理学の分野で、素粒子加速器の実験は数え切れないほど多くの複雑な作業があるため、膨大な人数の研究者チームが必要になる。[60] また、現代の遺伝学も、共同研究が重要であることがわかっている。国際的な共同プロジェクトに参加する研究者がそれぞれのサンプルを合わせて、何万件ものＤＮＡの変異と人間の特徴や病気とのあいだにあるかすかな相関関係を特定するために必要な統計的検定力を実現させている。[61] 遺伝学において誤った「候補遺伝子」アプローチ（第5章を参照）を排除して、少なくとも再現性のある研究を生み出すことができたのは、このような共同作業の手法のおかげだ。[62]

ほかにも多くの分野が共同作業の力に目覚めている。権威ある学術誌に掲載された心理学の研究１００件を複数の研究室で再現しようと試みた大規模な実験は（第2章を参照）、研究の規模を大きくして統計的検定力を高めることによって、過去の誤りを正すことができるという素晴らしい例だ。物理学や遺伝学だけでなく、近年では神経科学やガンの疫学、心理学、医学のトランスレーショナルリサーチ（橋渡し研究）などの分野でも、国境を超えた共同プロジェクトがおこなわれている。[63] こうした大規模なプロジェクトは、それぞれの分野の再現性の問題に直接、対処することができる。さらに、普段はなかなか自説を曲げない頑固な科学者が集まった大きなコミュニティで結果が共有されるため、理論上は、それぞれのバイアスをチェックする役割も果たす。

56　データをオンラインのどこかに掲載するという単純な話では決してない。誰がデータにアクセスしたかが記録されていて、研究者がデータを要求できるゲートキーパーのようなものがあれば理にかなっている。これはレジストリと同じ原理だ。自由に利用できるデータセットをダウンロードして、p値ハッキングで有意な結果を導き出し、最初からそのような結果の仮説を立てていたかのように論文を発表する。そんな誘惑に駆られる研究者を阻む壁になるのだ。ただし、そのようなゲートキーパーには、データが保存されているリポジトリだけでなく資金も必要だ。これは科学者がこうした取り組みを十分にやってこなかった理由でもあり、資金提供者が貢献できる分野でもある。

60　そのような研究チームの1つが、光より速い（ただし、のちに撤回された）ニュートリノを発見したＯＰＥＲＡグループだ。

オープンサイエンスは科学者のコミュニティだけの話ではない。科学の透明性を高めるための最終的な要素は、一般の人々にも開放することだ。科学的知見の共同所有の意義を強調しているマートンの共有性の規範は、科学の大部分が納税者の金でまかなわれているという重要な真実を捉えている。大半の学術誌は、購読していない人が論文にアクセスする際に1件あたり約35ドルを課金している。自分の払った税金が科学研究の資金に使われている一般の人々が、その研究結果にアクセスするために金を払わなければならないことは、問題であり非民主的であるとさえ思える。

もちろん、納税者が資金を提供していてもアクセスできないものや、アクセスするべきではないものはたくさんある。たとえば、イギリスの海洋の核抑止力を構成する英海軍潜水艦の極秘の巡回ルートはそのひとつだ。しかし、この種の情報は、前述のウイルスに関する機密データと同じように例外的なものにすぎない。現代ではほとんどの国の政府が情報公開法を制定しており、一般市民が政府の文書や統計にアクセスできる。アメリカではすべての政府職員の仕事は、自動的に公有財産となる。[64] このように「情報は無料で自由に利用できる」という前提を目指すオープンサイエンスの取り組みのひとつが、オープンアクセス運動だ。その影響はすでに明らかで、多くの学術誌は研究者が出版時に手数料を払えば、その人の論文を誰でも無料かつ制約や期限なしでダウンロードできるようになる。

自分の研究を自由に利用できるようにするために手数料を払うことは任意だが、近年は研究資金の提供者が、研究がオープンアクセスで公開されることを要求するようになった。研究資金提供組織の協会であるサイエンス・ヨーロッパの「プランS」は、メンバーが資金提供するすべての研究について、完全なオープンアクセスの学術誌に掲載することを義務づけている。[65] この野心的な戦略はヨーロッパ16カ国の政府系機関のほか、ウェルカム・トラストやビル＆メリンダ・ゲイツ財団など主要な研究資金提供組織が採用している。プランSの規定では、サイエンス・ヨーロッパの助成金を得た科学者は、完全にオープンアクセスではない学術誌に論文を投稿することはできない。ただし、現段階で『サイエンス』や『ネイチャー』を含む学術誌全体の85％が、完全なオープンアクセスを認めていない。[66]

サイエンス・ヨーロッパは、出版社がオープンアクセスの費用を研究者に過剰に請求しないように、協調して行動するとも主張している。学術誌が出版費用をまかなうために、オープンアクセスに関する手数料を妥当な金額以上に釣り上げた場合、研究資金提供者は出版手数料の

63　「神経科学」：http://enigma.ini.usc.edu/;「ガンの疫学」：https://epi.grants.cancer.gov/InterLymph/;「心理学」：https://psysciacc.org/;「トランスレーショナルリサーチ」：http://www.dcn.ed.ac.uk/camarades/default.htm.「敵対的共同研究」を始めた研究者もいる。これは科学の組織的な懐疑主義が顕在化したもので、ある科学的議論について、自分と反対の見解に立つ研究者と意図的に協力することによって自分のバイアスに対処しようという試みである。対立する立場の双方が理論の公正な検証について合意し、協力して検証をおこなえば、その結果は関係者全員にとって、より説得力のあるものになる。私のお気に入りの敵対的共同研究の例は、超能力の存在を支持する人々と懐疑的な人々が協力して、他人が自分の後頭部を見つめていることを超能力で感知できるかどうかを検証した一連の実験だ。結果は一読の価値があるのでネタバレはしないでおこう。Marilyn Schlitz et al., 'Of Two Minds: Sceptic-Proponent Collaboration within Parapsychology', *British Journal of Psychology* 97, no. 3 (Aug. 2006): pp. 313–22; https://doi.org/10.1348/000712605X80704

支給額に上限を設けることができる。そうすれば膨大な数の研究者がその学術誌への投稿をやめざるを得なくなり、廃刊に追い込まれるところも出てくるだろう。プランSは、ひいてはオープンアクセスは、研究資金提供者の集団行動が研究の慣行に多大な変化をもたらすことができるという例であり、将来的には、このような協力関係が科学のほかの機能不全の修正にも役立つかもしれないという希望を与えてくれる。

## 誇張を抑制するプレプリント

この章では、詐欺を防ぐ方法、過失を避ける方法、バイアスをなくす方法を考えてきた。続いて、科学の4つ目の欠陥である「誇張」について見ていこう。誇張は研究結果の伝え方に関することであり、その解決策も出版システムに関連しているかもしれない。

17世紀に『フィロソフィカル・トランザクションズ』で初めて登場した出版モデルを、本書では最初から当然のものと考えてきた。学術誌の編集者が査読者のアドバイスを受けながら、どの研究を掲載するかを決定し、印刷するための作業をおこなう。そう遠くない昔、すべての作業が紙でおこなわれていた時代は、査読と学術誌出版のプロセスはひどく手間のかかるものだった。査読者と連絡を取り合い、必要な書類を共有して、査読者からのフィードバックを集めて照合し、そのうえで紙のページを編集し、チェックして、印刷し、配布する。これらのサービスを出版社が有料で提供してきたのも当然だ。

しかし、メールやオンラインジャーナルが出現して、すべてのプロセスが大幅に簡素化された。オンライン出版の時代に、営利目的の出版社が学術誌へのアクセスに法外な購読料を課すとき、私たちはいったい何に金を払っているのだろうか。

こうした購読料がいかに「法外」なものかは、あらためて考える意味がある。ノーベル賞を受賞した生物学者で学術誌の編集者も務めるランディ・シェクマンは２０１９年に、カリフォルニア大学が非営利組織のナショナル・アカデミー・オブ・サイエンスと営利企業のエルゼヴィアという２つの出版社に払った購読料を比較した。[67] 科学論文を１本ダウンロードする料金は、ナショナル・アカデミー・オブ・サイエンスの０・０４ドルに対してエルゼヴィアが１・０６ドルと、実に26倍を超えている。世界中の研究者がエルゼヴィアに数百万ドルを支払っており、その額は営利の出版社全体で数十億ドルにのぼる。これだけの金を払って、どんな特別サービ

66 Holly Else, 'Radical Open-Access Plan Could Spell End to Journal Subscriptions', *Nature* 561, no. 7721 (Sept. 2018): pp. 17–18; https://doi.org/10.1038/d41586-018-06178-7. 誰もが直感的にオープンアクセスに賛成しているわけではないことに注意しなければならない。ＡＩ（人工知能）研究者のダニエル・アリントンはオープンアクセスの長所と短所について、おそらく最もわかりやすく最も詳細な議論をしている。Daniel Allington, 'On Open Access, and Why It's Not the Answer', *Daniel Allington*, 15 Oct. 2013; http://www.danielallington.net/2013/10/open-access-why-not-answer/

67 Randy Schekman, 'Scientific Research Shouldn't Sit behind a Paywall', *Scientific American*, 20 June 2019; https://blogs.scientificamerican.com/observations/scientific-research-shouldnt-sit-behind-a-paywall/. カリフォルニア大学とエルゼヴィアの名前を挙げたのは、彼らが大がかりな論争に巻き込まれているからだ。本稿を執筆している時点で、カリフォルニア大学がエルゼヴィアに論文掲載コストの引き下げを求め、エルゼヴィアが拒否し、カリフォルニア大学が同社の学術誌の購読をキャンセルしている。がんばってほしい。University of California Office of Scholarly Communication, 'UC and Elsevier', 20 March 2019; https://osc.universityofcalifornia.edu/uc-publisher-relationships/uc-and-elsevier/

スがあるのだろうか。少なくともナショナル・アカデミー・オブ・サイエンスが発行している学術誌は、エルゼヴィアの学術誌と基本的に同じか、それ以上のサービスを提供している。

査読者の時間と専門知識は、科学のシステム全体の要として、科学の進歩に必要な批判的分析を提供している。ただし、査読は基本的にボランティアで、学術誌に雇われているわけではない。彼らは無償で働いているのだから、出版のコストを正当化する理由にはならない。むしろ、エルゼヴィアをはじめとする営利の出版社は、経済学で言う「レントシーキング」をおこなっている。自分に都合がよくなるように働きかけて、さらなる価値を提供せずに自分の利益を増やしているのだ。[68] 科学出版システムにきわめて批判的なある調査は、その不条理さを指摘している。

たとえば『ニューヨーカー』や『エコノミスト』が、ジャーナリストに執筆や互いの編集を無償でさせて、その費用を政府に請求するようなものだ。外部からこの仕組みをあらためて見ると、信じられず呆然とさせられる……2005年のドイツ銀行のリポートは、「奇妙な」「トリプルペイ」のシステムであり、「国が大半の研究に資金を提供し、研究の質をチェックする人の大半に給料を支払い、発表された成果の大半を購入している」と指摘している。[69]

大学がエルゼヴィアのようなレントシーカー企業に払う購読料の大部分が公的資金であるこ

とを考えれば、すべてが不道徳に思えてくる。大学は納税者の金をもっと効率的に使うべきではないだろうか。研究で利益を得たいという動機や、商業出版社が科学に関わることに反対しろというのではない。しかし、学術誌の出版システムのまわりに構築された非合理的な名声のシステムは、市場の欠陥であり、コストを下げるために必要な競争を妨げている。学術誌の出版社が論文に大きな付加価値を与えているとは言いがたい。彼らは筆者とボランティアの査読者をつなぐパイプ役にすぎず、レイアウトの整理以上の編集といった仕事はほとんどしていない。[70]

このような科学出版のシステムに大きな変化が起こる可能性があり、私たちは今、それを目の当たりにしている。「プレプリント」の普及だ。プレプリントとは、オンラインで公開されているリポジトリに掲載される査読前の科学論文の草稿で、誰でも無料で読むことができる。ほかの科学者が研究内容を読んでコメントし、著者が学術誌に投稿して正式に発表する前に関連する調整をおこなえるようにするための段階で、科学の社会的プロセスの新しいバリエーションと言える。

経済学者や物理学者は数十年前からプレプリントのモデルを利用してきたが、近年では生物

70　学術誌出版社のワイリーはエルゼヴィアと違って、少なくとも新しい出版モデルの交渉に関心を示している。Diana Kwon, 'As Elsevier Falters, Wiley Succeeds in Open-Access Deal Making', *Scientist*, 26 March 2019; https://www.the-scientist.com/news-opinion/as-elsevier-falters-wiley-succeeds-in-open-accessdeal-making-65664

学、医学、心理学などの分野でもプレプリントが旋風を巻き起こしている。[71]遺伝学のように、新しい技術やデータセット、結果が目まぐるしく生み出される分野では、プレプリントを活用することによって、ほかの科学者は正式な出版を待たずに最新の進歩を把握できる。さらに、通常の査読では2、3人が関与するところを、科学界の（あるいはもっと広い世界の）誰もが、間違いや悪いアイデア、悪い論文を発見し、すぐに批判することができる。こうした批判は、肯定的なコメントとともに通常はオンラインで投稿されるため、非公式ではあるが、標準的なモデルに比べて透明性の高い査読がおこなわれる。[72]

プレプリントはすでに科学研究のペースを速め、オープン性を高めている。また、公開後に学術誌に受理されなくてもかまわないため、失敗した研究を「引き出し」にしまい込む必要も減るのではないかと期待されていることになる。

ただし、誇張の問題にはどう対処できるだろうか。これまで見てきたように、不当な誇張の主な理由の1つは、自分の論文は出版される価値があると査読者や編集者を納得させなければならないことだ。科学者は出版を勝ち取るために、自分の発見の意味合いをふくらませたり、NULLの結果をはじき出したりする。学術誌の役割は、研究を広めることだけではない。どの研究が出版されるかを決めるのも学術誌なのだ。この2つの役割を完全に分離したらどうなるだろうか。[73]

たとえば、次のような新しいモデルが考えられる。研究を終えた科学者は、プレプリントを作成してオンラインのリポジトリにアップロードする。続いて「レビューサービス」に査読を依頼する。レビューサービスは従来の方法で査読者を募るが、学術誌とは別の新しい組織で、[74]論文を査読して評価をつける。筆者が希望すれば、論文を修正して追加のデータを収集するなど、改良した論文を再提出してあらためて評価をもらうこともできる。より高い評価がつくこともあるだろう。学術誌の編集者の役割は門番というよりキュレーターに近く、評価のついたすべてのプレプリントを読んで、自分たちが掲載したいものを選ぶことができる。

このモデルでは、すべてがプレプリントの形式で公開され、学術誌は注目に値する研究や関連性の高い研究の増幅器になる。ロイター通信やＡＦＰ通信（フランス通信社）などニュース配信会社の記事から、最も重要な記事を選んで掲載する新聞のようなものだ。購読する価値のある学術誌とは、最も高い付加価値を提供する学術誌であり、何千、何万という新しいプレプ

71　物理学のプレプリントは *arXiv*（https://arxiv.org/）で見ることができる（Xは、実際はギリシャ文字のカイ（κ）なので「アーカイブ」と発音する）。経済学のプレプリントは一般に「ワーキングペーパー」と呼ばれ、全米経済研究所（https://www.nber.org/papers.html）などで見ることができる。生物学の主要なプレプリントサーバーは *bioRxiv*（https://www.biorxiv.org/）、医学は *medRxiv*（https://www.medrxiv.org）、心理学は *PsyArXiv*（https://psyarxiv.com/）、その他の分野のプレプリントサーバーの一覧はこちら（https://osf.io/preprints/）。生物学のプレプリントがいかに早く普及したかについては以下を参照。Richard J. Abdill Jan Blekhman, 'Tracking the Popularity and Outcomes of All bioRxiv Preprints', *eLife* 8 (24 April 2019): e45133; https://doi.org/10.7554/eLife.45133. プレプリントサーバーの資金の事情も気になるかもしれない。科学研究の助成金を使っている場合や、もっと持続可能な資金モデルもある。たとえば *arXiv* はさまざまな大学と協定を結んでおり、各大学は所属する研究者がプレプリントをダウンロードして利用した実績に応じて資金を提供している（https://arxiv.org/about/ourmembers）。

74　このアイデアの有望な実践例が「Peer Community In（ＰＣＩ：査読コミュニティ・イン）」で、「各分野の未発表のプレプリントを無料で査読・推薦する研究者のコミュニティを形成することを目的としている」。ＰＣＩには本稿の執筆時点で進化生物学、生態学、古生物学、動物学、昆虫学、神経回路学、ゲノム学の査読コミュニティがある（https://peercommunityin.org/）。

リントをふるいにかけて、最も注目に値するものを見出すことができる学術誌だ。[75] そこには、より質の高い論文を書こうという競争が存在する。科学者としては最も有名なキュレーター兼編集者に自分の研究を取り上げてもらいたいと思うだろうし、どこに掲載されるかを競うだろう。ただし、論文を「出版するかどうか」という判断はすでに下されている。[76]

この提案は、科学を取り巻く問題に対する唯一の正解ではない。現状と変わらない結果になるかもしれないし、未知の要素が事態を悪化させるかもしれない。それでも試してみる価値はあるはずだ。[77] ただし、このような新しい出版モデルには注意が必要だ。誰もが査読なしで研究結果をオンラインに投稿できる世界で、科学の質をどのようにコントロールすればいいだろうか。[78]

ハーバード大学の経済学者ローランド・フライヤーが2016年に公開したプレプリントは、その教訓を残している。彼が取り上げたテーマは、現代のアメリカで大きな論争を巻き起こしている、黒人に対する警察の武力行使だ。[79] フライヤーの分析は主に、テキサス州ヒューストンの警察による逮捕の詳細なデータセットに注目した。ただし、結果は逆説的なものだった。黒人やヒスパニック系は白人に比べて、逮捕時に非致命的な暴力を行使される可能性が50%以上高いにもかかわらず、致命的な暴力を行使される可能性はその反対で、「黒人は白人に比べて、警察官に発砲される可能性が23・8%『低い』」ことがわかったのだ。[80]

このプレプリントは『ニューヨーク・タイムズ』紙の一面で世間の注目を集め、「警察の力の公使には偏りがあるが、銃撃には偏りがないことを示す驚くべき新しい証拠」という見出しとともに、「私の研究生活において最も意外な結果」というフライヤーの発言が紹介された。[81]この記事はすぐに、警察による暴力に抗議する「ブラック・ライブズ・マター」運動に不満を持つ保守派の論客のあいだで話題になった。ある人は、フライヤーの研究が、この運動が「嘘の上に成り立っている」ことを「証明」していると書いた。[82]

フライヤーの23・8％という数字は、この段階では、生のデータから取り出しただけのものだった。彼の研究には生データ以外にも多くの内容が含まれていたが、本人がこの具体的な数字をジャーナリストに強調した後は、残念ながらほかの内容は報道されなくなった。しかし、逮捕者が武器を所持していたかどうかなど事件の詳細な要素を調整すると、結果は一転した。同じ程度の状況では、黒人は白人より撃たれる確率が高かったのだ。

生データと調整後の結果の違いは、警察側の人種に対する偏見と一致する。つまり、その人

75　Stern & O'Shea ('A Proposal for the Future') は、学術誌が「再現が必要な論文」や「疑わしい主張を含む論文」の問題点を整理することもできると示唆している。

76　このシステムと前述の「事前登録研究論文」の枠組みを組み合わせれば、完成した論文ではなく研究計画がプレプリントされ、評価されるようになるだろう。また、エラーチェックのアルゴリズムと連動させることもできる。これは旧来の学術誌と同じようにプレプリントのリポジトリを通じて簡単に実装できる。

77　実際、すでに小規模ながら試されている。詳細は以下を参照。https://asapbio.org/eisen-appraise

78　ほとんどのプレプリントのアーカイブが、悪意のある人や変わり者の「独立研究者」が投稿する最悪のナンセンスをはじくために論文を選別していることは事実である。しかし、完全なレビューをおこなってはいない（時間がかかることを考えると非現実的でもある）。

が脅威であるかどうかにかかわらず一般に黒人をより多く逮捕して、かつ状況がエスカレートした場合は黒人の逮捕者をより多く射殺している場合に、このような効果が見られる。言い換えれば、黒人の逮捕者が撃たれた数は、生のデータには理由もなく逮捕された脅威ではない黒人がたくさん含まれていたため、希釈されていたのだ。[83] ただし、ここで深読みしすぎてはならない。フライヤーのサンプルはあまりにも少なかったのだ。23・8％という数字は、統計的に有意な差ですらなかった。彼が統計的に有意な結果のみを強調することに徹していれば、そもそもこのような論争は起こらなかっただろう。[84]

さらに、フライヤーの論文が2019年4月に出版されるまで待っていれば、ニューヨーク・タイムズは別のスピンに気がついただろう。論文のアブストラクトは「可能性が低い」という主張を取り下げて、致命的な暴力を振るわれる確率は黒人と白人で差がない、とだけ述べている。[85] それだけでも興味深い指摘かもしれないが、最初の主張からは大きく後退している。

この教訓は、プレプリントを投稿する科学者には気をつけろということだろうか。プレプリントは何の監視もなくオンラインで投稿できるため、読む人は特に懐疑心を持たなければならず、科学者は少なくとも同業者が目を通す前に自分の研究を宣伝しないという知的な謙虚さを持つべきだ。[86]

科学のエコシステムが変化するにつれて、科学論文の発表にはさまざまな「段階」があることをジャーナリストも認識するようになり、初期の段階の論文は特に慎重に取り扱う必要があると理解するだろう。２０２０年初めに新型コロナウイルス（ＣＯＶＩＤ－19）のパンデミックが始まって間もなく、ある著名な生物学系のプレプリント・サーバーにプレプリントが投稿されるようになり、ウイルスの起源と影響について広く議論が巻き起こった。プレプリントのなかには、パンデミックをめぐるメディアの熱狂に乗じて急遽作成された、明らかに質の低いものもあった。ウイルスが生物兵器として意図的に設計されたものであるという陰謀論を、意図的かどうかにかかわらず、あおるような表現もあった。これを受けてアーカイブは、掲載されているプレプリントは査読前のものだという全般的な警告に加えて、各ページの冒頭に次のような警告を追記した。

注意事項：これらは査読を経ていない予備的な報告である。結論ありきで臨床現場や健康に関する行動の指針としたり、確立された情報としてニュースメディアで報道したりするべきではない。[87]

ただし、本書で繰り返し述べてきたとおり、査読は科学の質を保証するものではない。アン

86　実際、フライヤーのプレプリントは同僚の経済学者数人が目を通していたが、正式なレビューを経て出版されたのではなかった。Daniel Engber, 'Was This Study Even Peer-Reviewed?', *Slate*, 25 July 2016; https://slate.com/technology/2016/07/roland-fryers-research-on-racial-bias-in-policing-wasnt-peerreviewed-does-that-matter.html

ドリュー・ウェイクフィールドによるMMRワクチンの研究は、おそらく史上最も有害な科学的詐欺だろう。彼の論文は査読を受けただけでなく、世界で最も権威ある医学雑誌の1つである『ランセット』に掲載された。プレプリントは誤った情報を媒介するときもあるが、すべての誤りを排除するシステムを設計することはできない。公開性、透明性、迅速性の向上という長所と短所を比較検討する必要がある。

実際、新型コロナ危機に対応したウイルス学者や疫学者にとって、プレプリント革命は、科学を著しく加速させるような新しいデータの波を起こし、過去に疾病が大流行したときとはまったく異なる研究文化を生み出している。正式な査読を待たずに、新しい発見のドラフトについて即座にコメントすることができた。さらに、通常は出版のバイアスがかかったプロセスに耐えられないような、重要なNULLの結果を共有することができ、まれに誤解を招く主張もあったが、従来なら数カ月、あるいは数年待たなければならなかった科学文献にアクセスすることもできた。このように加速した科学が、数百万人の命を奪って世界経済を停止させた100年に一度のパンデミックの影響から私たちを救うことができるかどうかは、まだわからない。しかし、科学にとっての教訓は明らかだ。昔ながらの学術誌だけの仕組みとプレプリントで補完された仕組みを比べれば、文句なしにプレプリントに軍配が上がる。[88]

## 科学を修正するためのさまざまなシステム

ここまで紹介してきたアイデアは、有望ではあるが、その主な目的は科学の現代的な病の「症状」に対処することで、「原因」に目を向けているわけではない。しかし、決定的な原因を無視したままでは、科学を改革しようとする人々は果てしのない無駄な努力を続けることになる。若い科学者が目を引く「画期的」な結果で自分の履歴書を飾り立てようとするたびに、科学は後退していくのだから。そのような熱意は、前章で説明したように、外部からの圧力によって引き起こされる。科学者には仕事と助成金が必要であり、インパクトのある出版をもたらすような結果を追い求めることは、多くの意味で仕事と助成金を追い求めることでもある。実際、多くの大学が終身在職権を得るためのステップとして、科学者に論文の数や掲載される学術誌のインパクトファクターに関する同意書に署名させている。[89]

ただ、奇妙なことに、終身在職権を持ち、十分な資金のある研究室を運営している科学者が、本書で紹介してきたような悪質な行為を頻繁におこなっている。逆インセンティブが深く浸透して、一種の自立したシステムをつくり上げてきたのだ。あらゆる犠牲を払っても出版と被引用回数を追い求めるという訓練を、暗黙のうちに、あるいは明示的に受けてきたことは、見習いの科学者に強い影響を植えつけ、安定した仕事を手にした後でも捨てることができない規範や習慣、考え方を形成する。前章で説明したように、このシステムは、ゲームが得意な学者だけが生き残るという選択の圧力を生み出す。h指数で同僚に勝つためなら何でもするという貪欲なエゴの持ち主は、現代のアカデミックのシステムに大歓迎されるだろう。

自立したシステムは、とりわけ頑なで扱いにくい。確かに、学術的なインセンティブの構造や、論文の出版を重視して助成金をより多く獲得しようとするゆがんだ要求を変えていくことは、科学を修正するために重要である。この問題に責任がある3つの主要なプレーヤーは、大学、学術誌、資金提供者だ。そして、彼らには、出版しなければ滅びるのみというプレッシャーが高まり続ける科学の圧力鍋の蓋を、こじ開ける力がある。彼らがそれぞれの力をどのように使うことができるかは、これから見ていく。ただし、その先の議論がなければ、多くの科学者は目の前のゲームに参加するしかないという事実を無視したままになる。この状況を変えるためには、主要なプレーヤーからのトップダウンの変化と、科学コミュニティ自体からのボトムアップの力を組み合わせなければならない。

改革に科学者自身が取り組むようにするためには、マートンの規範の「無私性」は称賛に値するかもしれないが、あくまでも規範であることを認めるべきだ。現実として、個人への報酬が科学の進歩を促す重要な要因であることは、昔も今も変わらない[90]。研究者同士がもっと協力し合い、データをオンラインで自由に共有することを奨励しようというなら、彼らが相応の評価を確実に得られるようにしなければならない。

そのためには多大な労力が必要であり、研究活動の評価の方法を大幅に変更する必要がある。

これは、現在の不透明で不公平な共同研究の記述方法を変える絶好の機会にもなる。ほとんどの科学分野では、複数の著者による論文は大部分の作業をおこなった科学者の名前を筆頭に記し、プロジェクトを監督した上級の研究者の名前を最後に記すという慣習がある。[91] そのほかに研究デザインの助言や研究室の組織、参加者の募集、資料やデータの収集、統計の実行などを担当した研究者の名前は、共著者一覧の中間に記される。これはクレジットの表記として理想的な方法とは言えない。一方で、「著者」として名前が挙がっている人の多くは、実際の論文にはほとんど、あるいはまったく関与していない可能性がある。また、大学が仕事や給料を決める際は、その研究者が共著者の筆頭もしくは最後に名前が記されている論文を重視するため、中間に名前が記された数多くの著者の真の貢献は認識されにくい。

広範囲の共同作業による「チームサイエンス」の取り組みは、問題をさらに悪化させる。著者一覧に数百人、ときには数千人の名前が並ぶ論文もあるのだ。[92] オープンサイエンスの基本条件であるデータの共有については、努力が報われないという懸念も生じる。『ニューイングランド・ジャーナル・オブ・メディスン』の論説が「研究寄生者」と命名した、新しい種類の科学者が生まれるかもしれない。彼らは自分ではいっさいデータを収集せず、他人が苦労して集

91　数学や物理学のように著者がアルファベット順に記される分野とは大きく異なる（ただし、アルファベット順は一般的な慣行ではなくなりつつあるようだ）。以下を参照。Ludo Waltman, 'An Empirical Analysis of the Use of Alphabetical Authorship in Scientific Publishing', *Journal of Informetrics* 6, no. 4 (Oct. 2012): pp. 700–711; https://doi.org/10.1016/j.joi.2012.07.008

めたデータの分析にだけ参加する。[93] あいまいな不文律や個人の論文引用回数から成り立つ現在のシステムは、この問題にはほとんど役に立たない。

そこで、科学における信用と責任を分け合う新しい方法が必要になる。科学者が、論文に名前が載ることによってだけでなく、実際の貢献に応じて報われるシステムだ。[94] その実現のためには、大学が最初の一歩を踏み出すことが不可欠だろう。採用や終身在職権の決定に際し、科学者のh指数などの基準に加えて、あるいはそれに代えて、「良き科学市民」の資質を考慮するのだ。[95] 出版だけでなく、国際的な共同研究を構築する複雑さ、データの収集と共有の困難さ、NULLであるかどうかにかかわらずすべての研究を発表する誠実さ、地味ではあるが必要な再現研究のプロセスなども評価の対象になる。言い換えれば、よりオープンで透明性の高い科学文献を目指して努力している研究者に報い、価値があるとみなされる範囲を広げることが重要である。[96] 量より質を明確に評価し、結果（この人物はp値が0・05未満を維持しているか）よりも手法（この人物は信頼できる科学を生みだす厳格な仕事をしているか）を重視する。そして、心理学者のスコット・リリエンフェルドの言葉を借りれば、助成金を「それ自体が目的ではなく、目的を達成するための手段」と考えるのだ。[97]

資金提供者にも同じことが求められる。科学者の過去の論文数や、提案書の主張の大きさをもとに判断するのをやめて、科学者がインパクトの高い学術誌に論文を掲載するかどうかだけでなく、資金を使って実際にさまざまなことをおこなうことを条件とする基準をつくるのだ。提案された研究はどのくらい多くのデータを作成するか。そのデータは研究のコミュニティとどの程度、共有されるか。さらに、この章で提案しているような取り組みをおこない、科学者がすべての結果を報告しないという意味で出版バイアスに加担した場合は、資金を差し止めるという方法もある。プランSが示すように、資金提供者が協力してオープンサイエンスの原則を推進すれば、強力な力を発揮することができる。

93　Dan L. Longo & Jeffrey M. Drazen, 'Data Sharing', *New England Journal of Medicine* 374, no. 3 (21 Jan. 2016): p. 276–277; https://doi.org/10.1056/NEJMe1516564.『ニューイングランド・ジャーナル・オブ・メディスン』の編集者はさらに、研究寄生者が「オリジナルの調査研究をおこなった人々が仮定したことを反証するために、データを使うかもしれない」(p.276)と憂慮している。これは意味のない指摘だが、似たような懸念には論争の余地がある。というのも、自分のデータをオープンにしていて、それを使って何をしたいかという計画をオンラインで公開したら、先を越されるかもしれない。ほかの科学者があなたのデータを手に入れて、あなたの分析を実行し、あなたより先に論文を出版するかもしれないのだ。新規性がとにかく重視されるこの業界では、先を越されることは科学者のキャリアに災いを及ぼしかねないが、どれくらいの頻度で起こるかは定かでなく、いくつか対策も考えられる。まず、微妙な状況では事前登録を制限することができ、分析を実行した後に公開されるようにする（ただし、仮説を登録したタイムスタンプは残る）。次に、先を越されたら確かに悔しいが、同じデータについて異なる人が同じ分析を実施することは、実は好ましいことかもしれない。異なるバージョンを比較すれば間違いや見落としに気づきやすいからだ。このような理由から、少なくとも1つの学術誌（PLOS Biology）では、先を越された研究者にも論文の提出を認めている。*The PLOS Biology* Staff Editors, 'The Importance of Being Second', PLOS Biology 16, no. 1 (29 Jan. 2018): e2005203; https://doi.org/10.1371/journal.pbio.2005203

94　ある研究者グループは、共著の論文における実際の貢献度をもとに著者のh指数を再計算する「T指数」を提唱している。科学者がプロジェクトの大半で主導権を取ろうとしているならT指数は高くなり、ほかの研究者の仕事をサポートする傾向が強ければT指数は低くなる。ただし、これは自分がどのくらい貢献したかを全員が正直に認めるかどうかにかかっており、前提が楽観的すぎるかもしれない。そして、このような指標もまた、言うまでもなく悪用される可能性があるため、h指数と同様に決してそれだけに注目するべきではない。Mohammad Tariqur Rahman et al., 'The Need to Quantify Authors' Relative Intellectual Contributions in a Multi-Author Paper', *Journal of Informetrics* 11, no. 1. (Feb. 2017): pp. 275-281; https://doi.org/10.1016/j.joi.2017.01.002. See also H. W. Shen & A. L. Barabási, 'Collective Credit Allocation in Science', *Proceedings of the National Academy of Sciences* 111, no. 34 (26 Aug. 2014): pp. 12325–30; https://doi.org/10.1073/pnas.1401992111

もっと抜本的な改革もできるはずだし、おこなうべきだ。ますます大げさになる主張で資金を奪い合う激しい競争をやめさせるために、さまざまな提案がなされている。すでに一部の研究助成団体が採用しているアイデアのひとつが、特定のプロジェクトではなく個人への資金提供を中心にすることだ。つまり、十分に創造的であると判断された研究者には、彼らが計画している研究に制約のない資金を提供し、自由度が高まることによって新しい刺激的な進歩が生まれることを期待するのだ。そうすれば、研究者は資金獲得のための絶え間ない争いからしばし解放されて、次の助成金申請のために履歴書を増強しようとサラミを薄く切ったような短い論文を提出するように強いられることもなく、より長期的で質の高いプロジェクトに集中できるだろう。[98]

ただし、こうした手法は、スタッフや設備、被験者を事前に計画して予算を確保しなければならない大規模なアイデアには、あまり効果的ではない。また、いいアイデアを持っていても、長期的な資金提供を受けるために必要なネットワークや影響力を持たない、知名度の低い研究者にとっては不公平になりやすいだろう。

では、現在のようにプロジェクトに資金を提供する場合、資金をどのように配分するのが最善だろうか。ある興味深い提言は、助成金申請の案件のうち一定レベルの質をクリアしている候補リストを作成し、抽選で資金を配分するというものだ。科学のシステムが実力主義であることを考えると、奇妙に思えるかもしれない。しかし、賛成派の一部は、現在のシステムは資金配分が下手すぎて、「すでに、本質的には無作為であることの利点を伴わない抽選のようなものだ」と指摘している。[99]

２０１６年におこなわれた分析では、米国国立衛生研究所（ＮＩＨ）の助成金支給の候補案件に審査員がつけたスコアは、その助成金から生まれた最終的な研究の質（被引用回数で評価した）とほとんど相関がなかった。[100] その場合、助成金を申請する書類の作成に費やす時間は、大部分が無駄ということになる。実際、ある計算によれば、「研究者が［助成金の］提案書を準備する際にあきらめた科学の価値は、助成金プログラムが支援する科学の価値に近いか、それを上回ることもある」。[101]

質の高い提案書のなかから公平に選別することは、おそらく不可能だ。偶然にまかせれば、査読者は実現不可能なことに挑む手間が省けて、年功序列や性別などによって特定のタイプの科学者を優遇するようなバイアスも回避できる。[102] 自分のプロジェクト案の質が一定のレベルに達したら無作為な抽選の対象になるとわかっていれば、研究の重要性を誇張しなければならないというプレッシャーははるかに減るだろう。質の基準は高く設定することもでき、「オープンサイエンスの原則の遵守」などの条件を含めることもできる。[103]

学術誌も、オープン性と再現性を促進する新たな基準を採用できるはずだ。再現実験の提出、計画の事前登録、データセットの論文への添付を研究者に明示的に呼びかけることは、素晴らしい出発点になる。[104] これらの取り組みによって、学術誌の編集者に自分の論文をアピールする方法が、ポジティブな研究にこだわる狭い視点を超えて広がり、ＮＵＬＬの結果を出した研究者が最初のハードルであきらめずに済むようになる。[105]

さらに、論文に基本的な誤りがないかどうか精査するというポリシーを採用したり、データ・インテグリティ（データの完全性）の専門家を置いてＧＲＩＭテストのような手法で無作為に抜き打ち検査をしたりすることもできる。[106] そして、論文の著者に対し、自分の発見を謙虚に提示するように要求する。科学研究に関して利益相反の開示を求めるように、最終的に出版された論文に自ら「研究の限界」を記す小さなスペースを設けるのだ。[107] また、論文を投稿するためのコスト（時間、労力、カネ）を高く設定することによって、サラミ・スライスを阻止することもできるだろう。[108]

## 技術革新により高まる気運

これらの提案はすべて、大学、資金提供者、学術誌がするべきことであり、できるはずのことだ。ただし、彼らにはどのようなメリットがあるだろうか。結局のところ、大学の学部は研究者が生み出すインパクトのある論文の数でランクづけされる騒々しい市場で地位を確保したい、資金提供者は最高水準の科学を支援していると見られたい、そして、学術誌はインパクトファクターを年々増やしていきたいのだ。それでも、今こそ変革のときだと言える理由が２つある。

１つ目は、現在進行形である再現性の危機だ。数十年前、数百年前から多くの科学者が、結果の信頼性や、結果を生み出すシステムに対して深刻な疑念を抱いてきた。しかし、彼らの主張を裏づけるようなデータが大量に蓄積されたのは、ここ数年のことだ。今では多くの分野で、科学が間違った方向に進んでいる際立った事例を、システムの問題というより広い文脈のなかで位置づけて、過去のエピソードを裏づける強力なメタサイエンス的データを示すことができる。言い換えれば、科学を修正するための具体的な根拠となるデータが得られるようになったのは、ごく最近のことだ。

104　たとえば『アメリカン・ジャーナル・オブ・ポリティカル・サイエンス』は研究者にデータの共有を要求していないが、すべての論文について結果が再現可能かどうかをレビューの過程で明確に確認している。https://ajps.org/ajps-verification-policy/

106　出版倫理委員会（ＣＯＰＥ）のガイドライン（https://publicationethics.org/guidance/Guidelines）のように多くの学術誌が署名しているガイドラインもある。ＣＯＰＥは不正行為に対処する最善の方法を編集者に提示している。問題は編集者がこれらのガイドラインに実際に従うかどうかだ。

107　プレスリリースに注意書きを記すことが、メディアの科学報道を改善できるという証拠がある。プレスリリースの内容を変えておこなうランダム化比較試験（第6章を参照）で、「これらの主張は相関的なもので、因果関係があるわけではない」という趣旨を挿入したところ、それまでこのような注意事項がほとんどなかった分野でも、20％のニュース記事がこの点に触れた。さらに、プレスリリースに関するいくつかの研究が言及しているように、このような注意事項を補足するとプレスリリースに興味を持つジャーナリストが減るのではないかと心配する科学者もいるかもしれないが、同じ研究において、より慎重に書かれた（つまり、誇張が少ない）プレスリリースがニュースになりにくいという証拠は見つかっていない。Rachel Adams et al., 'Claims of Causality in Health News'. 以下も参照。Petroc Sumner et al., 'Exaggerations and Caveats in Press Releases and Health-Related Science News', *PLOS ONE* 11, no. 12 (15 Dec. 2016): e0168217; https://doi.org/10.1371/journal.pone.0168217. 以下も参照。Lewis Bott et al., 'Caveats in Science-Based News Stories Communicate Caution without Lowering Interest', *Journal of Experimental Psychology: Applied* 25, no. 4 (Dec. 2019): pp. 517–42; https://doi.org/10.1037/xap0000232.「光より速い」ニュートリノについて、慎重に言葉を選んだプレスリリースがニュースではあいまいな表現になっていたことは、先に見たとおりである。

大学は、研究者が再現性のない研究で有名になったり、不正の調査に巻き込まれたりすることは望んでいない。資金提供者も望んでいない。再現性のある質の高い研究に資金を提供しなければ、カネが無駄になり、長期的には自分たちが愚かに思われることを理解している。学術誌も同じだ。薄っぺらい研究を掲載して悪名を馳せたいくつかの学術誌のように笑いものになることだけは、編集部も出版社も望んでいない。[109] このような混乱を招いた一因は評価を気にすることだが、評価をめぐるスキャンダルや欠陥が十分に知られるようになれば、評価に対する同じ懸念が、混乱から抜け出すために役立つかもしれない。

実際、科学者自身が再現性の危機に懸念を抱くところから、科学の改革を支持する声が高まっている。科学者はプレプリントに対する前向きな姿勢が物語るように、標準的な出版システムから大挙して脱却しようとしている。科学のコミュニティはプレプリントがスピードと透明性の面でもたらすメリットを理解して、一歩前に踏み出した。それを受けて学術誌も、プレプリントの論文でも投稿を認める方針に変更している。オープンアクセスやオープンデータ、事前登録を要求する同様の声は、いずれも学術誌の方針に影響を与えている。

ボトムアップの要求とトップダウンの方針を結びつけることによって、ポジティブなフィードバックループ、つまり好循環が生まれ、ゆがんだ規範ではなく、有益な自立した規範を生み出すことができる。たとえば、再現性の危機を懸念する学者が結成した「全英再現性ネットワーク」には大学や研究者の草の根グループが参加して、オープン性と透明性に報いるように雇用慣行を変更する方法を大学と話し合っている。[110] このような取り組みは、前章で説明した「悪い科学による自然淘汰」に対する解毒剤の役割を果たす。オープン性と透明性を重視する科学者に報酬を与えることが、報酬の仕組みに好循環をもたらす。オープンサイエンスの実践者が増えて、ボトムアップの変化をさらに促進し、ほかの研究者がこの運動や関連する改革に参加するよう後押しするだろう。また、より多くのメタサイエンスが生まれて、どのような研究が再現できるのか、どのようなアカデミックの構造が信頼できる研究を育むのか、どのような結果を一般に疑って見るべきなのかという理解を助けるだろう。[111]

同僚に認められ尊敬されることは大きな動機になるが、恥の力を侮ってはいけない。くだらない間違いをしたり、明らかな偏見を示したり、自分の研究を過剰に宣伝したりしてネット上で嘲笑されるのを恐れることは、数字をダブルチェックして、自分の主張を現実の範囲内に収めようという強い動機になる。[112]

とはいえ、変化を求めるネガティブな理由にばかり注目する必要はない。科学システムを変革するタイミングとして今が最適である2つ目の大きな理由は、テクノロジーだ。

110 Marcus Munafò, 'Raising Research Quality Will Require Collective Action', *Nature* 576, no. 7786 (10 Dec. 2019): p. 183 https://doi.org/10.1038/d41586-019-03750-7. オランダの「オープンサイエンス・コミュニティ・イニシアチブ」(https://osf.io/vz2sy/) やルートヴィヒ・マクシミリアン大学ミュンヘン（LMUミュンヘン）の「オープンサイエンス・センター」(https://www.osc.uni-muenchen.de/index.html) などほかの国にも同様のグループがある。草の根運動の「リプロダシビリティー（ReproducibiliTea）」は若手研究者が集まる「ジャーナルクラブ」を開催して、オープンサイエンスを取り巻く問題を議論している。https://reproducibilitea.org/

簡単に言えば、オープンサイエンスをおこなうことが、かつてないほど簡単になっている。アルゴリズムで論文の間違いをチェックする、プレプリントや事前登録を即時に公開する、かなり大規模なデータセットを共有するなど、ほんの数年前には不可能だったことが可能になった。著者が論文に、あるいは科学界全体にどのくらい貢献したかを詳細に記録することができ、データ収集から出版までの一連の流れを世界に向けて発信できる。この点についてオープンサイエンス・センターのディレクターで心理学者のブライアン・ノセックは、しみついた規範や、インセンティブやポリシーの変革に取り組む前に、文化に変化をもたらす最初のシンプルなステップは、新しいアイデアが受け入れられやすい土壌をつくることだと指摘している。[113] 実際に多くの研究者が自分の研究の質を高めたいと考えているが、どれだけの努力が必要かと考えて躊躇している。進化し続ける新しい技術を使えば、そのような心配は必要なくなり、ますます多くの人がオープンサイエンスに参加できるだろう。

オープンサイエンスを可能にしたり、簡単にしたりするだけでは足りなければ、科学者の利己心に訴えることもできる。ガン生物学者のフロリアン・マルコヴェッツは、科学者は新しい自動化ツールを活用して自分のデータ、分析、論文のつながりを明確にするべきだと提言している論文のなかで、「再現性のある研究をする5つの利己的な理由」を挙げている。

1 データを公開して透明性を高めることによって、あなたや共著者自身が、結果を損ないかねない間違いを発見しやすくなり、自分たちの研究が「ラインハートとロゴフのエクセル・タイプミス」のような大惨事になるのを防ぐことができる。

2　新しい自動化の手法を使うと、論文が書きやすくなる。

3　あなたがデータをどのように分析したかを誰でも見ることができれば、正しくおこなったと査読者に納得してもらいやすくなる（査読者がデータにアクセスできれば、あなたの分析を自ら試すことができる）。

4　分析の各ステップをオープンに文書化することは、あなたが数カ月先に作業を継続するときに役立つ。「未来のあなた」は、「過去のあなた」がどのようにしたかという記憶に頼る

112　もちろん、行きすぎるときもある。前述のエイミー・カディの件は、いかにお粗末な科学だったとしても、オンラインの議論は不釣り合いなほど過熱し、いじめになって、からかうような雰囲気だった。Susan Dominus, 'When the Revolution Came for Amy Cuddy', *New York Times*, 18 Oct. 2017; https://www.nytimes.com/2017/10/18/magazine/when-the-revolution-came-for-amy-cuddy.html. こうしたいじめの問題は本書の範囲を超えているが、言及に値するだろう。科学について、改革がぜひとも必要な大きな側面は、その権力文化である。学者が学生やほかの研究者に対して年功序列の立場を悪用し、いじめやハラスメント、あるいは性的暴行をおこなったという話はあまりにも多い（1つでも多すぎるくらいだ）。心理学の世界で最近起きた2つの出来事も、この憂鬱な現象を物語っている。２０１８年に社会神経科学者のタニア・シンガーがライプチヒにあるマックス・プランク人間認知脳科学研究所のディレクターの職を辞した。彼女が長年にわたって研究チームを激しくいじめていた疑惑があり、たとえば妊娠した博士研究員を（彼女の産休がシンガーの研究を中断させるという理由で）怒鳴りつけたと報じられた。皮肉なことに、シンガーの主な研究テーマは人間の共感である (Kai Kupferschmidt, 'She's the World's Top Empathy Researcher. But Colleagues Say She Bullied and Intimidated Them', *Science*, 8 Aug. 2018; https://doi.org/10.1126/science.aav0199)。ダートマス大学ではトッド・ヘザートン、ウィリアム・ケリー、ポール・ウォーレンの3人の心理学教授が、16年間にわたる学生へのハラスメント、性的暴行、さらにはレイプの疑いで9人の女性から告発され、職を失いキャンパスから追放された（あるいは立ち入りが制限された）。The Dartmouth Senior Staff, 'New Allegations of Sexual Assault Made in Ongoing Lawsuit against Dartmouth', *The Dartmouth*, 2 May 2019; https://www.thedartmouth.com/article/2019/05/new-allegations-of-sexual-assault-made-inongoing-lawsuit-against-dartmouth

必要がなくなる。

5 すべてを公開することによって、科学界に対し、何も隠さずにすべてを誠実におこなってきたと示すことができる。つまり、誠実な研究者としての評判を高めることができる。[114]

問題は明確だ。そして、解決策は手の届くところにある。科学の修正に必要なのは、人々に正しい動機を与えることだ。

## 「退屈で信頼できる」科学へ

ヘンリク・グレツキの交響曲第3番『悲歌のシンフォニー』は、現代のクラシック音楽の録音として異例の100万枚以上を売り上げている。[115] 人気の秘密は簡潔さにある。映画音楽のようにゆったりとした流れで、グレツキのそれまでの作品のような荒々しい無調性はない。ただし、驚異的な売り上げにもかかわらず、1977年の初演の際はすべての聴衆に受け入れられたわけではなかった。イ長調の和音を21回繰り返して最後の楽章が終わると、最前列に座っていた「フランスの著名な音楽家」（前衛音楽の旗手と言われ、短気なことで知られるピエール・ブーレーズと思われる）が「メルデ！（くそったれ！）」と漏らした声は、グレツキにも聞こえた。[116] 今でこそ現代の名曲として認められているが、当時の音楽の革命家たちに言わせれば、斬新さや実験性に欠けていた。

科学者は、グレツキよりもブーレーズのように考える。科学の斬新さを追いかけるあまり、すべての研究が世界の考え方を一変させるような大発見でなければならないという、強情なほど新しもの好きの風潮が生まれている。白衣を着た科学者が紙の束を振り回しながら研究室に飛び込んできて、興奮しながら新発見を宣言するという映画の一場面のように。科学者は、自分の研究が「ユリイカ！」だと思われたくて、研究内容を分析し、論文にまとめ、公表する。しかし、予想外のブレイクスルーが起こることもあるが、ほとんどの科学は漸進的かつ累積的であり、突然、決定的な真実に飛躍するのではなく、暫定的な理論に向かってゆっくりと構築される。[117] 正直なところ、ほとんどの科学は実に退屈だ。

新しい結果をめぐる過剰な宣伝をやめて、自分たちが知っていることに対して謙虚になることは、科学を退屈なものにするかもしれない。しかし、ほぼすべての状況において、「刺激的だが具体的な根拠はない」より、「退屈だが信頼できる」ほうが勝るはずだ。ＮＵＬＬの結果や再現研究をより多く発表することが、知識を深めるためのより信頼できる方法であるように、研究の不確実性や予備的な性質をより認識することは、長期的には科学を正当に理解して評価

117　この違いは、進化が着実に漸進的に起こるのか（「漸進主義」）、それとも主に静的だが、新しい種の出現という突然の大規模で爆発的な変化によって中断されるのか（「断続平衡」）という進化生物学の伝統的な論争を思い起こさせる。以下を参照。Kim Sterelny, Dawkins vs. Gould: *Survival of the Fittest* (Thriplow: Icon Books, 2007). キム・ステルレルニー『ドーキンスVSグールド』（ちくま学芸文庫・筑摩書房）

気候変動サミット
•エネルギーの自給
•熱帯雨林の保護
•サステナビリティ
•グリーン・ジョブ（緑の雇用）
•住みよい都市
•再生可能エネルギー
•クリーンな水と空気
•健康な子供
•その他
こんなのでっちあげだ、何もしなくてもより良い世界をつくれるだろう？
12/7/9 USATODAY

するためのより良い方法なのだ。新しいもの好きで、キラキラと輝く研究結果にばかり気を取られる本能にあらがって、すぐにはワクワクさせてくれないものであっても、確かな結果に価値を見出すことを学ぼうではないか。そう、「科学を再び退屈なものにする」のだ。[118]

ただし、退屈すぎてもいけない。漸進的なのはあくまでも「ほとんどの」科学で、すべてではない。インセンティブを改革する際は、振り子が逆方向に振れすぎて、科学者がリスクを冒すことや破天荒な新しいアイデアに挑戦することをためらい、大規模なイノベーションにつながるような探究心を失うようなことがあってはならない。ここで難しいのは、知識の構築に関する新しい段階的な考え方と、ブーレーズのような風変わりな人物による「ムーンショット」の研究がときに莫大な利益をもたらすという期待のあいだでバランスをとることだ。[119] もっとも、そのバランスは一般に思われている以上に調整しやすい。出版や引用を重視するあまり、革命的な進歩のきっかけとなるような奇抜で探究的な研究が妨げられていることは言うまでもない。しかしそれだけでなく、この章で挙げたような改革は、新しい発見をより意味のあるものにして、偶然の産物（あるいは人間のバイアスやスピン）と、「ネクスト・ビッグ・シング」へと私たちを導いてくれる真の魅力的な手がかりを区別できる。[120]

科学的調査をおこなうことは、最善の状態において、ある種の高潔さを伴う。普遍性、無私

118　本書で説明した問題をすべて解決したら、さらに大きな問題が待ち受けている。最終的には、科学的知見をもとに、この世界を説明して将来の観測を予想するような強力な理論を構築したい（Michael Muthukrishna & Joseph Henrich, 'A Problem in Theory', *Nature Human Behaviour* 3, no. 3 (Mar. 2019): pp. 221–29; https://doi.org/10.1038/s41562-018-0522-1）。ただし、発見の再現を試みるとばらばらに崩壊するかもしれない世界では、複雑な理論は私たちを完全に間違った道に導くことになりかねない（Ian J. Deary, Looking Down on Human Intelligence: From Psychometrics to the Brain, *Oxford Psychology Series*, no. 34 (Oxford: Oxford University Press, 2000), particularly pp. 108–109）。理論の構築より前の段階にはなるが、三角測量の視点で検討してもいいかもしれない。さまざまな角度から問題に取り組み、さまざまな前提を持つさまざまな種類の研究を用いて、すべてが1つの答えに収束するかどうかをチェックするのだ（Marcus R. Munafò & George Davey Smith, 'Robust Research Needs Many Lines of Evidence', *Nature* 553, no. 7689 (25 Jan. 2018): pp. 399–401; https://doi.org/10.1038/d41586-018-01023-3; and Debbie A. Lawlor et al., 'Triangulation in Aetiological Epidemiology', *International Journal of Epidemiology* 45, no. 6 (20 Jan. 2017): pp. 1866–86; https://doi.org/10.1093/ije/dyw314）。三角測量の歴史的な例は以下を参照（George Davey Smith, 'Smoking and Lung Cancer: Causality, Cornfield and an Early Observational Meta-Analysis', *International Journal of Epidemiology* 38, no. 5 (1 Oct. 2009): pp. 1169–71; https://doi.org/10.1093/ije/dyp317）。ただし、繰り返しになるが、個々の発見が信頼できなければ、それらをもとに三角測量の視点を試みても無駄だろう。

120　「奇抜で探求的な研究が妨げられていることは言うまでもない」：Bhattacharya & Packalen, 'Stagnation and Scientific Incentives'.

性、共有性、組織的な懐疑主義というマートンの規範にしたがって、この世界に関する真実と知識を誠実に追求するのだ。ただし、結果を大げさに誇張して、警戒心もあらわにデータを囲い込み、怠惰な手抜きをして、恥知らずなほど名声を追いかけ、恥ずべき不正を奨励するようなシステムにおいて、これらの規範は無残な姿になっている。それでも新しい世代の研究者をマートンの規範に沿って訓練し、同時に、研究者を逆方向に向かわせるようなインセンティブの氾濫を抑えることができれば、科学の宿命から科学を救い出せるかもしれない。

もちろん、この章で提案したアイデアを試す価値があると科学界を説得するには、ある程度の時間がかかる。独善的に主張したところで、非科学的というだけでなく、科学の分野によって必要とされる改革は異なる。科学的に万能な解決策はないのだ。[121] 現在のシステムを破壊して改革を強制的に押しつけるのではなく、新しい仕組みを試し、それに関する証拠を集めながら、慎重に進めなくてはならない。

理想としては、本書で挙げたメタサイエンス的な証拠から、科学に深刻な問題が起きていて、変革の必要に迫られていることを、ほぼすべての人に確信してもらいたい。しかし、「危機」という言葉は尊大で大げさだと思う人にも、最後に私の主張を聞いてほしい。[122]

これらの改革は、再現性の危機が存在しないとしても、すべてが科学にとって有益なのだ。

『レキシントン・ヘラルド・リーダー』のジョエル・ペットが描いた気候変動に関するマンガ

を、申し訳ないが少々書き換えて、再現の危機を疑う人たちに答えよう。

- オープンであること
- 透明性
- 統計の改善
- 事前登録
- エラーチェックの自動化
- 詐欺師を捕まえる賢明な方法
- プレプリント
- 採用の慣習の改善
- 謙虚な新しい文化
- その他

「再現性の危機はでっちあげだ、何もしなくてもより良い科学をつくれるだろう？」

引用：Michael Nielsen http://michaelnielsen.org/blog/the-future-of-science-2/

1 Y. A. de Vries et al., 'The Cumulative Effect of Reporting and Citation Biases on the Apparent Efficacy of Treatments: The Case of Depression', *Psychological Medicine* 48, no. 15 (Nov. 2018): pp. 2453–55; https://doi.org/10.1017/S0033291718001873

2 前掲 p. 2453.

4 あまり公表されない理由の1つはプライバシー保護法の存在である。Charles Seife, 'Research Misconduct Identified by the US Food and Drug Administration: Out of Sight, Out of Mind, Out of the Peer-Reviewed Literature', *JAMA Internal Medicine* 175, no. 4 (1 April 2015): pp. 567–577; https://doi.org/10.1001/jamainternmed.2014.7774. 以下も参照。Michael Robinson, 'Canadian Researchers Who Commit Scientific Fraud Are Protected by Privacy Laws', *The Star*, 12 July 2016; https://www.thestar.com/news/canada/2016/07/12/canadian-researchers-who-commit-scientific-fraudare-protected-by-privacy-laws.html

5 Ivan Oransky & Adam Marcus, 'Governments Routinely Cover up Scientific Misdeeds. Let's End That', *STAT News*, 15 Dec. 2015; https://www.statnews. com/2015/12/15/governments-scientific-misdeeds/

6 Chia-Yi Hou, 'Sweden Passes Law For National Research Misconduct Agency', *Scientist*, 10 July 2019; https://www.the-scientist.com/news-opinion/sweden-passes-law-for-national-research-misconduct-agency-66129

7 Morten P. Oksvold, 'Incidence of Data Duplications in a Randomly Selected Pool of Life Science Publications', *Science and Engineering Ethics* 22, no. 2 (April 2016): pp. 487–96; https://doi.org/10.1007/s11948-015-9668-7. M. Enrico Bucci et al., 'Automatic Detection of Image Manipulations in the Biomedical Literature', *Cell Death & Disease* 9, no. 3 (Mar. 2018): p. 400; https://doi.org/10.1038/s41419-018-0430-3. 後者の論文では、AIのアルゴリズムが細胞生物学の文献について指摘した画像の複製は「憂慮すべき」件数にのぼる。

10 そのようなプログラムの1つに「*RMarkdown*」がある。https://rmarkdown.rstudio.com/

12 Mark Ziemann et al., 'Gene Name Errors are Widespread in the Scientific Literature', *Genome Biology* 17, no. 1 (Dec. 2016): 177; https://doi.org/10.1186/s13059-016-1044-7

13 'Ottoline Leyser on How Plants Decide What to Do', The Life Scientific, *BBC Radio* 4, 16 May 2017.

14 Brian A. Nosek et al., 'Scientific Utopia: II. Restructuring Incentives and Practices to Promote Truth Over Publishability', *Perspectives on Psychological Science* 7, no. 6 (Nov. 2012): pp. 615–631; https://doi.org/10.1177/1745691612459058, p.619.

17 https://www.apa.org/pubs/journals/psp/?tab=4

18 Sanjay Srivastava, 'A Pottery Barn Rule for Scientific Journals', *The Hardest Science*, 27 Sept. 2012; https://thehardestscience.com/2012/09/27/a-pottery-barnrule-for-scientific-journals/ . これは「ポッタリー・バーン・ルール」と呼ばれ、アメリカの小売店チェーン「ポッタリー・バーン」の店頭の注

意書きが起源とされているが、同チェーンにはそのようなルールはなく、いわゆる都市伝説のようだ。Daniel Grant, 'You Break It, You Buy It? Not According to the Law', *Crafts Report*, April 2005; https://web.archive.org/web/20061207233337/http:/www.craftsreport.com/april05/break_not_buy.html

19 B. A. Nosek et al., 'Promoting an Open Research Culture', *Science* 348, no. 6242 (26 June 2015): 1422–25; https://doi.org/10.1126/science.aab2374. See also https://cos.io/top/

20 Jop de Vrieze, '"Replication Grants" Will Allow Researchers to Repeat Nine Influential Studies That Still Raise Questions', *Science*, 11 July 2017; https://doi.org/10.1126/science.aan7085

21 20世紀半ばと後半に有名な2つの例がある。David Bakan, 'The Test of Significance in Psychological Research', *Psychological Bulletin* 66, no. 6 (1966): pp. 423–37; https://doi.org/10.1037/h0020412. および Jacob Cohen, 'The Earth Is Round (p < .05)', *American Psychologist* 49, no. 12 (1994): pp. 997–1003; https://doi.org/10.1037/0003-066X.49.12.997.

22 Stephen Thomas Ziliak & Deirdre N. McCloskey, *The Cult of Statistical Significance: How the Standard Error Costs Us Jobs, Justice, and Lives, Economics, Cognition, and Society* (Ann Arbor: University of Michigan Press, 2008): p. 33.

23 Valentin Amrhein et al., 'Scientists Rise up against Statistical Significance', *Nature* 567, no. 7748 (March 2019): pp. 305–7; https://doi.org/10.1038/d41586-019-00857-9

24 詳細は以下を参照。Geoff Cumming, 'The New Statistics: Why and How', P*sychological Science* 25, no. 1 (Jan. 2014): pp. 7–29; https://doi.org/10.1177/0956797613504966; and Lewis G. Halsey, 'The Reign of the p-Value Is Over: What Alternative Analyses Could We Employ to Fill the Power Vacuum?', *Biology Letters* 15, no. 5 (31 May 2019): 20190174; https://doi.org/10.1098/rsbl.2019.0174

26 John P. A. Ioannidis, 'The Importance of Predefined Rules and Prespecified Statistical Analyses: Do Not Abandon Significance', *JAMA* 321, no. 21 (4 June 2019): p. 2067; https://doi.org/10.1001/jama.2019.4582

27 引用：Andrew Gelman, '"Retire Statistical Significance": The Discussion', *Statistical Modeling, Causal Inference, and Social Science*, 20 March 2019; https://statmodeling.stat.columbia.edu/2019/03/20/retire-statistical-significance-the-discussion/

30 ベイズ統計の導入として注釈付きの有用な参考文献リストが以下にある。Etz et al., 'How to Become a Bayesian in Eight Easy Steps: An Annotated Reading List', *Psychonomic Bulletin & Review* 25, no. 1 (Feb. 2018): 219–34; https://doi.org/10.3758/s13423-017-1317-5. See also Richard McElreath, *Statistical Rethinking: A Bayesian Course with Examples in R and Stan*, Chapman & Hall/CRC Texts in Statistical Science Series 122 (Boca Raton: CRC Press/Taylor & Francis Group, 2016).

31 苦境に立たされているP値に関する（その多くがとても適切な）擁護は以下を参照。Victoria Savalei & Elizabeth Dunn, 'Is the Call to Abandon P-Values the Red Herring of the Replicability Crisis?', *Frontiers in Psychology* 6:245 (6 March 2015); https://doi.org/10.3389/fpsyg.2015.00245; Paul A. Murtaugh, 'In Defense of P Values', Ecology 95, no. 3 (March 2014): pp. 611–17; https://doi.org/10.1890/13-0590.1; and S. Senn, 'Two Cheers for

P-Values?', *Journal of Epidemiology and Biostatistics* 6, no. 2 (1 March 2001): 193–204; https://doi.org/10.1080/135952201753172953

32 Daniel J. Benjamin et al., 'Redefine Statistical Significance', *Nature Human Behaviour* 2, no. 1 (Jan. 2018): pp. 6–10; https://doi.org/10.1038/s41562-017-0189-z. 以下の反応も参照。Daniël Lakens et al., 'Justify Your Alpha', *Nature Human Behaviour* 2, no. 3 (March 2018): pp. 168–71; https://doi.org/10.1038/s41562-018-0311-x. p値を使いつつ、ゼロ（あるいは差がゼロ）の結果と比較するという認識不足を回避するための新しい統計的手法もいくつかある。以下を参照。Daniël Lakens et al., 'Equivalence Testing for Psychological Research: A Tutorial', *Advances in Methods and Practices in Psychological Science* 1, no. 2 (June 2018): pp. 259–69; https://doi.org/10.1177/2515245918770963

35 「仕様曲線分析」: Uri Simonsohn et al., 'Specification Curve: Descriptive and Inferential Statistics on All Reasonable Specifications', *SSRN* Electronic Journal (2015); https://doi.org/10.2139/ssrn.2694998.「振動効果分析」: Chirag J. Patel et al., 'Assessment of Vibration of Effects Due to Model Specification Can Demonstrate the Instability of Observational Associations', *Journal of Clinical Epidemiology* 68, no. 9 (Sept. 2015): pp. 1046–58; https://doi.org/10.1016/j.jclinepi.2015.05.029.「マルチバース（多元宇宙）分析」: Sara Steegen et al., 'Increasing Transparency Through a Multiverse Analysis', *Perspectives on Psychological Science* 11, no. 5 (Sept. 2016): pp. 702–12; https://doi.org/10.1177/1745691616658637

36 Amy Orben & Andrew K. Przybylski, 'The Association between Adolescent Well-Being and Digital Technology Use', *Nature Human Behaviour* 3, no. 2 (Feb. 2019): pp. 173–82; https://doi.org/10.1038/s41562-018-0506-1. 情報開示として、オルベンとシビュルスキーは私の友人であり同僚である。

37 Sam Blanchard, 'Smartphones and Tablets Are Causing Mental Health Problems in Children as Young as TWO by Crushing Their Curiosity and Making Them Anxious', *MailOnline*, 2 Nov. 2018; https://www.dailymail.co.uk/health/article-6346349/Smartphones-tablets-causing-mental-health-problems-children-young-two.html

38 たとえば以下を参照。Jean M. Twenge, 'Have Smartphones Destroyed a Generation?', *Atlantic*, Sept. 2017; https://www.theatlantic.com/magazine/archive/2017/09/hasthe-smartphone-destroyed-a-generation/534198/; and Jean M. Twenge, *IGEN: Why Today's Super-Connected Kids Are Growing up Less Rebellious, More Tolerant, Less Happy – and Completely Unprepared for Adulthood (and What This Means for the Rest of Us)* (New York: Atria Books, 2017).

39 「テレビゲーム症候群」: https://www.who.int/features/qa/gaming-disorder/en/; Antonius J. van Rooij et al., 'A Weak Scientific Basis for Gaming Disorder: Let Us Err on the Side of Caution', *Journal of Behavioral Addictions* 7, no. 1 (March 2018): pp. 1–9; https://doi.org/10.1556/2006.7.2018.19;「オンラインポルノ中毒」: Rubén de Alarcón et al., 'Online Porn Addiction: What We Know and What We Don't – A Systematic Review', *Journal of Clinical Medicine* 8, no. 1 (15 Jan. 2019): p. 91; https://doi.org/10.3390/jcm8010091;「iPhone依存症」: André Spicer, 'The iPhone Is the Crack Cocaine of Technology. Don't Celebrate Its Birthday', *Guardian*, 29 June 2017; https://www.theguardian.com/commentisfree/2017/jun/29/appleiphone-ten-years-old-crippling-addiction;「新しい診断名が次々に生まれている」: Christopher Snowdon, 'Evidence-Based Puritanism', *Velvet Glove, Iron Fist*, 10 Jan. 2019; https://velvetgloveironfist.blogspot.com/2019/01/evidence-based-puritanism.html

40 同じ研究者たちが異なるデータセットでマルチバース分析を用いた研究も複数あるが、結論はおおむね同じである。「スクリーンタイム」をめぐる非難は誇張されていたのだ。以下を参照。Amy Orben & Andrew K. Przybylski, 'Screens, Teens, and Psychological Well-Being: Evidence from Three Time-Use-Diary Studies', *Psychological Science* 30, no. 5 (May 2019): pp. 682–96; https://doi.org/10.1177/0956797619830329. Amy Orben et al., 'Social Media's Enduring Effect on Adolescent Life Satisfaction', *Proceedings of the National Academy of Sciences* 116, no. 21 (21 May 2019): 10226–28; https://doi.org/10.1073/pnas.1902058116. すべてのオンライン活動は無害であるとか、スクリーンタイムが問題にならない子供もいる、というわけではない。それでも平均として、その影響はメディアにあおられて人々が信じていたよりはるかに小さい。

41 時系列は ClinicalTrials.gov のサイトより。https://clinicaltrials.gov/ct2/about-site/history. See also Jamie L. Todd et al., 'Using ClinicalTrials.Gov to Understand the State of Clinical Research in Pulmonary, Critical Care, and Sleep Medicine', *Annals of the American Thoracic Society* 10, no. 5 (Oct. 2013): pp. 411–17; https://doi.org/10.1513/AnnalsATS.201305-111OC

42 Sophie Scott, 'Pre-Registration Would Put Science in Chains', *Times Higher Education*, 25 July 2013; https://www.timeshighereducation.com/comment/opinion/pre-registration-would-put-science-in-chains/2005954.article

43 Eric-Jan Wagenmakers et al., 'An Agenda for Purely Confirmatory Research', *Perspectives on Psychological Science* 7, no. 6 (Nov. 2012): pp. 632–38; https://doi.org/10.1177/1745691612463078

44 Robert M. Kaplan & Veronica L. Irvin, 'Likelihood of Null Effects of Large NHLBI Clinical Trials has Increased Over Time', *PLOS ONE* 10, no. 8 (5 Aug. 2015): e0132382; https://doi.org/10.1371/journal.pone.0132382

45 「事前登録された研究の結果は、将来の研究で再現される可能性が高いのか」という究極の疑問に対する答えがまだ出ていないことは、あらためて明記しておく。時間と、より多くのメタサイエンスのデータを待つしかない。

46 Kent Anderson, 'Why Is ClinicalTrials.Gov Still Struggling?', *Scholarly Kitchen*, 15 March 2016; https://scholarlykitchen.sspnet.org/2016/03/15/why-is-clinicaltrials-gov-still-struggling/; Monique Anderson, 'Compliance with Results Reporting at ClinicalTrials.Gov', *New England Journal of Medicine* 372, no. 11 (12 Mar. 2015): pp. 1031–39; https://doi.org/10.1056/NEJMsa1409364; Ruijan Chen et al., 'Publication and Reporting of Clinical Trial Results: Cross Sectional Analysis across Academic Medical Centers', *BMJ* (17 Feb. 2016): i637; https://doi.org/10.1136/bmj.i637; Ben Goldacre et al., 'Compliance with Requirement to Report Results on the EU Clinical Trials Register: Cohort Study and Web Resource', *BMJ* (12 Sept. 2018): k3218; https://doi.org/10.1136/bmj.k3218. 心理学の研究において、事前登録された分析が対象とする夢が、実際に分析した夢と必ずしも一致しないという最初の証拠もある。Aline Claesen et al., 'Preregistration: Comparing Dream to Reality', preprint, *PsyArXiv*, 9 May 2019; https://doi.org/10.31234/osf.io/d8wex

47 『サイエンス』がおこなった調査：Charles Piller, 'FDA and NIH Let Clinical Trial Sponsors Keep Results Secret and Break the Law', *Science*, 13 Jan. 2020; https://doi.org/10.1126/science.aba8123; 違反常習者：Charles Piller, 'Clinical Scofflaws?' Science, 13 Jan. 2020; https://doi.org/10.1126/science.aba8575

48 S. D. Turner et al., 'Publication Rate for Funded Studies from a Major UK Health Research Funder: A Cohort Study', *BMJ Open* 3, no. 5 (2013):

e002521; https://doi.org/10.1136/bmjopen-2012-002521; Fay Chinnery et al., 'Time to Publication for NIHR HTA Programme-Funded Research: A Cohort Study', *BMJ Open* 3, no. 11 (Nov. 2013): e004121; https://doi.org/10.1136/bmjopen-2013-004121. 以下も参照。Paul Glasziou & Iain Chalmers, 'Funders and Regulators Are More Important than Journals in Fixing the Waste in Research', *TheBMJOpinion*, 6 Sept. 2017; https://blogs.bmj.com/bmj/2017/09/06/paul-glasziou-and-iain-chalmersfunders-and-regulators-are-more-important-than-journals-in-fixing-the-waste-inresearch/

49 以下を参照。Christopher Chambers, 'Registered Reports: A New Publishing Initiative at Cortex', *Cortex* 49, no. 3 (March 2013): pp. 609–10; https://doi.org/10.1016/j.cortex.2012.12.016. 本稿の執筆時点で225の学術誌が「事前登録研究論文」などのオプションを提供している。学術誌全体のごく一部にすぎないが、その数は増えている（https://cos.io/rr/）。以下も参照。Chris Chambers, *The Seven Deadly Sins of Psychology: A Manifesto for Reforming the Culture of Scientific Practice* (Princeton: Princeton University Press, 2017). クリス・チェンバース『心理学の7つの大罪——真の科学であるために私たちがすべきこと』（みすず書房）

52 以下に有用な概説がある。Marcus R. Munafò et al., 'A Manifesto for Reproducible Science', *Nature Human Behaviour* 1, no. 1 (Jan. 2017): 0021; https://doi.org/10.1038/s41562-016-0021

57 S. Herfst et al., 'Airborne Transmission of Influenza A/H5N1 Virus Between Ferrets', *Science* 336, no. 6088 (22 June 2012): pp. 1534–41; https://doi.org/10.1126/science.1213362

58 National Research Council et al., *Perspectives on Research with H5N1 Avian Influenza: Scientific Inquiry, Communication, Controversy: Summary of a Workshop* (Washington, D.C.: National Academies Press, 2013); https://doi.org/10.17226/18255. Appendix B: Official Statements.

59 Daniel Stokols et al., (2008), 'The Science of Team Science', *American Journal of Preventive Medicine* 35, no. 2 (Aug. 2008): S77–89; https://doi.org/10.1016/j.amepre.2008.05.002

61 たとえば以下を参照。the Psychiatric Genomics Consortium: https://www.med.unc.edu/pgc/

62 詳しい議論は以下を参照。Peter M. Visscher et al., '10 Years of GWAS Discovery: Biology, Function, and Translation', *The American Journal of Human Genetics* 101, no. 1 (July 2017): pp. 5–22; https://doi.org/10.1016/j.ajhg.2017.06.005. 言うまでもなく、遺伝子研究も大々的に、かつ不当に誇張された。以下を参照。Timothy Caulfield, 'Spinning the Genome: Why Science Hype Matters', *Perspectives in Biology and Medicine* 61, no. 4 (2018): pp. 560–71; https://doi.org/10.1353/pbm.2018.0065

64 https://www.usa.gov/government-works

65 https://www.coalition-s.org/

69 Buranyi, 'Is the Staggeringly Profitable . . . Bad for Science?'

72 前記の注54で述べたとおり、査読プロセスを公開している学術誌もある。

73 このアイデアは以下でさらに詳しく議論されている。Brian A. Nosek & Yoav Bar-Anan, 'Scientific Utopia: I. Opening Scientific Communication', *Psychological Inquiry* 23, no. 3 (July 2012): pp. 217–43; https://doi.org/10.1080/1047840X.2012.692215; 以下も参照。Bodo M. Stern & Erin K. O'Shea,

‘A Proposal for the Future of Scientific Publishing in the Life Sciences’, PLOS Biology 17, no. 2 (12 Feb. 2019): e3000116; https://doi.org/10.1371/journal.pbio.3000116. See also Aliaksandr Birukou et al., ‘Alternatives to Peer Review: Novel Approaches for Research Evaluation’, *Frontiers in Computational Neuroscience* 5 (2011); https://doi.org/10.3389/fncom.2011.00056

77 実際、すでに小規模ながら試されている。詳細は以下を参照。https://asapbio.org/eisen-appraise

79 Roland Fryer (2016), ‘An Empirical Analysis of Racial Differences in Police Use of Force [Working Paper]’, (Cambridge, MA: National Bureau of Economic Research, July 2016); https://doi.org/10.3386/w22399

80 前掲 p. 5。

81 Quoctrung Bui & Amanda Cox, ‘Surprising New Evidence Shows Bias in Police Use of Force but Not in Shootings’, *New York Times,* 11 July 2016; https://www.nytimes.com/2016/07/12/upshot/surprising-new-evidence-shows-bias-inpolice-use-of-force-but-not-in-shootings.html

82 Larry Elder, ‘Ignorance of Facts Fuels the Anti-Cop “Movement”’, *RealClear Politics,* 14 July 2016; https://www.realclearpolitics.com/articles/2016/07/14/ignorance_of_facts_fuels_the_anti-cop_movement_131188.html

83 Uri Simonsohn, ‘Teenagers in Bikinis: Interpreting Police-Shooting Data’, *Data Colada,* 14 July 2016; http://datacolada.org/50

84 この事実は、23・8%という数字に続けてワーキングペーパーの次の行で報告されているが、フライヤーと報道陣とのやりとりでは言及されなかったようだ。フライヤーの研究については以下のブログで経済学者たちがさらに批判を展開している。Rajiv Sethi, ‘Police Use of Force: Notes on a Study’, 11 July 2016; https://rajivsethi.blogspot.com/2016/07/police-use-of-force-noteson-study.html; and Justin Feldman, ‘Roland Fryer is Wrong: There is Racial Bias in Shootings by Police’, 12 July 2016; https://scholar.harvard.edu/jfeldman/blog/roland-fryer-wrong-there-racial-bias-shootings-police

85 Roland Fryer, ‘An Empirical Analysis of Racial Differences in Police Use of Force’, *Journal of Political Economy* 127, no. 3 (June 2019): pp. 1210–61; https://doi.org/10.1086/701423

87 https://www.biorxiv.org/content/early/recent（この警告は一時的なもののようだ。本書が出版される頃には変更されているか削除されているかもしれない）.

88 Kai Kupferschmidt, ‘Preprints Bring “Firehose” of Outbreak Data’, *Science* 367, no. 6481 (28 Feb. 2020): pp. 963–64; https://doi.org/10.1126/science.367.6481.963

89 Erin McKiernan et al., ‘The “Impact” of the Journal Impact Factor in the Review, Tenure, and Promotion Process’, *Impact of Social Sciences,* 26 April 2019; https://blogs.lse.ac.uk/impactofsocialsciences/2019/04/26/the-impact-ofthe-journal-impact-factor-in-the-review-tenure-and-promotion-process/

90 Jeffrey S. Flier (2019), ‘Credit and Priority in Scientific Discovery: A Scientist’s Perspective’, *Perspectives in Biology and Medicine* 62, no. 2 (2019): pp. 189–215, https://doi.org/10.1353/pbm.2019.0010

92 Smriti Mallapaty, ‘Paper Authorship Goes Hyper’, *Nature Index,* 30 Jan. 2018; https://www.natureindex.com/news-blog/paper-authorship-goes-hyper

95 たとえば以下を参照。David Moher et al., ‘Assessing Scientists for Hiring, Promotion, and Tenure’, *PLOS Biology* 16, no. 3 (29 Mar. 2018): e2004089; https://doi.org/10.1371/journal.pbio.2004089.「研究評価に関するサンフランシスコ宣言（The San Francisco Declaration on Research Assessment：DORA)」は、科学者の採用と研究の評価に数字を競い合うような指標を使うことに強く反対している。https://sfdora.org

96 Florian Naudet et al., ‘Six Principles for Assessing Scientists for Hiring, Promotion, and Tenure’, *Impact of Social Sciences*, 4 June 2018; https://blogs.lse.ac.uk/impactofsocialsciences/2018/06/04/six-principles-for-assessingscientists-for-hiring-promotion-and-tenure/

97 Scott O. Lilienfeld, ‘Psychology’s Replication Crisis and the Grant Culture: Righting the Ship’, *Perspectives on Psychological Science* 12, no. 4 (July 2017): pp. 661–64; https://doi.org/10.1177/1745691616687745

98 John P. A. Ioannidis, ‘Fund People Not Projects’, *Nature* 477, no. 7366 (Sept. 2011): pp. 529–31; https://doi.org/10.1038/477529a and Emma Wilkinson, ‘Wellcome Trust to Fund People Not Projects’, *Lancet* 375, no. 9710 (Jan. 2010): pp. 185–86; https://doi.org/10.1016/S0140-6736(10)60075-X

99 Ferris C. Fang & Arturo Casadevall, ‘Research Funding: The Case for a Modified Lottery’, *MBio* 7, no. 2 (4 May 2016): p. 5; https://doi.org/10.1128/mBio.00422-16

100 Ferris C. Fang et al., ‘NIH Peer Review Percentile Scores Are Poorly Predictive of Grant Productivity’, *eLife* 5 (16 Feb. 2016): e13323; https://doi.org/10.7554/eLife.13323

101 Kevin Gross & Carl T. Bergstrom, ‘Contest Models Highlight Inherent Inefficiencies of Scientific Funding Competitions’, ed. John P. A. Ioannidis, *PLOS Biology* 17, no. 1 (2 Jan. 2019): p.1, e3000065; https://doi.org/10.1371/journal.pbio.3000065

102 Dorothy Bishop, ‘Luck of the Draw’, *Nature Index*, 7 May 2018; https://www.natureindex.com/news-blog/luck-of-the-draw. See also Simine Vazire, ‘Our Obsession with Eminence Warps Research’, *Nature* 547, no. 7661 (July 2017): p. 7; https://doi.org/10.1038/547007a

103 以下を参照。Paul Smaldino et al., ‘Open Science and Modified Funding Lotteries Can Impede the Natural Selection of Bad Science’, *Open Science Framework*, preprint (28 Jan. 2019); https://doi.org/10.31219/osf.io/zvkwq

105 Nosek et al., ‘Promoting an Open Science Culture’.

108 Leonid Tiokhin et al., ‘Honest Signaling in Academic Publishing’, *Open Science Framework*, preprint (13 June 2019); https://doi.org/10.31219/osf.io/gyeh8

109 たとえば『サイコロジカル・サイエンス』の以下の論説を参照。Eric Eich, ‘Business Not as Usual’, *Psychological Science* 25, no. 1 (Jan. 2014): pp. 3–6; https://doi.org/10.1177/0956797613512465

111 Tom E. Hardwicke et al., ‘Calibrating the Scientific Ecosystem Through Meta-Research’, *Annual Review of Statistics and Its Application* 7, no. 1 (7 March 2020); https://doi.org/10.1146/annurev-statistics-031219-041104

113 Brian Nosek, ‘Strategy for Culture Change’, *Center for Open Science*, 11 July 2019; https://cos.io/blog/strategy-culture-change/

114 Florian Markowetz, ‘Five Selfish Reasons to Work Reproducibly’, *Genome Biology* 16:274 (Dec. 2015); https://doi.org/10.1186/s13059-015-0850-7

115 William Robin, 'How a Somber Symphony Sold More Than a Million Records', *New York Times*, 9 June 2017; https://www.nytimes.com/2017/06/09/arts/music/how-a-somber-symphony-sold-more-than-a-million-records.html. ２０１９年にポーランド国立放送交響楽団がクシシュトフ・ペンデレツキの指揮で演奏した録音（ドミノ・レコード）は特に素晴らしい。https://open.spotify.com/album/6r4bpBHOQzQ8oJoYmzmKZK

116 Luke B. Howard, 'Henry M. Górecki's Symphony No. 3 (1976) As A Symbol of Polish Political History', *Polish Review* 52, no. 2 (2007): pp. 215–22; https://www.jstor.org/stable/25779666

119 緑色蛍光タンパク質（ＧＦＰ）の発見はその典型的な例である。ＧＦＰは紫外線を当てると鮮やかに光り、現在では細胞内の特定のタンパク質の存在を示す指標やタグとして生物学で日常的に使われている。ＧＦＰの発見は生物学の知識にとって飛躍的な進歩であり、あらゆる種類の新しい研究課題の道を切り開いたが、その始まりはとても控えめだった。ＧＦＰ発見で２００８年にノーベル化学賞を共同受賞した下村脩は１９６０年代に、行き詰まりかけていたプロジェクトで、ある種類の発光生物（クラゲ）からタンパク質を精製した際にこの物質を発見した。Osamu Shimomura, 'Biographical: NobelPrize.org', *Nobel Media* (2008); https://www.nobelprize.org/prizes/chemistry/2008/shimomura/biographical/. ほかにも非現実的な研究が予想外の重要な進歩につながった例は以下を参照。Jay Bhattacharya & Mikko Packalen, 'Stagnation and Scientific Incentives', *National Bureau of Economic Research Working Paper* no. 26752 (Feb. 2020); https://doi.org/10.3386/w26752

121 Michèle B. Nuijten et al., 'Practical Tools and Strategies for Researchers to Increase Replicability', *Developmental Medicine & Child Neurology* 61, no.5 (Oct. 2018): pp. 535–39; https://doi.org/10.1111/dmcn.14054122. たとえば以下も参照。Daniele Fanelli, 'Opinion: Is Science Really Facing a Reproducibility Crisis, and Do We Need It To?', *Proceedings of the National Academy of Sciences* 115, no. 11 (13 Mar. 2018): pp. 2628–31; https://doi.org/10.1073/pnas.1708272114

122 たとえば以下を参照。Daniele Fanelli, 'Opinion: Is Science Really Facing a Reproducibility Crisis, and Do We Need It To?', Proceedings of the National Academy of Sciences 115, no. 11 (13 Mar. 2018): pp. 2628–31; https://doi.org/10.1073/ pnas.1708272114

# エピローグ

生きているうちに、真実を語れば、悪魔も恥じる！
——ウィリアム・シェイクスピア『ヘンリー四世』第1部第3幕第1場59

この原稿を書いているあいだにも、天体物理学者がブラックホールの写真撮影に初めて成功した。[1] 重度の免疫不全を抱え、ありふれた、しかし彼らにとっては致命的な感染症にかからないように隔離生活を強いられていた7人の子供が、遺伝子治療によって治癒したかもしれないと遺伝医学者が発表した。嚢胞性線維症の遺伝子レベルの治療で、この疾患を持つ人の90％に効果があることを示唆する結果が出ている。[2] 公衆衛生の研究者は、ＨＩＶ（ヒト免疫不全ウイルス）に感染しているゲイの男性が最新の抗レトロウイルス薬を服用している場合、性的パートナーに感染させる可能性は「事実上ゼロ」であると示している。[3] エンジニアは量子もつれを利用してダイヤモンドに情報を転送している。[4] 科学者はマウスの目にナノ粒子を注入して赤外線を「見える」ようにした。[5] いずれも驚異的なニュースで、科学や医学が絶えず進歩する最中でこうしたことを目撃すると、科学が人類の最も誇れる成果のひとつであることを思い出す。

少なくとも科学は驚異的であるはずだ。私たちは科学を誇りに思うべきだ。しかし、本書で見てきたような科学の欠陥を知ってしまった今、絶え間ない科学の進歩が純粋なものとは程遠いことがわかっている以上、あらゆる新しい結果に疑念を抱くかもしれない。

冒頭の新しい動きと同じころ、米国研究公正局はデューク大学のある医学研究者について、出版された39本の論文と総額2億ドルを超える60件以上の助成金申請でデータを改ざんしていたと結論づけた。[6] 別の遺伝学の教授はユニバーシティ・カレッジ・ロンドンの研究室で「ずさんな」運営を続け、数十本の不正な論文を作成した可能性があることが判明したが、辞任を拒み、いっさい責任を認めなかった。[7]『サイエンス』に掲載されたある心理学の研究は、保守派は（たとえば、突然の騒音に対して）より強い生理学的反応を示すと主張していたが、はるかに大規模なサンプルで再現できなかった。私たちがダリル・ベムの心霊研究の再現を試みた際に起きたことと多かれ少なかれ同じことが繰り返され、『サイエンス』は今回も再現研究の論文を即座に却下した。[8] 新しい盗用防止アルゴリズムは、2回以上出版されたロシア語の学術論文

7万件以上を特定し、なかには17の異なる学術誌に掲載されたものもあった。[9] 世界で最も引用されている研究者の1人であるアメリカの生物物理学者は、自分が編集に携わった論文の著者に自分の出版物を引用するように繰り返し強要していたことが発覚し、生物学の学術誌の理事の座を追われた。一度に50以上の論文に引用されるなど、彼の被引用回数は明らかに急増していた。[10]

新しい科学の進歩に、単純に感嘆することはできない。再現性のある確かな研究結果は、誤った、偏った、誤解を招くような、改ざんされた研究結果とともに提示されるものだからだ。これについて腎臓専門医のドラモンド・レニーが1986年に的確に述べている。

学術誌を幅広く批判的に読めば、最終的に出版に至るまで、ほとんど何の障害もないことに嫌でも気づく。あまりに断片的な研究も、あまりに取るに足らない仮説も、あまりに偏った、あるいはあまりに自己中心的な文献引用も、あまりにひねくれたデザインも、あまりに不手際な方法論も、あまりに不正確で、あまりに不明瞭で、あまりに矛盾した結果の提示も、あまりに利己的な分析も、あまりに回りくどい議論も、あまりにつまらない、あるいはあまりに筋の通らない結論も、印刷される論文としてあまりに品のない文法や構文も、存在さえしないかのようだ。[11]

このことに気づいたのはレニーが初めてではない。1830年に「コンピュータの父」と呼ばれる数学者のチャールズ・バベッジは、「イングランドにおける科学の衰退とその原因のいくつかについての考察」と題した論説で、科学の問題点を分類している。[12] すなわち、「でっち上げ」（自分の主張を証明するために、あとから偽の発見をつくりだす）、「偽造」（本書でおなじみの科学詐欺師。自分のごまかしを明らかにするつもりはない）、「トリミング」「調理」（いずれも現代のp値ハッキングに相当する。科学者が自分のデータや観察結果を操作して、より興味深く、より正確であるかのように見せかけること）だ。

つまり、現代の出版システムは科学の問題を悪化させているが、それ自体が最終的な原因ではない。私たちは長年、このシステムを使ってきた。長年、続いてきたこれらの欠陥に対して私たちが行動を起こしたら——どれだけ多くの進歩を遂げることができるだろうか。どれだけ多くの病気を絶滅または無力化できるだろうか。宇宙について、進化について、細胞や脳について、人間社会について、どれだけ多くのことがわかるだろうか。そして、どれだけ多くの間違った希望や袋小路を避けることができるだろうか。

私は本書をつうじて、そのような変化が進行する過程を手助けしたい。バベッジが論説の冒頭で述べているように、「科学に何らかの貢献をする」ことを望んでいる。バベッジの友人たちは彼に、科学的な慣習を批判すれば敵をつくると警告した（彼の頑固な性格も心配していたのかもしれない）。[13] 私が本書のことを友人に話すと、たいていの人が科学への信頼性に対する懸念を口にした。「そんなことを書くのは無責任ではないか。進化論やワクチンの安全性、人為的な地球温暖化に対する不信を正当化するために、あなたの主張を利用する人が出てくるのではないか。主流の科学がこれほどまでに偏っていて、その結果がこれほどまでに誇張されているのなら、そもそも一般の人々が科学者の言うことを信じるだろうか」

しかし、このような考え方は適切ではない。まず、科学への信頼は高い基準値から始まる。ウェルカム・グローバル・モニターは科学と科学者に対する人々の感じ方について世界中からデータを集めている。2018年のサンプルでは世界で平均72％の人が科学に対する信頼度は中くらいか高いと回答しており、オーストラリアとニュージーランドでは92％に達していた。[14] 一方で、中央アフリカでは48％、南米では65％など、信頼度が低い地域もあった。それでも平均は高く、イギリスをはじめ西側のいくつかの国では、科学に対する見方が「より」信頼できるものになりつつあることを示す証拠がある。[15] 世界中の人が科学に高い敬意を抱いており、科学のシステムの問題を耳にして敬意が多少薄れることはあっても、一気に信頼が崩壊することはなさそうだ。[16]

科学者は、その信頼にふさわしい存在になるために、さらに多くの努力が求められる。この

15　Ipsos MORI が行った科学への信頼に関する世論調査によると、イギリスで科学者が真実を語ると信頼している人は2018年に85％となり、1997年の調査開始以来22％増加した。Gideon Skinner & Michael Clemence, 'Ipsos MORI Veracity Index 2018', *Ipsos MORI*, Nov. 2018; https://www.ipsos.com/sites/default/files/ct/news/documents/2018-11/veracity_index_2018_v1_161118_public.pdf

ことを象徴するような調査結果があるかどうかはわからないが、科学や医学の飛躍的な進歩に関する大げさな主張をメディアが絶えず喧伝していることや、栄養疫学などの分野で矛盾する研究結果が次々とベルトコンベアーのように流れていくことは、再現性の危機についていくら議論しても届かないくらい、科学に対する信頼を大きく損ねているだろう。

しかし、それ以前に、科学に関する洗練された見解を疑いもなく信頼するべきではない。まさに「nullius in verba」——科学は「誰の言葉にも従わない」という英国王立協会のモットーのとおりだ。冷戦時代の交渉でロナルド・レーガンが好んで使ったとされるロシアのことわざ「doveryai, no proveryai（信頼せよ、しかし検証せよ）」も同じようなことを言っている。そして、これがオープンサイエンスの考え方であり、マートンの規範の共有性と組織的な懐疑主義を簡潔にあらわしている。やみくもな信頼への依存をできるだけ減らし、チェックが可能で、テストが可能で、検証が可能な証拠を、できるだけ多く世界と共有するのだ。

「代替医療というものは実際には存在せず、効果がある医療と効果がない医療があるだけだ」とも言われる。[17] 同じように、オープンサイエンスというものは、本当の意味では存在しない。科学と、学者がおこなう不可解で閉鎖的で検証不可能な活動があるだけだ。しかし、後者について私たちは、彼らが正しいと無条件で信じるしかない。

さらに踏み込んで言えば、科学を決して疑うことのできない事実の集合体だと思わせることは、非常に危険である。このような考え方は組織的な懐疑主義の規範に反するだけでなく、きわめて悪い結果を招きかねない。科学とは真実の強固な壁であり、私たちはそれを信じるしかないと思い込んでいる人は、何かが間違っていることが明らかになったときにどうなることだろう。本書で学んだことをひとつ挙げるなら、科学はかなりの頻度で間違った方向に進む。科学史家のアレックス・チサールは、気候変動についてあるケースを指摘している。

（気候変動の懐疑論者は）科学出版が正当なコンセンサスの基盤であるというおとぎ話のようなイメージを振りかざしながら、現実はおとぎ話のようにはいかないとわかると怒りをあらわにする。２００９年11月にイーストアングリア大学の気候研究ユニットから何千通もの電子メールや文書が流出したときの反応は、その典型だった。それらのメールは、気候科学者の秘密主義的な振る舞いや査読をめぐる駆け引きを暴露しているように見えた。そして、学術誌に論文が掲載された科学者の実態が、行儀の良い表向きの顔をそのまま反映したものではないという証拠を利用して、批判者たちは底が割れたと主張した。[18]

16　心理学に関する具体的な例は以下を参照。Farid Anvari and Daniël Lakens, 'The Replicability Crisis and Public Trust in Psychological Science', *Comprehensive Results in Social Psychology* 3, no. 3 (2 Sept. 2018): pp. 266–86; https://doi.org/10.1080/23743603.2019.1684822. 科学に関して再現性の失敗を突きつけられたときの人々の反応について別の研究では、科学全般を信用しない理由になると答えた人はわずか17％だった（ただし、サンプルは小さい）。Markus Weißkopf et al., 'Wissenschaftsbarometer 2018', *Wissenschaft im Dialog*, 2018; https://www.wissenschaft-im-dialog.de/fileadmin/user_upload/Projekte/Wissenschaftsbarometer/Dokumente_18/Downloads_allgemein/Broschuere_Wissenschaftsbarometer2018_Web.pdf [German].

気候科学はこの章にとっても格好の例である。近年、この分野はとりわけ狡猾な攻撃にさらされており、科学改革の言葉が政治的な運動に取り込まれている。２０１９年に米農務省は研究者に対し、すべての研究に「予備的」であることを記した文言をつけ加えなければならないという方針を発表した。[19] これは一見すると、それぞれの研究を「答え」ではなく「答えに向けた暫定的な段階」として扱うという、本書の提言と同じように思える。しかし、農務省の方針が、研究に対する人々の解釈を改善したいという純粋な気持ちから生まれたと考える人はいない。この方針が発表されたのは、農務省でおこなわれている研究の多くが気候変動に関わるものであり、その結果はドナルド・トランプのような化石燃料推進派の政権にとって不都合なことが多いからだった。

新しい規制は騒動を引き起こし、「予備的」という言葉の使用に関するガイドラインは導入から1カ月で撤回された。特に印象的だったのは、一部の科学者が政治的な攻撃に対して過剰に反応したことだ。『ジャーナル・オブ・エンヴァイロンメンタル・クオリティ』の編集者は『ワシントン・ポスト』紙の記事で、出版された論文は「研究の最終成果であり……確定している。予備的なものではまったくない」[20] と語っている。これはあまりに無邪気な発言だ。その根底には、本書で否定してきたような、理想化され美化された科学観がある。

ただし、政治家が気候変動に懐疑的な態度を取るための不誠実な口実として再現性をめぐる懸念を利用しているからと言って、科学者が自分の結果に対する自信を誇張することは正当化できない。論文の撤回を監視するサイト「リトラクション・ウォッチ」を運営するアイヴァン・オランスキーとアダム・マーカスが言うように、「化石燃料の恩恵にあずかっている政治家が、地球温暖化を疑うあらゆる機会を利用しようと目を光らせているとしても、科学者と政策立案者には長期的な視点が必要である……再現性を向上させるための重要な取り組みが進んでいる……科学の改革を悪用しようとする悪意ある脅威によって、これらの試みが頓挫することがあってはならない[21]」。

政治家は長年にわたり、自分たちの政策に不都合な科学を抑圧してきた。歴史上最も過激な例は、旧ソビエト連邦でトロフィム・ルイセンコのゆがんだ疑似科学を強制的に信奉させたことかもしれない。遺伝学を否定するカルト的なルイセンコの思想は、スターリンのソ連や毛沢東の中国で何百万人という犠牲者を出した飢饉を招いた[22]。反科学的な態度を取るのは、全体主義的な独裁政権ばかりではない。民主主義国の政治家もたびたび科学的証拠を否定し、歪曲して、有権者に迎合している。創造論にもとづいた教育を支持するアメリカの政治家、ワクチンに反対するイタリアのポピュリスト、南アフリカ政府がＨＩＶとＡＩＤＳの関連を否定して招

19　Ben Guarino, 'USDA Orders Scientists to Say Published Research Is "Preliminary"', Washington *Post*, 19 April 2019; https://www.washingtonpost.com/science/ 2019/04/19/usda-orders-scientists-say-published-research-is-preliminary/. ドナルド・トランプ米政権（当時）は、政治的な動機から過小評価の誇張をおこなったとも非難されている。米農務省の科学者による研究が気候変動の危険性を強調するものだった場合に、研究を公表するという標準的な方針を放棄したのだ。Helena Bottemiller Evich, 'Agriculture Department Buries Studies Showing Dangers of Climate Change', *Politico*, 23 June 2019; https://www.politico.com/story/2019/06/23/agriculture-department-climate-change-1376413

いた惨状、古代インドで幹細胞技術が実際に使われていたというインドのナレンドラ・モディ首相の奇怪な説などがある。[23]

比較的リベラルとされるスコットランド政府でさえ、2015年に遺伝子組み換え作物の商業栽培を禁止すると発表した。この決定は今後の研究を妨げ、スコットランドの農家は害虫耐性などの技術的進歩を逃すだろう。スコットランドの（どういう意味であれ）「クリーンでグリーンな……ブランド」の「完全性」を守ることを目的としたこの政策は、ある政治評論家に「安っぽいポピュリズム」と揶揄され、28の科学協会が署名した公開書簡で「きわめて懸念される」と指摘されている。[24] 再現性の危機やそれに伴う失敗について私たちがいくら議論したところで、政治家は票につながると思えば科学を踏みにじる。

本書の議論が、研究に対する選択的で不誠実な攻撃に悪用されるのではないかという懸念も、確かにあるかもしれない。しかし、再現性の危機とそれに関連する問題を公に議論することをやめてはならない。一般市民や政治家の目の前で、科学にペテンを働かせてはならないのだ。科学の弱点を率直に認めることは、科学を批判する人々の攻撃を未然に防ぎ、不確実性に満ちた科学のプロセスがどのように機能するかについて、広く誠実であるための最良の方法になる。

内輪の恥を公にさらすことは科学への信頼を損なうという主張は、私たち科学者が膨大な量の価値のない、誤解を招くような、根本的に信頼できない研究を世の中に送り出していることを考えたとき、これまで以上に見当違いに思える。欠陥のある研究や明らかに偏った研究の出版を許すたびに、データの裏づけがない狼少年のようなプレスリリースを書くたびに、聞き心地はいいが薄っぺらな助言を満載した一般向けの本を書くたびに、科学を批判する人々に新たな攻撃材料を与えているのだ。まず科学を修正すれば、信頼は後からついてくるだろう。

逆インセンティブが浸透し、出版システムや学界、科学者は欠陥を抱えているが、それでも科学は自らを癒すツールを持っている。より多くの科学を実践することによって、研究がどこで間違えたかを発見し、それを修正する方法を見つけることができる。

問題は、科学のプロセスの理想にあるのではない。科学を実際に進めるやり方が、科学の理想を裏切っていることだ。私たち科学者が実践と価値観を一致させようと取り組むとき、初めて揺らいでいた信頼を取り戻すことができ、素晴らしい発見に純粋な良心で驚嘆することが許される。

エミール・ゾラは、芸術とは「気質を通して見える自然の一片である」と定義した。[25] 本書で繰り返し見てきたように、この定義は科学にも十分に当てはまる。少なくとも、現在の科学のあり方に当てはまる。科学が扱う自然の一片は、偏見や傲慢さ、不注意さ、不正直さなど、あまりに人間的な気質を通して見ているにすぎない。科学が数ある「真実」のうちのひとつにすぎないと考える必要はないが、科学は間違いなく人間の活動であり、従って人間の欠点が刻み込まれている。

科学に革命を起こそうという壮大な仕事は、決して一筋縄ではいかない。試行錯誤を繰り返し、必要に応じて実験をおこなう。天動説やフロギストン説や錬金術など、科学の歴史に散見される風変わりな誤った考えを捨て去るというだけではない。現在の研究のやり方や科学の文化を根本から（あるいは研究室や学術誌から）改革することであり、私たちがほとんど気づかないうちに忍び込んだ欠陥やバイアスを克服しようという試みなのだ。

世界は、科学が私たちにもたらしたものを誇りに思っている。それは正当なことだ。その誇りを維持するために、科学者は人間の欠陥ある気質の産物よりもはるかに優れたものを提供する義務がある。

私たちは科学に真実を語らせる責任がある。

1 https://eventhorizontelescope.org

2 「重度の免疫不全」: Ewelia Mamcarz et al., 'Lentiviral Gene Therapy Combined with Low-Dose Busulfan in Infants with SCID-X1', *New England Journal of Medicine* 380, no. 16 (18 April 2019): pp. 1525–34; https://doi.org/10.1056/NEJMoa1815408; 「嚢胞性線維症」: Francis S. Collins, 'Realizing the Dream of Molecularly Targeted Therapies for Cystic Fibrosis', *New England Journal of Medicine* 381, no. 19 (7 Nov. 2019): pp. 1863–65; https://doi.org/10.1056/NEJMe1911602

3 Alison J. Rodger et al., 'Risk of HIV Transmission through Condomless Sex in Serodifferent Gay Couples with the HIV-Positive Partner Taking

Suppressive Antiretroviral Therapy (PARTNER): Final Results of a Multicentre, Prospective, Observational Study', *Lancet* 393, no. 10189 (June 2019): pp. 2428–38; https://doi.org/10.1016/S0140-6736(19)30418-0

4 Kazuya Tsurumoto et al., 'Quantum Teleportation-Based State Transfer of Photon Polarization into a Carbon Spin in Diamond', *Communications Physics* 2, no. 1 (Dec. 2019): 74; https://doi.org/10.1038/s42005-019-0158-0

5 Yuqian Ma et al., 'Mammalian Near-Infrared Image Vision through Injectable and Self-Powered Retinal Nanoantennae', *Cell* 177, no. 2 (April 2019): pp. 243-55; https://doi.org/10.1016/j.cell.2019.01.038

6 Elizabeth A. Handley, 'Findings of Research Misconduct', *Federal Register* 84, no.216 (7 Nov. 2019): pp. 60097–98; https://ori.hhs.gov/sites/default/files/2019-11/2019-24291.pdf. 詳細は以下を参照。Alison McCook, '$200M Research Mis-conduct Case against Duke Moving Forward, as Judge Denies Motion to Dismiss', *Retraction Watch*, 28 April 2017; https://retractionwatch.com/2017/04/28/200mresearch-misconduct-case-duke-moving-forward-judge-denies-motion-dismiss/

7 Ian Sample, 'Top Geneticist "Should Resign" Over His Team's Laboratory Fraud', *Guardian*, 1 Feb. 2020; https://www.theguardian.com/education/2020/feb/01/david-latchman-geneticist-should-resign-over-his-team-science-fraud

8 オリジナルの論文：D. R. Oxley et al., 'Political Attitudes Vary with Physiological Traits', *Science* 321, no. 5896 (19 Sept. 2008): pp. 1667–70; https://doi.org/10.1126/science.1157627. 再現研究論文の著者が描いたストーリー：Kevin Arceneaux et al., 'We Tried to Publish a Replication of a Science Paper in Science. 'The Journal Refused', Slate, 20 June 2019; https://slate.com/technology/2019/06/science-replication-conservatives-liberals-reacting-to-threats.html. 再現研究は最終的に出版された：Bert N. Bakker et al., 'Conservatives and Liberals Have Similar Physiological Responses to Threats', *Nature Human Behaviour* (10 Feb. 2020); https://doi.org/10.1038/s41562-020-0823-z

9 Dalmeet Singh Chawla, 'Russian Journals Retract More than 800 Papers after "Bombshell" Investigation', *Science*, 8 Jan. 2020; https://doi.org/10.1126/science.aba8099

10 Richard Van Noorden, 'Highly Cited Researcher Banned from Journal Board for Citation Abuse', *Nature* 578, no. 7794 (Feb. 2020): pp. 200–201; https://doi.org/10.1038/d41586-020-00335-7

11 Drummond Rennie, 'Guarding the Guardians: A Conference on Editorial Peer Review', *JAMA* 256, no. 17 (7 Nov. 1986): p. 2391; https://doi.org/10.1001/jama.1986.03380170107031

12 Charles Babbage, *Reflections on the Decline of Science in England, and on Some of Its Causes* (London: B. Fellowes, 1830); https://www.gutenberg.org/files/1216/1216-h/1216-h.htm

13 *International Biographical Dictionary of Computer Pioneers*, ed. John A.N. Lee (Chicago, Ill.: Fitzroy Dearborn, 1995).

14 Simon Chaplin et al., 'Wellcome Trust Global Monitor 2018', Wellcome Trust, 19 June 2019; https://wellcome.ac.uk/reports/wellcome-global-monitor/2018, Chapter 3.

17 私の調べたかぎりオリジナルの発言はジョン・ダイアモンドによる。たとえば以下でも引用されている。Nick Jeffery, '"There Is No Such Thing as Alternative Medicine"', *Journal of Small Animal Practice* 56, no. 12 (Dec. 2015): pp. 687–88; https://doi.org/10.1111/jsap.12427

18 Alex Csiszar, *The Scientific Journal: Authorship and the Politics of Knowledge in the Nineteenth Century* (Chicago: University of Chicago Press, 2018). pp. 262–3.

20 Ben Guarino, 'After Outcry, USDA Will No Longer Require Scientists to Label Research "Preliminary"', *Washington Post*, 10 May 2019; https://www.washingtonpost.com/science/2019/05/10/after-outcry-usda-will-no-longer-require-scientists-label-researchpreliminary/

21 Adam Marcus & Ivan Oransky, 'Trump Gets Something Right about Science, Even If for the Wrong Reasons', *Washington Post*, 1 May 2019; https://www.washingtonpost.com/opinions/2019/05/01/trump-gets-something-right-aboutscience-even-if-wrong-reasons/

22 トロフィム・ルイセンコ：John Grant, *Corrupted Science: Fraud, Ideology and Politics in Science* (London: Facts, Figures & Fun, 2007). スターリンのソ連と毛沢東の中国：https://www.theatlantic.com/science/archive/2017/12/trofim-lysenko-soviet-union-russia/548786/. ロシアで最近、ルイセンコの人気が再燃していることについて不穏な記述は以下を参照。Edouard I. Kolchinsky et al., 'Russia's New Lysenkoism', *Current Biology* 27, no. 19 (Oct. 2017): R1042–47; https://doi.org/10.1016/j.cub.2017.07.045

23 「創造論にもとづいた教育」：Gayatri Devi, 'Creationism Isn't Just an Ideology – It's a Weapon of Political Control', *Guardian*, 22 Nov. 2015; https://www.theguardian.com/commentisfree/2015/nov/22/creationism-isnt-just-an-ideology-its-a-weapon-ofpolitical-control;「ワクチンに反対する人々」：皮肉なことに、イタリアの反ワクチン派の有力政治家の一人が２０１９年に水痘に感染して発症し入院した。Tom Kington, 'Italian "Anti-Vax" Advocate Massimiliano Fedriga Catches Chickenpox', *The Times*, 20 March 2019; https://www.thetimes.co.uk/article/massimiliano-fedriga-no-vax-advocate-catches-chickenpox-cbnpkdbh6; ＨＩＶとＡＩＤＳの関連：Pride Chigwedere et al., 'Estimating the Lost Benefits of Antiretroviral Drug Use in South Africa', *JAIDS* 49, no. 4 (Dec. 2008): pp. 410–15; https://doi.org/10.1097/QAI.0b013e31818a6cd5;「結腸洗浄技術」：Sohini C, 'Bowel Cleanse for Better DNA: The Nonsense Science of Modi's India', *South China Morning Post*, 13 Jan. 2019; https://www.scmp.com/week-asia/society/article/2181752/bowel-cleanse-better-dna-nonsense-science-modis-india

24 「クリーンでグリーン」：Scottish National Party, 'Why Have the Scottish Government Banned GM Crops?', n.d.; https://www.snp.org/policies/pb-why-have-the-scottish-government-banned-gm-crops/;「安っぽいポピュリズム」：Euan McColm, 'Ban on GM crops is embarrassing', *The Scotsman*, 18 Aug. 2015; https://www.scotsman. com/news/opinion/euan-mccolm-ban-on-gm-crops-is-embarrassing-1-3862228;「きわめて懸念される」：Erik Stokstad, 'Scientists Protest Scotland's Ban of GM Crops', *Science*, 17 Aug. 2015; https://doi.org/10.1126/science.aad1632

25 Émile Zola, *Proudhon et Courbet I*, 引用と翻訳は以下より。Dorra, *Symbolist Art Theories: A Critical Anthology* (Berkeley: University of California Press, 1994).

# 付録

## 科学論文の読み方

第2章で紹介したように、ダニエル・カーネマンは、行動学的な「プライミング」効果を「信じないという選択肢はない」と言い切った。のちに、この効果は再現性の危機により信憑性を失った。本書で言い続けてきたのは、科学的知見に直面したとき、あなたには選択肢があるということだ――あなたがその科学を正しく評価できるようになるまで、信じるかどうか、判断を保留することができる。

しかし、具体的にどうすればいいのだろうか。1つの研究の長所と短所を完全に理解しようとすれば、普通は関連する科学分野で何年ものトレーニングが必要だということは否定できない。それでもネットで少し検索をすれば、研究の長所と短所について、ある程度の感想を持つことはできる。また、論文そのものをチェックするつもりになれば、理解しがたい専門用語のなかにいくつか危険信号が目につくかもしれない。

論文をチェックするということは、それをダウンロードできるということであり、完全なオープンアクセスがまだ存在しない世界では、あなたが興味を持っている論文は有料の壁のなかにあるかもしれない。論文にアクセスするためにカネを払いたくない場合も方法はあることにはあるが、これから説明する代替手段がすべて失敗して、それでもどうしても読みたいというとき以外は、決して試みてはいけない。

1つ目は、論文の著者の個人的なサイトや、職場や所属先のサイトを調べると、誰でもダウンロードできる無料版を公開しているかもしれない。論文の体裁が完全に整っていない場合もあるだろう。グーグル・スカラーで論文を検索し、各項目の「バージョン」のリンクをクリックすると、無料版に飛べるときもある。

2つ目は、論文のプレプリント版があるかどうかを確認することだ。プレプリント版は無料でアクセスできる。査読を経た最終的な出版物とは多少異なるかもしれないが、ほとんどの点で似ているだろう（本書で見てきたように、プレプリントが主流のメディアに掲載されるときもあり、そこで最初にその研究を目にするかもしれない)。

3つ目は、著者にメールで問い合わせることだ。研究を再現あるいは再生産しようとする人が著者に連絡してデータの提供を求めても、反応がある可能性は気が滅入るほど低いが、論文自体を求めることは大きな問題になりにくい(誰かが自分の研究を読みたいと思うほど興味を持ってくれていると聞けば、多くの科学者が喜ぶだろう)。

さて、読みたかった論文のフルバージョンを手に入れたとしよう。以下の10の質問リストを使って読み進めると、本書で学んだほぼすべてのことが1本につながる。

**1 すべてが公正か?** 最初に基本的な要素を確認する。著者は信頼できると思える大学や企業、研究所に所属しているか。研究が掲載されている学術誌は専門的なものか。1990年代に作られたようなお粗末なサイトなら、気が滅入るほどたくさんある「ハゲタカジャーナル」だろう(第7章)。そのような媒体に掲載された論文は、査読をおこなおうとさえしておらず、信用するべきではない。[2]

**2 どのくらい透明性があるか?** 言い換えれば、オープンサイエンスの概念(第8章)にどのくらい合致しているか。事前登録されていたか。これらの答えが肯定的でも研究の結果が真実であるとは断言できず、否定的でも結果が誤りであるとはかぎらない。しかし、その研究のオンライン登録が見つかれば、少なくとも結果がp値ハッキングによるものではないという確信を、多少なりとも深めることができる。[3] 事前登録の文書を追跡することは、主要な分析結果が、科学者が事前登録したものと異なっているかどうか、つまり結果の切り替えをおこなっていないかどうかを見きわめるのにも役立つ。

さらに、データなどの資料はオンラインで公開されているか。先に述べたように、すべてのデータセットをそのまま公開できるわけではない。研究に参加した個人を特定できるような情報が含まれている場合もある。しかし、そのようなケースはまれだ。完全なデータセットへのリンクが簡単に見つけられるようになっていれば、科学者が読者に対してオープンであることを示す有力な証拠になる。[4]

**3 研究は適切に設計されているか?** 第5章で説明したとおり、動物実験の研究には盲検化やランダム化に言及していないものが不審なくらい多い。盲検化やランダム化は実験デザインの基本的な側面であり、臨床試験のようにこれらの側面が重要とされる研究については、関連する議論が論文に見当たらないときは懐疑的な見方を忘れてはならない。同じように、多くの研究デザインでは、適切な対照群が必要である。記事の見出しになるような主張に対しては、つねに「何と比べたのか」を問うこと。その答えが、たとえば「実験開始前に重要な点について、治療群と異なる対照群と比較した」というものなら、あなたが見ているのはお粗末なデザインの研究であるということだ。

## 4　サンプルの大きさは？

サンプルの大きさが重要である主な理由は、統計的検定力に関連している。統計的検定力を高める方法はほかにもあって、サンプルの大きさだけが考慮すべき事項というわけではない。大きな効果を期待する研究や、参加者を何度もテストする研究など、小規模なサンプルでもまったく問題ない研究もある。また、大規模なサンプルでも、無作為で、グループ全体を代表するものでなければ、どうしようもないほど偏りが生じる可能性がある。とはいえ、神経科学、生態学、心理学などの分野では、一般的に小さな効果を小規模なサンプルで探すことはよくある間違いだ。

最終的なサンプルから除外された被験者の数にも注意すること。ごく普通の調整がおこなわれていて、避けられない除外もある。たとえば、人間の参加者が全員、指示どおりに行動することはほとんどない。しかし、除外される割合が極端に高く、たとえばサンプルの半分以上が除外されているときは、その結果を研究対象者全体に一般化しているのか、あるいは期待され

3　以下のURLに多くの国や地域の臨床試験登録のリンクがある。https://www.hhs.gov/ohrp/international/clinical-trialregistries/index.html. その他の分野は https://arxiv.org/, https://www.biorxiv.org/, https://osf.io/ などを参照。多くの事前登録論文には事前登録へのリンクがあり、臨床試験の登録IDを照会できるだろう。

4　多くの場合、出版された論文の末尾のセクションに記載されている。オープンデータ、オープンメソッド、事前登録を備えた論文に色別の「バッジ」を付与している学術誌もある（https://cos.io/our-services/open-science-badges/）。

ていた効果を示す被験者を選び、そうではない被験者を除外したのかもしれないと、疑問を感じる余地はある。

**5　効果の大きさは？**　まず確認することは、研究で報告された効果が統計的に有意であるかどうか、そして、どの程度、有意なのかということだ。有意性の閾値である0・05をわずかに下回るp値が多くないか。「有意性の傾向」といったあいまいな表現で、結果が基準に達しなかったという事実を弁解していないか。ただし、これらの点は始まりにすぎない。研究で発見された効果の大きさを確認する必要があるのだ。ほかの研究や関連する効果と比べてどうか。たとえば、教育や医療の新しい介入を分析している研究なら、すでに確立されているほかの研究と比べて、効果はどのくらい大きいか。メディアの報道や科学者本人の説明は、小さい効果しかないものを、それが唯一重要であるかのように解釈していないか。

「引き出し」のなかにNULLの結果になった研究がいくつも隠されているかもしれないことを考えると、効果の大きさを多少なりとも下方修正することは、読み手の印象にとっては有効だろう。逆に言えば、効果がありえないほど大きい場合は――「真実と見なすには良すぎる」――研究に何か問題があったのではないかと疑うべきだ。p値についても同様で、有意な結果のみ報告している、あるいはほぼすべての結果が有意である研究は、素直にうなずくわけにはいかない。研究が統計的に完全な検定力を持つことはなく、実際は検定力がかなり低いことが多い。そのため、たとえ効果が実際にあったとしても、p値が0・05の閾値を上回る場合もあると考えられる。多くのp値を提示している研究で有意な結果がずらりと並んでいれば、p値ハッキング（あるいは、それ以上に悪質な行為）の可能性が高い。

**6　推論は適切か？**　科学者は相関関係に関する研究しかおこなっていなくても、因果関係を連想させるような言葉を忍び込ませることがよくある。観察研究を用いて、変数Xが変数Yにどのような影響を与えているか、どのような変化をもたらしているか、どのような作用をしているかについて語っている場合、彼らはデータを超越していることになる。観察研究ではランダム化された介入がおこなわれないので、普通は因果関係の結論を出すことはできないのだ。同様に、ラットやマウスを使った実験やコンピュータによるシミュレーションが、「人間の場合どのように機能するか」について必然的に語るという推論には正当性がない。選別された小規模な集団を対象にした研究が、一般的な人間性について何かを語っているかのように提示している研究も同じである。

**7　バイアスが働いているか？**　研究に明らかに政治的もしくは社会的な意味合いがあり、それについて公平とは言えない書き方をしていないか。本書で見てきたとおり、誇張やスピンは、査読済みの論文でも露骨におこなわれている場合が少なくない。研究の全部または一部が、特定の結果を支持するグループや企業から資金提供を受けていないか。ほぼすべての学術誌が掲載する論文に義務づけている「Funding statements／研究助成金に関する説明」と「Conflict of Interest section／利益相反事項」を見れば、何かしらわかるだろう（ただし、現段階では、論文の結果に直接関連する可能性のある書籍の執筆契約や講演ツアーなどに言及する必要はない。こうした付随的な活動については著者のサイトを確認することもできる）。

科学者が研究結果について議論する際に暫定的であることを適切に示し、ある政治的見解や特定の政策がこの研究結果によっておおむね正当化されたとジャーナリストに説明しているような報道が見当たらなければ、自分のバイアスを抑制していると言う好ましい兆候だ。ちなみに、その研究が「自分の」イデオロギー的な先入観に沿っているときは、バイアスを確認することはさらに重要になる。自分がたまたま結論に同意できないから、不釣り合いなほど厳しく研究を吟味しているのか。自分が信じたいことを補強する脆弱な研究だから、大目に見ているのか。あなた自身が考えてみよう。

## 8　どのくらい信憑性があるか？

人間を対象とした研究では、自分が参加したらどうだろうと想像するのも有効な戦略である。[5] たとえば、栄養疫学の研究で過去10年の間食の習慣について食物摂取頻度質問票（ＦＦＱ）に記入するとき、あなたの記憶はどのくらい正確か。過去数週間ではどうか。おそらく「あまり正確ではない」となるだろう。行動実験では、あなたならすべてのテストが終わるまでに疲弊してしまうだろうか。研究者はそうした点を考慮しているか。研究の環境（たとえば、大学の研究室）は、科学者が本当に知りたいと思っている設定（たとえば、重要な就職の面接）に近かったか。言い換えれば、この研究は本当に知りたい質問に答えているのか。参加者の立場になって考えると、研究の信憑性に関するこうした基本的な疑問が見えてくる。

## 9　再現されているか？

1つの研究を信頼しすぎないこと。科学者が自分で自分の研究結果を再現していれば、安心だろう。完全に独立した研究機関のほかの研究者が再現していれば、さらに心強い。まずは、出版された再現実験があるかどうかを検索してみる。[6] 研究の主要な結果や、似たような結果に関するレビューやメタアナリシスがあれば、その結果は単なる異常値なのか、また、その結果がより広い理論に合致するかどうか、わかるかもしれない（あなたが注目している研究が、以前の結果の再現を試みたものだという場合もある）。

もちろん、レビューやメタアナリシス自体が、ソースとなる研究の質の低さや出版バイアスによって汚染されていることも考えられる。すべての研究が事前登録されているメタアナリシスを見つけることができれば大当たりだが、私はそのような逸品に出会ったことはまだない（事

5　このアイデアは友人のサロニ・ダッタニが考えた。
6　グーグル・スカラーは各論文のエントリーの下に「cited by／引用元」機能があり、この検索に役立つ。

前登録は一般的になりつつあり、今後は変わるはずだ)。まったく新しい研究の場合、当然ながら再現研究は見つからないだろうが、再現研究が出てくるまでその妥当性の判断を保留するといいだろう。

## 10 ほかの科学者はどう考えているか?

科学研究に関する優れた報道は、独立した科学者の意見を引用しているものだ。即座に反応があるかどうかは注目に値する。たとえば、イギリスの慈善団体サイエンス・メディア・センターは新しい論文が発表されるたびに、さまざまな分野の独立した専門家からコメントや反応を募り、サイトで公開している。[7] これは論文が正式に発表された後も査読がおこなわれるという素晴らしい例だ。「パブピア(Pubpeer)」などのサイトの検索も役に立つ。パブピアは科学者が匿名で意見を投稿して議論できるサイトで、小保方晴子が捏造した幹細胞の図など、ほかにも多くの詐欺師の試みをいち早く突き止めている。[8]

その論文について議論しているブログやサイトがあるかどうかを検索サイトで探したり、ツイッター(現X)を検索したりするのもいい方法だ。ただし、こうした検索では、研究について十分な情報を得ているものやそうではないもの、まじめなものと不真面目なもの、バイアスがあるものとないものの両方を得ることになるので注意が必要だ。[9] しばらく前に発表された研究なら、グーグル・スカラーの「cited by/引用元」の機能を使ってその研究が引用されているものを探し、それが肯定的なものか否定的なものかを確認することもできる。[10]

これらの一般的な方法は、いずれも完璧ではないし、あらゆる形態の研究に適用できるわけでもない。特定の研究の長所と短所についてより深い洞察を得るためには、その研究分野に関する事前の知識と経験があったほうが好ましいことは、言うまでもない。ただし、主張を額面どおりに受け入れることだけは気をつけなければならない。

スティーブン・ジェイ・グールドとサミュエル・モートンの世紀をまたぐ物語や、頭蓋骨の大きさをめぐる終わりのない議論から学んだ教訓を、つねに心に留めておこう。ある研究に対する壊滅的（に見える）批判があったとしても、その批判自体が間違っているかもしれないし、批判に対する批判も間違っているかもしれない。それは本書で論じてきたすべてのことに当てはまる。

自分が何を知っていて、何を知らないのかについて、謙虚になること。それが基本のなかの

7 https://www.sciencemediacentre.org/; ソーシャルメディアセンターはドイツなどいくつかの国にもある。https://www.sciencemediacenter.de/. For more see Ewan Callaway, 'Science Media: Centre of Attention', *Nature* 499, no. 7457 (July 2013): pp. 142–44; https://doi.org/10.1038/499142a

9 たとえばツイッター（現X）の検索バーに学術誌の記事のURLをペーストすると、その論文に関連するすべてのツイートとコメントが表示される。ツイッターでは多くの科学者が自分の専門分野の論文をわかりやすく批評しており、一般向けの解説の情報源としてもっと活用できるだろう。

10 研究がどのように引用されているかを知るための新しい興味深いツールに scite（https://scite.ai/）がある。このアルゴリズム（実際の科学者の判断をもとに訓練されている）は、ある研究を引用している論文がその研究に言及している文脈を分析して、その研究を「支持する」「反論する」、あるいは単に「言及する」（つまり中立）に分類する。まだ開発中のアルゴリズムで、完璧な分析とはいかないが、それぞれの論文が問題の研究に言及しているテキストを抜粋して読者が判断できるようにしている。これは科学者の研究生活を手助けし、科学者によるミスを防ぐために次々と登場している技術的ツールの1つにすぎない。

基本である。この教訓は、科学研究の理念の対極にあると思えるかもしれない。科学研究とは、世界に関する新しい事実を発見し、知識を増やし続けることにほかならない。だが、しばし考えてみてほしい。これこそが科学の本質である。

1 Daniel S. Himmelstein, 'Sci-Hub Provides Access to Nearly All Scholarly Literature', *eLife* 7 (1 Mar. 2018): e32822; https://doi.org/10.7554/eLife.32822

2 ハゲタカジャーナルのオンラインのリストはたとえば以下を参照。https://beallslist.weebly.com/

8 https://pubpeer.com/

# 謝辞

すべては、私の著作権エージェントのウィル・フランシスが、このテーマで私が本を書けばいいと思いついたことから始まった。ウィル、ＰＪマーク、そしてジャンクロウ&ネスビットのチーム全員が、この本の構想、提案、執筆のすべての段階でけたはずれに協力してくれた。

編集者のウィル・ハモンドとグリゴリー・トビスとの仕事は、編集とは醜い大理石の塊を魅力的な彫刻に変えるプロセスであるという決まり文句をしばしば思い出させた。彼らが信じられないほど明確で、思慮深く、詳細にわたる意見をこの本に与えなければ、あなたはこの本（その段階で本と呼べたかどうかもさだかではない）を読もうとは思わなかっただろう。それは間違いない。この本が誕生したのは、ほかならぬボドレー・ヘッドのウィルとメトロポリタン・ブックスのグリゴリーのチームのおかげだ（特にアリソン・デイヴィウスとサラ・フィッツに感謝している）。マリゴールド・アトキーの丁寧でユーモアのある編集と、ヘンリー・カウフマンの心強い法的アドバイスにも大いに感謝している。

友人たちはさまざまな段階で原稿を読んでコメントをくれた。彼らからのインプットにとても助けられた。ニック・ブラウン、イヴァ・キューキッチ、ジェレミー・ドライヴァー、ステイシー・ショー、クリス・スノウダウン、ケイティ・ヤング。最も感謝しなければならない読者が2人いる。サロニ・ダッタニは、私が章を1つ書き上げるたびに最初の原稿をすぐに読んで、どんなふうに見えるか、どこがよくてどこがわかりにくいか、即座にフィードバックをくれた。そして、アン・シェールは彼女の役割をはるかに超えて、統計学の専門知識をもとに、オープンサイエンスに関する膨大な知識や、言い回しとニュアンスに対する恐ろしいほどの洞察力を発揮して、数々の統計学的な（さらにはほかの種類の）落とし穴から私を救い出した。

新しいストーリーや文献を紹介してくれたり、科学やその問題について興味深い会話や議論をしてくれたり、執筆中になくてはならない励ましをしてくれたりした人々にも感謝している。ベスト・ピクチャーのすべてのメンバー（ボビー・ブルーベル、ケニー・ファーカーソン、ユアン・マコルム、イアン・ランキン）、ファット・コップスでまだ名前を挙げていないすべてのメンバー（クリス・アイラ、クリス・ディーリン、アル・マリー、ニール・マリー）、モラグとナイジェル・

アトキンソン、マイク・バード、ユアン・バーニー、ロビン・ビッソン、サム・ボウマン（認めざるを得ないが、本書のタイトルの最初のアイデアをくれたのは彼にほかならない）、クリス・チャブリス、トム・チヴァーズ、サイモン・コックス、ゲイル・デイヴィス、イアン・ディアリー、ローリー・エルウッド、アラスデア・ファーガソン、パトリック・フォーシャー、アンナ・フュルチュス、ロジャー・ギナー＝ソロラ、ニール・グーチ、サスキア・ハーゲナーズ、サラ・ハイダー、ルイス・ハルシー、ペイジ・ハーデン、クリスティ・ジョンソン、マイク・ジョーンズ、ムスタファ・ラティフ＝アラメシュ、リカルド・マリオニ、ダミアン・モリス、ニック・パーティントン、ロバート・プロミン、ジェニファー・ラフ、ジョー・ロウリング、アダム・ルーサーフォード、エイルウィン・スカリー、エイドリアン・スミス、ベン・サウスウッド、マイケル・ストーリー（と犬のラスカ）、エリオット・タッカー＝ドロブ、シミン・ヴァジア、レイチェル・ワグナー、エド・ウエスト、サム・ウエストウッド、タル・ヤーコニ、サイエンス・メディア・センターのメンバー。キングス・カレッジ・ロンドンのSGDPセンターの同僚たちのおかげで、帰宅して執筆に取りかかる前に、毎日とても楽しく仕事をすることができた。感謝するべき人が多すぎてひとりひとりの名前を挙げることはできないが、素晴らしいサポートをしてくれた学部長のフランキー・ハッペとキャスリン・ルイスを忘れるわけにはいかない。

もちろん、上記（そして下記）の人たちは、私が本書で主張していることのすべて（あるいは一部）に必ずしも同意しているわけではないし、私自身のバイアスや怠慢によって生じた誤りについては、誰ひとり責任を負わない。ちなみに、そうした誤りを見つけたらsciencefictions.orgというサイトに正確な情報を教えてほしい。訂正があればこのサイトに掲載する。

たくさんの人たちが、科学の詐欺やバイアス、怠慢、誇張にまつわる（しばしば衝撃的な）物語を私に教えてくれた。学生や研究助手として、物事がひどく間違った方向に進んでいることを研究室で直接、体験したという人もいる。残念ながらほんの一部しか触れることができなかったが、本書が出版されたことによって、研究不正の事例を知っている人や、誠実ではあるが欠陥のある研究を知っている人が、それを世に問うために最善を尽くすきっかけになってほしいと願っている。

本を書くのは難しいことだ。いろいろなプロジェクトのことで私に連絡をしてもなかなか反応がなくてどうしたものかと思っていた同僚にも、本格的な執筆に入って最も忙しい時期に私が地球上から姿を消したと思っていたに違いない友人たちにも、謝罪するしかない。両親はこれまでと同じように、すべての過程においてとにかく思いやりと高揚感を与えてくれた。言葉では言い表せないほど感謝している。しかし、この本にいちばん直接的な影響を受けたのはキャサリン・アトキンソンだ。私が「……執筆に戻らないと……」と何回繰り返しても、決して不満をもらさずに耐えてくれた。間違いなく、私には分不相応なほどの忍耐だった。この本を彼女に捧げる。

スチュアート・リッチー
2020年3月

［著者］
**スチュアート・リッチー**

心理学者。キングス・カレッジ・ロンドンの精神医学・心理学・神経科学研究所の講師。2015年に科学的心理学会（アメリカ）の「期待の星（ライジング・スター）」賞を受賞。『タイムズ』『ワシントン・ポスト』『ワイアード』などに数多く寄稿し、BBCラジオなどの出演もある。X（旧Twitter）は@StuartJRitchie.

［訳者］
**矢羽野 薫**

翻訳者。主な訳書に『人間はどこまで耐えられるのか』（河出書房新社）、『運のいい人の法則』（角川文庫）、『ヤバい統計学』（CCCメディアハウス）、『マイクロソフトでは出会えなかった天職』『ザッポス伝説2.0 ハピネス・ドリブン・カンパニー』（ダイヤモンド社）などがある。

Science Fictions　あなたが知らない科学の真実

2024年１月30日　第１刷発行

著　者――スチュアート・リッチー
訳　者――矢羽野 薫
発行所――ダイヤモンド社
〒150-8409　東京都渋谷区神宮前6-12-17
https://www.diamond.co.jp/
電話／03･5778･7233（編集）　03･5778･7240（販売）
ブックデザイン―杉山健太郎
製作進行――ダイヤモンド・グラフィック社
校正―――――鷗来堂
印刷・製本―三松堂
編集担当――榛村光哲、横田大樹


ISBN 978-4-478-11340-0